Jaque a Napoleón

Vicente Raga

(Valencia, España, 1966, viviendo en Irlanda)

PREGUNTA: Estudió Derecho, un Máster, aprendió idiomas... para acabar de político y escritor.

RESPUESTA: Jajajaja, dicho así parece que he ido a menos, ¿verdad? Haber sido concejal en mi ciudad durante más de seis años, además de un orgullo, fue vocacional y no remunerado. Siempre he pensado que uno tiene que devolverle a la vida una parte de lo que ella le ha dado. Ahora mismo, vivo y trabajo en Irlanda. Ser escritor es disfrutar de una afición y si, además, la gente le gusta lo que escribo y me lee, pues mucho mejor. Se podría decir que mis pasiones vitales son la familia, mis amigos, la escritura, la lectura y conocer el mundo, viajando todo lo que pueda.

P: ¿Por ese orden?

R: Supongo que sí, pero todas ellas me apasionan. Si me quitaran alguna, supongo que ya no sería Vicente Raga.

P: ¿Cómo se siente frente a su nueva creación?

R: Nervioso. No me había pasado con las diez novelas anteriores relacionadas con «Las doce puertas», pero esta vez es diferente.

P: ¿Qué la hace diferente al resto?

R: Dejo atrás, de forma definitiva, la exitosa saga de «Las doce puertas» y profundizo en algunas de mis pasiones, que resumo en una sola frase: contar una aventura basada en hechos históricos reales, uniendo a todo ello una de mis aficiones favoritas, el ajedrez. He disfrutado muchísimo preparando y escribiendo esta trilogía en un solo volumen. Tan solo por eso ya ha merecido la pena el tiempo invertido, que ha sido mucho, sobre todo en documentación histórica.

Jaque a Napoleón

Addvanza, 2021

P: Año nuevo, ¿novela nueva?
R: Bueno, aunque sea un único libro, en realidad contiene tres novelas, ya que se trata de una trilogía unida. Además, es algo nuevo y nada tiene que ver con mis novelas anteriores.
P: **¿Qué quiere decir con eso?**
R: Ya anuncié que me abro a nuevas experiencias literarias. Una vez dejada atrás la exitosa saga de «Las doce puertas», que ha vendido y sigue vendiendo cientos de miles de copias en todo el mundo, ahora emprendo un nuevo camino.
P: ¿Qué camino es ese?
R: Le respondo con otra pregunta, ¿qué tiene que ver un genio americano del ajedrez, un nacionalista italiano y Napoleón? Parecen tres personajes divergentes. Tres aventuras que nada tienen que ver entre sí. Pero ya me conocen, nada es lo que parece. Los tres tienen mucho en común.
P: ¿Nos puede anticipar algo? Porque es cierto que no parecen guardar relación entre ellos.
R: Desde luego que la tienen, aunque no lo parezca. Todo gira en torno a la mejor partida de ajedrez de la historia, Toda la trilogía trascurre al ritmo de la música y del ajedrez. Hasta aquí puedo contar. El resto deberán descubrirlo mis lectores a través de las tres novelas incluidas en este libro, tituladas **«La apertura»**, **«El medio juego»** y **«El final»**, que son las tres partes en las que se divide una partida de ajedrez. Como siempre, esperen lo inesperado y disfruten de una gran aventura histórica basada en hechos reales, tanto como yo lo he hecho escribiéndola.

JAQUE A NAPOLEÓN

TRILOGÍA COMPLETA

VICENTE RAGA

addvanza books

Primera edición, agosto de 2021
Segunda edición, octubre de 2021
Tercera edición, enero 2022
Cuarta edición, marzo 2022

Fotocomposición y maquetación: Addvanza Ltd.

Ilustraciones y fotografía: Leyre Raga y Cristina Mosteiro

Edición supervisada por Luis del Rey Schnitzler

ISBN: 978-84-1229655-6
DEPÓSITO LEGAL

Cuando apenas era un niño de cuatro años de edad, mi padre me trasmitió su amor por la historia y a jugar al ajedrez.

Muy poco después, mi madre me enseñó que leer y aprender son una ventana a la libertad y a la imaginación.

Ambos abrieron la caja de Pandora.
Ahora no sé cómo cerrarla.

Va por ellos.

Índice

Nota previa del autor

Este libro, que contiene tres novelas concatenadas, está basado en hechos reales.

Los personajes de ***Jaque a Napoleón*** existieron en la realidad, en su adecuado contexto histórico y aparecen con sus nombres verdaderos.

Las dos primeras novelas, **«La apertura»** y **«El medio juego»** narran hechos históricos que sucedieron tal y como se relatan.

La tercera novela, **«El final»**, contiene hechos históricos y novelados, pero, a pesar de ello, todos los personajes son reales y la historia en la que está incrustada la novela es auténtica.

Espero que disfruten de una aventura histórica, donde convergen el nacionalismo, el ajedrez y Napoleón.

LIBRO PRIMERO

LA APERTURA

«Yo siempre he sentido un poco de lástima hacia aquellas personas que no han conocido el ajedrez. Justamente lo mismo que siento por quien no ha sido embriagado por el amor. El ajedrez, como el amor, como la música, tiene la virtud de dar felicidad al ser humano»

Siegbert Tarrasch (Prusia, 1862 – Alemania, 1934), fue uno de los ajedrecistas más influyentes entre finales del siglo XIX y los inicios del siglo XX.

1 NUEVA ORLEANS, 21 DE JUNIO DE 1845

—Tío, no deberías de haber aceptado las tablas.

De inmediato, Ernest Morphy se giró hacia su sobrino. Apenas había estado observando los últimos treinta minutos de una partida de ajedrez, que se había desarrollado durante más de cuatro horas.

—¿Por qué dices eso? —exclamó, sorprendido.

—Porque tenías la partida ganada —le respondió, con absoluta seguridad.

—No, no es así —le reprendió, categórico—. Apenas llevas un rato observándonos y no has visto toda la partida. No sabes lo que ha ocurrido antes de que llegaras.

—Te equivocas, tío. Aunque no haya estado con vosotros desde el principio, me hago una idea de lo que ha pasado en el tablero.

Ernest Morphy parecía que iba a perder la paciencia, pero se contuvo. Al fin y al cabo, su sobrino cumpliría mañana los ocho años de edad. Se calmó e intento ser amable con él.

—Escucha, Paul. Este es un juego muy complejo. Aunque sé que te gusta observarnos cuando tu padre y yo estamos frente al tablero, no es nada sencillo comprenderlo. No basta con saber cómo se mueven las piezas, detrás de ello hay mucho más. Cuando seas mayor, quizá logres entenderlo y hasta consigas ser un buen jugador.

Paul seguía igual de serio que al principio. Su rostro no dejaba traslucir ninguna emoción.

—Te vuelves a equivocar, tío. Es un juego muy simple. Se trata de matar al rey de tu adversario, ¿no? El que primero lo consigue gana la partida. La verdad, no sé dónde está la complicación de este juego.

Ahora, Ernest Morphy no pudo evitar reírse. Ya se le había pasado el enfado inicial.

—Mirado así, quizá tengas razón, pero es la visión de un niño. No te tomes a mal mis palabras, sé que eres muy inteligente y te fijas mucho. Ya sé que la posición de mi rey es sólida y supongo que te habrás dado cuenta. Por eso crees que es más fácil que yo mate al rey de tu padre que él mate al mío, empleando tu mismo lenguaje. Pero también habrás observado que llevo dándole jaques a su rey un buen rato, sin ningún resultado. Tenemos pocas piezas sobre el tablero y ya no me quedan opciones de matarlo.

—Sí que te quedan —insistió, tozudo.

—Querido hijo —intervino ahora Alonzo Morphy, en tono conciliador—, tu tío tiene razón. Es una posición muy clara de tablas. Como te ha dicho, apenas nos quedan piezas y Ernest se ha lanzado en tromba contra mi rey, pero se ha quedado sin recursos. Ha hecho bien en aceptar las tablas que le he ofrecido. Me he defendido de su ataque, intercambiando piezas, para aliviar la presión a la que me estaba sometiendo y lo he conseguido. Te aseguro que ya no le quedan recursos para continuar. Aunque a ti te pueda parecer un simple juego de matar cuanto antes al rey de tu oponente, como ya te ha dicho tu tío, hay mucho más detrás de ese simple razonamiento. No te preocupes, aún eres muy joven. Llegará el día en que lo comprenderás.

Paul se les quedó observando con una extraña mirada de determinación.

—¿No os dais cuenta? Ya lo hago y me sigue pareciendo simple.

—Paul, ¿para qué te metes en estas cosas de mayores? —le susurró al oído Charles, que estaba un tanto abochornado por la escena.

Charles Maurian era el mejor amigo de Paul. Eran compañeros en la escuela y tenían la misma edad. Esa mañana, aprovechando que era sábado, habían salido a jugar por el campo y se estaban divirtiendo. Charles era mucho más corpulento que Paul, que tenía una constitución física un tanto débil, por lo que Charles tenía ventaja a la hora de correr y de cualquier otro juego que requiriera destreza física. No obstante, Paul se lo pasaba bien. No tenía muchos amigos y

Charles era muy noble y divertido. A pesar de su evidente superioridad, en ocasiones se dejaba ganar para que no se sintiera mal, aunque Paul era perfectamente consciente de ello.

Mientras ambos se divertían persiguiendo ranas en un estanque próximo a la residencia de Paul, en el número 89 de la Royal Street de Nueva Orleans, de repente, Charles notó que su amigo se quedaba inmóvil, mirando hacia su casa. En un principio pensó que la madre de Paul, Thelcide, le estaba llamando. Llevaban jugando por lo menos tres horas y se acercaba la hora de la comida.

Charles no podía estar más equivocado.

Lo que había llamado la atención de Paul no era su madre, sino su padre. Más en concreto, lo que estaba haciendo su padre, el fiscal Morphy, que era jugar al ajedrez con su hermano, Ernest Morphy, tío de Paul.

Paul le propuso a su amigo dejar de perseguir a aquellos saltarines bichos y acercarse a ver la partida. Charles iba a decirle que de eso nada, pero cuando se quiso dar cuenta, Paul ya había empezado a correr en aquella dirección. Quiso alcanzarlo y tirarlo al suelo, para comenzar un nuevo juego, pero no lo logró. Por primera vez, de manera legítima, Paul había sido más rápido que él.

Durante media hora habían estado observando la partida. Bueno, lo que se dice observar, lo había hecho Paul. Charles se había limitado a intentar convencer a su amigo de que dejaran aquello, ya que no comprendía ese juego y se estaba aburriendo. Paul se limitó a pedirle silencio y a ignorar sus ruegos.

Ahora, Charles estaba avergonzado por la situación que se había creado con las palabras de su amigo. A pesar de la amable contestación, tanto del padre de Paul como de su tío, estaba claro que no les había hecho ninguna gracia la intrusión en su juego, que era de mayores.

—Déjalo ya, por favor —insistió Charles al oído de Paul, con un evidente tono de incomodidad. Aunque fueran familiares de su amigo, no dejaban de ser el fiscal general y su hermano, entretenidos en su pasatiempo favorito. Ellos eran unos extraños en aquel escenario. Además, el enano de Paul se había atrevido a llevarles la contraria en algo que no comprendía.

—Ya hemos retirado las piezas e íbamos a comenzar una nueva partida. Me parece que llegas tarde —dijo Ernest Morphy.

—Eso no es un problema —Paul insistía.

Su padre se quedó observándolo. Ya conocía de sobra la tozudez de su hijo, así que decidió retarle, para que los dejara en paz y, de paso, darle una lección de humildad.

—¿No es un problema que no haya ninguna pieza en el tablero? —le preguntó—. ¿Eres capaz de reproducir la última posición?

—¿Puedo? —preguntó Paul, mientras dirigía su mirada hacia las piezas.

—Adelante, todas tuyas —le contestó su padre, un tanto perplejo.

Paul tomó las piezas y las situó en el tablero, en la misma posición en la que habían acordado tablas. Tanto su padre como su tío lo observaban con evidente sorpresa.

Se quedó en silencio, mirando con atención el tablero.

Alonzo se empezaba a arrepentir de la situación en la que había puesto a su hijo. Observando de nuevo la partida, en el momento en el que habían acordado tablas, no veía otra opción posible más que esa.

—Era esta la posición, ¿no? —preguntó Paul, saliendo de sus pensamientos.

—Sí —le respondió Ernest, que no podía ocultar su sorpresa—. Nos acabas de demostrar que tienes buena memoria, pero eso no es suficiente. Ahora me explicarás, con tan solo una torre, cómo puedo ganar esta partida.

—Precisamente con la torre —le respondió su sobrino, mientras la movía en el tablero, dando jaque al rey de su padre.

Alonzo y Ernest Morphy se quedaron mirando a su sobrino, con una sonrisa en su rostro.

—Escucha, Paul —dijo Ernest en un tono condescendiente y pedagógico—. Si hago ese movimiento, poner mi torre justo delante de su rey, sin tenerla cubierta, tu padre se limitará a capturarla con su rey y perderé la única pieza importante que me queda. ¿Qué gano con eso?

—La partida —le respondió, sin dejar de mirar el tablero—. Es cierto que las negras deben de tomar la torre, es su única opción, pero después, tú debes avanzar el peón de dama.

Mientras hablaba, reproducía una secuencia de dos movimientos.

—¿Lo veis ahora? El sacrificio de la torre ha permitido que los peones acorralen al rey. En dos movimientos más, el rey negro estará muerto, con el peón. No tiene ninguna escapatoria posible.

Los semblantes de Alonzo y Ernest Morphy habían cambiado por completo. Nunca se habían planteado ese movimiento, que, en apariencia, parecía irracional. Ahora, su mirada ya no se dirigía a Paul, sino al tablero. Estaban como hipnotizados. Sin dudarlo ni un momento, se volvieron a sentar en sus sillas. Durante un instante, se produjo un incómodo silencio.

—Creo que ya os he demostrado lo que quería —les dijo.

No le contestaron, aún seguían ensimismados observando el tablero.

Paul levantó los hombros y se giró hacia su amigo.

—Ya nos podemos ir. La partida, ahora sí, ha terminado como debía.

—¡De eso nada! —exclamó Alonzo—. ¿Cómo has sido capaz de ver un jaque mate con cuatro movimientos de antelación, en este final tan complejo? Además, ¡con ese sacrificio tan inesperado!

—Muy simple —le respondió su hijo—. Porque no era una posición compleja. El sacrificio de la torre no tiene ninguna importancia, lo tiene el desarrollo del conjunto de las piezas. Su armonía. El ajedrez es como la música.

—No te entiendo.

—¿El juego no lo gana quién mata al rey del rival? Pues yo lo he hecho. ¿Qué tiene de complejo eso? Desde luego es un juego muy divertido, pero no lo veo tan complicado como decís que es.

—Te aseguro que sí que lo es —intervino ahora Ernest—. Lo que acabas de hacer no es normal.

—¿Qué es lo que no es normal? —le replicó Paul—. Ya te había dicho que no debiste aceptar las tablas. La partida era tuya, matabas al rey negro. Ahora, ¿ya me puedo ir con Charles a seguir jugando?

Alonzo y Ernest Morphy asintieron con la cabeza, casi como autómatas.

Cuando los dos niños ya estaban fuera de su vista, ambos se quedaron mirando.

—Esto no ha sido normal —sentenció Ernest.

—Desde luego que no —respondió Alonzo, cuyo semblante reflejaba la preocupación que sentía.

Premonitoria.

2 FLORENCIA, 21 DE DICIEMBRE DE 1827

—¡Estás vivo! ¡Gracias a Dios!

Lentamente, abrió los ojos. En un principio, tan solo veía luz y algunas sombras, que parecía que le estaban hablando, pero tampoco acertaba a comprenderlas.

—¿Te encuentras bien? ¿Nos reconoces?

Ahora, sí que entendió las preguntas. Quiso contestar a ambas con un «no», pero no fue capaz. Estaba completamente aturdido

—¡Doctor! ¡No responde!

—Bueno, tenga en cuenta que es lo normal. Lo que le ha ocurrido podía haberle matado. En estos casos, no hay que tener prisa. Entra dentro de lo lógico que tarde en recuperar la conciencia.

«¿Qué me ha sucedido?», pensó, sin ser capaz de articular palabra alguna.

—¿Cuánto tiempo?

—Desgraciadamente no tengo una respuesta a esa pregunta. Quizá unas horas, unos días o unas semanas. Dios proveerá.

—¿Y si no lo hace nunca?

—Aunque es una posibilidad que no se puede descartar, en la mayoría de estos casos se acaban recuperando. Hay que ser optimistas. Tiene ocho años y una gran fortaleza física, no debe de pensar en eso. Tan solo requiere paciencia. Dios es piadoso.

«¿Nunca recuperaré la conciencia?», pensó, espantado. «¡Si ya la tengo, pero nadie parece darse cuenta!».

—Lo mejor que pueden hacer es dejarle tranquilo. Que haya abierto los ojos es una buena señal, pero no es definitiva. Debe recuperarse sin prisas y con mucha tranquilidad. Le voy a recetar unas infusiones de hierbas que le harán descansar.

—¡Pero si lo que queremos es que se despierte!

—Claro, pero las cosas de la cabeza llevan su tiempo. Conviene que esté relajado. Piense que es posible que no sienta su cuerpo. Les aseguro que he hecho todo lo posible para que se recupere. Ya han visto que le he colocado férulas en sus brazos y un emplasto a base de mostaza en sus piernas. Son los mejores remedios que se conocen y suelen funcionar.

Cada palabra que oía le espantaba más. «¿Qué me ha sucedido en la cabeza?». Hizo un esfuerzo. Era cierto, ahora notaba un fuerte dolor en la parte trasera del cráneo.

—¿Cuándo le administro la infusión?

—Cada ocho horas, después de las comidas. Si nota algún cambio en su estado, me llama de inmediato y, en unos minutos, estaré con usted.

Se esforzó de nuevo en reconocer su alrededor, pero era inútil. Aunque notaba que iba recuperando poco a poco la visión y ciertas sensaciones, aún se encontraba muy desorientado y, como había escuchado, no tenía el control sobre su cuerpo. Deseaba moverse, pero se sentía paralizado. Tan solo había sido capaz de levantar los párpados.

Ahora, observó como las sombras se alejaban, en silencio. «¡No os vayáis!», quiso gritar en vano. Sintió que estaba solo. Cerró los párpados y los volvió a abrir.

Nada.

Estaba aterrado.

Volvió a cerrar los ojos. Igual se trataba de un mal sueño. Pensó que, si se dormía, igual se despertaría de aquella pesadilla.

Así lo hizo.

No fue consciente de cuánto tiempo permaneció dormido, pero sí que recordaría para siempre su despertar. Abrió los ojos y esta vez vio a su madre, sentada junto a su cama. Ya no era una sombra, podía verla y hasta oler su fragancia.

—¡Felice! —exclamó Francesca, al ver que su hijo movía los párpados.

Hizo un esfuerzo e intentó responderle.

—¿Qué me ha pasado?

—¡Ya hablas! —su madre no lo pudo evitar y le dio un abrazo.

Parecía que ya salían sonidos de su boca. Intentó moverse, pero tan solo consiguió cansarse, sin ningún resultado.

—Tranquilo, hijo, no te esfuerces. El doctor ha dicho que la recuperación puede ser lenta. Ahora, debo llamarle, pero volveré de inmediato. No hagas nada. Quédate quieto.

Felice sintió un profundo alivio. A pesar de que su cuerpo no le respondía, había sido capaz de ver y comunicarse con su madre, aunque seguía sin saber qué había ocurrido.

A los pocos minutos, tal y como le había dicho su madre, volvió con el doctor.

—Vaya, tu madre me ha dicho que la has reconocido e incluso has hablado.

—¿Qué me ha pasado? —repitió la misma pregunta.

—¿No recuerdas nada?

—Me acuerdo de haber oído voces a mi alrededor. Intentaba hablar, pero no podía. Nada más —le suponía un considerable esfuerzo mover sus labios. Su voz le sonaba gangosa.

—Me refiero a lo que ha sucedido antes de eso.

—No sé a qué se refiere.

—Pero sabes quiénes somos y quién eres tú.

—Sí, claro. Usted es el doctor Fabrizio, que vive al lado de nuestra casa y ella es mi madre. Ahora les puedo ver. Yo soy Felice.

El doctor se giró hacia Francesca.

—Es una buena señal. Está claro que su hijo no recuerda lo que le ha sucedido, pero se trata de una amnesia parcial, ya que ha sido capaz de reconocernos y sabe quién es. Parece orientado. Todo indica que se recuperará, pero necesitará descanso.

—¿Y su cuerpo? ¿Podrá volver a andar?

—No quiera ir demasiado rápido. Está haciendo notables progresos. Es muy buena señal que, apenas cuarenta y ocho horas después del accidente, ya haya recuperado la conciencia. Si sigue evolucionando así, estoy seguro de que volverá a correr. No olvide que, a pesar de su juventud, es de una gran fortaleza física. Sin duda, eso le ayudará.

—Muchas gracias, doctor. No sabe lo agradecida que le estoy.

—No me las dé a mí. Mire más arriba. Esto ha sido un verdadero milagro —dijo, mientras abandonaba la habitación.

Ahora, su madre se giró hacia Felice, tomándole una mano. Una lágrima recorría su mejilla.

—¿De verdad no recuerdas nada?

—No, ¿qué me ha pasado?

En ese momento, entraron en la habitación tres personas más. También las reconoció. Era su padre Giacomo acompañado de su hermana mayor Rosina y su hermano menor Leonidas. Todos le abrazaron, preguntándole cómo se encontraba.

—¿Nadie me va a contestar? —insistió Felice.

—Ha sido un desgraciado accidente. Te has caído por nuestro balcón hasta golpearte con la cabeza sobre el suelo.

—Pero ¡si vivimos en un tercer piso!

—Por eso es un milagro de Dios que estés vivo —dijo su madre—. Nadie sale con vida de una caída así.

—No siento mi cuerpo.

—Pero te recuperarás —le dijo su padre.

—Ya has oído al doctor, paciencia y descanso —repitió su madre.

«Vaya, ni tengo paciencia ni me gusta descansar», pensó Felice, pero prefirió no decirlo. Estaba claro que había sufrido un terrible accidente y su familia estaba preocupaba por él.

—En cuanto te recuperes, te prometo que lo primero que haremos será ir al teatro, que tanto te gusta —le dijo su padre, que había notado la expresión taciturna en el rostro de su hijo. Será una gran experiencia.

Sin duda lo iba a ser, pero ni mucho menos cómo se imaginaban.

3 NUEVA ORLEANS, 21 DE JUNIO DE 1845

—¿Me vas a explicar qué es lo que has hecho?

—Nada, simplemente demostrarles que estaban equivocados.

—¿Y eso te parece no hacer nada? Tu padre y tu tío juegan al ajedrez casi todas las tardes y tienen fama en Nueva Orleans por ello. ¿Qué es lo que sabes tú de ese juego?

—¿De verdad prefieres que te cuente eso a que persigamos otra vez a las ranas?

—Ahora mismo, sí.

Paul se quedó mirando a su amigo, un tanto sorprendido. Charles era muy curioso, pero jamás había demostrado ningún interés por el ajedrez. De hecho, por ningún juego que requiriera estar sentado. Era más de actividades físicas, como perseguir pájaros o ranas.

—Vale, Charles, te lo contaré, pero te advierto que es un relato largo. Tengo que explicarte la historia de mi familia, que quizá te resulte algo aburrida.

—No me importa. Quiero comprender lo que acaba de suceder.

—Allá tú. ¿Sabes que soy español?

—¡Qué dices! —exclamó Charles, sorprendido.

—E irlandés.

—¡Claro! ¿Y africano también? —ahora se reía abiertamente, observando el pálido rostro de su amigo.

—No te burles, es cierto.

—Tú naciste en Nueva Orleans el 22 de junio de 1837. Yo lo hice once meses después, también en esta ciudad. Mañana cumples ocho años. Nuestras familias se conocen desde antes de que naciéramos. No me vengas con historias fantásticas.

—Yo no he dicho lo contrario. Es cierto que yo nací aquí, pero por mis venas corre sangre irlandesa y española. Por ejemplo, mi bisabuelo se llamaba Michael Murphy y era irlandés.

—¿Murphy? Tu apellido es Morphy.

—Bueno, la explicación a eso está en la continuación de la historia. Mi familia siempre ha sido muy activista en materia política y diplomática. Mi bisabuelo era militar, oficial de un regimiento irlandés. Mi padre nunca me ha explicado el motivo, pero Michael Murphy tuvo que huir de la isla de forma precipitada. Su vida corría peligro. Supongo que la política estaría de por medio. Acabó en España, en concreto en Madrid, en el año 1753.

—¿Y eso qué tiene que ver con el apellido?

—Todo. Cuando llegó a Madrid, mi bisabuelo se cambió el apellido por la pronunciación española. «Murphy» por «Morphy». Resultaba más sencillo. Alcanzó el rango de capitán de la Guardia Real Española, pero el empleo no le duró demasiado. Una vez más, supongo que también por cuestiones políticas, se vio obligado a abandonar Madrid. Esta vez su destino fue Málaga, otra ciudad española. Allí conoció y se casó con mi bisabuela, María Porro. En aquel momento, consiguió la nacionalidad española, por el matrimonio. Se dedicó al comercio marítimo y no le fue nada mal. Al poco tiempo, en 1765, nació mi abuelo, que pusieron el nombre español de Diego.

—No tenía ni idea de todo eso —Charles parecía verdaderamente interesado—. ¿Y cómo acabasteis en los Estados Unidos? ¿Cuál es la relación?

—No quieras correr demasiado, ahora llega esa conexión. Como te había contado, mi bisabuelo se dedicaba al comercio marítimo en el puerto de Málaga. Eran los primeros alientos de los Estados Unidos y no disponían de ningún cónsul en la ciudad. Mi bisabuelo trataba con muchos marinos mercantes americanos y se le ocurrió la idea de postularse como cónsul. Se atrevió a escribir una carta al mismísimo Thomas Jefferson. Supongo que se sorprendería cuando le contestó, confirmando su nombramiento.

—¡No me digas!

—Como lo oyes. Así comenzó un tiempo de prosperidad y tranquilidad familiar, hasta el punto de que, además de a mi abuelo Diego, el matrimonio tuvo cinco hijas y un hijo más, en total siete.

—Y si tan bien le iba en España, ¿por qué la abandonó?

—No lo hizo. Murió allí. Fue mi abuelo Diego el que se marchó de España, en 1789, con destino a la isla de Santo Domingo. Un año después de llegar, se casó con Mollie Creagh, que era de una buena familia irlandesa. Al poco tiempo tuvieron un hijo, al que llamaron Diego, como su padre.

—¡Irlanda otra vez!

—Sí. Supongo que ahora comprenderás por qué te he dicho que era español e irlandés.

—Eres estadounidense —insistió Charles—, a pesar de tus raíces. Por cierto, sigo sin ver la conexión con Nueva Orleans.

—Deja que siga con la historia. Eran unos años muy convulsos en Santo Domingo. La población autóctona cada vez veía con peores ojos a los blancos, hasta el punto de que mi abuelo y Mollie temieron por sus vidas. Después de sufrir un intento de asesinato, decidieron abandonar la isla. No les iba a resultar nada sencillo hacerlo, ya que estaban señalados, así que idearon una locura de plan. Tuvieron conocimiento que, a los pocos días, iba a zarpar un barco inglés con destino a Filadelfia. Era un mercante. Eran conscientes de que no podían huir juntos, así que mi abuelo metió a su pequeño hijo Diego en una cesta de mimbre, lo tapó con verduras y se la dio a Mollie. Pasó desapercibida, ya que parecía una vendedora más en un día de mercado. Así consiguió llegar hasta el mercante inglés y escapar de la isla.

—¡Qué atrevidos! ¿Y tu abuelo? —Charles estaba cada vez más interesado por la historia que le estaba contando su amigo.

—Tuvo que ocultarse y esperar al siguiente mercante que atracara en el puerto. Su situación era desesperada, así que no podía elegir el barco, ya que debía huir cuanto antes. El inconveniente fue que el siguiente buque que atracó en el puerto no tenía como destino Filadelfia, sino Charleston, en Carolina del Sur. Allí no se encontraba su esposa, Mollie.

—¿Por qué llamas a Mollie por su nombre propio y no te refieres a ella como tu abuela, como sí haces con Diego?

—Una vez más, no quieras correr. El motivo parece obvio. Si no la llamo mi abuela será porque no lo es, ¿no crees? Si me dejas continuar con la historia, lo comprenderás.

—¡Pues sigue! —Charles ya estaba completamente enganchado a la aventura. Ahora mismo, aquello le parecía mejor que perseguir pajaritos.

—Como te estaba contando, mi abuelo consiguió escapar a Charleston y, desde allí, se desplazó a Filadelfia, donde se reencontró con su esposa. Te lo he resumido mucho por no hacerlo demasiado largo, pero la verdad es que fue toda una aventura, digna de ser escrita.

—¡Desde luego! ¡Menuda manera tuvo tu familia de entrar en los Estados Unidos! Pero aún no me has explicado el enigma de Mollie.

—No existe ningún misterio. Mi abuelo, debido a su ascendencia española y a sus antecedentes familiares como diplomático, consiguió entrevistarse con José de Jáudenes, que había sido acreditado por el rey Carlos III como embajador plenipotenciario de España en Estados Unidos. Él lo nombró, en 1795, cónsul español para los estados de Carolina del Norte, del Sur y Georgia. El matrimonio tuvo dos hijas más, hasta que Mollie falleció en 1796.

—¡Tu abuelo se volvió a casar! —supuso Charles, que creía que había resuelto el enigma.

—Exacto. Apenas un año después contrajo matrimonio con Luise Peire, mi verdadera abuela, con la que tuvo tres hijas y dos hijos más. De todos ellos, el mayor nació en 1798 y lo llamaron Alonzo Michael.

—¡Tu padre!

—Así es. El menor es mi tío Ernest, que nació nueve años después.

—¿Y cómo llegasteis a Nueva Orleans? Esa parte de la historia no la has contado.

—Bueno, es la más aburrida. En 1809, tan solo dos años después del nacimiento de mi tío Ernest, mi abuelo fue trasladado, como cónsul general, a Nueva Orleans, hasta su fallecimiento en 1813. Curiosamente, le sobrevivieron toda su familia, su madre, su esposa y los ocho hijos de sus dos matrimonios. En este momento, nuestra familia ya había roto todos sus lazos con el Viejo Mundo. Ya éramos unos estadounidenses más, aunque con sangre española e irlandesa. Y antes de que me lo preguntes, tanto mi padre

Alonzo como mi tío Ernest son los responsables de que haya aprendido a jugar al ajedrez y a los que acabo de corregir una partida.

—¿Te han enseñado un juego tan complicado siendo un enano? —Charles seguía sorprendido e interesado por toda la historia.

—No —respondió lacónico Paul.

Charles hizo un gestó de incomprensión, levantando sus hombros.

—No te entiendo.

—Lo que quiero decir es que nunca me han enseñado nada. Todo lo que he aprendido ha sido observando cómo jugaban. Lo llevo haciendo desde que tenía cuatro años. Creo que ellos ni siquiera advertían mi presencia, pero yo prestaba atención a todos sus movimientos y a su estilo de juego. Al principio, tengo que reconocerte que iba muy perdido, pero a los cinco años ya era capaz de darme cuenta, cuando cometían un error importante o una jugada floja. A los seis ya identificaba los errores de estrategia generales. Con siete, ya podía reproducir en mi mente sus partidas, después de ser jugadas, y analizar cada movimiento y sus posibles alternativas. Ahora, a punto de cumplir los ocho, creo que ya sería capaz de jugar sin mayores problemas y hasta plantarles cara.

—¡Tan joven y ya obsesionado con algo tan complejo! —no pudo evitar exclamar Charles, que no le encontraba el menor interés al ajedrez.

—Ni estoy obsesionado ni es complejo. De hecho, siempre me ha parecido que hacían difícil lo fácil. Si el juego consiste en matar al rey contrario, ¿por qué andarse con tantas tonterías? Un ataque rápido siempre me ha parecido lo mejor. Ellos no juegan de esa manera, son demasiado cautelosos y parecen reproducir siempre los mismos patrones. Por ejemplo, he observado bastantes partidas entre ellos que hacen los mismos diez primeros movimientos, tanto las blancas como las negras.

—Supongo que habrá alguna explicación que tú no alcanzas a comprender.

—No lo sé, pero eso es aburrido. Si, al principio de la partida, las piezas más relevantes están situadas en la última fila, ¿no será más interesante ponerlas en juego cuanto antes para conseguir tu objetivo y ganar? ¿Por qué tanta lentitud en desarrollar tu juego? Al principio de la partida, me estorban todos los peones.

—Ya sabes que no tengo ni idea de lo que me hablas.

—Quizá te resulte algo pretencioso lo que voy a decirte, pero creo que si jugara contra mi padre o mi tío, ahora mismo, podría llegar a vencerles.

—¡Por Dios, Paul! Entiende que me cueste creerte. Eres un niño, como yo, y tu padre y tu tío son buenos jugadores *amateurs* de ajedrez, reconocidos en Nueva Orleans y con mucha experiencia. Ya sabes que juegan todos los sábados y domingos durante horas. ¿Cómo un mocoso como tú puede afirmar eso?

—Es lo que siento. Ya sé que es difícil de explicar y quizá más de comprender, pero no te miento. Cuando imagino un tablero de ajedrez en mi cabeza, tengo mucha confianza. Las sesenta y cuatro casillas son todo mi universo y me siento muy cómodo dentro de él.

Charles estaba sorprendido de verdad. No conocía esa faceta de su amigo, ya que nunca habían hablado de ello. Su actitud era de clara incredulidad.

—Pero ¿has jugado alguna vez una partida de ajedrez contra otra persona de carne y hueso? Una cosa es imaginar partidas en tu cabeza y otra jugarlas.

Paul apartó la mirada.

—Nunca lo he hecho, pero no me hace falta. Ya lo hago en mi mente. Por otra parte, no tengo el menor interés en que eso ocurra. Tengo que reconocerte que me da cierto miedo.

—No te entiendo. Acabas de decir que te sientes con confianza cuando imaginas una partida ¿Qué es lo que tienes? ¿Miedo a perder y que se derrumbe tu ego? —Charles seguía al ataque. No terminaba de comprender a su amigo.

Ahora, Paul se le quedó mirando fijamente a los ojos.

—Parece mentira que me digas eso. Me conoces bien. No tengo ningún miedo a perder —dijo, con voz muy firme y segura— porque creo que no lo haría.

—¿Entonces?

—¿Has visto la cara de mi padre, hace un momento? Mi tío estaba entusiasmado por mi descubrimiento del mate en cuatro movimientos, pero mi padre no parecía contento. Su expresión reflejaba otra cosa muy diferente.

—¿Y eso te importa?

—Mucho. Para mí, el ajedrez es tan solo un juego, nada más que un simple entretenimiento, pero para ellos no es así. Están obsesionados. En cada partida ponen su alma y, si pierden, se enfadan.

—Pero eso es normal. Tú también juegas para ganar, aunque contra mí no lo hagas con mucha frecuencia, la verdad... —sonrió Charles.

—No es lo mismo. El ajedrez es diversión. Si llega un momento que deja de serlo, ya no merece la pena ser jugado. Entiéndeme bien, eso no quita que siempre quiera ganar.

—¿Y qué pasará el día en que una persona te ofrezca jugar una partida? Después de la demostración de hoy, no me extrañaría que sucediera pronto.

Paul no pudo evitar estremecerse.

—Ya sé que llegará ese momento. Tan solo espero que tarde en suceder.

El destino siempre es muy caprichoso.

4 IMOLA, ENTRE LOS AÑOS 1827 Y 1831

Felice tardó seis semanas en recuperarse. Por fin, consiguió que su cuerpo le obedeciera, aunque aún estaba muy débil. Podía mover las piernas y los brazos, pero lo de andar con normalidad era otra cosa. Afortunadamente, su hermana Rosina le propuso salir todos los días a caminar, aunque fuera tan solo un corto paseo. Le hizo mucho bien, aunque hasta un año después del accidente no sintió que había recobrado todas sus fuerzas.

Su padre cumplió la promesa. A la semana siguiente, toda la familia acudió al teatro en Florencia. Parecía que iba a ser una velada agradable, hasta que ocurrió lo inesperado. De repente, entraron tres hombres extraños en el palco, se abalanzaron sobre Giacomo y lo encadenaron. Era de fuerte complexión y tenía poco más de cuarenta años. Había sido militar, pero no uno cualquiera, nada más y nada menos que oficial de un regimiento bajo las órdenes directas de Napoleón. Podría haberse librado de aquellos indeseables, pero no opuso ninguna resistencia. Todo ocurrió en apenas un minuto y lo arrancaron de su lado, sin ninguna explicación. Felice hizo ademán de abalanzarse contra aquellos desconocidos, pero su madre se interpuso.

—No hagas nada, Felice.

—¿Lo vas a permitir? ¡Se lo llevan encadenado!

—Era algo que, tarde o temprano, iba a acabar sucediendo. Tu padre era consciente del riesgo que corría. Es mejor no oponerse a la Justicia.

Francesca debió observar la cara de sorpresa de Felice y se sintió en la obligación de dar alguna explicación, aunque estaba claro que no deseaba hacerlo.

—Escucha, Felice. Son temas políticos. Es mejor dejarlo así, pero debemos marcharnos a casa cuanto antes. Esto va a traer consecuencias.

Y tanto que las trajo.

Nada más entrar en su hogar, su madre dispuso que Felice debía abandonar la ciudad de inmediato. Había nacido en Meldola, en los Estados Pontificios, pero apenas la recordaba. Consideraba Florencia como su verdadero hogar, ya que toda la familia se había trasladado, cuando tenía dos años de edad. El motivo era que su madre era originaria de esta ciudad y su familia tenía una elevada posición social. No entendió la urgencia de su madre Francesca, pero tan solo viéndole su rostro desencajado, comprendió que algo muy malo estaba sucediendo.

La despedida fue terrible, sobre todo por no saber por cuánto tiempo iba a ausentarse de su hogar. Felice sentía que le estaban arrancando un pedazo de su corazón. Su madre y, sobre todo, su hermana Rosina eran lo que más quería en este mundo.

Su destino inicial fue Bolonia, pero se trataba de una ciudad de paso, probablemente para despistar a aquellos que habían apresado a su padre. El final de su viaje era Imola, donde residía Orso Orsini, su tío paterno. No olvidaría jamás su recibimiento, ya que lo llamó Teobaldo. Cuando se apresuró a corregirle, se enteró de la verdad, ya con diez años. Para su absoluta sorpresa, le informó que había sido bautizado como Orso Teobaldo Felice, que era su nombre de pila verdadero y completo. Le indicó a su tío que, en la familia, todos lo conocían por Felice y no puso ningún problema en llamarlo así.

La familia con la que iba a convivir, por un tiempo indefinido, estaba formada por Orso, su mujer, dos sirvientes y dos doncellas. No tenían hijos.

Orso Orsini era toda una personalidad, de unos cuarenta y cinco años, alto, bien parecido, de una extraordinaria talla intelectual, pero, sobre todo, muy honesto y respetado en toda la ciudad. Trataba a sus sirvientes con mucha educación y destinaba una parte importante de su fortuna a obras de caridad, por lo que mantenía muy buenas relaciones con el Papa. Pero no todo era bonito. Por el contrario, era muy severo y con unas ideas religiosas muy extremas. Su esposa tan solo compartía la parte negativa de su personalidad. Era una fanática religiosa, pero, en este caso, combinada con una más que evidente ignorancia.

Orso obligaba a Felice a despertarse, todas las mañanas, a las cinco de la madrugada, tal y como lo hacía él. A esa intempestiva hora, tanto su tío como su tía le enseñaban oraciones. Cuando terminaban, un sacerdote intentaba que aprendiera latín y otro le obligaba a caminar, aún de noche. Cuando amanecía y se hacía la hora, acudía a una escuela pública de Imola. Nada más terminar de comer, asistía a misa.

Así todos los días.

Era una rutina que Felice odiaba, ya que no le gustaban ni los sacerdotes ni las enseñanzas de la escuela, en su mayoría centradas en temas religiosos. A pesar de levantarse a semejante hora, apenas le quedaban dos horas libres al día, que destinaba a hacer ejercicio. Le servía como válvula de escape.

Añoraba a su familia, cada día más. A pesar de las atenciones que le dedicaba su tío Orso, no era feliz en aquel ambiente. Se sentía oprimido. Él no era así.

Sin duda, un hecho marcó el resto de su vida. En febrero de 1831, cuando se encontraba en clase, uno de los profesores irrumpió en el aula, anunciando que se estaba produciendo un alzamiento popular en Módena y Bolonia, cuyos habitantes se rebelaban contra el control papal. De inmediato, la mecha prendió también en Imola. Por unos días, la rutina que tanto odiaba, se vio interrumpida, las escuelas cerraron y los militares salieron a la calle.

Durante aquellos días ociosos, Felice se dedicó a confraternizar con los soldados. Descubrió, para su sorpresa, que le gustaba lo que veía, desde la música militar hasta las apasionantes historias que relataban. En ese preciso instante fue consciente de que llevaba el espíritu de su padre en su interior. Odiaba el fanatismo religioso de sus tíos, pero, sin embargo, simpatizaba con el movimiento liberal y militar.

«Creo que he descubierto mi verdadero destino», pensó.

Al poco tiempo, el alzamiento popular fue sofocado por las tropas papales. Para la indignación de Felice, en casa de sus tíos se celebró la noticia con gran alegría.

Pero no todo fueron malas noticias. Su tío le anunció que su madre y sus dos hermanos les iban a visitar, como así sucedió una semana después. La luz se volvió a encender en su vida. Fueron sus días más felices desde su llegada a Imola.

Pero lo bueno no dura para siempre. Las revueltas populares no habían terminado de ser reprimidas, aún quedaban focos activos, así que su familia decidió volver a Meldola, la ciudad natal de Felice. A pesar de implorar a su madre que lo llevara con ella, se negó, alegando que su tío le estaba dando una excelente educación que ellos no se podían permitir. Felice le contó su rutina diaria y el profundo odio que había desarrollado contra los fanatismos religiosos. El argumento definitivo de su madre fue que el viaje hasta Meldola iba a ser peligroso, ya que debían cruzar zonas en conflicto.

—Entonces, ¿por qué no os quedáis en Imola?

—No lo entenderías —le respondió Francesca—. Tu padre nos necesita más que tú, que te estás convirtiendo en su viva estampa. Aunque aún no lo sepas, te aguarda un gran destino en tu vida.

Quiso protestar, pero su madre se lo impidió.

Orso, consciente de la complicación del viaje, dispuso que el más fornido de sus sirvientes acompañara hasta Meldola a Francesca, Rosina y Leonidas, a modo de escolta.

Felice, viendo los preparativos del viaje, tuvo un mal presentimiento. El sirviente iba fuertemente armado, al igual que el conductor de carruaje. En un principio le parecieron desproporcionadas las medidas de seguridad. Lo que le espantó fue su siguiente pensamiento. Si su tío las había dispuesto así, es que el viaje debía de ser peligroso de verdad.

«¿Será la última vez que los vea?», no podía evitar preguntarse.

Estaba claro que esperaban problemas. Y los problemas terminaron llegando.

Unos días después de su marcha, el sirviente que acompañaba a la familia de Felice, retornó a Imola. Apenas habían conseguido llegar hasta Bolonia, pero eso no era lo peor. A consecuencia de las lamentables condiciones sanitarias que se habían encontrado, Rosina, la hermana de Felice, había caído enferma. Francesca, conociendo el estado de salud de su hija, parecía que también había enfermado. Orso, al escuchar esas lamentables noticias, ordenó a su criado que volviera y velara por la seguridad de ambas, en la esperanza de que recobraran la salud. Felice quiso marchar con él, pero Orso se lo impidió. Nada ayudaría, en aquella situación. Su presencia supondría una complicación más.

A los pocos días, los peores temores se hicieron realidad. La querida hermana de Felice, Rosina, acababa de fallecer. Para evitar un empeoramiento de la salud de Francesca, le habían ocultado la terrible noticia. Parecía que estaba mejorando y no querían que sufriera una recaída. Orso, ahora preocupado de verdad, mandó a su médico personal a cuidar de la madre de Felice. No suponía que su estado de salud pudiera ser tan grave.

Pero se equivocó.

Llegó tarde.

La mejoría había sido momentánea, tan solo un espejismo. Al enterarse de la muerte de su hija, sufrió un brusco empeoramiento en su salud y acabó falleciendo a los pocos días.

—¡No es justo! —exclamó Felice, cuando se enteró de las terribles noticias—. Mi madre apenas tenía treinta y dos años, toda la vida por delante y era una ferviente católica. ¿De qué le ha servido?

—Los destinos del Señor son inescrutables —intentó consolarle su tío—. Tu madre y tu hermana están ahora con Él, en paz y armonía.

—¿Y eso qué me importa? —respondió airado Felice—. ¡No están conmigo! Tu Dios no las ha salvado.

La reacción de su tío frente a tan indolente comentario, fue castigarle una semana con un sacerdote, para que le hiciera comprender la naturaleza de la muerte.

Desde luego que Felice la comprendió, pero quizá no cómo el sacerdote y su tío pensaron. «He entendido el destino de mi vida», se dijo.

Y tanto que lo había hecho.

Debía de huir de Imola y unirse a los liberales. Ese era su verdadero destino en la vida, luchar por las libertades de su pueblo y contra el poder del papa, al que le hacía responsable de la muerte de su madre y de su hermana.

«No habrá descanso para los malditos suizos y austriacos», pensaba, que eran las tropas que prestaban apoyo a la tiranía de los Estados Pontificios frente al pueblo llano.

«Para eso he nacido», se decía, imbuido por ese espíritu juvenil que todo lo podía.

5 NUEVA ORLEANS, 22 DE JUNIO DE 1845

Hoy se suponía que iba a ser un día feliz para Paul, por partida doble. Celebraba su octavo cumpleaños y era domingo, su día preferido de la semana. Pero no se sentía así.

Estaba tumbado en su cama, mirando al techo y pensando. Su padre se trasladó a Nueva Orleans con tan solo once años de edad. Siempre quiso ser abogado, así que se matriculó en el *Collège d'Orléans* y, en 1819, consiguió su objetivo. Unos años más tarde fue elegido miembro de la Cámara de Representantes de Louisiana y cuando terminó su mandato, el gobernador le nombró Fiscal General del Estado, todo ello con apenas treinta años de edad. A Paul le parecía impresionante. Un mes después contraería matrimonio con la que era su madre, Louise Thérèse Felicitie Thelcide Le Carpentier, conocida en toda Nueva Orleans como Thelcide. Pertenecía a una familia muy poderosa y respetada, los Le Carpentier. Paul tenía un hermano, Edward, que era dos años mayor que él. También dos hermanas, una era la mayor de todos, Malvina, con quince años de edad. La otra era la menor de los cuatro hermanos, Helena, que tenía seis años.

Ahora, su mente se centró en su madre. Sentía verdadera devoción por ella.

Paul suponía que, debido a sus raíces españolas, toda la familia se reunía los domingos para comer y pasar un día agradable, como era costumbre en aquel país. Estas reuniones se solían alargar hasta bien entrada la tarde, cuando se incorporaban a la fiesta también los vecinos de su casa. Disfrutaba cada minuto. En ellas se practicaba dos de sus pasiones, el ajedrez y la música. Su madre, Thelcide, tenía verdadero talento musical y se había ganado el respeto de toda la comunidad. Era una virtuosa del piano y del arpa, además de tener una voz celestial de *mezzo-soprano*. Era habitual que se hiciera acompañar por violines y violonchelos, incluso, en ocasiones, interpretando sus propias composiciones. Paul era capaz de pasar horas escuchándola.

En cuanto al ajedrez, también observaba como jugaban, durante todo el día, su padre, su tío Ernest Morphy, su abuelo materno Joseph Le Carpentier y su tío materno Charles Le Carpentier. Jugaban con verdadera pasión, para deleite de Paul, que seguía las partidas con mucho interés. El último año se había incorporado al grupo su hermano mayor, Edward, que ya despuntaba como un buen jugador.

Pero hoy no era un domingo cualquiera. Era su octavo cumpleaños y le habían organizado una fiesta especial. Además de la familia, habían invitado a algunos amigos de la familia y de la escuela de Paul, aparte de a todo el vecindario. Iba a ser una reunión muy concurrida.

De repente, unos golpes en su puerta lo sacaron de sus pensamientos. Su madre entró en la habitación.

—Felicidades, Paul —le dijo su madre, mientras le daba un abrazo—. Vas creciendo poco a poco. Cuando menos te lo esperes serás un adulto y ya no podré darte estos achuchones.

—Sabes que siempre podrás —le respondió, devolviéndole el abrazo.

—Vamos, es hora de que te levantes de la cama. Hoy vas a ser el protagonista.

—Ya sabes que os agradezco mucho las celebraciones, pero prefiero los domingos corrientes.

—No lo creo —le respondió su madre, con una sonrisa picarona—. Tengo una sorpresa para ti que estoy seguro de que te va a gustar.

Paul se estremeció. Su madre se dio cuenta de su inquietud.

—Por tu expresión, no sé qué es lo que te imaginas, pero es algo que me he guardado hasta hoy. Vamos, levántate de la cama, que debemos prepararlo todo.

Paul le obedeció. Después de darse un buen baño, como todos los domingos, se preparó para vestirse. Su madre acostumbraba a dejarle la ropa encima de su cama y se dirigió hacia ella.

Sorpresa.

Jamás había visto ese traje. Era nuevo. Se quedó observándolo durante un momento. Apenas un par de minutos después ya se lo había puesto. Se dirigió hacia el espejo de la esquina de su habitación.

«¡Caramba!», pensó. «Mi madre no solo tiene buen gusto para la música». Aquellos ropajes le hacían parecer mayor de la edad que tenía, pero le gustó la sensación.

La sorpresa se había desvelado. Internamente, Paul se sintió aliviado. Bajó las escaleras de la casa y se encontró con sus hermanos y sus padres. Había sido el último en llegar. No era lo habitual, pero supuso que se había entretenido más de la cuenta mirándose al espejo con su nueva vestimenta.

Todos se abrazaron a él y lo felicitaron cariñosamente, en especial su hermana pequeña, Helena, que era el vivo retrato de su madre, pero con seis años de edad. Entre ellos siempre había existido una especial conexión, a pesar de su juventud.

—¡Ocho años ya y con esa ropa parece que tengas diez! —dijo su padre—. Pronto dejarás la *Jefferson Academy* para ingresar en el *Spring Hill College*, en Alabama.

—Padre, ¿no crees que corres demasiado? Aún falta, como mínimo, cinco años para que deje la academia.

—El tiempo se te va a pasar muy rápido, haz caso a la voz de la experiencia —le replicó—. Te convertirás en un gran abogado y seguirás mis pasos.

Paul, a pesar de su extrema inteligencia, ni siquiera se había planteado qué quería hacer con su vida. Era un simple niño, pero daba la impresión de que su padre ya había decidido por él. No le gustaba, pero suponía que ese era su destino.

Poco a poco fueron llegando todos los invitados a la fiesta. Primero lo hizo la familia de su madre, con su abuelo y su tío al frente. Paul se alegró de verlos, ya que eso significaba que habría partidas de ajedrez, a pesar de la celebración de su cumpleaños.

Después llegaron algunos vecinos, que felicitaron a Paul. Todos le decían lo mismo, que con esa ropa aparentaba más edad. No es que le cayeran mal ni mucho menos, pero hoy no le apetecía ser el centro de la comida dominical.

—¡Hola, enano! —escuchó Paul a sus espaldas. No le hizo falta girarse para saber que se trataba de su amigo de la academia, Charles Maurian.

Se dio la vuelta y se quedó helado.

—¿A qué viene esa cara de pasmado? —le preguntó su amigo—. Ya eres muy pálido de normal, no hace falta que te esfuerces en serlo más.

—Hola, Paul —dijo Amélie—. Estás muy elegante con esa ropa. Te hace parecer más mayor.

—Sí —acertó a responder Paul—. Creo que me lo han dicho todos los invitados.

Amélie también estudiaba en la sección femenina de la *Jefferson Academy* y, en secreto, le gustaba a Paul. No solo era de ascendencia francesa, lo que la dotaba de un cierto aire sofisticado, a pesar de tener su misma edad, sino que era muy inteligente. No podía evitar sentirse atraído por ella, pero, en su presencia, siempre se comportaba como un tonto. No lo podía evitar.

—Le he contado a Amélie, mientras veníamos de camino, lo que hiciste ayer.

—¿Qué hice? —preguntó Paul, para ganar tiempo. No quería hablar de ello.

—¡Venga! No te hagas el idiota. Ya sabes, lo del ajedrez.

Paul no sabía qué decir. Amélie se le adelantó.

—Me parece algo sorprendente. Mi padre también juega al ajedrez, pero no me ha enseñado a hacerlo. Dice que es un juego solo para hombres y que las mujeres no estamos preparadas intelectualmente para comprender su complejidad. Algún día aprenderé y le daré una lección.

—Estoy seguro de ello, Amélie —le respondió Paul, que hablando de ajedrez se sentía más cómodo—. No hagas caso de esas cosas. Los mayores tienden a decir que es un juego difícil, pero es mentira. Creo que lo hacen para darse importancia. Con tu inteligencia, estoy seguro de que serías una magnífica jugadora.

—Eres muy amable, Paul. Agradezco tus palabras porque sé que las dices en serio.

Inmediatamente, Paul se puso colorado. Fue consciente de que le había lanzado un cumplido por primera vez desde que la conocía. El ajedrez tenía la culpa, le había soltado la lengua.

—¿Hay alguien avergonzado en los alrededores? —dijo Charles, que sabía que a su amigo le gustaba Amélie y no perdió la ocasión de burlarse de Paul, que le pegó un empujón.

—No te ruborices —dijo Amélie—. Ser capaz de jugar bien al ajedrez, con tu edad, no es para avergonzarse.

Estaba claro que no había comprendido el motivo de su azoramiento. Mejor.

—En realidad, no he jugado nunca una partida contra otra persona, Amélie —le respondió—, aunque conozco todas sus reglas.

—¡Venga, chicos! —se escuchó la voz de Thelcide, entre el murmullo general—. La comida está preparada.

Paul se sintió secretamente aliviado. Se sentó a la mesa entre su hermano mayor Edward y su amigo Charles Maurian. Amélie lo hizo junto a sus padres, en una posición lo suficientemente alejada.

—Ya me han contado lo de ayer —le dijo su hermano, casi antes de tomar asiento—. Te tengo que felicitar, parece que fue sorprendente y muy audaz.

—¡Caramba! ¿Hay alguien en esta mesa que no lo sepa ya?

—Nuestro tío Ernest se ha encargado de difundir la noticia. Padre no parecía estar tan entusiasmado. Supongo que no le gustaría perder una partida en la que se habían acordado tablas, además por tus indicaciones.

—Tengo el presentimiento de que no es por eso.

—Bueno, luego lo veremos.

—¿Qué vamos a ver? —Ahora, la actitud despreocupada de Paul cambió. Parecía azorado.

Edward se dio cuenta de la turbación de su hermano.

—Nada. Madre te ha preparado una sorpresa. Después de la comida la desvelará. Ni a mí me la ha querido anticipar.

Paul, a pesar de su corta edad, se dio cuenta de que su hermano no le había dicho lo que pensaba. Además, se acababa de enterar de que la sorpresa de su madre no consistía en el traje nuevo. Intentó quitarse esos pensamientos de la cabeza y disfrutar de la comida. No lo consiguió, pero, por lo menos, le pareció que nadie lo advirtió.

Como siempre ocurría, una vez finalizada la comida, todos los invitados se levantaban de sus sillas, salían del comedor y se dirigían a la estancia adjunta. Era costumbre que su madre interpretara alguna pieza musical breve. Todos esperaban ese momento. Thelcide era una brillante concertista. Una vez finalizada la sesión musical, se dividían las mujeres y los hombres. Estos últimos se retiraban a jugar al ajedrez, fumar puros y beber whisky, mientras las mujeres se quedaban con Thelcide, bien escuchando su música, bien, simplemente, hablando de sus cosas. Pero esta vez parecía diferente. La sala de música estaba llena de sillas, hasta la misma puerta de acceso. Paul tuvo la sensación de que no se iba a tratar de una pieza breve.

Su madre alzó la voz, para indicar a todos los presentes que tomaran asiento, como así hicieron. Paul siempre intentaba situarse en primera fila, aunque no siempre lo conseguía. Sin embargo, hoy tenía una silla reservada.

—Tengo algo que anunciaros —dijo Thelcide— y no sería capaz de encontrar un mejor momento que en el cumpleaños de mi hijo Paul, que sé que le gusta mucho la ópera. Es mi regalo.

La expectación era máxima. Paul estaba sentado al lado de su padre y su expresión también denotaba sorpresa. Estaba claro que, fuera lo que fuese a anunciar su madre, no se lo había contado a nadie.

Thelcide continuó con su introducción.

—Junto a Louis Placide Canonge, que, modestamente, se ha sentado en la última fila, os adelanto que estamos componiendo una ópera nueva, titulada *Louise de Lorraine*.

El aplauso fue general. Alonzo, el padre de Paul, estaba emocionado. Louis Placide era un buen amigo de la familia, educado en Francia y también abogado. Mantenían una buena relación. Habían guardado el secreto a todo el mundo.

—El libreto ya está concluido, pero tan solo he terminado la música de los dos primeros actos. Lo que vais a escuchar a continuación es un fragmento de ellos. Piano, violín y *cello* acompañarán a mi voz —concluyó Thelcide.

Paul estaba emocionado. Desde luego que era una gran sorpresa, y de las buenas. Louise Placide Canonge había sido director del *Théâtre de l'Opéra*. Se alegraba mucho por su madre, ya que sabía que la música era su pasión y, por qué no decirlo, también por él mismo, que le entusiasmaba escucharla. No había sido educado en la música, ya que, como su padre le había anunciado, tenía otros planes para él, pero ello no era óbice para que la llevara en la sangre. Tenía muy buen oído y jamás olvidaba una buena composición. Era capaz de reproducirla en su mente, después de escucharla tan solo una vez.

La música y la voz de su madre comenzaron a fluir. Paul se sintió en el cielo. La interpretación duró unos veinte minutos, pero le dio la impresión de que apenas fueron dos o tres. Los aplausos fueron atronadores. Paul no pudo evitar que una lágrima se derramara por su mejilla. Su madre no dejaba de sorprenderle. Se abrazó a ella y le dijo que era el regalo de cumpleaños más formidable que había recibido jamás y que no creía que nadie fuera a superarlo nunca. Fue un momento muy emocionante.

Una vez todos los asistentes felicitaron a Thelcide, como de costumbre, las mujeres se quedaron en la sala de música y los hombres se dispusieron a abandonarla, en dirección al despacho de Alonzo Morphy. Habitualmente, Paul se quedaba un rato más con su madre, sobre todo si continuaba tocando el piano y cantando, pero, en esta ocasión, observó cómo su tío Ernest le hacía un gesto con la mano.

—Anda, vente con nosotros —le dijo.

Paul le obedeció. Entraron en el despacho de su padre los habituales de las partidas de ajedrez. Observó que había dispuesto, en el centro de la estancia, tres mesas con sus correspondientes tableros. En un principio le sorprendió, ya que solía haber solo dos mesas, ya que eran cinco las personas que jugaban al ajedrez y se turnaban. Le sorprendió tan solo en un principio, porque comprendió que sus peores temores se iban a hacer realidad. Supuso que el tercer tablero era para él y que se iba a estrenar.

Era lo que temía de esta fiesta de cumpleaños. No le hacía ni pizca de gracia. Su hermano Edward se había incorporado al grupo de jugadores antes de cumplir los diez años, pero él tenía tan solo ocho recién cumplidos. Además, a su hermano le habían enseñado a jugar y a él no. Pero eso no era lo importante. Estaba preocupado. Desde luego no era porque no le apeteciera estrenarse, sino porque le daba la impresión de que su padre no sentía lo mismo. No le hubiera importado esperar dos años más, como su hermano. O diez.

—Por tu expresión, veo que ya te has dado cuenta del tercer tablero —le dijo su tío Ernest.

—Claro, ¡cómo no iba a hacerlo!

—Es para ti. Ha llegado el momento de que juegues tu primera partida de ajedrez. Antes de que protestes, que te lo veo en la mirada, me ha costado mucho convencer a tu padre de esto, así que no acepto un «soy todavía muy joven» por respuesta.

—Más que joven, soy un niño.

—Te conozco, Paul. No es por eso, te mueres de ganas de jugar al ajedrez. No sé si te dabas cuenta, pero te llevo observando mucho tiempo. Aunque jamás te hayamos enseñado a jugar, era consciente de cómo analizabas nuestras partidas. Incluso, en una ocasión, cometí un error a propósito. Era para ti, te estaba observando. En tu mirada noté que también te habías dado cuenta de la inconsistencia de mi jugada. Entonces, tenías tan solo seis años de edad. Estaba seguro de que, desde entonces, habías mejorado mucho. Lo que ocurrió ayer fue la confirmación.

—Pero mi padre no quiere que juegue.

—Eso no es enteramente cierto. Claro que está orgulloso de tu demostración de ayer, es mi hermano y lo conozco. Lo que no quiere es que el ajedrez te distraiga. Tiene grandes planes para ti, como ya te habrás dado cuenta. Pero jugar al ajedrez es como escuchar música, que también sé que lo llevas en la sangre. El desarrollo de una pieza musical tiene mucho que ver con el ajedrez, pero también con ser un buen abogado, como quiere tu padre. ¿Sabes que muchos de los grandes ajedrecistas lo son? Así convencí a tu padre de que te permitiera jugar. Con lo que me ha costado hacerlo, no acepto un «no» por respuesta.

—Pero vosotros tenéis mucha experiencia y va a ser mi primera partida.

Paul se temía la respuesta nada más formular la pregunta, y sabía que no le iba a gustar.

—Ya hemos pensado en eso. Primero, te enfrentarás a tu hermano. Ni tu padre ni yo, ni Joseph ni Charles Le Carpentier jugaremos. Nos limitaremos a observar vuestra primera partida y, si hace falta, os daremos indicaciones. No te preocupes, no te vamos a dejar solo. Estarás arropado.

Los temores de Paul se habían confirmado. Ese era el peor escenario que se podía imaginar, pero era consciente de que no podía negarse. Parecería una descortesía, sobre todo para la familia de su madre, así que asintió con la cabeza.

—Todos recordamos nuestra primera partida. Ya verás cómo va a ser divertida —le dijo su tío, tras la aceptación de Paul.

«Cualquier cosa menos eso», pensó. Sabía lo que iba a suceder y también sabía que no iba a terminar nada bien.

Desde luego, no era él el que iba a necesitar ser arropado.

6 IMOLA, ENTRE LOS AÑOS 1831 Y 1835

Hoy era el día.

Felice había compartido su plan con algunos compañeros de la escuela que también simpatizaban con el movimiento liberal. La idea de marcharse de casa para unirse a las tropas francesas fue creciendo en su interior. Las historias que habían escuchado de la reciente Revolución francesa les imbuían de un espíritu libertario y romántico. Nada más y nada menos que luchar por la liberación de su pueblo.

Pensaron en vender sus relojes para, con el dinero obtenido, marchar hasta Ancona y unirse al ejército. Era cierto que los franceses estaban haciendo en Ancona lo mismo que los austríacos en los Estados Pontificios, pero, aun así, consideraron que era su mejor opción.

Todo estaba convenido.

Felice se levantó a la hora habitual, pero en vez de acudir a los rezos con su tío, salió de casa a hurtadillas en dirección al Castillo de Bolonia.

Esperó hasta la hora convenida con sus compañeros, pero no apareció nadie. No sabía si se habían retrasado o, simplemente, retractado de sus ardores juveniles. En cualquier caso, a Felice no le importó demasiado. Su plan original era huir en solitario y no pensaba echarse atrás ahora.

Así, inició su marcha en dirección a Ancona, con la misma ilusión.

Mientras tanto, Orso, al ver el retraso de su sobrino para practicar las oraciones matutinas, entró en su habitación. Allí no había nadie. En un principio, pensó que se habría ido a la escuela, ya que había amanecido. De todas maneras, para asegurarse, marchó hacia allí.

Su sorpresa fue monumental cuando comprobó que tampoco había asistido a la primera clase. Se preocupó e interrumpió al profesor. Subido en la tarima, preguntó a todos los compañeros de su sobrino si sabían algo de él. Pronto, uno de ellos confesó, atemorizado ante el imponente aspecto de Orso. Le informó con detalle de su plan de huida y de que ellos se habían arrepentido en el último momento.

No perdió ni un solo segundo. Haciendo uso de su poder en la ciudad, Orso hizo que partieran jinetes hacia el Castillo de Bolonia y que no volvieran sin su sobrino. Les dio expresas instrucciones de emplear la fuerza, si era necesaria.

Felice iba andando y los jinetes, conociendo su destino, no tardaron en dar con él. En un principio, pensó en darles batalla, pero, de inmediato, se dio cuenta de que no iban a dudar en emplear sus armas para reducirle. Felice iba desarmado, así que comprendió que no tenía la más mínima opción de oponerse.

En su interior le carcomía la furia.

Al llegar a la residencia de su tío, Felice lo encontró muy enfadado. Creía que estaba consiguiendo llevarlo por la senda adecuada, pero parecía que no era así. Lo castigó con mucha severidad. Tuvo que tragarse su orgullo, pero eso lo hizo más fuerte. Aunque comprendía que el poder de su tío jamás le permitiría abandonarlo, en su interior, la llama libertaria creció un poco más.

Las consecuencias de su tentativa de fuga fueron muy importantes. La vida de Felice iba a cambiar. En primer lugar, su tío lo sacó de aquella escuela. Consideró que sus compañeros eran un mal ejemplo para él. Lo matriculó en un colegio privado. Además, le advirtió que era su última oportunidad. No habría otro colegio. Lo próximo sería trabajar como mozo de cuadra. Aunque era rico, le dijo que no desperdiciaría ni un escudo más con él.

Al principio, Felice se temió lo peor. Conociendo a su tío, supuso que su nueva escuela, al ser privada, sería todavía más fanática y radical que la pública, sobre todo en sus enseñanzas religiosas, que odiaba.

Sin embargo, se llevó una agradable sorpresa. Era justamente lo contrario. Los profesores eran mucho más abiertos de mente y educados con los alumnos. Felice descubrió su enorme potencial para los estudios. Se aplicó como nunca y aprendió francés, latín, aritmética y geografía. Descubrió que le gustaba estudiar, con los estímulos adecuados. Además, invertía el poco dinero que su tío le daba en comprarse libros, pero no religiosos, sino de literatura y poesía, aficionándose a leer a Dante.

Orso observó la notable mejora que se estaba produciendo en su sobrino. Decidió dejar a un lado las oraciones matutinas y hablarle de los clásicos, que parecía que entusiasmaban a Felice. Tuvieron largas conversaciones acerca de los tiempos gloriosos de Roma y Grecia con gran fervor, sin embargo, no dejaba de recordarle que aquellos eran tiempos pasados. En la actualidad, su mundo ya no era así, estaba dominado por la cobardía, la traición y el engaño. Orso suponía que, con esas palabras, aplacaría los sentimientos de su sobrino, pero, a su manera, lo que consiguió fue el efecto contrario, amplificarlos todavía más. Felice deseaba con verdadera pasión la libertad de su pueblo, ahora sojuzgado bajo la tiranía del Papa, que, en nombre de Dios, cometía atrocidades de forma impune. Deseaba la vuelta a su grandeza pasada y estaba dispuesto a luchar por ella. Ya con esa edad, soñaba con una gran República Italiana de ciudadanos libres e iguales, sin opresores extranjeros.

Felice tampoco comprendía la aversión que sentía su tío contra las mujeres. Le decía que la sociedad se estaba afeminando, como si eso fuera algo malo. No podía evitar pensar en su madre. «¿Qué sería de nosotros sin la influencia de las mujeres?», se decía.

Felice, cada vez que podía, se escapaba al monte para ejercitar su cuerpo. Tenía claro que, algún día, necesitaría esa fortaleza. También practicaba el arte de la espada, tal y como había visto hacer a los milicianos, aunque había una cosa que estaba prohibida; el uso de armas de fuego. Bastaba con que algo estuviera vetado para atraer de inmediato su atención.

Su tío disponía de varias pistolas, así que, cada vez que se ausentaba de casa para atender sus asuntos fuera de la ciudad, Felice entraba en su habitación furtivamente y tomaba una de ellas. En secreto, en el bosque, practicaba el tiro sobre diversos objetos. En un par de años alcanzó un grado de maestría fuera de lo normal, para un joven de quince años. Pero su deseo de destacar entre sus camaradas liberales le llevó a hacer gala de su puntería. De inmediato la noticia llegó a oídos de los centuriones de la guardia, que emitieron una orden de arresto contra Felice. Cuando se enteró de que iban a por él, se encerró en su casa. No creía que los guardias se atrevieran a violentar la residencia de Orso Orsini, que mantenía muy buenas relaciones con todas las autoridades locales y era amigo personal del prestigioso y poderoso obispo de Imola, Mastai Ferreti.

Cuando Orso volvió, al día siguiente, se encaró con su sobrino.

—¿Te has vuelto loco? ¿Sabes que te pueden encarcelar por hacer uso de una de mis armas?

—Tan solo buscaba distraerme —le contestó su sobrino—. Solo he disparado contra objetos, jamás se me ocurriría usarla contra cualquier persona o animal. Además, me iba al interior del bosque, para no ser visto ni molestar a nadie.

—Todo eso da igual. El simple hecho de disparar va contra las leyes. No me queda más remedio que entregarte a los centuriones.

—Pero tío, ¡me encerrarán! No me tienen demasiadas simpatías, me toman por un miembro del partido liberal.

Orso lo cogió por el brazo y lo arrastró fuera de su residencia, con una fuerza que Felice ni siquiera se imaginaba que pudiera poseer.

—No me dejas otra opción —le dijo, mientras entraban en el edificio de la guardia.

Los centuriones se sorprendieron cuando los vieron aparecer. De inmediato, el superior les informó que existía una orden de arresto contra Felice Orsini, y que tenía el deber de hacer cumplir la ley.

Para sorpresa de todos los presentes, incluyendo a Felice, su tío reprendió a los guardias.

—Mi sobrino dispone de una dispensa especial para utilizar una de mis pistolas. Así lo acordé con el obispo. Es cierto que tan solo debía usarla en mi presencia, pero eso es un tema menor, no se ha cometido ningún delito. Todo ha sido un malentendido que no se volverá a repetir. Ahora —dijo, dirigiéndose a su sobrino—, quiero que te disculpes con los guardias.

—Jamás —la respuesta le brotó sin pensarla. Simplemente el hecho de rebajarse ante los opresores de su patria le producía verdadero asco.

—Lo harás —le respondió su tío, dirigiéndole una mirada gélida—, porque si te niegas, acabarás en prisión y no pienso mover un un dedo por ti, ¿lo tienes claro?

Y tanto que lo tenía claro.

—Siento el malentendido —dijo Felice, dirigiéndose al jefe de la guardia—. No sucederá de nuevo.

—Me parece que unas simples disculpas no pueden dar por zanjado este tema —insistió el jefe.

—Supongo que sabe quién soy. ¿Acaso desea que haga venir al obispo Ferreti para que confirme lo que le estoy diciendo? Le aseguro que, si lo tengo que molestar, rodarán cabezas, la suya la primera —ahora dirigía la misma mirada gélida al jefe de los centuriones.

La amenaza causó los efectos deseados. Orso, cuando empleaba ese tono de voz, producía verdadero temor.

—No, no será necesario, señor Orsini. Por supuesto, con su palabra es suficiente. Acepto las disculpas. Son libres de marcharse. Mientras no se repita el incidente, el asunto queda zanjado.

Volvieron en silencio a su residencia.

—Espero que hayas aprendido la lección —sentenció su tío, sin mirarlo a la cara.

En realidad, Felice no había aprendido nada. Aunque le hubiera sacado de un buen apuro, no comprendía a su tío.

A pesar de todo, Orso también tenía un buen corazón. No todo era malo en la educación que le estaba inculcando a su sobrino. Es cierto que era un fanático religioso que estaba en contra de los enemigos del papa, pero también estaba en contra del juego, la bebida, el tabaco, los vicios de la carne y, en general, contra todos los males que corrompían el alma humana. En este aspecto, Felice le estaba agradecido, aunque no comprendiera demasiado su aversión contra todo lo que proviniera del sexo femenino.

Sin ser plenamente consciente de ello, junto con su destreza con las armas, sucedió una desgracia que lo acompañaría el resto de su vida.

Felice había dejado atrás ese joven que fue y, con dieciséis años, ya se sentía todo un adulto. Así, no pudo evitar sentirse atraído por una de las doncellas de la casa. Poseía una determinación de hierro para sus ideales liberales, pero no le ocurría lo mismo cuando se tenía que enfrentar a sus deseos carnales. No los comprendía, pero tampoco sabía cómo evitarlos.

Se llamaba Isabella y tenía la misma edad que Felice.

Ella había notado el interés que despertaba en el joven y tampoco hacía nada para evitarlo. Al fin y al cabo, se trataba del sobrino de su jefe, el señor Orsini, un hombre muy poderoso.

—Puedes venir a mi habitación cuando termines el servicio —le dijo Felice—. Te quiero enseñar una cosa.

—Bueno, pero no quiero que nadie nos vea juntos. No me puedo permitir perder mi empleo.

—No te preocupes. Ya sabes que mi tío está fuera, viendo una nueva villa que desea comprar. No se espera que vuelva hasta mañana. No tienes nada que temer.

—Vale —le respondió Isabella, mientras se marchaba a seguir con sus quehaceres domésticos.

A las siete de la tarde, Isabella llamó a la puerta de Felice. Escuchó un «adelante» y entró en la estancia.

Felice no sabía cómo impresionar a una doncella, así que se le ocurrió mostrarle una de las pistolas de su tío, que había tomado prestada, aprovechando su ausencia de la casa.

—Es curioso que un objeto tan bonito sea capaz de causar tanto dolor —le dijo, mientras la tomaba en sus manos—. Se rumorea que sabes usarla muy bien.

—Así es. He estado practicando en secreto durante dos años. También sé manejar la espada y el sable. Algún día, me convertiré en un soldado, como mi padre, y liberaré a nuestro pueblo de la tiranía del papa y de los austríacos.

—¡Cállate! —se escandalizó Isabella—. No digas esas barbaridades, y menos dentro de esta casa. Nunca sabes quién puede estar escuchando.

—Ya te he dicho que mi tío no está. No tenemos nada que temer.

—Tu tío puede que no, pero Domenico no me deja en paz. Creo que hasta me espía. Está obsesionado conmigo, a pesar de todos mis rechazos.

—¿Te refieres a Domenico Spada, el cocinero de mi tío? ¡Pero si podría ser tu padre! Tendrá cerca de cincuenta años.

—Lo sé, es asqueroso.

—¡Ese bribón! Pienso informar a mi tío, en cuanto vuelva a casa. Seguro que no aprobará ese comportamiento lascivo y fuera de lugar.

En ese momento, para sorpresa de la pareja, súbitamente se abrió la puerta.

—¡Lo sabía! Una puta y un traidor juntos.

Era Domenico.

De inmediato, Felice tomó el arma de manos de Isabella. No deseaba que el cocinero la viera y se lo contara a su tío. Su movimiento fue tan brusco que asustó a la doncella, que se la entregó casi sin mirar. El resultado fue el opuesto al esperado. La pistola terminó en el suelo, justo delante de Domenico.

Ambos se abalanzaron sobre ella.

Se escuchó un disparo.

7 NUEVA ORLEANS, 22 DE JUNIO DE 1845

—Ante todo, puedes estar tranquilo —le dijo Edward Morphy a su hermano Paul—. Es tu primera partida y es un honor que sea contra mí. Juega sin presión. Piensa que, después de esta, jugaremos muchas más.

—Tu hermano tiene razón —intervino Alonzo—. Hijo, eres un autodidacta y, sin duda, eres inteligente y tienes cualidades para el ajedrez, pero es muy posible que cometas errores. No pasa nada, para eso estamos nosotros aquí. No te lo tomes como una partida seria, sino como un simple entrenamiento. Todos empezamos así.

Paul no estaba alegre, parecía abatido.

«No sé si jugaremos muchas más», pensaba, mientras trataba de mirar al tablero y no a los ojos de su hermano.

—Os pido a los dos tranquilidad. No será una partida tradicional —empezó a decir Joseph Le Carpentier.

«Eso desde luego», pensó Paul.

—Escucha, querido nieto —continuó—. Si vemos que cometes algún error importante, te lo haremos saber y podrás enmendarlo. Lo hemos comentado antes con tu hermano y está de acuerdo.

«Cuanto antes pase este mal trago, mejor», continuó pensando Paul.

—Bueno, ¿empezamos ya? —dijo.

—Tú juegas con blancas, mueves primero —le dijo su hermano.

Paul comenzó moviendo su peón de dama. Edward copió su movimiento. Paul adelantó su peón de rey y Edward lo tomó.

En las cinco primeras jugadas Paul ya llevaba una desventaja de dos peones. Alonzo pensó que había llegado el momento de intervenir.

—Hijo, si sigues regalando las piezas de esa manera alocada, terminarás perdiendo la partida.

—Padre, son peones. Ahora mismo, no me importan nada. Entorpecen mi juego.

—No menosprecies a los peones, hijo. En un final de partida, son muy importantes y pueden inclinar la balanza de un lado o del otro.

—No pienso llegar a esa situación —respondió Paul, mientras le hacía un gesto a su padre que no le interrumpiera más.

—Déjalo jugar a su aire —le susurró Ernest a su hermano Alonzo—. No sé por qué, pero me parece que sabe lo que hace.

—¿Regalando piezas? Todos sabemos que va a perder. Ya sé que eso no es lo importante, pero no me gustaría que lo hiciera tan rápido —le respondió—. Aunque tenga tan solo ocho años, puede resultar humillante.

Ernest le sonrió.

—No menosprecies a Paul. Queda mucha partida.

—Creo que te equivocas, pero te voy a hacer caso —concluyó Alonzo.

Desde luego, Ernest estaba equivocado. La partida duró apenas doce movimientos.

Paul había acorralado al rey de su hermano, en un alarde de combinaciones de sacrificios y juego de ataque. Edward no tuvo tiempo ni de desarrollar sus piezas. Cuando se quiso dar cuenta, ya no tenía ninguna opción en la partida. Todos los presentes se quedaron con la boca abierta.

Bueno, todos no.

Edward, en los primeros movimientos, pensaba que iba a ser una victoria sencilla. Era la primera partida de su hermano y le estaba regalando piezas sin aparente sentido. Incluso sacrificó un alfil por un peón en su séptima jugada. A partir de ahí, todo pareció torcerse. Paul desarrolló sus piezas con una rapidez y contundencia que no se esperaba. No lo vio venir. Fue un auténtico torbellino. Se sintió humillado.

La partida había durado menos de quince minutos. Paul apenas había empleado cinco en sus movimientos.

Edward se quedó mirando a su hermano, sin dirigirle la palabra. De repente, se levantó de la mesa y abandonó la habitación.

Paul seguía cabizbajo. No aparentaba ninguna alegría por haber ganado su primera partida con semejante contundencia. Eso ya sabía que iba a ocurrir, tenía una inmensa confianza en su juego. Estaba triste por su hermano. Sabía que le había herido en su amor propio, por eso no quería jugar. Por eso quería retrasar su primera partida, porque sabía que le iban a emparejar con su hermano, por una simple cuestión de edad. No era lo mismo ganarle con diez años, por ejemplo, que con ocho recién cumplidos.

El silencio reinaba en el despacho de Alonzo, hasta que Joseph decidió romperlo.

—Acabamos de ser testigos de una victoria prodigiosa. Esta partida ha sido digna del mismísimo Adolf Anderssen.

—¿Quién es ese? —preguntó Paul.

—Con veintisiete años, posiblemente sea el mejor jugador de ajedrez de ataque del mundo y lo que le queda por delante...

—¿No crees que te has pasado un poco? Me miras con buenos ojos porque eres mi abuelo.

—No pareces alegre después de semejante victoria —intervino su tío Ernest.

Paul pensó un poco su respuesta. No quería parecer pedante y quería medir sus palabras.

—Después de mi imprudencia de ayer, presumía que hoy me haríais jugar una partida. Querríais saber si encontré ese mate en cuatro movimientos por simple casualidad, o realmente sabía jugar. También supuse que mi primer rival sería mi hermano y que la partida se jugaría hoy. ¡Qué mejor día que en mi cumpleaños! Por eso no he estado de muy buen humor esta mañana. Soy un niño, sí, pero sabía que ganaría a mi hermano con mucha facilidad. Su juego es muy predecible y débil.

Los cuatro presentes seguían asombrados por la seguridad con la que se expresaba Paul.

—Si tan listo te crees, ¿te atreves a jugar una partida contra mí? —lo retó Alonzo.

—Padre, de verdad, no es necesario. Siento mucho haber herido a mi hermano, no quería que eso ocurriera.

—No te he preguntado eso.

Paul se quedó mirando a los ojos de su padre. Lo que vio no le gustó, pero consideró que no podía negarse.

Esta vez sortearon las piezas. A Paul le tocó jugar, esta vez, con las negras. La partida se desarrolló en términos parecidos a la anterior. En el movimiento dieciocho, Paul anunció mate en tres jugadas, para asombro de todos, sobre todo de su padre, que no lo veía, ya que, en ese momento, llevaba ventaja de dos peones y una torre. Paul se quedó en silencio. Estaba claro que no quería tener que explicárselo a su propio padre.

Joseph fue el primero que lo vio. Inmediatamente tomó las piezas del tablero y ejecutó la secuencia mortal. Paul estaba en lo cierto. Las blancas no tenían nada que hacer.

—¡Ahora yo! —exclamó Ernest—. Quiero jugar contra ti.

—¡Yo también! —se unió Charles Le Carpentier.

En ese momento entró en la habitación Charles Maurian, el amigo de Paul.

—¿Qué ha pasado? Edward ha abandonado la fiesta y se ha encerrado en su habitación. Me ha dado la impresión de que estaba llorando.

—¿Os dais cuenta por qué no tenía ningún interés en jugar hoy? —insistió Paul—. Nada de todo esto era necesario.

—¿Me perdonáis? —dijo Alonzo, que aún estaba turbado por la partida que acababa de perder contra su hijo—. Voy a intentar hablar con él. Supongo que será un berrinche pasajero.

—Claro —dijeron a coro todos los presentes, excepto Maurian, que no entendía nada.

—¿Ha ocurrido algo? —repitió la pregunta.

—Desde luego —contestó Joseph—, pero nada malo. El pequeño Paul nos acaba de dar una lección de humildad, pero parece que a Edward no le ha sentado demasiado bien. Tiene que aprender a perder. Eso también forma parte del ajedrez, aunque haya sido de semejante manera.

—¿Le has ganado? ¿De semejante manera? ¿Qué significa eso? —preguntó Maurian, dirigiéndose a su amigo.

Paul no parecía querer contestarle.

—Sí, le ha ganado en doce movimientos y a su padre en unos pocos más —le contestó Joseph, ante el silencio de su nieto.

—¡Increíble! —exclamó—. ¿Cómo lo has conseguido?

—Siempre he dicho que es un juego muy simple. Matar al rey de tu rival lo antes posible. Ya está, no es tan difícil —le respondió Paul—. Tampoco creo que tenga tanto mérito.

—Ahora estás envalentonado porque has jugado dos buenas partidas, pero no siempre será así —dijo Ernest—. Aún no me has contestado, ¿te atreves a jugar contra mí? Te advierto que le suelo ganar a tu padre, así que no te resultaré un rival nada fácil. Te pienso vencer.

—No lo creo —le respondió Paul, mirándolo a los ojos—. No olvides que tengo cierta ventaja. Os he visto jugar cientos de partidas y conozco vuestro juego.

—Yo también le he propuesto una partida —recordó Charles.

Joseph Le Carpentier parecía el único que se había dado cuenta de la genialidad de su nieto. Lo había observado. Apenas pensaba sus movimientos, jugaba por pura intuición y con extrema rapidez. No había recibido ninguna formación, sin embargo, no jugaba como ellos. Había algo diferente en su estrategia que no había visto jamás en ningún otro ajedrecista. Antes había nombrado a Adolf Anderssen, pero era un jugador con un profundo conocimiento teórico del ajedrez, no era comparable con su nieto. Anderssen, aunque era un genio, también era un verdadero estudioso de las aperturas. La estrategia en el medio juego le solía bastar para ganar sus partidas, pero si alguna se alargaba más de la cuenta, también dominaba los finales. Su nieto, en cambio, estaba seguro de que ni siquiera conocía lo que significaban esas palabras. Sin embargo, por lo que había visto, lo veía perfectamente capaz de ganarles, tanto a Ernest como a su hijo Charles, así que decidió plantearle un reto superior.

—¿Y si juegas contra los dos a la vez? —le propuso a Paul.

—¿A la vez? ¿Eso es posible?

—Claro, se llaman partidas simultáneas. Los maestros del ajedrez, en sus demostraciones, las suelen jugar. También suelen dar ventaja a sus rivales de menor entidad, como jugar con alguna pieza menos, para tratar de equilibrar sus diferentes niveles de juego.

—Pero yo no soy uno de esos.

Joseph sonrió.

—¿Te atreves o no?

Paul no contestó. Se quedó mirando a Ernest y a Charles, esperando una respuesta por parte de ellos.

—Si eso sirve para bajarte un poco los humos, por mí de acuerdo —dijo Ernest.

—No tengo ningún humo que bajar. Ya os he dicho que no quería que esto sucediera.

—¡Venga! —exclamó Charles, mientras juntaba dos mesas y preparaba los tableros—. No perdamos más tiempo.

Paul jugó con las piezas blancas en ambas partidas. Cuando terminaron, en apenas treinta minutos, Joseph no parecía nada sorprendido por el resultado. Se dirigió a su nieto.

—El sábado que viene te quiero en mi casa.

Charles Maurian aún estaba con la boca abierta.

8 IMOLA Y BORGO SAN LORENZO, PRIMEROS MESES DE 1836

—¡Debes huir de inmediato de la ciudad!

—¿Por qué? ¡Ha sido un desgraciado accidente! Isabella te puede confirmar cómo ocurrió todo.

—No te das cuenta, ¿verdad? No es a mí a quién tienes que convencer, yo te creo, sino a la justicia. Los hechos no te son muy favorables. Primero, has incumplido el pacto que alcanzamos con los centuriones. Te comprometiste a no utilizar armas de fuego y yo di la cara por ti.

—¡Y no lo he hecho!

—¡Has disparado mi pistola y matado a Domenico Spada! Eso es utilizar un arma de fuego. En segundo lugar, resulta que te encontrabas en tu habitación con una doncella, a la que, por lo visto, ambos cortejabais. De repente, entra Domenico, os sorprende y, a continuación, muere por un disparo tuyo. ¿Casualidad? No creo que los guardias acepten esa versión. Tiene todo el aspecto de un crimen pasional. Además, tenemos un problema mayor.

—¿Mayor que todo esto?

—¿Te acuerdas del jefe de centuriones con el que tratamos la última vez? Pues resulta que es hermano de Domenico. Además, tiene otros familiares en la guardia y muchos amigos entre ellos. ¿Qué crees que ocurrirá si te atrapan? Es posible que no llegaras vivo ni a las mazmorras. Podrían hasta lincharte.

En ese momento, Felice fue consciente de que su situación era desesperada.

—¿Y qué piensas hacer?

—Lo primero ya lo he hecho. He avisado a la guardia. La muerte de Domenico se produjo ayer por la noche. Resultaría sospechoso que no hubiera dado parte ya.

—¿Después de lo que me acabas de contar? —ahora, Felice parecía asustado.

—¡Déjame terminar y no me interrumpas! —exclamó Orso—. No nos sobra el tiempo. Al mismo tiempo, tienes que subir al tejado y escapar de la casa. Ya he hablado con un vecino y buen amigo, el conde Hercules Faella. Te está esperando y te ocultará, hasta que pueda organizar tu huida de la ciudad. Mientras tanto, le contaré al obispo Mastai Ferreti el desgraciado incidente. Si el plan no sale bien y te apresan, por lo menos intentaré convencerle de que quedes bajo su custodia y no bajo la de esos bárbaros de los centuriones. Por mi parte, yo también deberé abandonar la ciudad por un tiempo.

Felice tenía las manos sobre la cara. Estaba desolado.

—Has dicho que abandonarás la ciudad por un tiempo, pero no has comentado nada de mí.

—Porque no volverás a Imola jamás. Aunque consiga, con el tiempo, arreglar este desgraciado incidente con la justicia, no estarías seguro en la ciudad. Tu vida peligraría.

—¿Eso significa que...?

—Que no sé si volveremos a vernos —le interrumpió Orso—. Tengo que ser sincero contigo. Tienes que comprender la gravedad de la situación. Te vas a convertir en un prófugo de la justicia. Ahora, no perdamos más tiempo, la guardia puede llegar en cualquier momento. Sube al tejado. Encontrarás con facilidad la casa del conde, ya que será la única claraboya que verás abierta y te estará esperando.

—Pero tío... —intentó objetar Felice, que seguía pensando que no había cometido ningún delito.

—¡Ya! —le ordenó Orso, con voz muy firme, mientras le señalaba una escalera que ya había dispuesto.

Felice, al ver la cara de furia de su tío, salió corriendo, sin ni siquiera despedirse. Subió por las escaleras hasta el tejado de la casa y encontró con facilidad la claraboya abierta del conde, que le ayudó a entrar. Se sintió reconfortado por la amabilidad y el excelente trato que recibió, dadas las circunstancias.

Al día siguiente, el conde anunció a Felice que su tío ya había organizado su plan de escape. Utilizarían el carruaje oficial del conde y de su esposa, la marquesa Alessandretti. A pesar de que los guardias nunca les importunaban en sus desplazamientos, le informó que lo ocultarían en el suelo, cubierto por una manta. Debían de correr los mínimos riesgos posibles.

Así, consiguió salir de la ciudad de Imola, sin despertar sospechas. No conocía su destino, ya que el conde no se lo quiso revelar, suponía que por si algo se torcía. En estos momentos, cuanto menos supiera, mejor.

Felice se sorprendió al notar que el carruaje se detenía. Calculaba que habrían recorrido apenas quince kilómetros. «Este no puede ser el destino final», pensó, atemorizado. De repente, la puerta del carruaje se abrió. Permaneció inmóvil, cubierto por la manta.

—Tranquilo, puedes salir —escuchó decir—. Soy Andrea Cavalcante, amigo de tu tío.

Felice se destapó de la manta y bajó del carruaje. Se dio cuenta de que estaban en medio de la nada. Allí no había ninguna edificación. Andrea percibió la sorpresa en el rostro de Felice.

—No, este no es tu destino. Detrás de aquellos árboles dispongo de dos mulas ocultas. Tan solo seré tu guía para atravesar los Apeninos. No podemos ir por los senderos más concurridos, ya que existe el riesgo de que estén vigilados y te puedan reconocer. Usaremos caminos poco frecuentados, pero también de difícil acceso.

—¿Adónde me llevas?

—A Borgo San Lorenzo.

Desde luego, Andrea tenía razón. Llamar «camino» a aquellos simples senderos era una exageración. En ocasiones, parecían desaparecer, pero Andrea los conocía, ya que no dudó ni un solo momento. En consecuencia, tardaron más de una semana en alcanzar su objetivo. Felice le dio las gracias a su guía y se encontró enfrente de una casa. Llamó a su puerta y, de inmediato, fue abierta.

—Soy Felice Orsini, creo que me estaban esperando.

—¡Por supuesto! Me llamo Allai. Tu tío me avisó de que llegarías para quedarte una temporada en el campo.

Felice se dio cuenta de que desconocía el verdadero motivo de su viaje. «Mejor», pensó. «Así no tengo que dar más explicaciones». En el fondo, a pesar de que seguía pensando que había sido un desgraciado accidente, no podía evitar sentir vergüenza y culpa por las consecuencias de sus actos.

Pronto se dio cuenta de que, allí, no tenía nada que hacer. No podía quejarse del trato que estaba recibiendo de la familia de Allai, pero eran como su tío, unos fanáticos religiosos. Las únicas visitas que recibían eran de sacerdotes o monjes, con los que no le apetecía hablar. Perdió su interés por los estudios y se dedicó a continuar practicando ejercicios físicos, que incluían montar a caballo e incluso mejorar su puntería con armas de fuego. Como nada conocían de su incidente en Imola, Allai no le ponía ningún impedimento.

Entre tanto tiempo ocioso del que disponía, entabló una especial amistad con una de las hijas de Allai, llamada Arabella. Le explicó que su nombre significaba «altar hermoso». Desde luego no se le ocurría un nombre más apropiado. Era muy bella, pero no todo podía ser bueno. Era igual de fanática religiosa e ignorante que el resto de su familia. Pensó que, soportar sus aburridas conversaciones, que giraban en torno a las virtudes del catolicismo, le compensaba. Empezó a observar sus mismas costumbres, hasta iba a misa con ella. «¿Debo preocuparme?», llegó a pensar. Sus besos, robados bajo la luz de la luna en rincones de aquella preciosa ciudad, eran miel para sus labios.

Afortunadamente, a los seis meses de su estancia en Borgo San Lorenzo, Felice recibió una misiva de su tío Orso. No había estado ocioso como él. Procuraba solucionar su problema, tal y como le había prometido. Le contaba que había escrito al secretario de estado en Roma, su íntimo amigo el cardenal Gamberini, que le propuso conseguir un perdón papal. Para sorpresa de Felice, su tío le decía que no deseaba eso. Quería que se celebrara un juicio, para que se pudiera demostrar la inocencia de su sobrino. El perdón papal suponía aceptar implícitamente su culpabilidad en el desgraciado incidente. Su tío le informaba que el cardenal había aceptado, garantizando la seguridad de su sobrino en los Estados Pontificios, hasta la celebración del juicio.

Felice tenía sentimientos encontrados. Por una parte, se alegraba de saber de su tío y de que no le hubiese olvidado. Por otra, ahora se empezaba a sentir bien junto a Arabella, aunque, si lo pensaba bien, por sus influencias, se estaba convirtiendo en uno más de la familia, cosa que le espantaba. No quería acabar siendo como ellos, un fanático religioso más. También le asustaba el juicio, pero que se celebrara en

Ravenna, bajo el paraguas del cardenal Gamberini y no en Imola, le tranquilizaba un tanto.

Se despidió de toda la familia de Allai, en especial de Arabella, que no comprendía su partida. Nada podía explicarle, ya que nada sabía acerca del motivo real por el que se encontraba en Borgo San Lorenzo. Fue un momento muy difícil, pero, en su corazón, sentía que era lo que debía hacer.

Al amanecer, partió hacia el convento de los monjes agustinos de la ciudad de Ravenna, como había sido convenido. Estaba todo organizado y esperaban su llegada. Lo condujeron hasta sus aposentos. A pesar de ser un monasterio, tenía que reconocer que su estancia era más cómoda que su habitación en la casa de Allai.

El primer día trascurrió sin ningún sobresalto. Supuso que los monjes pensarían que estaría fatigado por el viaje y decidieron no importunarlo, cosa que agradeció. Pero al segundo día todo cambió, para su absoluta sorpresa.

Jamás se lo hubiera esperado. Aquello era una gran trampa. En realidad, no era un convento, sino una inmensa tela de araña y él era la inocente mosca.

Ya era tarde para escapar. Estaba enredado en la tela y la araña se aproximaba hacia él.

9 NUEVA ORLEANS, 10 DE DICIEMBRE DE 1846

—No, ese movimiento no lo debes hacer.

—¿Por qué? ¿Es ilegal?

—No, no lo es. Ya sabes cómo se desplazan todas las piezas y conoces que la jugada es perfectamente legal. Por eso te he dicho que no lo debes hacer, aunque puedas. ¿Lo entiendes?

—Ni una sola palabra.

—Mira, tu caballo está cubriendo tu dama del ataque de mi alfil. La está protegiendo, Ya sabes cómo se desplaza el alfil por el tablero, en diagonal, pero no puede saltar otras piezas. Tu dama está justo en la trayectoria diagonal de mi alfil, pero tu caballo se interpone y evita que la pueda tomar. A eso se le llama «pieza clavada».

—O sea, que mi caballo está clavado.

—Exacto. Si lo mueves, que puedes hacerlo, lo que ocurriría es que dejarías expuesta a tu dama. En mi siguiente turno de juego, la capturaría con mi alfil y te verías obligada a abandonar. Perder la dama de esa manera, en el quinto movimiento de la partida, es casi irrecuperable.

—¿Abandonar? ¿Y si quiero seguir jugando? Esa regla no me la has enseñado.

—Porque no es una regla. Si quieres seguir la partida lo puedes hacer, pero, a no ser que seas un verdadero prodigio o que tu adversario sea muy flojo, jamás la ganarías. Es una cuestión de deportividad entre jugadores de similar nivel. Es mejor reconocer el error y la derrota y empezar otra partida. Continuarla sería una verdadera tortura para ti.

—Ahora lo entiendo. Se trata de divertirse, como siempre dices.

—Bueno, no solo de eso. Si no tienes opciones de ganar, ¿para qué continuar? Tu adversario se lo podría tomar como una afrenta.

—Ahora vuelvo a no entenderlo. ¿No es un juego? ¿Y si yo me divierto perdiendo? Al fin y al cabo, es lo que estoy haciendo contra ti desde hace más de un mes y me entretiene igual que el primer día.

—No es lo mismo, yo te estoy enseñando.

De repente, la conversación se vio interrumpida por la irrupción de Charles Maurian.

—Vaya, la pareja de tortolitos jugando al ajedrez.

Paul no pudo evitar ponerse colorado.

—Primero, no somos tortolitos. Y, segundo, estamos en un parque, enfrente de la casa de Amélie. podemos hacer lo que queramos.

—¿Lo saben tus padres? —le preguntó Charles, dirigiéndose a la chica.

—¿Acaso les tengo que informar de lo que hago en mis ratos de ocio? ¿Te parece que esté haciendo algo malo?—le respondió, en un tono algo airado.

—No, supongo que no —reculó Charles, ante la hostilidad de Amélie.

—Escucha, Charles —intervino Paul—, me habrás oído pronunciar esta frase multitud de veces. El ajedrez es tan solo un juego divertido. Nada más que eso. También debería serlo para las chicas, aunque esté mal visto en Nueva Orleans.

—Esa es tu opinión. Ya sabes que no es lo que piensan la mayoría de ajedrecistas, que juegan para ganar. Y los que no tenemos ni idea, como yo, tampoco lo vemos divertido.

—Lo que piensen los demás me da igual, ya me conoces de sobra.

Esta conversación le recordó a Paul sus partidas con su abuelo, Joseph Le Carpentier. Todos los sábados iba a su casa para jugar al ajedrez. Disfrutaba con él porque no se enfadaba cuando perdía, cosa que sucedía constantemente. Decía que no le importaba, que disfrutaba viendo como le ganaba. No había sido capaz de vencerle ni una sola partida, y eso que habrían jugado más de cien. Al principio, jugaban de la manera tradicional, pero Paul lo derrotaba cada vez con más contundencia. Al final, consiguió que su abuelo se tragara su orgullo y aceptara que Paul le diera ventajas de inicio. Al principio, empezaron con un alfil o un caballo, pero Paul seguía ganando con facilidad. Estaba claro que esa ventaja era insuficiente, así que la aumentaron a una torre y dos movimientos. Las partidas se equilibraron un tanto. Aunque Paul las seguía ganando, resultaban más entretenidas.

En casa de su abuelo era feliz jugando, sin embargo, en su propio hogar se sentía más incómodo. Su hermano Edward, después de aquella primera derrota traumática, hacía año y medio, en su octavo cumpleaños, había perdido el interés por el ajedrez y ya no lo practicaba. Con su padre jugaba de vez en cuando, pero siempre tenía que aguantar sus pesados sermones acerca de la importancia de centrarse en los estudios, de las altas expectativas que tenía depositadas en él en el mundo de la Justicia y todas esas aburridas cuestiones. Paul tan solo deseaba jugar al ajedrez y divertirse con el juego.

Pero, sin duda, con el que más disfrutaba era con su tío Ernest Morphy. Era el mejor ajedrecista de la familia. Ambos habían mejorado bastante su juego, pero Paul seguía ganándole la mayoría de las partidas. Su tío no había conseguido vencerle nunca, pero si había sido capaz de forzarle algunas tablas, para el regocijo de Paul, que casi se alegraba más cuando las partidas eran competidas. Seguía viendo el ajedrez como un juego simple, aunque se había producido un sutil cambio en su interior. Ya tenía nueve años y medio y había aceptado que quizá tuviera un don. No le había resultado sencillo asumirlo, pero su tío, ahora, era uno de los mejores ajedrecistas *amateurs* de Nueva Orleans. Él era todavía un niño y le ganaba con cierta facilidad. A pesar de sus reticencias mentales, en su interior supo que aquello no era normal.

—¡Te has quedado atontado! —le gritó Charles Maurian, lo que sacó a Paul de sus pensamientos.

—Estaba pensando en las partidas con mi abuelo y con mi tío, Es curioso, a mi abuelo no le importa nada perder, pero a mi tío Ernest sí. A pesar de eso, seguimos jugando juntos.

—Ahora que nombras a tu abuelo, casi se me olvida para qué he venido. ¿No os creeríais que me he acercado para veros jugar al ajedrez?

—¿Le ocurre algo a Joseph?

—No es eso. Ha ido a buscarte a tu residencia y no estabas. Tu padre tampoco lo sabía. Se ha acercado a mi casa y me ha preguntado por ti. No sé por qué, pero he supuesto dónde te podría encontrar —dijo, con una sonrisa burlona en su rostro, mientras dirigía su mirada a Amélie.

Paul no pudo evitar ponerse colorado. No tenía ninguna vergüenza cuando estaba con Amélie enfrente de un tablero, pero no le gustaban las insinuaciones de Charles.

—¿Y qué quiere?

—Que vayas inmediatamente a su casa.

Ahora, Paul se sobresaltó.

—¡Qué raro! Hoy es jueves, no sábado.

—No será para jugar al ajedrez, que parece que no tienes otra cosa en la cabeza, atontado.

—¿Por qué crees eso? Siempre que me busca mi abuelo es para jugar al ajedrez.

—Pues esta vez no lo creo. Estaba bastante apurado. Me ha recalcado la palabra «inmediatamente» varias veces.

Paul se preocupó. Levantó la vista hacia Amélie.

—¿Te importa recoger las piezas y el tablero? No sé qué le ocurre a mi abuelo. Parece que debo marcharme con rapidez.

—Claro que no —le contestó—. Anda, vete cuánto antes. Ya seguiremos otro día.

Se levantó y salió corriendo en dirección a la residencia de su abuelo. Ocupaba toda una casa en su misma calle. No estaba muy alejado de ella, así que, en apenas unos minutos, ya estaba llamando a su puerta.

Para su sorpresa, le abrió su propio abuelo. Que Paul recordara, era la primera vez que sucedía, siempre lo hacía algún miembro del servicio. Se quedó mirándolo a la cara, sin reaccionar. Lo que vio en sus ojos no le gustó.

—¿Qué haces ahí plantado? ¡Venga, entra en la casa!

Paul le obedeció de inmediato. No sabía qué decir, así que no abrió la boca, esperando que su abuelo se explicara.

—Sube a mi habitación. Ya sabes cuál es. Veras ropa extendida encima de mi cama. Póntela lo más rápido que puedas. Te espero en mi despacho. No te entretengas.

—Abuelo, me estás preocupando...

De inmediato, lo interrumpió.

—Ya tendrás tiempo de eso después. Ahora haz lo que te digo, ¡ya! —exclamó.

Paul saltó como una de las ranas que le gustaba perseguir y subió las escaleras de un brinco. Entró en la habitación de su abuelo. Aunque ya había estado allí, no dejaba de sorprenderle. Era enorme y muy lujosa. Se notaba la fortuna de la familia Le Carpentier. Dirigió su mirada a la cama.

«¿Qué es esto?», pensó Paul. Le recordó a su octavo cumpleaños, cuando su madre le compró un traje nuevo, aunque esta vez era algo diferente.

Tenía enfrente de él un traje muy lujoso, compuesto por pantalones cortos de terciopelo negro, una camisa de encaje blanca con un gran cuello abierto y una chaqueta. Le pareció muy exagerado, incluso para los estándares clásicos de su abuelo. Estuvo tentado de bajar las escaleras y pedirle alguna explicación más, pero se había dado cuenta de que tenía mucha prisa, fuera para lo que fuese, así que desistió de su idea.

Esta vez ni siquiera perdió el tiempo en mirarse al espejo. Salió de la habitación de su abuelo en apenas cinco minutos. Su abuelo lo estaba esperando al pie de las escaleras.

—Anda, péinate un poco. Llevas el pelo muy revuelto.

No era nada habitual que su abuelo empleara con él ese tono tan autoritario, todo lo contrario, siempre era muy amable, así que ni rechistó, a pesar de que odiaba peinarse.

—Mejor, mucho mejor —dijo su abuelo, con un gesto de aprobación. Ahora, vámonos, que aún llegaremos tarde y eso no puede suceder.

Paul tan solo había pronunciado cuatro palabras desde que entrara en la residencia de su abuelo. Aquello no le parecía normal. Decidió que, ahora que ya parecía que iban a salir de su casa, había llegado el momento de preguntar qué es lo que estaba ocurriendo.

—Perdona, abuelo, pero ¿dónde vamos con tanta prisa y vestidos así? —había notado que Joseph también iba muy elegante.

Mientras abría la puerta de su casa a toda velocidad, su abuelo se lo dijo.

Paul se quería morir.

10 RAVENNA, ENTRE 1836 Y 1837

—¿Has oído hablar de la Compañía de Jesús?

Por supuesto que Felice había oído hablar de ellos. Era una orden religiosa fiel al Papa y a los Estados Pontificios y, en consecuencia, sus enemigos. Conocía que sus tentáculos de poder se extendían hasta Roma

—Sí, señor —contestó, lacónicamente.

—Supongo que conocerás que tu tío es muy buen amigo mío y que me ha encomendado tu cuidado y protección en todo el proceso que va a suceder.

—Sí, eso me dijo en la carta que me remitió a Borgo San Lorenzo.

—Es posible que consigas salir indemne en el caso de la muerte de aquel sirviente de tu padre, si el juez comprende que se trató de un simple accidente, ¿no fue así?

Felice estaba manteniendo esta conversación con el arzobispo de Ravenna, Falconieri Mellini, que se había desplazado al monasterio para conocer al joven.

—Sí, señor. La pistola se disparó de forma accidental. La doncella de mi tío, Isabella, podrá testificar que todo ocurrió tal y como siempre lo he contado.

—No será posible.

—¿Por qué?

—En primer lugar, porque no nos conviene su presencia. Creo que ya me entiendes, supondría más una complicación que una ayuda. Y, en segundo lugar, porque fue despedida por tu tío después del incidente y desconocemos su actual paradero. Por lo visto, abandonó Imola.

Felice no conocía ese detalle. No pudo evitar sentirse mal. Isabella no había hecho nada reprobable que mereciera aquel castigo, además su familia necesitaba el dinero que ganaba. Su semblante se entristeció. Se quedó en silencio. No sabía qué decir.

—Pero también conocerás que no solo se te acusa de eso.

Ahora, Felice se sorprendió. Su rostro cambió. El arzobispo continuó hablando.

—Aunque se tratara de una muerte accidental, te pueden acusar de estar en posesión de un arma de fuego y de no observar la diligencia adecuada con ella. De eso es muy complicado que te libres.

Felice no había pensado en ello, pero sí lo había hecho con la insólita presencia del arzobispo en el monasterio. Estaba claro que su visita no era de cortesía y perseguía algún objetivo. Se lo barruntaba. Por ello no deseaba continuar con la conversación.

—El juicio será mañana por la mañana.

Ahora, Felice no se sorprendió, se asustó.

—Tranquilo —continuó el arzobispo—. Limítate a contar la verdad de todo lo ocurrido.

—¿Y qué sucederá después? —le preguntó Felice. Se temía la respuesta.

—Ya te lo he dicho. Es muy posible que te absuelvan del crimen, pero poco probable que lo hagan de posesión de arma de fuego, ya que se trata de un hecho que vas a reconocer, ya que es la verdad. Pero no debes preocuparte, luego entraremos nosotros en juego.

—¿Nosotros? —Felice ya conocía la respuesta, pero la pregunta le surgió de forma espontánea.

—¿Por qué crees que he empezado la conversación preguntándote por la Compañía de Jesús? Después del juicio, si todo sale como está convenido, te acogerá bajo su protección el canónigo Gianotti. Es el director de la escuela más prestigiosa de Ravenna, donde estudian los hijos de los nobles. Tu tío Orso es una gran persona y muy persuasivo. Se preocupa mucho por ti.

Felice lo había comprendido desde su llegada al monasterio. Su absolución del crimen no le iba a salir gratis. Cambiaba una condena por otra. Ingresar en la Compañía de Jesús era lo último que deseaba, pero era peor morir ajusticiado. «Ahora que lo pienso, no lo tengo tan claro», se dijo Felice. La expresión en su rostro lo decía todo.

Su tío no le había contado toda la verdad. Su absolución tenía un precio, pero no uno cualquiera. Aquello era una encerrona, pero Felice ya la había comprendido antes de la visita de arzobispo, por ello, se estaba afanando en idear un plan de escape. Ahora mismo no se le ocurría ninguno, pero, a pesar de su juventud, siempre había salido airoso de todos sus percances. Eso le daba fuerzas.

Tal y como estaba previsto, el juicio se celebró al día siguiente. Felice fue declarado inocente de la muerte de Domenico Spada y culpable de posesión de arma de fuego. Su condena quedaba suspendida, siempre y cuando ingresara en la Compañía de Jesús.

Lo previsto. Aquello fue una mera pantomima.

Al día siguiente, recibió la visita en el monasterio del canónigo Gianotti.

—Supongo que sabes quién soy.

—Sí, me anticipó su visita el arzobispo. Supongo que viene a convencerme para que me convierta en un monje jesuita.

—No, no vengo para eso.

Una vez más, Felice se sorprendió. Se quedó esperando que el canónigo explicara esa inesperada frase.

—No te niego que pertenecí a la Compañía de Jesús, donde recibí una magnífica formación, que me permite dirigir el mejor colegio de la ciudad, pero ya no soy un jesuita, aunque me sienta uno de ellos —hizo una pequeña pausa, mirando a su asombrado interlocutor—. Soy muy amigo de tu tío y me ha hablado acerca de ti. Me parece que sería absurdo que intentara convencerte de que te convirtieras en un monje. Me da la impresión de que eres una persona de vida activa, no de vida contemplativa.

Felice, ahora, estaba interesado por las palabras del canónigo.

—¿Sabes? Me parece que tienes una idea muy equivocada acerca de la Compañía de Jesús. Una parte importante de sus integrantes son soldados.

—¿Soldados? —repitió de forma automática Felice. Aquello no lo sabía.

—En realidad, la Compañía de Jesús no dispone de monasterios ni tiene monjes. Esa es una creencia popular. Tiene casas y colegios. Más que una orden religiosa, es una gran hermandad. Somos como una república de ciudadanos iguales, que lucha por esos valores. No admitimos a ignorantes, seleccionamos a nuestros miembros por su abnegación, coraje, virtud y valentía. Nunca hemos ambicionado el poder, pero es cierto que lo poseemos, incluso por encima del propio Papa.

Felice parecía interesado por lo que estaba escuchando, aunque no podía evitar ser desconfiado. Estaba claro que su tío le había contado sus ideas y Gianotti había preparado un discurso dirigido a sus sentimientos.

—Sé lo que piensas —le dijo el canónigo—, pero, para que te convenzas de que no te miento, he ordenado que se desplacen a Ravenna algunos de los miembros de la compañía. Estoy seguro de que te sorprenderán. Para que no receles, no serán italianos, he seleccionado a polacos y españoles. Te contarán sus aventuras como soldados. Creo que comprenderás cuál es tu verdadero destino —dijo, mientras le daba un cariñoso abrazo y abandonaba su estancia.

Felice, en un principio, se mostró confuso, pero estaba claro que no tenía alternativa.

Habló con los polacos y españoles. Le contaron sus aventuras y expediciones por todo el mundo. En boca de aquellos muchachos, parecía una vida apasionante.

Gianotti, que detrás de aquella impostada cara amable, se escondía un hombre muy astuto, vigilaba discretamente a Felice. Fue consciente de que sus dudas iniciales hacia la Compañía de Jesús se empezaban a disipar. Consideró que había llegado el momento del segundo empujón.

A los dos días, Felice fue trasladado del monasterio agustino a la ciudad de Forli, donde se encontraba una casa de la compañía. Durante ocho días convivió, en plena libertad, con todos sus miembros. Eran educados, generosos y ayudaban a los necesitados. Para su sorpresa, fue una experiencia agradable.

Cuando volvió a Ravenna, Felice notó que se estaba produciendo un cambio en su interior. La desgraciada muerte de Spada y las consecuencias que tuvo para Isabella no le dejaban en paz. Sentía un fuerte sentimiento de culpabilidad. Nada debía haber ocurrido así. En consecuencia, fueron días muy melancólicos, incluso visitaba con regularidad la tumba de Dante, en una esquina del Palacio Polenta.

«Quizá no sea tan malo unirme a la compañía», pensó. «Es una penitencia que debo pagar por el mal que he causado».

Sin embargo, sin pretenderlo, fue su tío Orso el que lo sacó de aquellas ensoñaciones. Le envió una misiva, indicándole que la Compañía de Jesús había aceptado su ingreso y que todo estaba convenido. Se mostraba entusiasmado de que la fe hubiera prendido en su interior. Le informaba que pronto sería trasladado para comenzar su formación.

Aunque lo estuviera considerando, Felice no había pedido ese ingreso. Aquello le indignó, ya que nadie le había preguntado. Se sintió una marioneta, donde otros movían los hilos de su vida. No obstante, era consciente de que no estaba en condiciones de negarse.

Su viaje se dispuso de inmediato. Estaba claro que no querían soltar la presa. El destino final de Felice fue la ciudad de Chieri, donde la compañía disponía de otra casa. La primera labor que le encomendaron fue escribir, en un diario, el motivo por el que quería convertirse en un jesuita. «Si les digo la verdad, será mi último día aquí», pensó, divertido. Pero ahora estaba más animado. Por fin, había ideado un plan para escapar de toda aquella locura, así que se dispuso a obedecer. Escribió, en latín, para impresionarles, que su verdadera vocación era convertir a los infieles al catolicismo, que era una persona muy activa y, por ello, solicitaba ser misionero en la India.

Ese era su plan de escape. En cuanto estuviera fuera del continente, sería libre, aunque no contaba con un detalle importante; la respuesta que recibió.

Ser misionero suponía una estancia de seis meses en la casa, para aprender las enseñanzas de San Ignacio de Loyola, fundador de la Compañía de Jesús.

Felice no estaba dispuesto a perder semejante tiempo. Se vino abajo. Su espíritu y su cuerpo sufrieron un deterioro notable en los siguientes días a recibir la noticia. Sus planes de fuga debían cambiarse, pero se sentía atrapado. No veía salida posible. Llegó a pensar en el suicidio. Era consciente de que estaba entrando en una peligrosa espiral de depresión.

Pero su espíritu luchador acabó imponiéndose. No podía permitir derrumbarse. Su país, Italia, lo necesitaba. Al menos, eso se decía, para mantenerse cuerdo. Fruto de todo ello, de repente, se le ocurrió una idea, que no implicaba mentir.

Llamó a la persona a cargo de la casa y alegó que se encontraba enfermo y necesitaba tratamiento. Los miembros de la compañía comprobaron la veracidad de la palabra de

Felice. Desde luego, se le notaba muy desmejorado y tenía un aspecto nada saludable. Decidieron enviarlo de vuelta a Imola, con su tío Orso, para que recibiera los cuidados médicos necesarios.

«Nunca pensé que volvería a Imola», se dijo Felice. No le hacía demasiada gracia, pero era inmensamente mejor que permanecer seis meses entre jesuitas.

Ni se imaginaba lo equivocado que estaba.

Nada más llegar a la residencia de su tío, el recibimiento fue espantoso. No solo estaba Orso, sino el obispo de Imola y ahora también cardenal, Mastai Ferreti. Le echaron en cara que habían invertido mucho tiempo y dinero en su educación, que lo habían salvado de un más que probable ajusticiamiento y de que él les había fallado, no queriendo unirse a la Compañía de Jesús, tal y como habían convenido. Felice se sintió abrumado, ya que comprendió que habían adivinado su treta de la enfermedad. Tan enfadado estaba su tío que se negó a darle cobijo en su casa. No quería que se quedara en Imola, por lo que le dijo que, mañana mismo, partiría hacia Bolonia, para vivir con su padre. Lo daba por imposible, un caso perdido. No pensaba invertir ni un minuto de su vida en un fracasado.

Aquello sí que fue un verdadero mazazo para Felice. Su padre, después del fallecimiento de su madre Francesca, se había vuelto a casar, formando otra familia. Sabía que no iba a ser bienvenido.

Se sintió solo en la vida. Nada había salido como tenía previsto.

Bolonia no era su hogar.

Estaba claro que nada bueno le esperaba.

11 NUEVA ORLEANS, 10 DE DICIEMBRE DE 1846

—¿Conoces la historia de nuestra ciudad?

—Bueno, lo básico que nos han enseñado en la escuela hasta ahora. Fue fundada por los franceses y alcanzamos nuestra independencia, con la anexión a los Estados Unidos, hace apenas unos cuarenta años.

—Hay mucho más que eso. Nueva Orleans ha sufrido muchas vicisitudes a lo largo de su corta historia. Como bien conoces, fue fundada con el nombre de *Nouvelle-Orleans* en la primavera del año 1718 por la *Compagnie du Mississippi*, que, en aquella época, tenía el monopolio de las colonias francesas en América del Norte y en las Indias Occidentales. Las tierras pertenecían al pueblo indígena de los *Chitimacha*. En los primeros años, los franceses tuvieron muchos conflictos con ellos y con los *Natchez*.

—Supongo que reclamarían su tierra.

—Es cierto que ellos la habitaban con anterioridad a la llegada de los franceses, pero el Estado de Louisiana es muy grande y no podían reclamar la exclusividad sobre todo su territorio.

—Tendrían sus motivos.

—Bueno, eso no es lo importante. ¿Sabes a qué se debe su nombre?

—Supongo que a algún personaje célebre de origen francés.

Joseph no pudo evitar sonreír. Estaba manteniendo esta conversación con su nieto, mientras andaban a toda prisa por la Royal Street.

—Algo así. La ciudad debe su nombre a Felipe II, duque de Orleans, que era el regente del Reino de Francia en ese momento. Apenas cuarenta y cinco años después de su fundación, fue cedida al Reino de España a través del Tratado de París. Tampoco duró mucho el control español sobre la ciudad, ya que en 1802, por un breve periodo de tiempo, volvió a manos francesas, hasta que Napoleón nos la vendió a los Estados Unidos por quince millones de dólares.

—No sabía que hubiéramos sido comprados. Pensaba que nos ganamos nuestra independencia de ingleses, españoles y francesas por las armas.

—Es cierto que hubo algunas batallas, pero no fue así. De todas maneras, lo importante es que este último hecho marcó un punto de inflexión para nuestra ciudad. En apenas unas decenas de años, Nueva Orleans vivió una gran explosión económica y demográfica. Ahora mismo, nos hemos convertido en la tercera ciudad más habitada de los Estados Unidos, con más de cien mil habitantes, tan solo superada por Baltimore y Nueva York. Numerosos anglo-americanos, alemanes e irlandeses se unieron a los franceses y españoles para trabajar en el campo —Joseph parecía orgulloso.

—¿En el cultivo del algodón? ¿Pero eso no lo hacen los esclavos?

—No sé por qué sabía que ibas a sacar ese tema. Es cierto que la esclavitud aún no ha sido abolida en Louisiana, pero está viviendo su última época, te lo aseguro. Ya sabes que soy juez, y por los tribunales veo, cada vez con más frecuencia, casos de *manumissio.* Antes de que me preguntes que significa esa palabra, te diré que es una figura que procede del derecho romano, mediante la cual un esclavo se convierte en un ciudadano libre. A pesar de que la Corte Suprema aún pretende mostrarse firme en este tema, no creo que tarde en estallarles el problema.

Paul había estado escuchando las explicaciones de su abuelo con interés, pero no tenía ni idea de qué tenían que ver con lo que iban a hacer.

—¿Por qué me estás contando todo esto ahora? ¿Acaso debo de dar una conferencia acerca de la historia de la ciudad?

—No, pero te vendrá bien saberlo, dado lo que va a ocurrir en apenas quince minutos.

—¿Por qué? —Paul no entendía nada.

Su abuelo evitó contestarle y continuó su relato.

—Supongo que sabrás que, actualmente, estamos en guerra con México.

—Sí, eso lo sé. Los habitantes de Texas deseaban unirse a nuestro país y anexionamos su territorio de forma unilateral, convirtiéndolo en un Estado más. Pertenecía a México y no debió de sentarles demasiado bien.

Joseph volvió a sonreír.

—Explicas las cosas con la misma sencillez con la que juegas al ajedrez. Así es.

—Ahora que nombras al ajedrez, te repito la pregunta que te resistes a contestarme ¿qué tiene que ver todo esto con lo que vamos a hacer?

—Supongo que conoces el club que se encuentra justo delante de nosotros —dijo Joseph, señalando la conocida *Sazerac Coffee House* de la Royal Street.

—Claro. Está en el primer piso, justo encima del café. Mi padre y mi tío Ernest son socios. Les he oído hablar de él. Dicen que es muy lujoso y exclusivo, reservado tan solo para las personalidades de la ciudad.

—Bueno, pues este es nuestro destino.

Paul se alarmó.

—Pero, abuelo, no permiten entrar a niños, tan solo es para socios y adultos, y yo no cumplo ninguno de los dos requisitos.

—Me parece que esta vez van a hacer una excepción, por primera vez en su historia —le dijo, guiñándole el ojo—. No solo tu padre y tu tío son socios, yo también lo soy, además uno de los fundadores. Algún privilegio debo de tener...

—Aun así, ¿qué pinto yo en semejante club?

Su abuelo no le contestó. Subió por las escaleras con notable rapidez y llamó a la puerta. Paul lo siguió como pudo. Después de esperar unos segundos, salió a su encuentro una persona que saludó de forma efusiva a su abuelo.

Cuando se separaron y Paul le pudo ver la cara, lo reconoció de inmediato.

—Usted es George Eustis —exclamó, sorprendido—. Lo he visto en mi casa en alguna ocasión.

—Veo que ya os conocéis —dijo Joseph—. George ha sido Secretario de Estado de Louisiana, además del antecesor de tu padre en el cargo de Fiscal General. Además, se rumorea que será el próximo presidente del Tribunal Supremo del Estado, nada más y nada menos.

—Por eso venía a mi casa, todos pertenecen al mismo círculo —Paul tan solo lo conocía como amigo de su padre, nada más.

—Así es, Paul, tu padre es un gran compañero mío, al igual que tu abuelo. Supongo que ya te habrá dicho que, juntos, fundamos este club.

Paul asintió con la cabeza. Estaba realmente impresionado.

—Pero no os quedéis en la puerta, anda, pasad al interior —dijo el juez Eustis, apartándose y franqueándoles el acceso.

Paul jamás había visto unos salones tan lujosos. La decoración era extraordinaria. Había retratos colgados por todas las paredes que estaban forradas de madera noble. Las lámparas que pendían del techo eran las más grandes y recargadas que había visto jamás, por no hablar de los grandes butacones y las mesas relucientes.

Sin poder evitarlo, se sintió cohibido. George se dio cuenta.

—No te dejes impresionar por los lujos. Los socios de este club ya tenemos una edad que nos merecemos disfrutar de la vida.

«¡Y tanto!», pensó Paul.

Cruzaron un par de salones. A medida que iban avanzando, Paul notaba como todas las miradas se posaban en él, pero no detectaba rechazo en ellas, sino todo lo contrario. De hecho, se unían a la comitiva. Empezaron siendo tan solo los tres y ahora ya eran más de quince personas. De repente, George se detuvo, a las puertas de lo que parecía un gran salón. Se giró hacia todos los socios del club que les acompañaban.

—Tengo el gusto de presentaros a Paul Morphy, hijo de Alonzo Morphy, sobrino de Ernest Morphy, nieto de Joseph Le Carpentier y, cuando tenga algún año más, estoy seguro de que también será socio de este club.

Todos lo saludaron y se presentaron. Paul reconoció a alguno de ellos, que también frecuentaban su casa. A los que no conocía personalmente, sus apellidos los delataban como prominentes miembros de la sociedad.

—Ahora entraremos en el salón. Ya sabéis lo que va a ocurrir, así que os ruego máximo silencio —advirtió George.

Así lo hicieron. Paul vio a tres personas alrededor de un tablero de ajedrez. No le sorprendió. Ya sabía por su padre y su tío que también jugaban en el club.

Su abuelo lo tomó por el hombro.

—Bueno, como ya te había comentado, hoy va a ser tu estreno público en una partida de ajedrez. Hasta ahora jamás habías jugado con tanta gente observándote. Juega como si no estuvieran, como tú sabes hacerlo. Espero que recuerdes para siempre este momento y lo disfrutes.

En cuanto la gente se apartó, pudo ver a las tres personas que estaban alrededor del tablero. De inmediato, reconoció a una de ellas.

—¡Es el general Winfield Scott! —exclamó.

—Así es —le confirmó su abuelo—. Está de paso en la ciudad. Se marchará mañana para hacerse cargo del mando del ejército de nuestro país, en la guerra contra México.

—¡Por eso me has contado toda esa historia antes de llegar!

Joseph sonrió.

—Quería que tuvieras algún conocimiento de historia antes de enfrentarte a él.

—¿Es mi rival?

Joseph volvió a sonreír, pero esta vez con un extraño brillo en sus ojos. Parecía orgullo.

—Llegó ayer a la ciudad. Es un gran aficionado al ajedrez. Aunque lleve un año sin jugar con regularidad, no te dejes engañar. En el pasado ha llegado a encabezar el *ranking* de los mejores jugadores *amateurs* de todos los Estados Unidos. Es un formidable rival, que juega con mucha pasión. Supongo que te lo va a poner bastante más difícil que yo.

—¿Ha pedido jugar conmigo? —Paul estaba atónito.

—No exactamente.

—¿Qué quieres decir?

—Habló ayer con el juez George Eustis, pidiendo jugar con uno de los mejores ajedrecistas de la ciudad. Yo ya le había hablado de que eras un prodigio, así que convino la partida para hoy a las ocho. Apenas quedan un par de minutos. Ahora, George te presentará al general.

Nada más terminar su breve conversación, el juez Eustis lo tomó de la mano y se aproximaron al centro del salón.

—General Scott, le presento a Paul Morphy.

—Encantado, niño —dijo, mientras lo observaba de arriba abajo. La imagen resultaba cómica. Paul era de talla menuda, pálido y con aspecto poco saludable. El general era todo lo contrario, de aspecto formidable, gran altura, anchos hombros y unas manos que podrían retorcer el cuello de un cerdo en un segundo. A Paul le pareció un gigante. Intimidaba.

El general se giró hacia el juez.

—George, apenas falta un minuto para las ocho. Ya sabes que la puntualidad es una de mis virtudes, que espero que también la observe y la respete mi rival.

—Lo ha hecho, general —George intentaba reprimir una sonrisa. Winfield Scott no era una persona que se caracterizara por su sentido del humor.

Paul observó la reacción del general, cuando, por fin, entendió lo que le quería decir el juez. Se giró y volvió a posar su mirada sobre Paul. Sus ojos reflejaban una profunda incredulidad. De repente, para sorpresa de todos los presentes, soltó una sonora carcajada.

—Está bien, os lo agradezco —dijo—. Sé que por mi aspecto físico puedo parecer serio, pero también sé reconocer una buena broma. Me vendrá bien antes de la partida.

Nadie más que el general se reía en la sala. Se giró y observó la cara seria de todos los presentes. De inmediato lo comprendió.

—¡No! —exclamó a gritos—. ¡Esto es un ultraje!

—General, le aseguro... —empezó a decir George.

—¡Cállate! —le interrumpió. Scott Parecía fuera de sus casillas—. Además de militar, soy un ajedrecista respetado en todo el país. ¿Pretendéis que me enfrente a un niño imberbe? ¿Qué clase de mala broma es esta?

—Pidió jugar contra uno de los mejores ajedrecistas de Nueva Orleans. Le aseguro que lo tiene delante de usted. Paul Morphy, a pesar de su corta edad, proviene de una familia de grandes jugadores. Supongo que conocerá a Ernest Morphy.

—¡Claro! ¡Es un buen ajedrecista *amateur*! He leído acerca de él.

—Pues Paul es su sobrino. Debo decirle que Ernest ha jugado cincuenta partidas contra él, con el resultado de cuarenta y seis derrotas y cuatro tablas. Ernest Morphy no ha conseguido vencer a su sobrino, a pesar de su más que evidente juventud.

—¿Es eso cierto? —el general se dirigía ahora a Paul.

—Bueno, no llevo un recuento de todas las partidas que hemos jugado, pero sí que es verdad lo de las cuatro tablas y que no me ha ganado nunca.

—¿Qué edad tienes, niño?

—Nueve años y medio.

—¿Y de verdad que no has perdido ninguna partida contra Ernest Morphy? —insistía, incrédulo, el general.

—Ni yo tampoco he sido capaz de vencerle —ahora intervino Joseph—, y eso que jugamos todos los sábados desde hace más de un año.

Winfield Scott pareció relajarse un poco y perder su mal humor.

—Bueno, pero tanto Ernest como tú sois jugadores inferiores a mí —dijo, dirigiéndose a Joseph—. ¿Qué os hace pensar que me puede poner en apuros?

A Paul no le gustaba nada la actitud del general. «Es demasiado altivo y pasional», pensó. «Me temo que nada bueno va a salir de esta partida».

—¿Por qué no lo intenta? —insistió Joseph—. Ya no hay tiempo de buscar a otro jugador. Igual se sorprende.

El general se quedó en silencio, sopesando qué hacer. No le gustaban las sorpresas, pero, después de pensarlo durante un instante, decidió aceptar. El juez Le Carpentier tenía razón. Le apetecía jugar al ajedrez antes de partir hacia la guerra de México y parece que no tenía otro rival a mano.

—No ha sido una buena idea —le susurró Paul a su abuelo.

—Limítate a jugar como sabes y ya está —le respondió, alejándose.

«Es que ese es precisamente el problema», pensó Paul, resignado.

El general tomó asiento en el butacón. Paul se dispuso a hacer lo mismo en el suyo. Se hundió en su mullido relleno, hasta el punto de que no alcanzaba a ver el tablero. Se escucharon unas apagadas risas entre el público. Cuando Joseph lo advirtió, se dirigió de inmediato a una de las estanterías del salón, que estaba repleta de libros. Tomó siete u ocho entre sus manos y los puso encima del sillón. Su nieto se sentó sobre ellos. Una vez más, la estampa parecía cómica, pero permitió a Paul ponerse a la misma altura que el imponente general.

Después del sorteo, Paul jugaría con las piezas blancas. Empezó avanzando su peón de torre de dama. El general se le quedó mirando, asombrado. «¿Qué clase de apertura es esa?», pensó. Paul le leyó la mente. «Ninguna», se dijo, a su vez. Scott respondió intentando seguir los cánones clásicos. Paul, fiel a su estilo, en apariencia anárquico, siguió lanzando sus peones como si le estorbaran. De hecho, lo hacían. En la sexta jugada ya tenía sus dos alfiles en juego y el camino de la dama despejado para activarla de inmediato, todo ello a costa de sacrificar dos peones. Cinco movimientos después ya había dado jaque mate al general, sin que ni siquiera llegara a desarrollar su defensa. De hecho, ni lo vio venir ni se enteró hasta que se produjo. Apenas habían pasado quince minutos desde el inicio de la partida.

Como Paul suponía, el general montó en cólera. Se levantó de su butacón y, de un empujón, lo lanzó al otro extremo del salón, como si no pesara nada. Por su boca salían todo tipo de improperios.

—General, ya le había advertido que el chico sabía jugar —intentó mediar el juez Eustis—. Quizá se haya descuidado un tanto, debido a su juventud. No creo que le vuelva a pillar desprevenido, si juega otra partida.

—¡Por supuesto! —bramó el general—. ¡Esto no se puede quedar así!

Paul buscó con la mirada a su abuelo. Intentó trasmitirle que no era una buena idea, como ya le había dicho antes del comienzo de la primera partida, pero Joseph se limitó a levantar sus hombros. No podía impedir los deseos de revancha del general.

Se volvieron a sentar alrededor del tablero. Esta vez Paul jugaría con las piezas negras. Lo único que solicitó es un sillón a su altura, ya que los libros se le clavaban en sus posaderas y le molestaban.

El general repitió su mismo movimiento de apertura de la partida anterior, avanzando el peón de dama. «¿No tiene imaginación?», pensó Paul, que respondió sacando su caballo de rey. «Ya que él parece no querer cambiar, lo haré yo».

La partida se desarrolló de forma diferente a la anterior. Después de catorce movimientos, Paul buscó de nuevo la mirada de su abuelo. Se encontraron.

«¿Me está pidiendo ayuda?», se preguntó Joseph, asombrado.

Así era. Para sorpresa de todos, Paul tomó la palabra y anunció mate en tres movimientos. Se escuchó un «¡oooh!» de las quince o veinte personas que estaban alrededor del tablero, sobre todo porque Paul lo había hecho justo después de sacrificar un peón y un caballo, sin aparente sentido.

El general levantó la vista del tablero por primera vez y se quedó mirando a Paul. «No, no me estoy burlando de usted», pensó Paul, aguantándole la mirada. «Tu mente cuadriculada no te ha permitido ver que, con esos dos sacrificios, he activado mi dama y mi torre. Esas dos piezas, unidas a mi alfil, con la diagonal abierta, hacen inútil tu enroque».

El general volvió su mirada hacia el tablero. Ahora, el silencio era absoluto. Le costó sus buenos diez minutos darse cuenta de la emboscada de Paul.

—¡Eres un auténtico demonio! —gritó el general, esta vez pegando un manotazo sobre la mesa y esparciendo las piezas por todo el salón.

Se levantó del butacón. Sus ojos estaban inyectados en sangre. Instintivamente, todo el público se apartó del tablero. La formidable planta del general y la expresión en su rostro les atemorizaba.

—No sé cómo lo haces, pero debes de estar embrujado. Nadie juega así de mal y gana —dijo, señalando a Paul con un dedo.

Por un momento, Joseph temió por la integridad de su nieto, pero el general pareció perder el interés por él, girándose hacia todos los presentes.

—Estas dos partidas jamás han sido jugadas. No solo no se publicará ni una sola línea, sino que ninguno de los presentes lo contará. Si, por lo que sea, sois preguntados por ellas, negaréis que hayan existido. ¡Es una orden! —exclamó, remarcando estas últimas palabras con un auténtico alarido, que retumbó en el salón y en los oídos de todos los presentes, que estaban acobardados.

A continuación, acompañado de sus dos ayudantes, abandonaron el gran salón, sin mediar ni una sola palabra más.

No hacia ninguna falta.

Durante un instante, nadie pareció reaccionar. El primero que lo hizo fue Joseph, que se acercó a la mesa central, tomó a su nieto por la mano y lo sacó de aquella estancia, a toda prisa.

Paul se giró hacia su abuelo.

—Te he pedido ayuda con la mirada, ¿no te has dado cuenta? Ya te dije que no era una buena idea. Sabía lo que iba a suceder. ¿Por qué nadie parece entender que el ajedrez es tan solo un juego?

—Como ha dicho el general —le contestó tajante Joseph—, no se te ocurra decir ni una sola palabra más.

12 BOLONIA, ENTRE 1838 Y 1845

Como Felice había supuesto, no fue bienvenido en Bolonia. Sabía que su tío había obligado a su padre a acogerlo y lo hacía porque no tenía más remedio. Cuando Orso se enfadaba, podía ser temible. En consecuencia, no le prestó la más mínima atención a su hijo.

Felice tenía dieciocho años y se sentía solo en el mundo. De nuevo, la melancolía y la tristeza intentaron apoderarse de él. Sabía que debía hacer todo lo posible por evitarlo, pero no le resultaba sencillo.

Pasado un mes, descubrió que no todo era malo en la indiferencia de su padre. Le daba libertad para hacer lo que le diera la gana. «¿No es eso lo que siempre he anhelado?», se repetía Felice, para animarse.

Y lo acabó consiguiendo. El incidente de Imola y su estancia con los jesuitas habían interrumpido su formación académica. Decidió volver a estudiar francés e inglés, al tiempo que retomó su actividad física. Como nadie lo vigilaba, todas las mañanas madrugaba para estudiar los ejercicios militares de la Guardia Suiza y continuó con sus prácticas con el sable y la pistola. Estaba convencido de que su futuro pasaba por el ejército, hasta que se produjo un hecho que lo cambió todo.

Pronto se unió a una organización secreta llamada «Joven Italia», fundada por Giuseppe Mazzini en 1831, que compartía sus mismos ideales políticos, la unión del pueblo italiano en torno a una nueva república. Entre sus miembros destacaba un muchacho llamado Osimo.

Cuando se reunían, solían discutir acerca de filosofía e historia. Osimo solía narrar hechos históricos de su patria italiana, que Felice ni siquiera conocía. Comprendió que había perdido muchos años, que era un ignorante, incluso acerca de sus propias raices. Se sintió humillado y herido en su amor propio, ya que no era capaz de debatir ni siquiera sobre su auténtica pasión. De repente, se produjo un notable cambio en su interior. Defender a su amada Italia no consistía tan solo en empuñar un arma. A veces, un buen libro también lo podía ser.

Durante meses, Felice se aplicó a estudiar no solo historia y filosofía, sino también álgebra, geometría y matemáticas en general, con una determinación propia de su carácter. Tanto se aplicó que aprobó los exámenes de acceso y se incorporó a la Universidad de Bolonia para estudiar Leyes.

Entretanto, seguía frecuentando los círculos de la organización «Joven Italia», pero ya no era el inculto Felice de hacía un tiempo. Ahora se atrevía a intervenir en los debates, hasta el punto de que acabó haciendo amistad personal con Osimo. En ocasiones, quedaban en solitario para recrearse en el pasado glorioso de Italia, hablando de filosofía e historia durante horas. Felice deseaba parecerse a él, ya que tenían la misma edad. Aunque debía de reconocer que le superaba en todo, le servía de estímulo intelectual.

A pesar de su determinación con los estudios, no olvidó su pasión por el ejercicio físico y los militares. De hecho, entabló amistad con oficiales de la Guardia Suiza, que, al comprobar su entusiasmo y su destreza, le animaron a enrolarse, creyendo que era de su nacionalidad. «Te admitirían seguro», le decían, mientras Felice pensaba divertido, «si ellos supieran…». No podía evitar esbozar una tímida sonrisa.

Al final, el esfuerzo de Felice dio su recompensa. Terminó sus estudios y se doctoró en Leyes. Para su sorpresa, el mismo día de su examen final, recibió una misiva de su tío Orso. Creía que ya se había olvidado de él, pero resulta que le había estado siguiendo en secreto todos sus progresos, desde el primer año que se matriculó en la universidad. En la carta le decía que volviera a Imola.

Felice no se lo pensó ni un minuto, pero, para su sorpresa, su estancia iba a durar muy poco.

Esperaba ser recibido por un Orso, contento de que, aunque su sobrino no se hubiera convertido en un jesuita, al menos, había logrado concluir sus estudios universitarios. Sería abogado, que era otra de sus opciones preferidas.

Pero las cosas no sucedieron así. Felice se encontró con su tío enfermo y postrado en la cama. Por su aspecto, llegó a pensar que no le había hecho desplazarse hasta Imola para felicitarlo, sino para despedirse.

—A juzgar por la expresión en tu cara, debes pensar que estoy más cerca de Dios que de ti —le dijo a modo de bienvenida, cuando Felice se aproximó a su cama.

—Estoy seguro de que Dios podrá esperar un poco más —le respondió, intentando dar ánimos a su tío—. Creo que te necesita más aquí abajo que entre los ángeles.

—Bueno, no hablemos de mi salud. Hace años que no nos vemos y no me ha tratado demasiado bien, pero, sin embargo, tú estás hecho todo un hombre. Te tengo que confesar una cosa. Cuando me informaron de que habías retomado los estudios y habías ingresado en la universidad, pensé lo de siempre. Arrancada de caballo y parada de mula.

—¿Qué? —Felice no lo había comprendido.

—Desde bien pequeño, siempre has comenzado las cosas con entusiasmo, pero jamás terminabas ninguna, hasta ahora. Quiero que sepas una cosa que nunca pensé que diría. Estoy orgulloso de ti. Ahora te podrás labrar un futuro como abogado en Bolonia y formar tu propia familia.

Orso terminó su pequeño discurso y se quedó mirando a su sobrino. No le gustó lo que vio.

—¿No me digas que aún sigues con esas alocadas ideas juveniles? —le preguntó.

—No son alocadas ni juveniles, tío. Desde la última vez que nos vimos he aprendido mucho. Antes podía ser un ignorante con ideales que no terminaba de comprender. Ahora lo hago. Nuestro país, una vez, estuvo unido y fue grande. Junto con Grecia, fuimos la cuna cultural y política del mundo. ¿Dónde están ahora esos grandes hombres que revolucionaron nuestra sociedad?

Orso no respondió. Comprendió que se trataba de una pregunta retórica y espero que su sobrino continuara.

—Yo te lo diré. Enterrados. Italia ha pasado de ser un gran país a ser, en la actualidad, un gran cementerio.

—¿Estás diciendo que no existen personalidades? A mí se me ocurren unas cuantas...

—Las que podrían guiar a nuestro pueblo hacia su unidad y grandeza están bajo el yugo papal o bajo tierra. Ya sé que no compartes mis pensamientos, pero, al menos, acepta que es legítimo que no piense como tú. Algún día, la tiranía de los

Estados Pontificios será derribada y volveremos a ser un país unido y grande.

—Eso no sucederá jamás.

—Lo hará y tú lo verás —le retó Felice—. Falta menos de lo que crees.

Orso se quedó mirando a su sobrino. En sus ojos no se reflejaba la furia de antaño. Ahora, su expresión se había suavizado.

—Felice, has dado los primeros pasos para convertirte en un hombre de provecho. Tranquiliza tu ímpetu idealista. La sabiduría es, después de la honestidad, la primera cualidad que todo buen hombre debe poseer. Ama a tu país, eso no es malo, pero para hacerle el bien, no para causarle dolor. Son tiempos de corrupción, de intereses y ambiciones personales. Quizá no te des cuenta, pero estás siendo utilizado por tus jefes del Partido Liberal para sus propios intereses. Ellos recibirán la gloria y tú los golpes. Hasta ahora, tus actos me han causado mucho dolor. Intenta que lo que me quede de vida sea más placentera. Aunque no me sientas a tu lado, sigo cada paso que das —en ese momento, Orso tomó la mano de Felice entre las suyas—. Nunca dudes de mí. Ahora, vuelve a Bolonia y culmina el gran paso que has dado en tu vida.

Parecía que el discurso lo había dejado agotado, ya que giró la cabeza y cerró los ojos. Felice no sabía qué hacer. Decidió que, estando su tío tan débil, no tenía ningún sentido permanecer en Imola.

En su viaje de regreso a Bolonia, no pudo evitar pensar en las reflexiones de su tío. Agradecía profundamente la educación que Orso le había dado. Su honestidad y el resto de valores le habían acompañado toda su vida, pero estaba equivocado en una cosa. El amar a tu país no se podía quedar en una simple frase. Al tirano no se le derriba con bonitas palabras, sino por las armas. El invasor jamás abandonará sus prebendas de forma voluntaria, sino expulsado de forma violenta por el pueblo al que sojuzga. Eso quizá pudiera causar dolor a algunas personas, pero no veía forma de evitarlo.

Felice volvió a casa de su padre. Al poco de hacerlo, en junio de 1843, en una solemne ceremonia, recibió su doctorado en Leyes. Aunque no se lo esperara, asistieron su padre y su hermano Leonidas.

En esas mismas fechas, sucedió lo que ocurría todos los veranos, se encaprichó de una muchacha preciosa. Pero, está vez fue diferente. Al terminar el periodo estival, seguía sintiendo lo mismo por ella. «¿Me habré enamorado de verdad esta vez?», se preguntó, con cierta curiosidad. Decidió probar. La sociedad «Joven Italia» iba a celebrar una reunión secreta en Ravenna y pensaba asistir. Estaría fuera de su casa durante un mes. «Será la prueba definitiva», se dijo. «Si la echo de menos, me ha pescado».

Desde luego que lo había hecho. Deseaba casarse con ella, pero cada vez estaba más involucrado en el movimiento revolucionario, lo que le consumía gran parte de su tiempo. Formalizó su relación ante sus padres. Felice se daba cuenta de que lo miraban con recelo, ya que veían que no prestaba la atención debida a su hija, pero, por educación, no se lo echaban en cara.

Pero todo tiene un límite.

El 30 de abril de 1844, de camino a casa de su novia, Felice se enteró de que los guardias habían arrestado a su amigo Eusebius Barbetti, uno de sus más estrechos colaboradores. Se habían intercambiado multitud de misivas, algunas conteniendo manifiestos revolucionarios. A pesar de que, por precaución, jamás firmaban sus escritos con sus nombres, podía ser reconocida su caligrafía. Se preocupó de verdad. Llevaba casi un año de militancia activa y nunca la guardia se había acercado tanto a su círculo íntimo.

Consideró que lo más apropiado era comportarse de la manera habitual, sin alterar ninguna de sus rutinas, por lo que mantuvo la cita con su novia. Pero no podía evitar tener un mal presentimiento. Se vio en la obligación de trasmitirle su preocupación. Entraba dentro de lo posible que los guardias intentaran ir a por él.

En consecuencia, el encuentro fue melancólico y triste.

Los padres se dieron perfecta cuenta de ello.

—Felice, pareces un buen chico, pero andas metido en algo raro. Tu actitud no es normal.

—Ya sabe que mi trabajo exige que pase temporadas fuera de Bolonia. Me acabo de enterar de que, quizá, mañana sea requerido para un viaje. Se lo estaba contando a su hija, por eso estamos tristes.

Su novia, a pesar de que conocía la realidad, se limitó a asentir. Fue la cita más triste de su vida. Sin pretenderlo, trasmitió sus malas vibraciones a su novia.

—Vaya —se limitó a responder el padre.

La cena concluyó.

—Seamos optimistas, no tienen nada contra ti —dijo.

—No, pero ¿crees que eso les importa? Los gobernantes están asustados. Saben que cuando alguno de nosotros es detenido, inmediatamente es reemplazado por otro. En consecuencia, han aumentado su celo. En ocasiones han arrestado a gente que no tenía nada que ver con nosotros, por el simple hecho de ser amigo de un revolucionario. Sin ninguna prueba.

—¡Es horrible!

—De todas maneras, igual estamos exagerando y mañana nos volvemos a ver. Hay que intentar ser positivos —afirmó Felice, con muy poca convicción.

Se despidieron con un beso, que, quizá, fuera el último.

Se marchó a su casa. Era incapaz de dormir por los nervios.

Sus peores temores se confirmaron. A las tres de la madrugada, el coronel Freddi y quince guardias se personaron en su casa. Durante ocho horas, hasta bien entrada la mañana, se dedicaron a registrar cada rincón de su residencia, ante el estupor de todos los presentes. No encontraron nada, pero, a pesar de ello, encadenaron a Felice y a su padre, en presencia de su familia. La ley de sospechosos les autorizaba a detener a quien quisieran, con la simple palabra del coronel.

El espectáculo en su casa fue dantesco. La nueva esposa de su padre y su familia no pararon de sollozar amargamente, cuando los guardias los sacaron a empujones de la casa. Felice sentía que había puesto en peligro mortal a su padre, que nada tenía que ver con «Joven Italia». Intentó mantener la compostura, pero aquello le estaba superando.

Fueron conducidos a la prisión de San Juan de la Montaña.

Felice jamás había estado encarcelado. Recorrió el lúgubre pasillo, con un hedor casi insoportable y se encontró con otros tres presos, condenados a muerte por los sucesos revolucionarios del año pasado. Uno de ellos lo reconoció. A la hora escasa todos los prisioneros sabían que Felice estaba allí. Oyó gritos de «¡coraje, coraje, no hay temor! Aquello lo reconfortó. También pudo escuchar la voz de su amigo Eusebias Barbetti. El sentimiento de camaradería era imparable, incluso en el interior de aquella lúgubre cárcel.

«Podrán encerrar nuestros cuerpos, pero jamás nuestras mentes e ideales», pensó, para darse ánimos.

Al tercer día fue llevado ante el juez. El interrogatorio fue muy breve y un tanto surrealista.

—¿Conoce el motivo de tu arresto?

—No, señor.

—¿Ha oído hablar del movimiento revolucionario surgido el último verano?

—Sí, señor.

—¿Es miembro de él?

—No, señor.

—¿Conoce a Eusebius Barbetti?

—Sí, señor.

—¿Qué clase de amistad tiene con él?

—Superficial.

—¿Reconoce este escrito y su caligrafía? —le preguntó, mientras le mostraba una de sus misivas, que había sido hallada en casa de su amigo.

—Sí, señor. Es mi letra.

—¿Y qué explicación le da? Por favor, sea breve.

—Es muy sencillo. Un día encontré un panfleto en la calle, casi ilegible. Parecía del movimiento revolucionario. Por curiosidad y para saber qué ponía, decidí copiarlo con mi propia letra. No le di mayor importancia, supongo que después lo extraviaría.

—¿Acaso pretende burlarse de mí? ¡Son mentiras! —explotó el juez— Se va a buscar su propia ruina. Ya he condenado a muerte a veintiuno de sus compañeros. Usted será el número veintidós.

Así terminó el primer interrogatorio de Felice. Volvió a su celda. Estaba preocupado. El papel que el juez le había mostrado contenía parte de los planes revolucionarios que su amigo Barbetti no había tenido tiempo de quemar, antes de su arresto.

Al día siguiente, se presentaron en la celda dos guardias. Lo sacaron de la cárcel. Felice se temió lo peor, pero no se dirigieron hacia el patio, donde decapitaban a los condenados, sino a un carruaje. El viaje duró un día completo. Reconoció su destino, estaba en Pesaro. Aquello era todavía peor. Lo encerraron en una celda, esta vez sin compañía. Tenía unas dimensiones diminutas, apenas dos por tres metros, con tan solo un ventanal situado en lo alto. Claustrofóbica. Además, tan solo había una cama de paja y una manta, que contenía todo tipo de insectos.

Durante el mes que permaneció en esa cárcel, fue interrogado varias veces en términos parecidos al primero. Cansados de la actitud de Felice, decidieron trasladarlo de nuevo al castillo de San Leo, en los Apeninos. Felice sabía que ese castillo era utilizado para los presos políticos que se negaban a colaborar con la justicia.

Pasados unos meses, le comunicaron que su proceso judicial iba a comenzar, pero no sería allí, sino en Roma, ya que sería celebrado ante el Tribunal Supremo. Se sorprendió, ya que no era normal. De nuevo, debía ser trasladado, pero, esta vez, el viaje iba a ser largo. Diecisiete días encerrado en un carruaje, entre ladrones y asesinos. Lo pasó peor en el viaje que en su celda. Por fin, llegaron a las mazmorras secretas de San Matías, a orillas del Tíber. Allí pudo ver a algunos de sus compañeros, pero apenas los reconoció, ya que se encontraban pálidos y estaban en los huesos. Ni siquiera podían andar por ellos mismos. Olían a muerte. «Supongo que como yo», pensó.

Todos los días guillotinaban a alguien. Felice, desde su celda, podía escuchar las súplicas de los desgraciados y el característico sonido de la hoja metálica, deslizándose hacia el cuello del condenado.

A los pocos días, Felice se llevó una sorpresa y una alegría. Su tío Orso continuaba con vida y era cierto que seguía sus pasos. Había contratado a un abogado para que lo defendiera de las acusaciones, que aún desconocía. Acudió a entrevistarse con él, en las mazmorras. Se llamaba Dionisi.

—Tu tío Orso está muy preocupado —le dijo—. Tu caso es malo, muy malo. Lo mejor es que confieses todo y apeles a la clemencia del tribunal.

—¿No se supone que usted me debe defender? —le preguntó Felice, visiblemente molesto—. No he cometido ninguna ofensa y no tengo nada que confesar.

—Bueno —le respondió, mientras se preparaba para marcharse—, si quieres que te guillotinen, no será con mi colaboración.

—¡Espere! —le gritó Felice, mientras se alejaba—. ¿Sabe algo de mi padre?

—Sí, no lo van a encausar. Lo dejarán en libertad.

«Bueno, al menos una buena noticia», pensó.

Pasado un tiempo, el día del juicio llegó. Felice fue trasladado al Palacio del Gobernador, en la Piazza Madama. Siete jueces lo observaban. Pudo darse cuenta de que el abogado contratado por su tío también estaba presente en la sala. Por fin, pudo conocer el delito del que era acusado: «conspiración contra el gobierno de Italia». Resultaba irónico. Él jamás conspiró contra su país, sino contra sus opresores. El proceso concluyó con rapidez, ya que no le permitieron decir, en su defensa, ni una sola palabra. Su supuesto abogado tampoco lo hizo. Los jueces, de esa manera sumaria, decidieron con rapidez su culpabilidad y lo sentenciaron a galeras, de por vida.

Fue conducido a la fortaleza de *Civita Castellana*, que se levantaba sobre la ciudad de ese nombre. Tenía todo el sentido, ya que el puerto de Civitavecchia se encontraba allí mismo.

Las galeras le esperaban, para toda su vida, que deseaba que fuera lo más corta posible. Felice fue consciente de que aquello era su final.

«Mis días han terminado».

13 NUEVA ORLEANS, 5 DE ABRIL DE 1847

—¿Son ciertos los rumores que circulan por la ciudad?

—¿Qué rumores son esos?

—Que le ganaste dos partidas al general Winfield Scott, hace unos meses, en ese club masculino de la Royal Street.

—¿Quién te ha dicho eso?

—Tu amigo Charles Maurian.

Paul se puso en guardia de inmediato. Hasta ahora, creía que aquella velada había permanecido en secreto. Nada se había publicado, ni siquiera su padre o su tío le habían comentado nada. «¿Cómo se habrá podido enterar Charles?», pensó, preocupado.

—Anda, te toca mover a ti.

—O sea, que es verdad. ¡Lo sabía!

—Es algo de lo que no me siento especialmente orgulloso. Sabía lo que iba a ocurrir y, a pesar de ello, consentí en jugar. Me debí de haber negado, pero fue una auténtica encerrona. Por favor, Amélie, no se lo cuentes a nadie. No quiero que se difunda la noticia.

—¿Sabes que eres muy raro? Todavía no has cumplido los diez años. Supone una auténtica proeza ganar a un jugador como el general y te afanas en ocultarlo. Deberías de saber que una cosa así no puede permanecer en secreto durante mucho tiempo, y menos en Nueva Orleans. Ya ves que el rumor ya circula.

—No quiero parecer descortés, Amélie, pero no quiero hablar de ello. Además, en apenas treinta minutos he quedado con mi tío Ernest. Si no haces tu jugada, no podremos acabar la partida.

—Como desees —le respondió, mientras ponía en juego su alfil de rey.

Paul se quedó mirando la posición de las piezas en el tablero.

—¿Sabes? Has progresado muchísimo. Creo que eres la única que comprende mi manera de concebir el juego. No tengo ni idea de teorías de aperturas ni nada de todo eso. Jamás he leído ninguna publicación de ajedrez, así que supongo que seré un terrible profesor teórico. Pero el ajedrez es más que eso. Es como una buena ópera. Todo fluye en armonía cuando cada voz y cada nota de la orquesta se encuentran en su lugar y convergen en el momento apropiado.

—Estudio piano desde hace cuatro años.

¡No me lo habías contado nunca! ¡Cómo mi madre! Cuando la escucho cantar y tocar el piano, es como alcanzar el cielo. La sensación que siento en mi interior es muy parecida a la que experimento delante de un tablero de ajedrez. Es pura música. Ahora me explico tus notables mejoras en el juego.

—¿En serio? —preguntó, reflejando una radiante sonrisa.

—No bromeo. En breve, estarás lista, hasta para enfrentarte a tu padre y, quizá, hasta para ganarle.

Amélie bajó la cabeza. Su humor parecía haberse desvanecido.

—Eso no ocurrirá jamás.

—¿Por qué? —. A Paul no se le había pasado por alto el cambio experimentado en su amiga.

—Mi padre nunca lo permitirá. Ni jugar contra él ni contra nadie. No olvides lo que piensa de las mujeres, que somos intelectualmente inferiores. Supongo que tan solo podré aspirar a estudiar enfermería, y eso si no se acuerda mi matrimonio en los próximos dos o tres años y acabo como mi madre, de ama de casa. Soy consciente de que, en esta vida, tan solo jugaré al ajedrez contigo, así que me limito a disfrutar cada momento, sin pensar más allá.

—Eso que me dices es muy triste. Eres más inteligente que la mayoría de mis amigos. No es justo.

—Eso no importa en Nueva Orleans, ya deberías de saberlo. Me puedo considerar afortunada, A pesar de todo, tengo una buena familia que se preocupa, a su manera, por mi bienestar.

Piensa, por ejemplo, en los esclavos, que no son dueños ni de su propia vida. Valen lo mismo que un peón para ti.

Amélie no dejaba de sorprender a Paul. Esos pensamientos no eran propios de una niña de diez años. «Bueno, yo también debo de ser un bicho raro», pensó.

—Entonces, ¿por qué pones tanto interés en aprender un juego que jamás vas a practicar?

—Tú lo has dicho, por la música y por la vida.

Paul se quedó pensativo. Al principio no la comprendió, pero un instante después lo hizo en todo su esplendor. Le entraron ganas de abrazarla, pero se reprimió. No sabía si le entendería, pero no pudo evitar que una pequeña lágrima brotara de sus ojos y recorriera su mejilla.

Amélie lo advirtió. Se aproximó a su rostro y le dio un beso en la mejilla.

—Ahora, debes marcharte. No llegarás a tiempo a la cita con tu tío.

Amélie había conseguido que se olvidara completamente de ese detalle. Estaba en una nube. Desde allí arriba, recogió las piezas y las guardó junto con el tablero.

—No sé qué decirte, Amélie.

—Pues no digas nada —le respondió, mientras se levantaba del suelo y se alejaba.

Paul la siguió con la mirada hasta que desapareció de su vista. Estaba desconcertado. Era un simple niño, pero aquel ángel conseguía desconcertarlo. Curiosamente, era un sentimiento muy placentero, aunque no terminara de comprenderlo.

«Es cierto que voy a llegar tarde a mi cita con mi tío», pensó, bajándose de la nube y volviendo a poner los pies en el suelo.

Cuando llegó a la residencia de su tío Ernest, lo estaba esperando en el porche de su casa, sentado en una hamaca.

—Llegas un poco tarde.

—Disculpa tío, ya sabes que siempre soy puntual, pero hoy me he descuidado.

—¿Ahora lo llamáis «descuidarse»? Quiero que sepas que tienes muy buen gusto para escoger a tus amigas.

Paul se puso colorado. «¿Cómo podía conocer mi tío ese detalle?», pensó, al mismo tiempo que le venía la respuesta a la cabeza. «Estamos en Nueva Orleans».

—No te preocupes, siéntate en la otra hamaca. Hoy no vamos a jugar al ajedrez.

Estaba claro que hoy era un día de sorpresas para Paul.

—¿Y qué vamos a hacer?

—Hablar. ¿Te parece mal?

—No, claro que no —respondió, intentando aparentar despreocupación, consiguiendo el efecto contrario.

—Tranquilo. He dicho que no íbamos a jugar al ajedrez, no que no fuéramos a hablar de él.

«¿Hablar de ajedrez? ¿Eso qué significa?», se dijo Paul. Con su tío Ernest siempre había jugado, no hablado.

—Tu nombre ya suena como un buen jugador de ajedrez por toda Nueva Orleans. Se dice que le ganaste a no sé qué militar de alto rango. Aunque no he hecho caso de esos rumores, porque supongo que, de ser ciertos, me lo habrías contado, no dejas de estar en boca de toda la comunidad ajedrecista de la ciudad.

Paul notó perfectamente la ironía de su tío. Por supuesto que daba crédito a su victoria sobre el general Scott, No podía olvidar que también era socio del club de la Royal Street y que las partidas habían sido seguidas por bastantes personas. No resultaba nada extraño que el rumor se extendiera entre sus socios.

—Supongo que eso no es bueno —acertó a responder Paul.

—Bueno, depende a quién se lo preguntes. A mí me parece fantástico, pero me imagino que a tus padres no les hará demasiada gracia, por decirlo suave. Me parece que les debes alguna explicación.

Paul asintió con la cabeza. A pesar de que a su tío no parecía importarle su «incidente» con el general, no le gustaba la dirección que estaba tomando la conversación.

Ernest continuó.

—¿Sabes? Eres un magnífico jugador, creo que te ha costado, pero ya lo has interiorizado y lo has asumido. Pero el ajedrez no consiste tan solo en jugar, entretenerse y ganar. Hay otras cosas.

—¿Qué cosas?

—Por ejemplo, perder.

—No me importa perder si mi adversario ha jugado una partida mejor que yo. Aprenderé de mis errores y de sus aciertos y, en la próxima partida que juguemos, le venceré.

—¿Has perdido alguna partida en tu vida?

—La verdad es que no, pero me he limitado a jugar de forma habitual contigo, con el abuelo Joseph y, de vez en cuando, con mi padre y con mi tío Charles.

—A eso me refiero. No conoces lo que se siente al perder. Yo me considero un buen ajedrecista *amateur* en Nueva Orleans, pero ni siquiera estoy entre los diez mejores de nuestra propia ciudad. Ahí afuera hay grandes maestros, y no me refiero tan solo al campo *amateur*. Hay jugadores profesionales con un nivel y una preparación que ni siquiera alcanzas a imaginarte. Desde luego tienes un potencial inmenso, pero es inevitable que, tarde o temprano, te enfrentes a alguien que te supere con la misma facilidad que tú lo haces ahora con nosotros. Me preocupa que no estés preparado cuando eso ocurra, y no te quepa ninguna duda de que terminará sucediendo.

—Tío, no te tomes a mal mis palabras. ¡Claro qué sé que perderé partidas! No soy idiota y conozco que hay muchos jugadores con un nivel muy superior al mío, pero eso no me asusta, más bien todo lo contrario. Me atrae. Me gustaría, algún día, tener la oportunidad de enfrentarme a ellos. Sé que crees que me ayudas con esta conversación, pero no compartimos la misma visión del ajedrez. A mí no me obsesiona, tan solo juego para divertirme.

—Para divertirte porque ganas. ¿Seguirías jugando con tanta alegría si perdieras?

—Bueno, supongo que sí.

—Supones, esa es la cuestión.

—Perdona, tío, pero ¿adónde quieres llevar esta conversación? ¿Qué pretendes?

—Quiero proponerte nuevos retos que te preparen mejor. Por más que juegues partidas con la familia, no vas a progresar más. Sí, te divertirás, pero corres el riesgo de quedarte estancado.

—¿En serio? ¿Y cómo pretendes hacerlo?

—Las partidas de ajedrez tienen tres fases diferenciadas. La apertura, el medio juego y el final. Aunque seas un jugador intuitivo, necesitas formación en aperturas y leer libros de partidas. El medio juego ya lo dominas con tu extraordinario ingenio, es lo tuyo. Y luego están los finales, que son todo un universo. Pero tú ganas casi todas tus partidas en menos de veinticinco movimientos, así que, quizá, lo más productivo es que, al principio, te centres en la teoría de las aperturas. Tu alocado juego inicial de lanzar tus peones contra tu rival, como si fueran piedras, te funciona con jugadores de poco nivel, pero no te servirá contra otros.

—Si mi padre me viera leyendo libros de ajedrez, ya sabes lo que ocurriría.

—Eso es cierto, por eso empezaremos los nuevos retos por otro camino. ¿Sabes lo que son los problemas de ajedrez?

—Ni idea.

—Se trata de componer una determinada posición cuya solución consista en dar mate en un determinado número de jugadas.

—No te acabo de entender.

—Por ejemplo, yo te enseño una posición de una partida y te digo, «las blancas juegan y dan mate en dos». y tú tienes que encontrar la solución, que es única. También es divertido. Igual encuentras nuevos alicientes en el juego y te enriqueces, desde un punto de vista intelectual.

—¿Y eso es difícil?

—Para que me entiendas, es como la música. ¿Es difícil tocar el piano? Un poco. En cambio, ¿es difícil tocar el piano como un virtuoso? La cosa ya cambia, ¿verdad? Un buen problema de ajedrez puede ser una obra de arte.

Ernest conocía de sobra a Paul. Intentaba estimular su inteligencia apelando a la música y el arte, que sabía que le apasionaban, Por otra parte, a Ernest le entusiasmaban los problemas de ajedrez, era un verdadero aficionado y le apetecía poner a prueba a su sobrino.

—No sé, nunca he intentado hacer eso, pero supongo que si me pongo a ello, lo conseguiré. Al fin y al cabo, me encuentro en situaciones así en muchas de mis partidas. Ya sabes que en casi todas las que juego suelo anunciar mates con antelación.

—¿Te atreverías? —dijo Ernest, mientras extraía un pequeño juego de ajedrez que tenía guardado bajo su chaqueta.

—¡Tenías toda la conversación planeada de antemano!

—No te lo voy a negar, pero ahora, ya no te puedes echar atrás.

Paul tomó entre sus manos el pequeño tablero que le ofreció su tío.

—Adelante —le dijo—. No te sientas presionado, tómate tu tiempo. Es muy posible que, al principio, te cueste un poco. Es lo normal.

Paul se quedó mirando a su tío, con un extraño brillo en sus ojos y una indisimulada mueca en sus labios.

«¿Se está riendo de mí?», pensó Ernest.

Así era. Paul pensaba en componer un problema y, al mismo tiempo, darle a su tío una lección. Al principio, no tomó ninguna pieza, tan solo se limitó a observar el pequeño tablero vacío. Estuvo unos diez minutos pensando en absoluto silencio. Al cabo de ese tiempo, tomó siete piezas y las colocó en el tablero, sin ninguna vacilación.

Su tío parecía asombrado.

—¿Ya has terminado? —le dijo—. Te había advertido que te tomaras tu tiempo. Un buen problema suele llevar componerlo bastante más de diez minutos.

—No sé lo que es un buen problema, jamás he visto uno, así que no tengo ni idea si será bueno o no. Ya sabes de sobra lo que pienso del ajedrez, que es un juego para divertirse. Bueno, pues aquí tienes un problema precisamente para eso, para divertirse.

—¿Qué quieres decir con eso?

—Blancas juegan y dan mate en dos —le respondió Paul, que seguía con esa extraña sonrisa en sus labios.

—Antes de estudiarlo, ¿por qué tengo la sensación de que te estás burlando de mí?

—No es una sensación. Observa el problema con detenimiento.

Ernest se puso a ello. Pasados unos pocos minutos, levantó la vista y se quedó mirando a su sobrino.

—Ya debería haberlo resuelto, pero no lo veo. ¿Seguro que tiene solución y no te estás riendo de mí?

—Sí y sí.

—¿Qué quieres decir?

—Que sí tiene solución y que, al mismo tiempo, me estoy divirtiendo a tu costa.

—¿Por qué?

—Supongo que recuerdas la primera vez que hice un comentario de ajedrez en una partida tuya.

—¡Cómo olvidarlo! —exclamó Ernest—. Fue hace casi dos años. Estaba jugando contra tu padre y habíamos acordado tablas. Tú nos demostraste que yo no debía haberlas aceptado, ya que tenía la partida ganada. Sacrificaste, de forma aparentemente alocada, mi única torre, para luego ganar la partida con un peón.

—Acabas de resolver mi problema —dijo Paul, sonriendo, mientras se levantaba de la hamaca.

—¿Qué haces?

—Es ya tarde y tengo que volver a mi casa. Me parece que me espera una conversación no demasiado agradable con mi padre.

—¡Oye! ¡No me dejes así! —escuchó gritar a su tío, mientras se alejaba.

14 CIVITA CASTELLANA, DE 1845 A 1846

—¿Qué hacéis en mi celda?

—¿Tú qué crees? Encomiéndate a tu Dios, si es que tienes alguno.

—¿Cómo habéis conseguido entrar?

—Y eso ¿qué importa? Prepárate para morir.

Felice estaba aterrado. Conocía a los seis presos que, armados con cuchillos caseros, se disponían a abalanzarse sobre él. Eran de la peor calaña, vulgares asesinos. No tenía ninguna posibilidad de escape. Seis armados contra uno desarmado, con la espalda pegada a una pared de piedra.

—¡Vamos! —escuchó decir, quizá por última vez.

Unos meses antes de estos hechos, Felice y todos sus camaradas de «Joven Italia» habían sido condenados a galeras y recluidos, de forma provisional, en el castillo de *Civita Castellana.* Fue construido por el Papa Alejandro VI, que era español, más concretamente valenciano. Su nombre verdadero era Roderic Llançol i de Borja, aunque era conocido como Rodrigo de Borja. Ordenó levantar el castillo como su residencia de campo, aunque ahora se utilizara como una lóbrega prisión, idónea para los condenados a galeras.

En el centro de la fortaleza se erigía una enorme torre, que estaba separada del resto del castillo por un foso. Varios puentes levadizos permitían su comunicación. Cuando fue construida hacía las funciones de una torre vigía, pero ahora era utilizada por el comandante de la prisión y sus guardias. Las dos edificaciones restantes, que, en su día, fueron los apartamentos papales y de sus invitados, se utilizaban ahora como mazmorras.

Los alrededores de la fortaleza eran terrenos baldíos, en su mayoría humedales de agua estancada, cuya pestilencia causaba estragos entre los prisioneros, sobre todo en los periodos que apretaba el calor. Eran numerosos los que fallecían por fiebres.

La prisión estaba masificada para su tamaño. Felice estimó que debían de convivir unos ciento cuarenta presos, en condiciones lamentables.

Cuando llegaron los miembros de «Joven Italia», se encontraron con una turba de prisioneros incultos y peligrosos. Los presos políticos se encontraban en minoría, ya que una parte importante de ellos eran asesinos. La convivencia estaba siendo muy complicada, además, estos conflictos eran alentados por el comandante y sus guardias. Lejos de separar a los presos políticos de los asesinos, su estrategia era mezclarlos entre ellos. Su finalidad era doble, evitar que los convictos políticos pudieran comunicarse y organizarse y, por otra parte, fomentar las peleas internas. «Si se matan entre ellos mejor», pensaba el comandante.

Sin embargo, si de algo podían presumir los miembros de «Joven Italia» era de su capacidad para organizarse en la clandestinidad y en entornos hostiles. La cárcel no dejaba de ser uno de ellos. Enseguida comprendieron que debían replicar sus estructuras internas en el interior de la prisión, si no querían acabar muertos. Crearon una especie de comité de prisioneros, que era elegido por los propios presos cada tres meses. La idea era intentar poner algo de orden y, sobre todo, aplacar los ánimos de los más violentos. Involucraron a todas las facciones. La idea parecía que funcionaba, ya que no solo mantenían cierto orden, sino que aprovecharon para formar a los más incultos y ganarlos para su causa.

La idea funcionaba... hasta que el comandante de la fortaleza se enteró. Supuso que Felice sería uno de los responsables de ello, así que, ahora, se encontraba en una situación en la que su vida corría serio peligro.

—No tenéis por qué obedecer las instrucciones del comandante —les dijo.

—No lo hacemos, esto es puro placer —le respondió uno de sus atacantes—. Vosotros, los políticos, siempre nos habéis mirado por encima del hombro. Ya es hora de daros un escarmiento.

Felice se dio cuenta de quién parecía liderar el grupo de seis personas. Era Scipio Lunganesi. Malas noticias. Quizá fuera el más peligroso y violento entre los ciento cuarenta prisioneros. Se jactaba de haber asesinado a más de veinte mujeres.

—Scipio —le dijo Felice—. Yo no soy vuestro enemigo. Es verdad que estoy encerrado con vosotros por cuestiones políticas, pero me han condenado a galeras, peor que una cadena perpetua. En cualquier caso, mi vida no vale nada. Casi me hacéis un favor si me matáis ahora.

Felice intentó empatizar con él, pero era lo mismo que intentar hacerse amigo de una piedra. Se dio cuenta de que, no solo no había conseguido su objetivo, sino que Scipio dio un paso adelante, amenazante.

—Dejadme a mí solo —les dijo a sus cinco acompañantes—. A este me lo cargo en unos segundos.

Dicho y hecho.

Se abalanzó sobre Felice, con su puñal casero. Se intentó defender como pudo, pero, a pesar de ser fuerte, Scipio le superaba en tamaño y, además, estaba armado. Se resistió todo lo que pudo, incluso le propinó un par de puñetazos en el rostro de su atacante. A pesar de ello, no pudo evitar recibir seis puñaladas de Lunganesi, que abandonó a toda prisa la celda de Felice, en cuanto cumplió su misión, acompañado de sus cómplices.

El alboroto organizado no pasó desapercibido entre el resto de los presos, que acudieron de inmediato a la celda de Felice, encontrándolo en el suelo, entre un charco de sangre. Los guardias también se personaron. Encerraron a todos los convictos en sus celdas, temerosos del inicio de un motín.

«¡Cómo no salvéis a Orsini, estáis todos muertos!», los prisioneros gritaban a sus carceleros, con una determinación que consiguieron amedrentarlos. En un principio, no parecía que fueran a socorrerle, pero la violencia se palpaba en el ambiente. El mejor amigo de Felice, Eusebius Barbetti, acompañado de Matteo Ferreti, consiguieron abrir las puertas de sus celdas y se aproximaron, con armas caseras en sus manos, hacia los guardias. El resto estaba intentando hacer lo mismo. En un momento podrían ser más de veinte presos, armados. El motín parecía que se estaba iniciando. Los guardias, ahora, parecían muy asustados, ya que se encontraban en minoría.

En ese preciso momento, apareció el comandante de la prisión.

—¡Todos quietos! —ordenó, con voz firme.

En un principio, cesaron los ruidos.

—Escuche comandante —le dijo Barbetti, mirándole a los ojos—. Si Felice fallece por su negligencia, dese por muerto. Yo mismo lo haré. Y si se le ocurre matarme a mí, otro tomará mi lugar y así sucesivamente. Jamás podrá dormir en paz, ya que un puñal penderá sobre su corazón.

El comandante vio la furia reflejada en el rostro de Eusebius. Le creyó. Comprendió que todo este asunto se le había ido de las manos. Había subestimado la organización de sus prisioneros.

—Llamad al médico, ¡ya! —ordenó el comandante a sus guardias, mientras él mismo entraba en la celda de Felice. Le tomó el pulso—. Aún vive, pero está muy débil —dijo, dirigiéndose ahora a Barbetti—. Volved a vuestras celdas, os aseguro que recibirá las mejores atenciones médicas.

Efectivamente, a los pocos minutos, el doctor de la fortaleza se presentó. Observó las puñaladas que había recibido Felice. Una había penetrado en su cintura, dos en el hombro, otras dos en la cabeza y la última en su hombro. Se las vendó todas y fue trasladado a la enfermería de la prisión, sin recuperar la conciencia.

—¿Vivirá? —le preguntó Barbetti.

—Es pronto para saberlo. Parece que ninguna herida ha afectado a órganos vitales, pero ha perdido mucha sangre. Si no hay infecciones, puede que lo consiga.

La tensión en la prisión era máxima.

Al día siguiente se reunió el comité de prisioneros. El ambiente estaba muy caldeado. Barbetti, que pertenecía a él, retó a Scipio Lunganesi a una lucha a muerte. Para sorpresa del asesino, hasta sus propios compañeros se pusieron de parte del comité. Tenían que reconocer que la unión que había conseguido les había beneficiado. Sus condiciones habían mejorado, incluso hasta la comida. A Lunganesi le afectó la inesperada valentía de Barbetti. Se dio cuenta de que estaba en clara minoría. Podía ser un asesino, pero no un idiota. Pidió perdón a todos los presentes.

—No es a mí ante quien debes disculparte —le dijo Eusebius Barbetti—, sino ante Felice Orsini. Los seis.

Implorad su perdó porque, en caso contrario, no habrá piedad con vosotros.

Comprendieron que no tenían otra opción. Se habían quedado solos, así que pidieron ver a Felice. La respuesta que recibieron fue negativa, ya que aún no había recuperado la conciencia y estaba muy grave.

El comité decidió pasar a la acción. Sospechaban que una cosa así no podía haber ocurrido sin el conocimiento del comandante de la cárcel, así que lo visitaron. Le solicitaron el inmediato traslado de los seis atacantes al otro edificio. Aceptó. Había comprendido el poder que habían atesorado entre el resto de presos y lo último que deseaba era un motín.

«Ahora debo ceder, pero no olvido», pensó el comandante, mientras intentaba aparentar tranquilidad. En su interior, estaba encolerizado. «Ya llegará mi momento».

Cada día, Scipio y sus cinco compañeros se presentaban ante la enfermería de la prisión. Recibían la misma respuesta. Felice seguía muy grave. A pesar de que no consideraban a los presos políticos unos asesinos, sabían que si fallecía, se encontrarían con muchas dificultades.

Al cabo de quince días, por fin, parecía que Felice había despertado. Aún se encontraba grave, ya que alguna herida se había infectado y tenía fiebre, pero el doctor permitió una breve visita de Scipio y sus compañeros.

Felice estaba muy débil. Cuando vio a sus atacantes pedirle perdón por el daño causado, de inmediato, los perdonó. Tenía buen corazón, pero también les dijo que no comprendía cómo se atrevían a excusarse por semejante comportamiento, que casi acaba con su vida.

—De hecho, todavía no sé si saldré de esta —les dijo—. Si fallezco, mi perdón no os servirá de nada.

Abandonaron la enfermería con temor. A pesar de ser unos asesinos, eran conscientes de que su suerte estaba ligada a la vida de Felice.

Al día siguiente, el comandante ordenó que todos los presos se reunieran en la plaza central de la fortaleza. Parecía que tenía algo que decirles.

—¡Escuchad todos! —empezó, en un tono de voz muy elevado—. Debido a los recientes acontecimientos, he tomado una decisión. La mayoría de vosotros estáis condenados a galeras y, aunque no lo creáis, mi misión es manteneros con vida para que vuestra sentencia pueda ser cumplida. No os deseo nada malo en el interior de este castillo. Eso ya ocurrirá fuera de aquí.

La expectación era máxima. Los presos no acababan de comprender al comandante.

—Como muestra de mis buenas intenciones, como os decía, he tomado una decisión. Se acerca la temporada de calor y no quiero que fallezca ni un solo preso a consecuencia de las fiebres. Por ello, en vez de que el doctor venga un par de días a la semana a examinaros, he decidido que, todos los días, y por grupos, acudáis a su consultorio para que pueda hacer un seguimiento de vuestro estado de salud.

Ahora, Barbetti, Ferreti y los suyos, sí que mostraron un gesto de sorpresa. La consulta privada del doctor no se encontraba en el interior de la prisión. Eso significaba que, aunque en grupos reducidos, deberían abandonarla. Sus miradas se cruzaron. Aquello podría significar una oportunidad de escape.

El comandante parece que leyó sus pensamientos.

—No penséis en huir. Acudiréis a la consulta del doctor escoltados por guardias. Si tan solo un preso de ese grupo intenta alguna acción, él y todos sus compañeros serán ajusticiados. No quiero que aprovechéis mi clemencia para intentar escapar. ¿Os ha quedado claro?

Todos asintieron con la cabeza, aunque seguían viendo esta concesión del comandante como una oportunidad. Continuó hablando.

—Dado que los presos políticos son los que menos suelen enfermar, los dejaremos para el final. Comenzaremos la semana que viene. Scipio Lunganesi y sus cinco matones, visto que ayer obtuvieron el perdón de Felice Orsini, serán los primeros.

Barbetti y los suyos se quedaron mirando. No sabían nada de ese perdón, además, iban a ser los últimos en salir a la consulta del doctor.

—Ahora podéis volver a vuestras celdas. Espero no arrepentirme de esta decisión —dijo el comandante, mientras abandonaba la explanada.

De inmediato, se reunió el comité de presos. Estaba claro que todos tenían la misma idea en la cabeza. Barbetti se dirigió a Lunganesi.

—Dado que seréis los primeros y parece que Felice os ha perdonado, debéis colaborar con nosotros.

—Por supuesto, lo haremos —contestó Scipio—. ¿Qué queréis?

—Debéis reconocer el terreno, cómo se realiza el traslado, cuántos guardias os acompañan y cómo es la consulta del doctor. Debe haber puntos débiles que podamos aprovechar. Queremos vuestro compromiso de que no intentaréis nada por vuestra cuenta. En cuanto tengamos la suficiente información, en una de esas salidas, aprovecharemos para organizar un plan de fuga colectivo. No lo haremos hasta que Felice esté recuperado y pueda venirse con nosotros. ¿Lo tenéis claro?

—Clarísimo —afirmó Scipio.

Eusebius Barbetti le creyó. Lunganesi sabía que, ahora, estaba en clara minoría en la prisión. Parecía que había comprendido que la unión hacía la fuerza.

Se pasaron toda la semana acordando qué notas mentales y qué datos debían de recopilar. Tenían que trazar un plano del recorrido hasta la consulta, con sus posibles puntos débiles. Una vez con el doctor, debían de reconocer la estancia, si había ventanales, adónde conducían, puertas y demás puntos por dónde poder huir. Lo mismo en el camino de regreso. Necesitaban la máxima información, ya que tan solo dispondrían de una única oportunidad. Estaba claro que, si fracasaban la primera vez, el comandante suspendería las salidas de la fortaleza.

Justo el día anterior a la primera salida programada del castillo, recibieron una magnífica noticia. Aunque todavía estaba débil, Felice ya se había recuperado de sus heridas y volvía a estar con ellos. Su estado aún no le permitía participar en el plan de fuga, pero era un gran paso adelante. Una vez conoció lo que sus compañeros tramaban, decidió que debía recuperar la forma física, haciendo ejercicio, aunque el doctor se lo hubiera desaconsejado.

Llegó el día. Scipio Lunganesi y sus cinco compañeros fueron requeridos por el comandante. Vieron cómo se subían a un carruaje, acompañados de cuatro guardias. Al principio, aquello les sorprendió, ya que los vigilantes estaban en minoría, cuatro contra seis, pero pronto lo comprendieron. Había un segundo carruaje, con ocho guardias más, que les iba a acompañar. Doce contra seis.

Aquello se complicaba, aunque sus ánimos no decayeron. Ya sabían que no iba a ser sencillo.

Esperaron la vuelta de Lunganesi y los suyos, pero no se produjo.

—¡Nos la han jugado! —exclamó Ferretti—. ¡Sabía que no eran de fiar!

—No creo —dijo Felice—. El comandante y toda la guardia están muy tranquilos. No ha sonado la campana de la torre, que indica un intento de fuga. Todo parece normal y los guardias que les acompañaban no han regresado. Se supone que deben de seguir con ellos.

—Es cierto —comentó Barbetti—. Tampoco conocemos cuál es el procedimiento. Quizá les hayan extraído sangre y se queden a pasar la noche en la consulta del doctor. Eso puede ser bueno.

—Quizá —dijo Felice—. Tan solo nos queda esperar a las noticias que nos cuenten, a su regreso.

Para sorpresa de todos, al día siguiente, el comandante ordenó que otros seis presos abandonaran la prisión. Se organizó el traslado de idéntica manera.

—¿Por qué no han regresado los seis anteriores? —se atrevió a preguntar en voz alta Ferretti.

—Uno de ellos está enfermo. El doctor ha decidido aislar a los seis durante un par de días, para ver si desarrollan los mismos síntomas. Permanecerán en su consulta hasta pasado mañana, pero no interrumpiremos el proceso.

De inmediato, se volvió a reunir el comité.

—Es una buena noticia —dijo Barbetti—. Van a tener dos días más para reconocer los puntos débiles de la consulta del doctor. Mientras tanto, otros seis van de camino.

Todos los presos parecían contentos. Bueno, todos no. Felice no parecía participar de la alegría general.

Al día siguiente se repitió la misma operación. Otros seis prisioneros abandonaron la fortaleza.

—Esto no me gusta —dijo Felice.

—¿Por qué? —le preguntó su amigo Ferretti.

—El comandante es muy astuto. Está claro que sabe que estamos organizados y poseemos armas caseras. El episodio de mi intento de asesinato le ha debido de abrir los ojos. Es consciente de que un motín podría tener éxito, dada nuestra fuerza y unión. No olvidéis que éramos ciento cuarenta presos contra apenas cuarenta guardias.

—¿Qué quieres decir con eso? —intervino ahora Barbetti.

—Que no creo ni una palabra de lo que nos ha contado el comandante.

—No te entiendo —continuó Barbetti.

—¿No lo veis? El destino de los presos nunca ha sido la consulta del doctor. ¿No os extraña que no haya vuelto ni uno solo de ellos? Simplemente está ejecutando sus órdenes, pero de una manera inteligente, para evitar una revuelta.

Ahora, Barbetti pareció darse cuenta de lo que pensaba Felice.

—¿No estarás insinuando que...?

No terminó su pregunta.

—No insinúo nada, afirmo. No hay nadie en la consulta del doctor. Nos están engañando. Todos estamos siendo trasladados a Civitavecchia, para cumplir nuestra condena a galeras.

15 NUEVA ORLEANS, 22 DE JUNIO DE 1849

Paul había llegado a un acuerdo con su padre. Cada uno le prometió solemnemente una cosa al otro. Alonzo que permitiría que su hijo jugara al ajedrez tan solo los fines de semana, y Paul que se aplicaría en los estudios, continuaría los pasos de su progenitor y sería abogado. Su padre recalcó que el acuerdo tan solo sería válido si Paul obtenía brillantes calificaciones académicas.

Fueron dos años muy tranquilos en su familia. Paul no quería faltar a la palabra que había dado a su padre, y se esforzaba en sus estudios en la *Jefferson Academy*, obteniendo excelentes resultados, cosa que conseguía con notable facilidad.

Por su parte, Alonzo le perdonó su «incidente» con el general Scott y consintió en que jugara al ajedrez fuera del círculo familiar. Este extremo era muy importante para Paul, ya que deseaba medirse con ajedrecistas superiores a él. La confianza en su juego era inmensa y su círculo cercano ya se le había quedado pequeño.

Al día siguiente, Paul comunicó al resto de sus familiares que practicaban el ajedrez con él el acuerdo que había alcanzado con su padre. Es decir, a su tío Ernest Morphy, a su otro tío Charles Le Carpentier y a su abuelo Joseph. Todos ellos pertenecían al Club de Ajedrez de Nueva Orleans y estaba seguro de que le buscarían rivales a su altura.

Los tres se mostraron entusiasmados. Al día siguiente se reunieron en la casa de Joseph Le Carpentier para tratar el tema. Prefirieron que no estuviera Paul presente, ya que así podrían hablar con más libertad. Después de barajar varios nombres de ajedrecistas destacados de la ciudad, decidieron que el primer rival de Paul fuera el doctor italiano Rizzo, afincado en la ciudad desde hacía algunos años. Había logrado cierta notoriedad entre la comunidad ajedrecista de Nueva Orleans por su dominio de la teoría y la composición de problemas complejos. Pensaron que podría ser una buena vara de medir para Paul, ya que carecía de esos conocimientos. Por primera vez, se enfrentaría a alguien que lo superaba técnicamente.

Ingenio contra teoría. Prometía ser una partida apasionante.

Charles era amigo del doctor, así que le encargaron que hablara con él para acordar la partida. Así lo hizo. Rizzo, en un principio, se mostró reticente, ya que no consideraba que el joven Morphy estuviera a su nivel, pero acabó aceptando, aunque imponiendo dos condiciones no negociables: que asistiera como juez de la partida Charles Le Carpentier y que no hubiera público. Supuso que, a pesar de sentirse superior, no querría arriesgar su reputación. Charles les comunicó el acuerdo que había alcanzado con el doctor. Evidentemente, ni a Ernest ni a Joseph les hicieron ninguna gracia estas condiciones, porque querían ser testigos del emocionante duelo, pero aceptaron también, resignados, si esa era la única manera de que Paul se enfrentara a Rizzo.

La partida se convino justo el domingo siguiente en la consulta del doctor, un lugar discreto en un día festivo.

Cuando Rizzo vio a Paul, aquel menudo niño en pantalón corto, camisa de escolar y aspecto escuchimizado, hizo amago de arrepentirse de su acuerdo, ya que comprendió que no tenía nada que ganar con aquel duelo. Era un simple renacuajo. Si vencía no le supondría ningún mérito, ya que era lo que se esperaba que ocurriera, pero si Paul lograba forzar tablas o incluso ganar, sería un deshonor para él.

Charles se mostró inflexible, indicándole que haría saber en el club que había rehusado medirse a Paul por miedo a perder y que no había hecho honor a su palabra, así que, al buen doctor, no le quedó más remedio que sentarse frente a aquel mocoso, tablero mediante.

La partida comenzó como Charles se esperaba. Paul lanzó sus peones al ataque, como de costumbre, y en el sexto movimiento ya había sacrificado un caballo para activar sus dos alfiles. Sin embargo, el doctor se defendía con mucho orden, por lo que en el movimiento quince, el resultado era que Paul llevaba una desventaja de dos peones y un caballo, sin tener una posición estratégica que lo justificara, a criterio de Charles. No obstante, Paul continuó fiel a su estilo. Llegado al movimiento veinte sacrificó el segundo caballo, para poder atacar con dama, torre y alfil al enroque del doctor. Pero la posición defensiva de Rizzo era más sólida de lo que Paul había supuesto.

Charles se temía lo peor.

De repente, lo vio.

Se giró hacia su sobrino y le resultó evidente que también lo había advertido. La estampa resultaba dolorosa. A pesar de los esfuerzos que se notaba que estaba haciendo, dos lágrimas recorrían las mejillas de Paul, que trataba de mantener su compostura. Apenas lo lograba.

El doctor disponía de mate en cuatro jugadas. Paul había subestimado el caballo y la torre de dama de su oponente. Podían entrar como un cuchillo caliente en la mantequilla en su desprotegida defensa, apoyados por ese alfil al que no le había prestado la adecuada atención. Rizzo llevaba quince minutos pensando su siguiente movimiento. «Ejecútelo cuánto antes», pensó Paul.

Para su absoluta sorpresa, no avanzó su torre para dar jaque, que era el inicio de la combinación mortal, sino que retrasó su caballo para hacer más fuerte su defensa del enroque. Paul estaba desconcertado. Hasta ahora apenas le había dedicado un minuto a cada movimiento, pero ahora pensó que debía de revaluar toda su estrategia. Durante diez minutos se dedicó a estudiar la posición. Después de hacerlo, creía que podía contrarrestar la secuencia mortal con cierta facilidad. Parecía que el doctor no había visto su combinación ganadora. Sintió furia, una sensación que nunca había experimentado frente a un tablero de ajedrez. Quizá fuera una reacción natural, después de verse derrotado.

Charles observaba los cambios que se producían en su sobrino. No sabía lo que pasaba por su mente, pero vio una mirada de determinación arrolladora. La mirada de un tigre herido.

Los siguientes diez movimientos de Paul fueron una sinfonía de una belleza y precisión indescriptibles. Destrozó el enroque del doctor y acorraló a su rey de una manera implacable, sin darle la más mínima opción. Quizá fueran los diez mejores movimientos que Charles le había visto jugar jamás. La expresión en el rostro de Rizzo lo decía todo, era una mezcla de impotencia y sorpresa. Estaba siendo arrollado cuando creía que su defensa era sólida, además con una notable ventaja de material. Llegados a esa posición, el doctor dedicó veinte largos minutos a analizarla. Cuando concluyó, se quedó mirando a Paul con desdén, se levantó del tablero, enfadado y humillado, concediendo la victoria a su joven rival.

Paul no parecía contento. Era consciente de que merecía haber perdido la partida, por pura vanidad y por un exceso de confianza en su juego. Se sintió obligado a ofrecerle la revancha al doctor, manifestándole la admiración por su juego. Sin ninguna duda, era el mejor rival al que se había enfrentado. Rizzo la rechazó de malas maneras, dando por concluida la reunión.

A la salida de la consulta del doctor estaban Ernest Morphy y Joseph Le Carpentier. Charles reprodujo la partida en un tablero. Paul estaba enfadado y no participó de los comentarios a las jugadas. Se limitaba a observarlos en silencio.

Cuando concluyó el análisis de la partida, Ernest se giró hacia su mudo sobrino.

—Hoy has aprendido dos grandes lecciones —le dijo—. Aunque hayas terminado ganando la partida de una manera muy brillante, ya sabes lo que se siente al perder. La segunda lección es que tienes que ser capaz de ver el tablero en su conjunto, como una unidad. Que un gran ataque no te ciegue y haga que descuides tu retaguardia. A veces, el retrasar una pieza es un movimiento ofensivo. Aunque ahora mismo no seas consciente, esa furia que has sentido ha sido a causa de ello. A veces, una buena defensa garantiza una gran victoria. No siempre te servirán los ataques alocados si no te cubres las espaldas.

Todos se fueron satisfechos, excepto Paul. Consideraron que la elección del doctor Rizzo como primer rival de entidad, había sido todo un acierto.

Paul siguió jugando los siguientes meses, todos los domingos, con jugadores del Club de Ajedrez de Nueva Orleans. Había aprendido la lección que le había dado el doctor Rizzo y no cedió ni unas míseras tablas contra nadie.

Todas sus partidas se contaban por victorias, incluso dando ventajas a sus rivales.

Su juego había madurado mucho, hasta el punto de que, con tan solo once años, ya se le consideraba uno de los jugadores más fuertes de Nueva Orleans. Era respetado y reconocido en la ciudad.

A pesar de ello, tampoco faltaba a su cita de los sábados con Amélie. Se había convertido en una formidable jugadora, pero ya no solo se trataba del ajedrez. Muchos días ni siquiera jugaban, tan solo hablaban. Paul disfrutaba del desparpajo intelectual de su amiga, con sus modernas y alocadas ideas, que consideraba revolucionarias para oírlas en boca de una niña sureña de Louisiana. Amélie, en Paul, había encontrado no a un niño, sino a todo un hombre, aunque tuviera su misma edad, con el que podía charlar en libertad, sin temer ser ignorada o castigada, tanto por sus ideas como por su sexo.

Paul pasó dos años muy agradables, disfrutando de los domingos, jugando al ajedrez, y también de los sábados, jugando con Amélie, pero no al ajedrez.

—Hoy es tu cumpleaños —le dijo su amiga, dándole un beso en la mejilla—. Además, es viernes, no sábado. ¿No deberías estar con tu familia?

—¿Acaso no te alegras de verme?

—Pues claro, idiota, pero me ha sorprendido que vinieras a buscarme a mi casa. Creía que te daba vergüenza.

—Y me la da, no te creas, pero necesitaba verte, aunque tan solo sean unos minutos.

—¿Por qué?

—Primero, porque mañana no podremos quedar. aunque ese no es el principal motivo.

Amélie permaneció en silencio, esperando que Paul se explicara. Parecía nervioso.

—Dentro de una hora, mi tío Ernest me ha citado en ese club masculino que tanto te gusta —le dijo, en tono irónico.

—Debería llamarse el cementerio de dinosaurios de Nueva Orleans —dijo Amélie, sonriendo—. Algún día, se prohibirán por ley ese tipo de clubes.

Paul, a pesar de su evidente desasosiego, no pudo evitar sonreír.

—Hoy no vengo a hablar de política. Dejemos la esclavitud y la discriminación social a un lado, por un día. Te confieso que estoy asustado.

—¿El gran Paul Morphy tiene miedo por algo? —preguntó Amélie, aparentando inocencia—. Además, ¿no será por una partida de ajedrez?

Paul apartó la mirada de su amiga.

—Sí.

—¡No lo puedo creer!

—Se supone que es una sorpresa, pero al juez Ford se le ha escapado. Mi tío me va a proponer un reto que jamás se ha visto en Nueva Orleans.

—¿Una partida de ajedrez? —preguntó Amélie, incrédula—. No es por nada, pero ya se han visto unas cuantas...

—Eso es lo que me espanta. Sé que es una partida de ajedrez contra mi tío, pero he jugado cientos de ellas con él. Algo se me escapa y mi intuición me dice que es algo grande.

—Tu intuición es tu gran aliada. No te suele fallar. En cualquier caso, no necesitas que te diga lo que pienso, ya lo sabes de sobra —dijo, mientras se aproximaba a Paul y le estampaba otro beso en su mejilla—. Este te dará suerte para lo que sea que te enfrentes, aunque dudo que la necesites. Ahora, márchate. ¡No querrás llegar tarde a tu gran sorpresa!

—Sabía que tenía que venir a verte —dijo Paul, que ahora parecía mucho más animado—. Tu presencia siempre hace florecer mi mente.

—¡Anda, no seas ñoño! —le dijo, mientras le empujaba de forma cariñosa y echaba a andar, en dirección a su casa.

Paul se quedó mirándola por un momento. Era consciente de que, el año que viene, completaría su formación en la *Jefferson Academy* y partiría hacia Alabama para seguir con sus estudios. Spring Hill se encontraba a casi trescientas millas de Nueva Orleans. A pesar de que ya lo habían hablado entre ellos y habían acordado verse en Acción de Gracias, Navidades y en verano, sentía que ya no sería lo mismo. Tan solo deseaba que no cambiaran sus sentimientos.

Intentó quitarse esos pensamientos de su cabeza. Ahora le esperaba una partida de ajedrez... que jamás se había visto en Nueva Orleans. Insólito, seguía sin ser capaz de imaginarse qué es lo que iba a ocurrir en unos minutos.

De camino al club de la Royal Street, su mente no le dejaba en paz. A su tío le gustaban mucho los retos, pero había salido escaldado del primero que le propuso, hacía dos años. Había sido capaz de componer un problema de ajedrez en apenas quince minutos. Su tío le reconoció que le costó resolverlo más tiempo que a él idearlo y le felicitó por ello. Parecía que ahora subía la apuesta, pero no se podía imaginar cómo.

Llego a la altura del *Sazerac Coffee House.* Subió las escaleras y llamó a la puerta del club. De inmediato le abrieron la puerta.

—¡Ya ha llegado Paul! —gritó el juez Johnson.

Se quedó asombrado. El club estaba abarrotado de gente. Nunca lo había visto tan lleno. «Parece que toda Nueva Orleans esté aquí adentro», pensó, con cierta congoja. «¿Para ver una partida de ajedrez? No puede ser», se decía. Su nerviosismo iba en aumento. «¡Hasta mi padre ha venido!». Aquello terminó de alarmarlo. Intentaba avanzar entre la multitud. Sabía que le dirigían la palabra, pero no era capaz de escucharlos.

Por fin, después de tres minutos que se le hicieron eternos, llegó a la altura de su tío Ernest.

—¿Estás preparado? —le preguntó.

Paul lo observó. Se dio cuenta que estaba igual de nervioso que él. Aquello no era nada normal.

—Exactamente, ¿para qué se supone que debo estar preparado?

—¿Para qué va a ser? Para jugar al ajedrez.

—Siempre estoy preparado para eso —le respondió, haciendo gala, una vez más, de la gran confianza en sí mismo—, pero aquí hay algo más. No es normal esta expectación por una simple partida.

—Por supuesto que hay algo más. Va a suponer un gran reto para ti, pero creo que lo disfrutarás. Es mi gran regalo por tu duodécimo cumpleaños.

Paul se quedó en silencio. No sabía qué decir. Aprovechó el momento para girarse y mirar a su alrededor. Su entrada en el club había sido un tanto confusa. «Ha venido hasta Eugène Rousseau», observó. Se sintió algo cohibido. Era considerado el mejor jugador del estado. Había echado un vistazo a sus partidas con Charles Stanley, que era el actual campeón de los Estados Unidos. Paul nunca se había enfrentado a él, aunque esperaba poder hacerlo pronto.

—¿Contra quién voy a jugar? —le preguntó a Ernest. Aunque al juez Ford se le había escapado que la partida iba a ser contra su tío, vista la inusitada expectación y calidad ajedrecística de los presentes, empezó a dudar.

—La partida será contra mí, pero jugaremos de una manera que nunca se ha visto en la ciudad. No lo haremos juntos.

Paul abrió los ojos.

—¿Eso cómo puede ser?

—Yo jugaré en solitario, sentado con un tablero delante, en una de las salas del club. Tú lo harás en otra, pero a ciegas. No tendrás ningún tablero y tendrás que memorizar las jugadas y la posición de la partida en tu cabeza. Yo anunciaré mis movimientos y tú harás lo propio con los tuyos, pero no nos veremos. ¿Crees que serás capaz?

No se esperaba ese reto, pero, curiosamente, se tranquilizó. Ahora se explicaba la expectación generada. Nunca había oído que se pudiera jugar así. Conocía las partidas por correspondencia e incluso, últimamente, a través del telégrafo, pero ambos oponentes, aunque podían estar muy alejados uno del otro, disponían de un tablero enfrente de ellos. De inmediato, se sintió atraído ante el reto que le planteaba su tío.

—Por la expresión de tu cara, veo te ha gustado la sorpresa —continuó Ernest.

—¡Por supuesto que seré capaz! —expresó, con una confianza impropia de su edad—. Acepto el reto.

Todos los presentes prorrumpieron en un sonoro aplauso, para vergüenza de Paul.

El público se dividió entre las dos salas. Paul se sentó en una de ellas, en un sillón junto a una mesa, que tan solo tenía encima un vaso de agua. Se puso de espaldas a la gente, mirando una de las paredes de madera, de la que colgaba un cuadro.

La partida iba a comenzar. Se solicitó silencio al público, para que se pudieran escuchar las voces de los jugadores, anunciando sus movimientos. Después del sorteo, Paul jugaría con las piezas negras.

Su tío le sorprendió con la apertura. Sacó su caballo de rey, cuando era habitual que jugara primero sus peones. Paul decidió que, si la gente esperaba un espectáculo, se lo iba a dar. Anunció su movimiento, sacando su caballo de dama. Los primeros diez movimientos despistaron al público, incluso a su tío Ernest. Paul no estaba jugando como era habitual en él. Llegó a pensar que le estaba exigiendo demasiado. Quizá el esfuerzo mental era excesivo para un niño de doce años recién cumplidos, además, muy débil físicamente.

Quizá su complexión física fuera débil, pero desde luego no la mental. Ernest pensaba sus movimientos durante unos diez minutos cada uno antes de anunciarlos, sin embargo, Paul le respondía casi al instante.

La expectación y la sorpresa del público, sobre todo por la calma y seguridad que se reflejaba en el rostro de Paul, iba en aumento a medida que se desarrollaba la partida.

A partir del undécimo movimiento, se desató la furia de Paul en todo su esplendor. Había estado aguardando pacientemente diez movimientos. No quería que la partida acabara con rapidez. Ahora, había llegado el momento. En una veloz combinación, cambió dos peones para activar su dama y liberar la diagonal de su alfil restante, al mismo tiempo que la columna de su torre quedaba expedita.

Ernest se pensó, durante más de media hora, su vigésima jugada. Paul aguantó, estoico, sentado en el sillón, sin dejar traslucir ninguna expresión en su cara. Era verdaderamente sorprendente en un niño. A pesar de que se había solicitado un total silencio al público, era inevitable un murmullo ahogado de asombro.

Cuando, por fin, Ernest anunció su movimiento, Paul le respondió de inmediato, pero no solo con su jugada. Para el asombro de todos los presentes, también anunció mate en cuatro.

La gran mayoría de espectadores se desplazó al único tablero donde estaban situadas las piezas, junto a Ernest. Analizaron la posición. El murmullo inicial de sorpresa se trasformó en una atronadora ovación. De inmediato, todo el público rodeó a Paul para felicitarlo.

—¡Por favor, por favor! —exclamó Alonzo, intentando proteger a su hijo—. Estará agotado, después de semejante esfuerzo mental. Démosle algo de tiempo y espacio.

«Es cierto que estoy algo cansado, pero no ha sido para tanto», pensó Paul.

Ernest, después de tumbar a su rey, acudió al encuentro de su sobrino y se abrazó con él.

—Sabía que serías capaz, aunque tengo que reconocerte que me has desconcertado al principio de la partida —dijo, al mismo tiempo que miraba de cerca su rostro. De inmediato, cayó en la cuenta—. ¡Lo has hecho a propósito! ¡Eres un demonio!

Paul no se lo quiso confirmar, pero se mostró agradecido.

—Tío, ha sido una gran experiencia. Tengo que reconocer que me ha encantado tu regalo de cumpleaños.

Ahora era Ernest el que sonreía. Paul se dio cuenta, aunque no supo interpretar su expresión.

—Lo reconozco, te he contado una pequeña *mentirijilla.* Realmente, este no era tu regalo de cumpleaños. Tan solo era su puerta de entrada —le respondió.

—¿Qué quieres decir?

—¿Quieres saber por qué te dije que no quedaras mañana con nadie? Creo que te compensará no ver un sábado a Amélie, que, por cierto, no juega nada mal para ser mujer. Lástima que el ajedrez sea cosa de hombres.

—¿Cómo sabes...? —empezó a preguntar Paul. Ahora, el sorprendido era él.

—Mañana, a las once en punto, en casa de tu abuelo Joseph —le interrumpió su tío, mientras daba por concluida la conversación.

16 CIVITA CASTELLANA, AÑO 1846

—¡Alcémonos en armas! Aún somos más que ellos, los podemos pillar desprevenidos.

—¡Matemos a todos esos guardias y, al traidor del comandante, el primero!

Felice y sus amigos habían intentado ocultar sus temores a sus compañeros, pero, tras dos días más sin volver nadie de la consulta del doctor, las sospechas ya fueron generalizadas. El comité se había reunido y, ahora mismo, era un auténtico polvorín.

—¡Escuchad! —intentó mediar Felice—. Ya no somos ciento cuarenta prisioneros, apenas poco más de cien. Si os dais cuenta, el comandante ha sacado de la fortaleza, en primer lugar, a los más peligrosos y fornidos. Por eso dijo que nos dejaba a nosotros, a los presos políticos, para el final. Sabe que no somos tan violentos.

—¡Ese marrano se equivoca! —exclamó Ferretti—. Si me lo ponen ahora mismo delante, le rebano el pescuezo.

La turba de presos estaba enaltecida.

—El comandante no sabe que conocemos la verdad. Hemos de aprovechar el factor sorpresa —dijo otro de los presentes.

—Os equivocáis. Ha demostrado mucha astucia. Desde el primer momento suponía lo que iba a ocurrir. Al principio, no sospecharíamos nada, pero estoy seguro de que es perfectamente consciente de que ahora lo hacemos. Estará preparado y esperándonos. Olvidaos del factor sorpresa, nunca ha existido. Siempre ha ido un paso por delante de nosotros —insistió Felice.

—Aún somos bastantes más que ellos —gritó otro preso—. Si asaltamos la torre, cuando bajen uno de los puentes levadizos, en el cambio de guardia, podremos arrollarlos. No se lo esperarán.

—Te aseguro que lo harán —Felice tenía claro que todo aquello obedecía a un plan preconcebido del comandante.

—¿Y qué se supone que debemos de hacer? —alzó la voz otro, desde el fondo de la sala—. ¿Esperar mansamente a que, de seis en seis, nos conduzcan a galeras? Yo no lo pienso hacer. Prefiero jugármela. ¡Todos a las armas!

Aquella proclama enardeció a las masas, que se dirigieron a sus celdas para buscar sus armas caseras y, en general, cualquier cosa que pudieran utilizar contra los guardias.

Iba a estallar una auténtica batalla.

—Escuchad —dijo Felice a los suyos, cuando se quedaron a solas—. No iremos en primera línea. Estoy convencido de que es otra trampa del comandante. No podemos convencer al resto de presos, pero no nos sacrifiquemos inútilmente.

Todos se quedaron mirando a Felice.

—¿Estás seguro de lo que dices?

—Completamente. Me parece que la primera vez acerté. Ya os dije, hace dos días, que nadie iba a la consulta del doctor. No me equivoqué. Ahora os digo que esto es una encerrona, y tampoco lo hago. Confiad en mí. Nuestras vidas están en juego.

—Felice puede tener razón —le apoyó Barbetti—. No perdemos nada por hacerle caso. Dejemos que la turba se abalance sobre los guardias. Permanezcamos detrás de ellos y observemos lo que ocurre.

—Decidido entonces —dijo Ferreti, mientras todos los miembros de «Joven Italia» asentían con la cabeza.

Observaron los preparativos de sus compañeros. Estaban exaltados. El engaño del comandante les había enfurecido hasta el punto de hacerlos enloquecer.

Apenas faltaba un momento para el relevo de la guardia. En ese momento, desde la torre central de la fortaleza, se hacía descender un puente levadizo, que salvaba el foso que separaba a los presos de los guardias.

Cuando los presos observaron el movimiento de sus vigilantes, se prepararon para el asalto. Como ocurría cada cuatro horas, el puente comenzó a bajar. Nada parecía fuera de lo normal. Los nuevos guardias comenzaron a cruzar el puente, como de costumbre.

—A mi voz, todos al ataque —indicó el cabecilla del motín—. En cuanto los guardias se encuentren sobre el puente, daré un grito.

Así ocurrió. En apenas treinta segundos, la turba enaltecida de presos se lanzó contra el puente levadizo. Los guardias, en un principio, parecieron sorprenderse. Empezaron a defenderse de aquel ataque con sus mosquetes, pero se veían superados en número.

De repente, escucharon el sonido de un cañonazo y el suelo pareció desaparecer debajo de sus pies. Como Felice había advertido, el comandante estaba preparado. Había ordenado apuntar todos los cañones de la torre hacía el patio central de la fortaleza. Los artilleros no cesaron de disparar fuego a discreción, causando una auténtica masacre. Los prisioneros que se habían lanzado en primera línea, ahora eran despojos humanos. El resto de ellos, al verse atrapados por el fuego de los cañones, se retiraron en desbandada hacia sus celdas. Un numeroso grupo de guardias cruzó el puente en dirección a los amotinados, disparando sus mosquetes.

Felice y los suyos ya estaban en el interior de sus celdas, sanos y salvos, cuando los guardias penetraron en el edificio. Cerraron las puertas exteriores, dejándolos aislados. Tan solo podían escuchar los quejidos de los presos heridos y un olor a carne quemada que revolvía las tripas.

—Tenías razón —le reconoció Ferretti a su amigo Orsini—. Nos has salvado la vida.

—Me temo que tan solo os he dado más tiempo. No creo que el comandante tarde en venir a visitarnos. Nada bueno nos espera.

Una vez más, Felice acertaba con sus deducciones. A la hora escasa del intento de motín, se personó el comandante en la entrada de las celdas.

—¡Escuchadme todos! —gritó, a través de la puerta de barrotes—. Este acto de indisciplina ha causado la muerte a cinco de mis guardias. En consecuencia, a partir de ahora, ni se os dará alimento ni agua. Pereceréis como las ratas que sois. Ya sabéis que estoy autorizado a ejecutaros, en caso de motín, pero así vuestra muerte será más lenta. Os pudriréis.

—¿Qué ocurre con los nuestros que no están aquí? —se oyó preguntar a una voz.

—¿Tú qué crees? Han muerto más de treinta y los heridos serán rematados. Ya no iréis a galeras, moriréis agonizando lentamente —dijo, mientras abandonaba la puerta.

—Bueno, amigos, este es nuestro final —dijo Barbetti—. Si lo pensamos bien, tiene una ventaja sobre las galeras. El final es el mismo, la muerte, pero así será más rápida.

Felice no podía creer que su historia terminara así, pero debía de reconocer que, ahora, no tenían ninguna opción de escapar.

El primer día se hizo llevadero. El espíritu de camaradería que había logrado inocular en el comité de presos, hizo que nadie se derrumbara. Pero al segundo día sin alimento ni agua, las cosas se empezaron a torcer.

—Podemos sobrevivir unos cuantos —propuso uno de los prisioneros—. Si no hacemos nada, moriremos en los próximos días, pero tenemos una alternativa. Situaciones desesperadas requieren soluciones desesperadas. Propongo hacer un sorteo. La mitad vivirá y la otra mitad servirá de alimento.

—¿Canibalismo? —preguntó escandalizado Ferretti—. Somos personas, no animales.

—Ahora mismo, no sé lo que somos —dijo otro—, pero la propuesta merece ser debatida.

Para espanto de Felice y sus compañeros de «Joven Italia», se encontraban en minoría. Perdieron la votación.

—Está bien, aceptamos el resultado de la mayoría —dijo Felice—, pero esperaremos hasta el último momento. Ahora aún podemos resistir un par de días más. Nunca se sabe qué puede ocurrir.

Así se acordó.

—¿Qué puede ocurrir? —le preguntó Barbetti a su amigo—. ¿Acaso esperas que suceda algo?

—No —le respondió—, pero no creo que nuestros días acaben así. Al menos eso quiero pensar.

Los dos días acordados acabaron pasando. La situación ya era desesperada. Decidieron que el sorteo se haría hoy mismo, sin más demora.

De repente, escucharon el sonido de los tres cañones de la torre. En un principio, pensaron que el comandante había decidido volar las mazmorras, para ocultar su macabro plan de dejar morir a todos los presos de inanición, pero no se produjo ningún daño en los muros. Volvieron a oír otros tres cañonazos.

—¿A quién están disparando? —se preguntaban los presos.

—¿No os dais cuenta? —observó Felice, en un susurro, a sus compañeros—. No están disparando contra nadie. Son salvas. En mi infancia las escuchaba en los cuarteles de la Guardia Suiza, mientras observaba sus entrenamientos. Reconozco perfectamente ese sonido.

—Y eso, ¿qué quiere decir?

—Quiere decir que algo ha ocurrido. No creo que tardemos en enterarnos.

Mientras tanto, el resto de presos se olvidó del sorteo. Estaban expectantes con aquellos atronadores sonidos.

Como Felice presumió, de repente, oyeron una voz desde la puerta de barrotes.

—Os traemos alimentos y agua, de parte del comandante —dijo uno de los guardias—. Vamos a abrir la puerta y los dejaremos delante de vuestras celdas. Si alguno de vosotros intenta algo, vamos armados con mosquetes y le dispararemos. ¿Os ha quedado claro?

Nadie respondió. Ni siquiera se creían aquellas palabras, pero la realidad es que sucedió. Cada uno devoró el mendrugo de pan y se bebió con ansia el agua de la jarra.

—¿Qué significa esto? —preguntó Ferretti.

—Supongo que el comandante tan solo quería darnos una lección y demostrarnos su poder —respondió Barbetti—. Ahora ya sabemos de lo que es capaz. Nuestro destino son las galeras, no morir en esta celda.

—Al final, se trata de lo mismo. O morir ahora o morir en unos meses. Casi prefería que fuera ahora.

Felice permanecía en silencio, con una extraña sonrisa en sus labios. Su actitud no pasó desapercibida a sus compañeros.

—¿Qué te ocurre?

No les contestó de inmediato. Se quedó mirándolos.

—Me parece que nuestra suerte ha cambiado. No creo que vayamos a morir.

—¿Te has vuelto loco? ¿Qué te hace pensar eso?

—Esperad a mañana. Presumo que el comandante nos hará una visita —concluyó Felice, mientras se echaba en su camastro.

Sus compañeros ya lo conocían. Siempre decía lo que quería y ni una palabra más, así que decidieron esperar a mañana, a ver si su amigo volvía a acertar con sus presentimientos.

Así fue.

Apenas había amanecido cuando el comandante se asomó a los barrotes de la puerta de entrada de las mazmorras.

—¡Escuchad todos! Tengo noticias que daros.

Los que aún dormían, se despertaron de inmediato.

—Hace dos semanas, falleció Su Santidad, el Papa Gregorio XVI. Ayer mismo, el colegio cardenalicio eligió a su sustituto, que asumió su mandato bajo el nombre de Pio IX. Se trata del cardenal obispo de Imola, ahora Su Santidad Mastai Ferretti.

Los presos no comprendieron por qué les daban esa información. Al fin y al cabo, ¿qué les importaba quién fuera el Papa? Sin embargo, una persona sonreía.

—¿Cómo lo podías saber? —le preguntó Barbetti.

—Fue una deducción. Las salvas tan solo son disparadas para celebrar magnos acontecimientos. Ello unido al repentino fin de nuestro ayuno forzoso, tan solo podía significar una cosa. Un nuevo Papa.

—¿Por qué?

—¿Aún no lo entendéis? Mastai Ferretti ordenará una amnistía general de todos los presos políticos. Probablemente el comandante esté al tanto de ello. No creo que le hiciera ninguna gracia tener que comunicar al nuevo Papa que la totalidad de sus prisioneros habían muerto de hambre y sed. Supondría el final de su carrera. Ahora nos tiene que mantener con vida hasta que reciba nuestra orden de liberación.

—¿Estás seguro de lo que dices? —Barbetti parecía emocionado.

—No puedo estarlo, pero conozco personalmente al nuevo Papa. Recordad que me crie en Imola. Es muy amigo de mi tío Orso. Estoy seguro de que algo acabará sucediendo.

Una vez más, Felice tuvo razón. Se hizo esperar, pero a los ocho días de la noticia, el comandante les comunicó que el Papa había promulgado una amnistía.

Eran libres.

Algunos lloraban, otros se abrazaban, pero, entre la gran alegría colectiva, surgió un grito unánime.

—¡Viva Italia!

Fueron unos momentos de gran emoción, memorables, que Felice recordaría toda su vida. Hasta los guardias de la prisión se abrazaron con los prisioneros. Todos eran uno, ya que les unía un sentimiento común.

Italia.

Antes de abandonar la fortaleza de *Civita Castellana*, ya como ciudadanos libres, cada uno de los prisioneros fue obligado a firmar un documento. La amnistía tan solo sería efectiva si se comprometían, bajo su honor, que no volverían a causar disturbios públicos ni a actuar contra el gobierno legítimo. Todos firmaron, sin dudarlo.

Estaban imbuidos por las palabras del nuevo Papa, que había prometido reformas, libertad para las personas y tener en cuenta la opinión del pueblo. Se iban a acabar las represiones militares y el despotismo. Aquellas frases sonaban a gloria en sus oídos, después de todo lo que habían sufrido.

Se respiraba tiempo de cambios.

O quizá no.

17 NUEVA ORLEANS, 23 DE JUNIO DE 1849

Paul no había dormido nada bien. Primero, porque, cuando ayer llegaron a casa, su padre le soltó un sermón acerca de que esos excesivos esfuerzos mentales eran innecesarios. En su opinión, podían mermar su capacidad intelectual. Paul le replicó que estaba cumpliendo con su parte del acuerdo al que habían llegado hacía dos años, ya que sus calificaciones escolares y los comentarios de sus profesores eran excelentes. Alonzo no tuvo más remedio que reconocerlo, pero le conminó a no volver a hacer exhibiciones de ese tipo. Le recordó que su debilidad física le podía pasar factura a largo plazo. Paul le acabó dando la razón, por no escucharlo más.

Pero el motivo principal por el que no había descansado bien esta noche no era ese. Eran las palabras de su tío. Resultaba que la partida a ciegas de ayer había sido la puerta de entrada, pero ¿adónde? «Bueno, en poco más de dos horas saldré de dudas», se dijo, intentando relajarse, pero no lo conseguía. Como aún tenía algo de tiempo, se preparó un baño.

Ni a pesar de ello consiguió tranquilizarse. Se dio cuenta de que no era una cuestión física, sino mental. El baño no se lo iba a resolver.

De repente, se le ocurrió una idea descabellada. Aún disponía de más de una hora para la cita en casa de su abuelo.

«¿Quién es la única persona que consigue relajar mi espíritu?», pensó. «Además, aunque no me espere, es sábado».

Sin pensárselo dos veces, se vistió y abandonó su residencia, en dirección a la casa de Amélie. Siempre se encontraban en el parque que había justo enfrente de su vivienda, pero ayer le había dicho que no se podrían ver. En consecuencia, estaba claro que no lo estaría esperando.

«¿Cómo haré para poder vernos?», pensaba, mientras caminaba con velocidad. Le espantaba tener que llamar a la puerta de su casa y preguntar por ella. A pesar de que se llevaban viendo mucho tiempo, no lo había hecho jamás cuando sabía que sus padres estaban en casa. Entre los nervios por ese pensamiento y la cita con su abuelo, casi se pasa de largo.

Pensó en arrojar guijarros a la ventana de su habitación. Eran las diez de la mañana de un sábado, aún era posible que se encontrara en el interior de ella.

Al tercer guijarro que lanzó, le pareció que se movían las cortinas. Allí estaba la cara de Amélie. Abrió la ventana.

—¿Se puede saber qué haces aquí? Me dijiste que hoy no podías quedar.

—Y no puedo. Dispongo tan solo de unos treinta minutos y quiero hablar contigo. ¿Crees que podrás salir de casa de forma discreta?

El rostro de Amélie reflejaba su sorpresa.

—¡Pues claro! Espérame donde siempre —le respondió, cerrando la ventana.

En apenas cinco minutos apareció en el parque.

—¿Sabes que eres muy raro? Bueno, claro que lo sabes, menuda pregunta más estúpida he hecho.

—Estoy nervioso. Creo que toda esta situación me está superando. Tan solo me gusta jugar al ajedrez, pero tengo la sensación de que se me está yendo de las manos.

—¿Yendo de las manos a los doce años recién cumplidos? ¿No crees que exageras?

—Ni un ápice —le respondió Paul, muy serio.

Le contó lo sucedido ayer, la partida a ciegas con su tío y la gran expectación que se creó.

—¿Y le ganaste sin tener un tablero delante? ¡Eso es algo extraordinario! Lo que hubiera dado por presenciarlo, pero claro, en ese club no admiten a mujeres, ya que creen que somos inferiores. En realidad, son ignorantes, pero son los hombres los que hacen las leyes e imparten la justicia. Bueno, me estoy yendo por las ramas —dijo, mientras observaba como el rostro de Paul se tensaba más—. Volviendo al tema, ¿cómo quieres que no se hable de semejante hazaña? En cuanto se corra la voz, prepárate.

—¿Sabes? Hasta ahora no me estás ayudando demasiado...

—¿Buscas ayuda en mí? ¿Por qué?

Paul se ruborizó de inmediato. Se había metido en un charco dialéctico. A ver cómo salía de allí.

—Cuando quedamos los dos, sin que tú lo adviertas, o quizá sí, yo qué sé si te das cuenta, me produces un efecto relajante. Es como escuchar música —dijo un atolondrado Paul—. Ya no sé ni expresarme con coherencia...

—Te equivocas, lo haces perfectamente. ¿Qué es lo que te preocupa exactamente?

—Ese es el problema. No sé identificarlo. Delante de un tablero me siento seguro, pero, fuera de él, es todo lo contrario. Ya sabes que tengo que partir a casa de mi abuelo. Supongo que será para jugar al ajedrez. He ido infinidad de veces, con alegría y sin nervios. Pues hoy voy sin alegría y con nervios, justo al revés.

Para sorpresa de Paul, Amélie se echó a reír.

—¡Oye, que te estoy hablando en serio! —protestó.

—Perdona, no pretendía reírme así, pero es que eres muy gracioso.

—¿Te parezco gracioso? Pues yo no me siento así. Creo que lo que ocurrió ayer me ha marcado de alguna manera que no termino de comprender.

—Paul, sigues siendo Paul. Ayer lo eras y hoy también. Nada ha cambiado. Es cierto que, cuando se corra la voz de tu hazaña, serás más conocido en la ciudad e incluso fuera de ella, pero ¿acaso eso importa? Si tu estado de ánimo depende de lo que piensen los demás de ti, me he equivocado juzgándote. Siempre has sobresalido y no te ha importado. En el colegio eres el mejor. ¿También te sientes nervioso cuando acudes a la *Jefferson Academy*? No me lo parece.

—Porque no es lo mismo.

—Te equivocas, es exactamente lo mismo. Se trata de ser y aceptarse como uno es. Todos tenemos virtudes y defectos. Hay gente que oculta sus defectos y magnifica sus virtudes, pero tú no eres así. Tú te esfuerzas por corregir tus defectos y te avergüenzas de tus virtudes.

—¿Qué defectos tengo?

Amélie volvió a reírse, esta vez acompañada de Paul.

—¿Aparte de ser un escuchimizado sureño con aspecto enfermizo, que se pone nervioso sin conocer el motivo y, para solucionarlo, acude a casa de una amiga y la despierta arrojando guijarros a su ventana? Me parece que paro aquí, aunque te aseguro que podría continuar.

Volvieron a reírse juntos.

—¿Lo ves? Ya me encuentro más tranquilo —afirmó Paul.

—No es gracias a mí, desde luego. Eres una persona especial y debes de comprenderlo. Estoy segura de que la vida te va a poner a prueba en numerosas ocasiones. La gente como nosotros no suele encajar demasiado en la sociedad, por diferentes motivos. En tu caso, existe una línea muy fina que separa la genialidad de la locura. Ahora, tienes que asumir que eres un genio y preocuparte de no traspasar esa delgada línea roja.

—¡Menudo rollo me estás soltando! No soy ningún genio.

—Te corrijo. No quieres que le gente sepa que lo eres, que es diferente, pero es algo que no vas a poder ocultar. ¿Para qué esforzarse? Eso es lo que te causa los nervios que tienes y, si persistes en esa actitud, corres el riesgo de traspasar esa línea. Relájate. Hace un momento lo has hecho.

—Hablas como una de esas que trata a los locos. ¿Seguro que tienes doce años?

—Bueno, eso dicen mis padres. Yo empecé a llevar la cuenta a los tres, así que tampoco lo tengo muy claro. Supongo que debo de creerlos. Por cierto, ¿seguro que tú también los tienes?

Volvieron a reírse.

—No, tampoco puedo estar seguro.

—Ahora que te veo más relajado, debes acudir a la casa de tu abuelo. El mundo no ha cambiado de ayer a hoy. Y si lo ha hecho, no me he enterado, así que tampoco importa. Eres el mismo Paul que ayer. De eso sí que estoy segura. Además, ya hablamos del tema de los nervios. Si no paras de venir a verme, al final voy a pensar que no es por el ajedrez ni por los nervios—dijo, con una sonrisa, mientras se acercaba y le daba un beso en la mejilla—. Acéptate como eres y no te preocupes más. ¿Qué importa lo que piense el resto del mundo?

—No sé cómo lo haces, pero sabía que tenía que venir a verte. Consigues relajarme.

—Pues a partir de ahora, en vez de Amélie, llámame Valeriana —dijo, entre risas—. Adiós, Paul, disfruta del momento, esa es la única verdad del mundo. Nadie sabe lo que el destino nos deparará en el futuro.

Desde luego.

18 LA LIBERTAD, DE 1846 A 1849

—¡Vienen a por nosotros!

—¿Salimos corriendo?

—Son demasiados, no lo lograremos.

—¡Quietos todos! —ordenó Felice.

Acababan de abandonar la fortaleza de *Civita Castellana*, ya como ciudadanos libres, pero su aspecto exterior no engañaba. Aún llevaban los ropajes harapientos, que les señalaban claramente como expresidiarios. Era lógico que los habitantes del pueblo tomaran sus precauciones. No podían saber si eran presos políticos o bárbaros asesinos.

—¡Nos van a linchar! No sé a qué estamos esperando.

—Ahora, sigamos andando con normalidad —volvió a ordenar Felice, que no parecía nada preocupado.

Sus compañeros se le quedaron mirando y, sin saber exactamente el motivo, le hicieron caso. La turba, cada vez, estaba más próxima.

Cuando llegaron a su altura, para su absoluta sorpresa, los vitorearon y los llevaron hasta el pueblo en volandas. Les agasajaron con una gran comida en la plaza del pueblo y les proporcionaron ropajes nuevos.

—¡Este es el espíritu de Italia! —exclamó Felice—. Imaginaos si consiguiéramos ser todos una sola voz.

—Lo seremos —dijo Barbetti.

—El nuevo Papa ha prometido muchas reformas. Las cosas van a cambiar en nuestro país —dijo Ferretti.

—Es irónico —afirmó Felice, que no parecía compartir sus ilusiones con el nuevo Papa— que tu apellido sea idéntico, pero él no es como nosotros. Desde luego que es mejor persona que Gregorio XVI, tampoco hacía falta mucho para eso, pero ya os dije que conozco personalmente a Mastai Ferretti, el nuevo Papa Pio IX. Nuestro futuro no pasa por un gobierno papal, sino por la independencia de todo nuestro país de los Estados Pontificios y la creación de una gran República Italiana de ciudadanos libres e iguales, como antaño. Recuperar la gloria.

Sus acompañantes afirmaron con la cabeza.

—Ahora, es el momento de agradecer a esta gente su hospitalidad y continuar nuestro viaje.

Así lo hicieron. Para su sorpresa, por cada pueblo que pasaban, se repetían las celebraciones.

—No podréis negar que Italia está despertando —exclamó Barbetti, emocionado.

—Quizá —le respondió Felice—, pero me temo que aún nos falte un largo camino que recorrer.

Llegados a Ancona, donde fueron recibidos de igual manera, como héroes, los tres dividieron su camino. Felice marchó primero hacia su pueblo natal, Meldola, para luego dirigirse a Imola, con el objeto de visitar a su tío Orso. Lo encontró muy desmejorado, lo que ya era decir mucho. Conocía su condena a galeras de por vida y lo daba por muerto, aunque no demostró ninguna alegría al verlo. Felice supuso que estaba avergonzado por su actitud rebelde. Orso estaba convencido de que, después de doctorarse en Leyes, había rehecho su vida como un hombre de ley, pero estaba claro que no era así. Le dijo que su mujer, la tía de Felice, había fallecido, al igual que su gran amigo, el conde Hercules Faella, que fue quien le ayudó a huir de Imola, a través de los tejados, en la primera ocasión que los Centuriones fueron a por él. Orso estaba melancólico, solo y triste. Felice sintió compasión por él e incluso se planteó quedarse una temporada en Imola, pero lo descartó. Decidió volver a Florencia a continuar con sus estudios. Aunque recelaba del nuevo Papa, le pensaba dar una oportunidad para que demostrara su disposición a cumplir sus promesas.

Pronto, Felice comprendió que Pio IX no iba a honrar sus palabras. «Es verdad que le debo mi libertad, pero la verdaderamente importante es la de mi patria», pensaba.

En consecuencia, en Florencia entró en contacto con otros miembros de la sociedad «Joven Italia». Asistió a reuniones clandestinas y participó en la confección de diferentes publicaciones. El gobierno toscano supuso que Felice estaba detrás de estos movimientos políticos y ordenó su exilio, pero la mecha de la revolución estaba prendiendo entre el pueblo.

El Duque de Florencia, después de resistirse todo lo que pudo, se vio obligado a efectuar algunas reformas, ya que corría el riesgo de perder el control sobre su territorio. Felice volvía a ser libre de regresar, como así hizo. Entró en contacto con Nicholas Fabrizi y el coronel Ribotti, que le informaron de la creación del Comité Revolucionario de Roma, que estaba muy organizado y contaba con una fuerza considerable.

Felice permaneció en Florencia durante un tiempo, observando como prendía el sentimiento por la reunificación de Italia por todo el país. En Milán, el pueblo se alzó en armas contra las tropas austríacas. Evidentemente, fueron aplastados con facilidad, pero la noticia corrió como la pólvora, enardeciendo a las masas. Felice estaba orgulloso. Ricos, pobres, artesanos y hasta sacerdotes y monjes se unieron a este movimiento. El inicio de la revolución pilló por sorpresa a los austríacos, que no esperaban que, una nación, acostumbrada a vivir sojuzgada, sin ningún conocimiento militar, dividida y encadenada, se atreviera a romper esas mismas cadenas y se alzara al grito de «¡libertad, independencia y unidad!».

Pero no toda su vida en Florencia la dedicó a la política. Para su tristeza, pudo enterarse de que la novia que había dejado en Bolonia para unirse a la revolución, no lo había esperado y se acababa de desposar con un acaudalado miembro de la sociedad boloñesa. Felice, aunque sentía que su verdadera pasión era la liberación de su país, era consciente de que necesitaba una mujer a su lado, que le aportara tranquilidad y una familia, cuando todo el conflicto terminara. De las numerosas muchachas que conoció durante su estancia en Florencia, una destacaba por encima de todas. Su familia era humilde, pero eso no le importaba en absoluto. Era bella e inteligente y, sobre todo, también una activista, como él. Eran almas gemelas. Después de un breve noviazgo, debido a las circunstancias, se casaron. Apenas pasaron una semana juntos, ya que Felice pretendía unirse al ejército popular.

La separación fue dura, pero Felice le prometió que volvería, con la libertad y la unidad de Italia bajo el brazo.

Al octavo día se marchó, uniéndose a su gente, que se había alzado en armas. Se libraron muchas batallas, la mayoría de las cuales fueron vencidas por los austríacos, que contaban con un ejército muy organizado y preparado. El pueblo tan solo contaba con su entusiasmo por la libertad, pero, en el campo de batalla, eso no era suficiente. Felice comandaba un batallón que se estableció en Bolonia, donde fueron recibidos con honores.

Orsini se había convertido en una figura célebre. A pesar de todas las vicisitudes que había pasado en estos últimos años, no se había olvidado de la promesa que le hiciera, tiempo atrás, a aquella bella e inteligente muchacha. Sin saber cómo iba a ser recibido, se presentó de nuevo en su casa. Para su sorpresa, le estaban esperando.

La tranquilidad le duró poco.

Los austríacos no paraban de avanzar, destrozando el poco preparado ejército popular. Se produjo lo inevitable. Entraron en la ciudad de Bolonia con la intención de dar un escarmiento al pueblo, pero se encontraron con una defensa entusiasta, a pesar de ser una batalla desigual. Mosquetes contra piedras y palos. Pero los austríacos no contaban con el enardecimiento y la pasión de los boloñeses por defender su hogar y, a fuerza de coraje, les obligaron a retirarse de la ciudad. No obstante, tomaron una posición elevada en un monte cercano. Desde allí, con sus cañones, bombardearon Bolonia, causando centenares de muertos. Consiguieron que la ira popular fuera en aumento, hasta el punto que asaltaron la posición del ejército austríaco, obligándoles a retirarse.

Las tropas comandadas por el coronel Zambeccari acudieron en auxilio de Bolonia, donde fueron recibidos como héroes. La guerra había comenzado en todo el país y ya parecía inevitable un conflicto armado de grandes proporciones. Felice se unió al coronel, lanzando un ataque y asedio contra Venecia. Al ejército de Zambeccari se unió el del general Guglielmo Pepe, que contaba con piezas de artillería arrebatadas a los austríacos. Después de una sangrienta lucha, donde Felice desempeñó un papel muy importante, la ciudad terminó cayendo.

Viendo la grandeza de Venecia, Felice no pudo evitar gritar, junto con sus exhaustos compañeros de batalla, un «¡Viva Italia unida!» que debió resonar hasta Roma, ya que, mientras eso ocurría, en aquella ciudad se producía un hecho muy significativo. El ministro liberal, Pellegrino Rossi, fue asesinado. Supuso la gota que colmó el vaso de la paciencia del pueblo romano, que conocía las importantes victorias del ejército popular frente a los austríacos. Ello provocó un inmediato alzamiento, encabezado por los republicanos, en el corazón de los Estados Pontificios, que obligó a huir de la ciudad al Papa Pio IX, ya que se vio derrotado y temió por su vida.

Apenas un par de semanas después, a principios de diciembre de 1848, el ejército del que formaba parte Felice Orsini, embarcó en dirección a Ravenna, deteniéndose en Imola. No pudo evitar la tentación de volver a visitar a su tío, aunque presumía que no lo iba a recibir con cariño. Se llevó toda una sorpresa. Después de darle un inesperado abrazo, ya que no se caracterizaba por su efusividad, se dirigió a su sobrino en términos elogiosos.

—¡Tu fotografía aparece en todos los periódicos! Te has convertido en toda una personalidad, conocida en todo el país. Hablan de ti como el héroe de Mestre.

—Lo sé y no me gusta. Sé que esa batalla fue determinante para la toma de Venecia y me condecoraron por ello, pero yo lucho por mi patria y por mis ideales. No soy el importante, lo es la unidad y la libertad de Italia.

—Nunca pensé que lo haría —le respondió Orso—, pero, ahora, presumo de sobrino con mis amigos. ¿Sabes qué les digo? Que, por fin, Felice, ha hecho honor al apellido Orsini.

—Aún no lo has visto todo. Haremos grande este país, tío. La república acabará imponiéndose.

—Estoy seguro. Veo determinación, valentía y honor en tus ojos. No dudo que harás cosas extraordinarias.

Felice se emocionó. Se despidieron con otro cariñoso abrazo, ya que tenía que reincorporarse al ejército.

Después de innumerables intentonas, donde murieron multitud de patriotas, parecía que, por fin, la revolución del pueblo iba a triunfar, como así acabó sucediendo.

Felice entró en Roma, sin poder evitar derramar unas lágrimas. Eran tanto de tristeza, por todos los compatriotas caídos, como de una inmensa alegría. Por fin habían derribado al gobierno papal y la formación de una Asamblea Constituyente parecía inminente. Nada podía detener ya a su ansiada República Romana.

Ya podía descansar en paz. Pensó en retornar a Florencia y formar la familia que tanto ansiaba, junto a su esposa.

—¡Orsini! —escuchó gritar a sus espaldas.

Se giró. Era Giuseppe Garibaldi, uno de los héroes populares, que habían hecho posible el triunfo de la República.

Había entrado en Roma con sus tropas el 12 de diciembre de 1848, confirmando la derrota papal.

Se abrazaron.

—¿Qué planes tienes para el futuro? —le preguntó.

—Mira, precisamente estaba pensando en eso ahora mismo. Creo que mi mujer me aguarda en Florencia.

—Pues me parece que tendrá que esperar. Tengo otros planes para ti. Italia no puede prescindir de una persona como tú.

—¡Pero si la guerra ya ha terminado! Lo hemos conseguido. Ahora se conformará un nuevo parlamento.

—Precisamente de eso se trata. He estado hablando con Giuseppe Mazzini.

—¿Está en Roma? —preguntó Felice, animado.

Mazzini era el fundador del movimiento «Joven Italia» y germen de toda la revolución popular. Hacía unos meses que esa sociedad había sido reemplazada por la *Associazione Nazionale Italiana*, que era una especie de gobierno en el exilio.

—No, aún no ha podido llegar, pero nos mantenemos en contacto. La última misiva que recibí de él, hablaba acerca de ti.

—¿De mí? —se extrañó Felice.

—En términos muy elogiosos. Te tiene en una alta estima.

—Se lo agradezco de corazón, pero ¿qué tiene qué ver todo esto con los planes que dices que tienes para mí?

—Todo. Mazzini quiere que te presentes para ser miembro de la Asamblea Constituyente de la República Romana.

—¿Diputado yo? —Felice estaba atónito—. Soy un hombre de acción, no de despacho.

—La política se parece mucho más a la guerra de lo que te crees —le respondió Garibaldi, mientras le daba una palmada en el hombro y sonreía abiertamente—. Está todo convenido. Te presentarás por Forli, ciudad muy cercana a tu Meldola natal. Allí eres todo un héroe. Conseguirás salir elegido con facilidad.

Felice estaba desconcertado, pero no le podía decir que no ni a Mazzini ni a Garibaldi, así que acabó asintiendo con la cabeza, sin ser capaz de articular palabra alguna.

Como Garibaldi había predicho, fue elegido diputado por Forli y se incorporó a la Asamblea Constituyente. El 8 de febrero de 1849 marcó el fin de los Estados Pontificios. Ahora se denominaba Estado Romano. La República Romana había comenzado su andadura oficial.

Lo primero que hizo, nada más ser elegido, fue visitar de nuevo a su tío Orso, en Imola. Para su absoluta sorpresa, había organizado una comida con todas sus amistades de la ciudad. Se sintió muy cohibido.

—Aquí tenéis a mi sobrino. ¡Diputado! En la batalla de Mestre demostró su valor y casi pierde la vida, pero la Divina Providencia le salvó. Sin duda, Dios mantuvo la mano sobre su cabeza, protegiéndolo. Tenía otros planes para él.

Todos los asistentes prorrumpieron en un sonoro aplauso, para vergüenza de Felice.

Se quedó un día más en Imola, hasta que llegó el momento de despedirse de su tío. Lo volvió a abrazar, pero esta vez sintió algo diferente.

—Adiós, Felice. Al final de mis días, me has hecho feliz.

—¿Qué quieres decir?

—Que estoy orgulloso de ti —le respondió, con los ojos llorosos, mientras entraba en su casa, dando la espalda a su sobrino.

Felice no lo sabía, pero no volvería a ver a su tío jamás. Estaba muy enfermo, pero no quería estropear el gran momento de su sobrino, En consecuencia, aquella había sido «la despedida», no una despedida más.

Después de dejar Imola, consideró que debía de celebrar tan magno acontecimiento también con su esposa. Se desplazó hasta Florencia, a pesar de que apenas disponía de tiempo. Alargó su estancia todo lo que pudo y pasó dos días muy agradables en su compañía. Pero todo tiene su fin. Debía de volver a Roma para tomar posesión de su acta en la asamblea romana. Ya no lo podía retrasar más.

—En cuanto me sea posible, volveré —le prometió—. No hay cosa que más desee en este mundo que estar contigo. Siento que mi lugar está a tu lado y no en compañía de esos políticos, que no sé si seré capaz de comprenderlos.

—Lo harás, cariño. Si ese es tu destino, cúmplelo con honor.

Felice se sintió emocionado con las palabras de su esposa. Se despidió de ella con mucha pena.

«Ya van dos despedidas dolorosas en apenas unos días», pensó.

Con todo ello en la mente, su llegada a Roma no fue como se esperaba. Se suponía que debía de estar contento, pero le invadía la melancolía.

Tomó posesión como diputado de la asamblea. El acto fue muy emocionante. Para su sorpresa, muchos de sus compañeros de batalla también habían conseguido el acta de diputado. Descubrió que aquello no le iba a resultar tan extraño como se imaginaba. «Parece que estemos en las trincheras», pensaba, divertido.

A pesar de ello, sabía que detrás de la decisión de Mazzini y Garibaldi, casi obligándole a presentarse a las elecciones, había algo más. Para su desgracia, pronto comprendió el motivo.

Nada era lo que parecía ser.

Aquello se iba a complicar.

19 NUEVA ORLEANS, 23 DE JUNIO DE 1849

—Adelante, no te quedes en la puerta con esa cara de pasmado —le dijo Joseph—. Parece que sea la primera vez que vienes a mi casa.

—No, abuelo, pero me sorprendió lo que me dijo mi tío, acerca de que la partida de ayer no era mi regalo de cumpleaños.

—Es que no lo era —Paul escuchó a su tío Ernest responder a su pregunta—. Ya te dije que tan solo era la puerta de entrada.

—¿Adónde?

—Anda, pasa. Creo que ya os conocéis de vista, pero creo que nunca habéis hablado.

Paul entró en la sala en la que habitualmente jugaban al ajedrez.

—¡Señor Rousseau! —exclamó sorprendido.

—Con Eugène será suficiente —le respondió, mientras le estrechaba la mano.

Paul se quedó mirando la estancia. Como era habitual, había un tablero de ajedrez en el centro, con sus dos sillas. Tan solo estaban presentes su abuelo Joseph, su tío Ernest y Eugène Rousseau.

Paul no sabía que decir, así que se limitó a formular la pregunta que le rondaba la cabeza.

—¿Qué significa la puerta de entrada?

—Es muy sencillo —le respondió su tío—. Lo de ayer fue una especie de prueba de acceso. Aunque quizá sea mejor que te lo explique Eugène.

—Por supuesto —tomó la palabra—. Tu tío y tu abuelo son muy persuasivos. Llevan tiempo detrás de mí.

«¿Para qué?», se preguntó Paul, aunque no dijo nada.

—Supongo que, ahora mismo, te estarás preguntando el motivo —continuó Eugène—. Es muy simple. Querían que te entrenara. Piensan que ellos ya no tienen nada más que enseñarte.

—Eso me da igual —respondió Paul—. Me divierto y eso es lo que me importa.

—Se nota que lo haces, aunque mantengas ese rostro impenetrable. Te llevo observando desde tus dos primeras partidas públicas, esas que jamás se celebraron, ya me entiendes.

—¿Estuvo presente cuando jugué contra el general Winfield Scott?

—Yo era uno más entre el público. Entonces, ni tú me conocías ni yo a ti. Tengo que decirte que me impresionó que un niño de nueve años le ganara con esa facilidad, pero el general jugó francamente mal. Pensé que habías tenido un día afortunado. Después de aquello, seguí tus progresos, en tus partidas en el club. Estaba claro que destrozabas a todos tus rivales, pero ninguno era de entidad.

—¿Por qué me está contando todo esto?

—Si vamos a trabajar juntos, debemos de ser sinceros el uno con el otro. Te lo estoy contando porque, a pesar de todos tus progresos, no consideraba que estuvieras a mi altura. Ya sabes que los ajedrecistas somos muy vanidosos. Pensaba que si se corría la voz de que estaba entrenando a un niño, se mofarían de mí y eso no era bueno.

—Si quiere que sea sincero, yo no tengo ninguna vanidad. Creo que el ajedrez es mucho más simple de lo que vosotros queréis demostrar. Parecéis pavos reales, haciendo que parezca más complicado de lo que es, para alimentar vuestros egos. Yo juego para divertirme y para ganar, por supuesto, pero es más importante lo primero. En el momento de que deje de distraerme, lo dejaré de un día para otro. No deseo ninguna gloria.

—Me temo que, para eso, ya has llegado tarde. Cuando se conozca tu hazaña de ayer, serás famoso en todo el país, incluso fuera de nuestras fronteras.

—Es posible —dijo, pensando en la conversación que acababa de tener con Amélie—, pero no me importa en absoluto. Yo no me considero un jugador tradicional.

—En eso tienes toda la razón. No lo eres y eso te hace único. Tu manera de desarrollar el juego es impresionante. Al principio, da la impresión de que vas a perder la partida con rapidez, pero, después del movimiento diez o doce, se desencadena una verdadera tempestad. Tus rivales ni lo ven venir. Pero no pienses que siempre será así. Como ya te había dicho, sin pretender menospreciar a tus familiares presentes, juegas con simples jugadores de club, *amateurs* y con poca preparación técnica. Cuando lo hagas con alguien con sólidos fundamentos de aperturas, unido a un buen medio juego, que, además, sea capaz de neutralizar tus sacrificios iniciales para ganar una mejor posición de ataque, ¿qué pasará? Yo te lo digo, que perderás en el final. Te machacará. En ese preciso momento, tu desventaja de material será determinante.

—No se lo tome a mal, Eugène. Agradezco que se ofrezca a entrenarme, sobre todo siendo un ajedrecista de su prestigio, pero prefiero seguir jugando con mi abuelo y con mis tíos.

—Me parece que no me comprendes, Paul. No vas a jugar, vas a aprender a jugar, que es diferente.

—Hablando de jugar, ¿le apetece una partida? Llevamos rato hablando de ajedrez y me aburre.

A Rousseau le pilló por sorpresa, pero aceptó. En principio, no tenía previsto enfrentarse a él todavía. Antes le quería enseñar los fundamentos de las aperturas. No deseaba empezar su relación derrotándole, pero tampoco se podía negar a jugar.

—¿Estás seguro? —lo intentó.

—¿Por qué no lo iba a estar? Es el juego que más me gusta. Tener el placer de jugar una partida contra usted es algo que no ocurre todos los días. Además, si soy sincero, llevo tiempo queriendo hacerlo, pero no me atrevía a proponérselo.

Rousseau se quedó mirando al pequeño Paul, con una expresión difícil de interpretar.

—Pues vayamos a ello, pero con una única condición.

—¿Cuál? —Paul ya se temía algún tipo de condescendencia, cosa que odiaba.

—Que no me llames de usted. Si vamos a colaborar, me resulta incómodo.

—Como quieras —le respondió, mientras se dirigía al tablero.

Sortearon las piezas. Paul jugaría con negras.

Los primeros diez movimientos fueron los usuales en ambos. Rousseau planteó una partida clásica, de las que Paul ya había visto a cientos. Él jugó fiel a su estilo, lanzando los peones al ataque, abriendo las diagonales de los alfiles y poniendo en juego a los dos caballos y a su dama.

Eugène, a pesar de haber estudiado el juego de Paul, no pudo evitar sorprenderse.

—No deberías tener tanta prisa por desarrollar todas tus piezas, sobre todo la dama. En el inicio, es más interesante formar una sólida estructura de peones. Jugando con tanta alegría, la expones demasiado pronto a ser atacada.

—También la sitúo para atacar. Por otra parte, ¿de qué sirve esperar? Si puedo ganar en veinticinco movimientos, mejor que en cincuenta, ¿no le parece?

—No, no me parece. La apertura debe dejarte en una buena posición para después, en el medio juego, desarrollar tu ingenio. Si le das ventaja a tu rival, una vez planteada la estrategia inicial, se encontrará en mejor posición para atacarte o esperar al final, donde serás derrotado por tener menos material. A veces, un simple peón puede marcar las diferencias y a ti, parece que no te importen en absoluto.

—No te preocupes, no pienso llegar al final —dijo, mientras ponía en juego uno de sus alfiles.

Rousseau era el rival más fuerte al que Paul se había enfrentado jamás. Además, conocía su estilo de juego. No era uno más. Se defendió con mucho orden, ganando dos peones con facilidad. Después de quince movimientos, tenía una posición muy sólida, mejor que la de Paul, que parecía un tanto desarbolada.

—¿Te das cuenta? —le preguntó Eugène—. Tu posición es muy ofensiva, pero me estoy defendiendo con orden. Para ganarte, tan solo tengo que esperar a que la partida avance y no cometer errores. Caerás como fruta madura.

—¿Eso crees? —le contestó con otra pregunta, esta vez permitiéndose una tímida sonrisa, impropia de él—. Quizá tú la veas así, pero yo la siento de otra manera.

Eugène decidió no hacer más comentarios. Al final de la partida ya se lo explicaría con más detalle.

Llegaron al movimiento veinticinco, sin aparentes cambios significativos en la posición. Tanto Joseph como Ernest seguían la partida con mucho interés. Si continuaba así, veían a su sobrino sin opciones, por eso les sorprendió lo que escucharon.

—Estamos en la jugada veinticinco —dijo Paul, sin demostrar la más mínima emoción—. Ya te dije que la partida no se alargaría mucho más. Mate en cuatro.

Rousseau levantó su mirada del tablero y la posó sobre Paul. Como su tío y su abuelo, no vio nada especial en sus ojos. Volvió a estudiar la posición. Estuvo casi veinte minutos sin hablar. Al final de ese tiempo, pareció reaccionar y se dirigió a Paul.

—Muy mal —se limitó a decir.

—¿Qué dices? —exclamó Paul, extrañado—. Tomo tu caballo con mi torre. No tienes más remedio que aceptar la calidad, tomando con tu peón. Una vez abierto ese flanco, continúo con mi dama y mi alfil, para...

—Eso, ¡para! —exclamó Rousseau, interrumpiéndolo—. Ya lo he visto.

—¿Entonces?

—Sí, me has vencido, pero así no se debe hacer.

Paul no comprendía nada.

—¿No se debe ganar?

—Así no. Juegas por pura intuición, sin ningún orden. Está claro que eres un auténtico prodigio como no he visto ninguno en toda mi vida. No he cometido ningún error y, a pesar de ello, me has vencido. Pero no estoy satisfecho con tu juego.

—No te comprendo.

—Como te decía, tu intuición es prodigiosa, pero hay determinadas reglas que debes seguir y no las conoces.

—Sigo sin entenderte. ¿Qué reglas pueden ser esas? Te acabo de ganar. No me gusta hacer alarde de ello, pero ya tenía la partida controlada desde el movimiento quince, cuando tú pensabas que disponías de una posición sólida. En realidad, en ese momento, ya habías perdido la partida y ni lo habías advertido.

—¿En el movimiento quince? ¿Eres capaz de ver una línea de juego con tanta antelación?

—No sé explicarlo. Es una sensación. Mirando el tablero, veo un orden que quizá no sea el que a ti te parece, pero me lleva a ganar las partidas.

Rousseau, internamente, estaba impresionado. Hacía tiempo que nadie le derrotaba de esa manera, pero no quería que se le notara.

—A partir de ahora, si te apetece, todos los domingos, en lugar de jugar con tu abuelo, lo haremos entre nosotros. Pero no así. Te propongo un reto, que sé que te gustan.

Paul se quedó en silencio, esperando que Eugène se lo revelara.

—No jugarás con tu estilo, sino con otro que yo te enseñaré.

—¿Y cuál es el objeto de ello? —preguntó Paul, extrañado—. Si con el mío te acabo de ganar.

—En eso consistirá el reto. Que me ganes con mi propio estilo, no con el tuyo. Para empezar —dijo, mientras se agachaba y abría su pequeño maletín—, quiero que leas este libro.

—*Análisis del juego del ajedrez*, por François-André Danican Philidor —leyó Paul en su título.

Ni siquiera lo abrió. Su actitud seguía demostrando indiferencia.

—¿Sabes que Philidor era un gran músico que compuso multitud de óperas? Falleció a finales del siglo pasado, pero dejó una profunda huella. Además, a tu edad, jugaba al ajedrez como tú, ganando sus partidas con aparente facilidad. Philidor, si no me equivoco, reunía en su persona dos de tus pasiones, la música y el ajedrez. Creo que te gustará. Ese libro lo escribió cuando ya tenía un gran prestigio internacional, a los veintitrés años.

—Le echaré un vistazo —dijo Paul.

—Bueno, es hora de despedirse. Ya sabes, nos vemos todos los domingos.

Y así ocurrió. Durante unos meses estuvo jugando y practicando con Eugène Rousseau, que estaba orgulloso de los progresos que iba realizando su pupilo. A veces discutían por movimientos, pero siempre dentro de la cordialidad.

Paul se divertía más que con su abuelo, debía de reconocerlo. Rousseau le obligaba a jugar partidas ya comenzadas. Decía que eran posiciones que ya se habían jugado anteriormente. Eran un reto para Paul, ya que muchas de ellas no tenían aparente sentido. A pesar de ello, se esforzaba por buscar una salida. También aprendió el orden de las aperturas, pero tan pronto lo hizo como lo olvidó. No le interesaban, aunque aparentara lo contrario. No terminaba de verles el sentido.

—Si tu rival conoce lo que vas a hacer, porque también se ha estudiado esa misma apertura, ¿qué gracia tiene? ¿No es más productivo sorprenderle desde el principio y sacarle de sus libros y sus teorías? —le preguntaba Paul—. Entonces ya solo queda una guerra de ingenios. Ahí me siento más cómodo.

—No. Las aperturas marcan tu destino en la partida. Si cometes algún error grave, ya será muy difícil que lo puedas recuperar en el medio juego e imposible en un final. Por eso existen los libros. Todos los buenos jugadores los leen y los conocen.

Paul intentaba que se notara lo menos posible que no le hacía ni el más mínimo caso, porque debía de reconocer que le divertían sus retos y las posiciones complicadas, y no quería que se enfadara.

Un domingo, le propuso jugar una partida, que Philidor había perdido, pero desde el movimiento décimo. El maestro francés había cometido una imprecisión en la jugada anterior, que le llevó a perder la partida, sin remedio posible. Acabó abandonando en el movimiento treinta.

—Es un ejemplo perfecto de lo que te llevo enseñando todo este tiempo. Si cometes un grave error en la apertura, eso marcará el resto de tu partida. Philidor debió abandonar mucho antes, pero no lo hizo por amor propio. Sin embargo, ese error convirtió el resto de la partida en un suplicio para él.

Paul, con su mentalidad rebelde, hizo las veces de Philidor y jugó, desde ese movimiento, contra Eugène. Para sorpresa de este último, Paul acabó ganándole en tan solo diecisiete movimientos más.

Rousseau estaba impresionado. Se quedó mirando a su joven alumno y le dijo una frase que no comprendió.

—Creo que ya estás listo.

—¿Para qué?

—Para tu verdadero regalo de cumpleaños. No era yo. Mi misión era prepararte para él y ya no tengo nada más que enseñarte.

—¿Qué clase de regalo es ese?

—El próximo sábado, a las once, en este mismo lugar.

—¿Cambiamos el día?

—El día y el rival —le respondió—. Ya no jugarás más partidas contra mí. Has sido un alumno aplicado y le has sacado partido a mis enseñanzas y a los libros que te he dejado.

Paul sonrió internamente.

El único partido que le había sacado a los libros de Rousseau fue ponérselos debajo de su culo, cuando jugaba sentado en sillones muy mullidos, y así poder estar a la altura del tablero.

No había abierto ni uno solo de ellos.

20 ANCONA, DEL 25 DE ABRIL AL 28 DE ABRIL DE 1849

—Señor Orsini, su presencia es requerida en el Palacio de la Consulta.

—¿Quién es usted?

—Mi nombre es Pestrucci y soy asistente del Triunvirato.

Después de la constitución de la asamblea, la República Romana había puesto en manos de tres diputados su poder ejecutivo. El primero de ellos era Armellini, un viejo jurista que ya no ejercía su profesión, aunque era honrado. El segundo era Saleceti, también abogado, pero de una conducta un tanto indolente, y el tercero era su viejo compañero de la prisión de *Civita Castellana*, Montecchi, muy activo, pero carecía de cualquier experiencia política. Pronto se demostró que aquello no funcionada, así que se decidió su reemplazo por lo que se denominó el Triunvirato. Carlo Armellini mantuvo su puesto y se incorporaron Aurelio Saffi, un antiguo activista del movimiento «Joven Italia» y el tercero, el propio Giuseppe Mazzini, su fundador. Él, junto a Garibaldi, eran los responsables de que Orsini fuera diputado.

Intrigado, Felice acudió a la reunión. Eran las cinco de la tarde. La sesión del parlamento ya había acabado hacía horas, por lo que aquello le pareció un tanto intrigante.

—Adelante, Felice —le recibió Mazzini, con un gran abrazo—. Te estábamos esperando.

Felice observó, sentados en cómodos butacones, a los dos restantes miembros del Triunvirato. En el centro, extendidos encima de una mesa, había lo que parecían unos planos.

Saludó a los presentes.

—Disculpa que vayamos directamente al grano, Felice —dijo Mazzini—, pero tenemos un asunto muy grave que no admite demoras. Existen determinadas zonas del Estado Romano donde se están produciendo serios disturbios, hasta el punto de que la autoridad del gobernador no es respetada.

—Bueno, eso no son nuevas noticias. No olvidéis que me crie en Imola y sé que allí sucede algo parecido —respondió Felice, que no acababa de comprender el aparente desasosiego del Triunvirato.

—Sí, por supuesto que lo conocemos. La herencia recibida de los gobiernos papales está costando mucho revertirla —dijo Armellini—. Aún existen muchas personas que guardan lealtad a Pio IX.

—¿Pero? —preguntó Felice.

—¿Qué?

—Que está claro que esa frase suya debe continuar con un «pero», ya que si no fuera así, no hubieran requerido mi presencia.

Armellini no pudo evitar reírse.

—Tenías razón, Mazzini. Orsini es astuto —dijo.

—Volvamos al grano y no nos dispersemos —tomó la palabra el propio Mazzini—. Sí, Felice, tienes razón. Hay un pero y ese «pero» se llama Ancona.

—¿Ancona? ¿Qué ocurre allí?

—La situación es desesperada y requiere una acción inmediata por nuestra parte. Hemos pensado que la persona adecuada para representar el poder de la República Romana seas tú.

—¿Yo? —preguntó Felice, pasmado—. A pesar de ser diputado, me considero un analfabeto en materia política.

—No necesitamos a políticos. Para eso ya enviamos a dos comisionados especiales, Barnebei y Ongaro. Su última misiva fue desoladora. Nos advertían que Ancona no tenía solución.

—¿Qué es lo que ocurre que pueda ser tan grave?

—Como te decía, el asunto es muy urgente y delicado. No tenemos tiempo de explicártelo. Tu carruaje te está esperando en la puerta del palacio, con una maleta que contiene todo lo que necesitarás. Te acompañarán dos carabineros. Debes partir cuánto antes. En cuanto entres en la ciudad, ponte en contacto con los comisionados. Ellos te facilitarán toda la información que precises. Están avisados de tu llegada. No pierdas ni un segundo.

—Pero...

—No hay peros, Felice. Te conozco. Si alguien puede deshacer este entuerto eres tú. Toma —le interrumpió Mazzini, entregándole un sobre.

—¿Qué es esto? —Felice estaba desconcertado.

—Contiene una orden ejecutiva firmada por nosotros tres, otorgándote plenos poderes sobre todo el territorio de Ancona, incluso por encima de los que posee el propio gobernador. Serás la máxima autoridad, por delegación directa nuestra. Todos se deberán poner a tus órdenes, incluyendo las autoridades civiles y militares, es decir, los guardias, los carabineros e incluso las tropas militares destacadas en la región.

Aquello le pareció insólito. Felice consideró oponerse, pero conocía demasiado bien a Giuseppe Mazzini. Cuando tomaba una decisión, tan solo esperaba que se ejecutara con la mayor rapidez, sin ser discutida.

Descendió por las escaleras del palacio. Un carabinero le abrió la puerta del carruaje. Se subió a él, sin saber a qué se iba a enfrentar, sin embargo, no estaba nervioso. Después de todas sus vicisitudes vitales, no creía que nada pudiera ser peor.

Una vez llegó a la ciudad, por llamarla de alguna manera, se espantó. Se alojó en la pensión *Locanda Burini* y, antes de deshacer su maleta, solicitó entrevistarse con los comisionados. Lo que escuchó de su boca le confirmó sus peores temores. En la ciudad no existía ninguna ley. Estaba dominada por una banda de asesinos que actuaban con total impunidad. Los mandos civiles y militares habían abandonado sus puestos. Ancona era un estado fallido, aquello era la anarquía total.

—Fueron enviados por el Triunvirato para solucionar este desastre —les dijo Felice—. ¿Qué decisiones han tomado y qué resultados han obtenido?

—Lo intentamos todo, pero pronto nos dimos cuenta de que era imposible controlar a los asesinos. Nadie parecía hacer el menor caso a nuestras instrucciones. El estado y su administración están podridas hasta la raíz. Después de pensar mucho en ello, se nos ocurrió una idea. Si no puedes vencer a tu enemigo, únete a él —se explicó Barnebei.

—¿Qué? —exclamó Felice, sorprendido por la inesperada respuesta.

—Que no se puede acabar con ellos. Están en connivencia con los guardias, ya que la mayoría son amigos, incluso familia. Las fuerzas del orden no obedecen y el gobernador ha perdido toda su autoridad. Pero, a grandes males, grandes remedios. Se nos ocurrió una gran idea, reclutarlos para nuestra causa.

Felice escuchaba atónito. No daba crédito.

—¿Reclutarlos? —repitió, como un autómata.

—Hemos pensado en crear un nuevo cuerpo de seguridad nocturno, bajo nuestras órdenes, formado por los asesinos que se quieran unir. Se llamará «Guardia de Oficiales» y tendrán su propio uniforme. Cobrarán quince escudos al mes. La única condición para formar parte de él es, por supuesto, que abandonen toda actividad delictiva.

Felice se puso colorado como un tomate. Se notaba que estaba a punto de estallar. Ahora comprendía el motivo por el que Mazzini le había enviado a Ancona. Los políticos tan solo saben buscar soluciones políticas, que, en la realidad, significan más complicaciones y problemas.

Intentó tranquilizarse, pero no lo consiguió.

—¿Os habéis vuelto locos? ¡Quedáis relevados de vuestras funciones con carácter inmediato!

Los comisionados, sorprendidos, intentaron protestar.

—¡Pero si hemos resuelto el problema! —se defendió Ongaro.

—¿Eso os creéis? —Felice se levantó de la silla, furioso—. ¿Y no pensáis que lo que habéis hecho es justo lo contrario? Habéis fomentado que más personas se conviertan en asesinos, para acceder a tan generoso sueldo. ¿No se os ha ocurrido? Ahora, en vez de cien o los que sean, tendremos doscientos.

Los comisionados estaban consternados por la cólera de Felice. No sabían qué decir.

—¡Largo de aquí! ¡Volved a Roma de inmediato!

—Pero tenemos poderes del...

—¡No tenéis ni dignidad! Con los poderes que me ha otorgado el Triunvirato, hasta podría colgaros de ese árbol —dijo Felice, señalando uno de ellos a través de la ventana—. ¡Marchaos antes de que me arrepienta de no hacerlo!

Ahora, la cara de Barnebei y Ongaro era de absoluto terror, al ver la mirada de furia en el rostro de su visitante. Abandonaron la estancia como alma que lleva el diablo.

Felice comprendió que debía de actuar con rapidez. La incompetencia de los comisionados había echado aceite sobre el fuego. Mandó una misiva al gobernador, en términos muy duros, citándole en la pensión.

Se presentó de inmediato.

Le exhibió los poderes que le había otorgado el Triunvirato y el gobernador se puso a su disposición. A Felice le pareció que se sintió secretamente aliviado. Le describió la situación en Ancona en términos muy parecidos a los comisionados. Le confirmó que no tenía el control ni de la ciudad ni del estado. Estaba claro que se sentía sobrepasado por las circunstancias. Apenas disponía de doscientos hombres armados, entre artilleros, carabineros y guardias de fronteras, además, desmotivados y mal organizados. La banda de asesinos contaba con más efectivos y, además, tenían sobornados a gran parte de sus hombres. Para complicar aún más las cosas, las autoridades civiles no le obedecían, atemorizados por los delincuentes. Los militares estaban desbordados.

—A cada palabra que escucho, la situación me parece más desesperada —le respondió—. Quédese sentado en el sillón, mientras hago unas gestiones. Quiero que esté presente en la reunión que se va a producir.

Felice había decidido que, ante semejante escenario, debía pedir refuerzos al Triunvirato. Sin perder un minuto, les envió una misiva solicitando cincuenta soldados de caballería. Sabía que en Roma no iban sobrados de efectivos, por eso pidió una fuerza pequeña que le podrían conseguir con facilidad. No justificó su petición, ya que suponía que lo comprenderían.

Consideró que las situaciones desesperadas requerían de soluciones desesperadas. Felice no era un político ni siquiera un diplomático. Era un hombre de acción. Mazzini lo conocía perfectamente. Si lo había escogido para esta misión, supuso que tendría claro cuál iba a ser su actitud frente al problema.

Acción.

Los asesinos ya conocerían la llegada de Felice a la ciudad, por lo que era consciente de que su vida corría un peligro inminente. Por ello, consideró que no se podía permitir esperar a los refuerzos militares solicitados. Pensó que, cuando llegaran, ayudarían, pero debía hacerse con el control de la ciudad lo antes posible, mientras aún permaneciera con vida.

A continuación, Felice citó al comandante de los carabineros y al comandante de la fortaleza de Ancona, a cargo de las tropas militares. Les informó, en presencia del gobernador civil, que asumía el mando único de todo el estado y les comunicó sus planes.

Los tres se levantaron inmediatamente de sus sillones. No daban crédito a lo que estaban escuchando. Felice, al ver la reacción de los tres, también se levantó y se enfrentó a ellos.

—¿Puedo contar con ustedes? —les preguntó, con una mirada retadora—. Quiero saberlo ahora mismo. No valen medias tintas. O están conmigo o están contra mí. Si no me respaldan, serán inmediatamente relevados de sus funciones y enviados a Roma. En cuanto a esos miserables que tienen atemorizada a toda la ciudad y, por lo visto, también a ustedes, no saben lo que se les viene encima. No he venido a dialogar ni a hacer política, ¿me entienden? O muero en el intento, o limpio de basura la ciudad. ¿Me he expresado con la suficiente claridad?

Los tres observaron la determinación y la furia en los ojos de Felice. Parece que se contagiaron un tanto de su energía. Quizá necesitaban una figura como él. Sin saber muy bien el motivo, asintieron. Le prestarían toda su ayuda y colaboración, aunque le manifestaron que el plan era una auténtica temeridad, propia de un loco.

—Les aseguro que estoy perfectamente cuerdo. La locura es Ancona —les respondió Felice— y nosotros vamos a curarla. Vuelvan a sus cuarteles y esperen mis instrucciones. Los dos carabineros que han venido conmigo desde Roma se las harán llegar en un sobre cerrado, por duplicado. Un ejemplar será para ustedes y el otro me lo devolverán firmado. No las compartirán con nadie, y cuando digo nadie, también incluyo a sus hombres. La única posibilidad de que mi plan pueda tener éxito es el factor sorpresa. Si me entero de que alguno de ustedes tres ha incumplido mis instrucciones, les digo lo mismo que les manifesté a los dos comisionados. No los mandaré a Roma, sino que los colgaré del árbol más cercano. Quiero que los tres asientan con la cabeza, me confirmen que han comprendido todo lo que acabo de explicarles y me aseguren que ejecutaran mis órdenes.

—Desde luego —afirmaron los tres, a coro. No les cabía ninguna duda de que Felice era capaz de cumplir sus amenazas.

—En algún momento que no deseo concretar, me trasladaré al castillo, ya que aquí no estoy seguro —dijo, dirigiéndose al comandante de la fortaleza—. Tampoco quiero que haga ningún preparativo para ello ni que se lo diga a ninguno de sus hombres. No necesito nada especial. Después de pasar por la prisión de *Civita Castellana*, comprenderán a qué me refiero. A pesar de ser diputado de la república, estoy acostumbrado a lo peor. Nunca he vivido en palacios de oro.

—Por supuesto, lo que usted ordene —le respondieron, mientras los tres abandonaban la estancia de Felice. Ahora, tenían muy claro que el enviado del Triunvirato de la República Romana no era ningún mentecato y hablaba completamente en serio.

Al día siguiente, disfrazado de mercader y haciéndose acompañar por sus dos carabineros de escolta, también camuflados y con sus mosquetes ocultos entre los ropajes, se trasladó a la fortaleza, sin que nadie lo advirtiera. Como se esperaba, los guardias de la puerta no le permitieron entrar, pero lo resolvió llamando al comandante, que confirmó que había hecho un pedido de pertrechos y que los comerciantes eran inofensivos.

Una vez instalado en el pajar, sin que nadie conociera su presencia allí para no llamar la atención, se dispuso a escribir sus instrucciones y a hacérselas llegar al gobernador y a los dos comandantes.

Eran muy sencillas.

Al gobernador le anunciaba diez medidas muy duras, entre ellas la proclamación del «estado de sitio» para todo Ancona, prohibiendo las entradas y salidas de personas, sin ninguna excepción que no fuera autorizada por él mismo. También ordenada un toque de queda en las horas nocturnas y que todos los habitantes de Ancona mantuvieran las luces de sus casas encendidas durante la noche. Quería la ciudad bien iluminada. Nadie que no perteneciera a las fuerzas de seguridad estaba autorizado a portar cualquier tipo de arma. Todos los servidores civiles debían cumplir, con normalidad, sus funciones. Creaba un consejo de guerra, para juzgar a todos los que no cumplieran con estas instrucciones.

A los comandantes les indicaba que, sin previo aviso, a la una de la madrugada, movilizaran a todos sus hombres. A la una y media, veinte artilleros serían provistos con veinte cartuchos, al igual que los carabineros y los guardias de fronteras. No serían informados del motivo de semejante preparativo hasta una hora después. El comandante de los carabineros crearía grupos mixtos, para evitar traiciones, y, bajo su mando, procederían a arrestar a los cabecillas de las bandas de asesinos. Si se resistían, debían matarlos. Le indicaba al comandante que comunicara a todos los soldados que, en el supuesto de que cualquiera de ellos no cumpliera las órdenes en sus exactos términos, al estar declarado el «estado de sitio», el comandante disponía de poderes y órdenes para su ejecución inmediata, sin más pretexto.

Recibió las cartas firmadas por los dos comandantes y por el gobernador. El único que se atrevió a acercarse a sus aposentos, en el pajar, fue el comandante de los carabineros, el que iba a estar al cargo de todo el operativo. Simplemente le preguntó si estaba seguro de todo aquello. Parecía que se preparaban para una guerra.

—¿No le parece que ya estamos en una? Yo tan solo pretendo ganarla.

—No quiero parecerle cobarde, pero no nos vamos a enfrentar a un ejército cualquiera. Las bandas son verdaderos diablos. ¿Está seguro de que quiere proceder así?

La simple mirada de Felice le sirvió de respuesta. No solo estaba seguro, sino que le dijo que le hacía responsable de que los soldados de los diferentes cuerpos se comportaran como tales. Los que no estuvieran a la altura, debían recibir un disparo en la nuca, delante de todos sus compañeros. Les serviría de escarmiento y sabrían que todo iba muy en serio.

—Quiero un rápido despliegue de todas las piezas y que nuestro adversario ni se dé cuenta de lo que se le viene encima. Su autodenominado rey debe caer antes de que su defensa esté preparada. Rapidez, desarrollo y contundencia, esas son las tres palabras clave. ¿Le ha quedado claro?

El comandante se retiró, abrumado por su responsabilidad, pero, al mismo tiempo, animado por la determinación y valentía de Felice Orsini.

«¿Valentía o insensatez?», pensó, mientras abandonaba el pajar.

Todos cumplieron con sus instrucciones. A las dos y media de la madrugada, de forma coordinada, las viviendas de todos los malhechores estaban rodeadas. Dos horas más tarde, todo había terminado. Los veinte principales cabecillas de aquella horda de asesinos habían sido arrestados, incluyendo su rey. No se esperaban semejante ataque en tromba. La única baja entre los soldados fue por ajusticiamiento. Un guardia de fronteras pretendió avisar a su hermano, uno de los malhechores. Al percatarse, un carabinero, siguiendo las órdenes, le descerrajó un tiro en la nuca.

La operación relámpago parecía que había funcionado.

Pero las instrucciones de Felice no acababan aquí. Era consciente de que, al amanecer, cuando los familiares, amigos y seguidores de los arrestados tomaran conciencia de la magnitud de lo sucedido, estaba claro que se producirían disturbios. Tenía preparado otro contingente de carabineros armados, con la orden de arrestar a los insurgentes o matarlos, si se resistían lo más mínimo. Otras ocho personas fueron hechas prisioneras y se produjeron cuatro muertes, durante la mañana siguiente. Tres insurgentes y un carabinero.

Felice había establecido que todos los presos fueran trasladados a la fortaleza, y que esta estuviera vigilada en exclusiva por los carabineros. No quería que su plan, que había funcionado, fracasara por culpa de una fuga masiva.

A pesar de que sus instrucciones habían sido ejecutadas de forma impecable, no se fiaba del resto de los soldados. De hecho, aún no había terminado la operación. La rapidez y la sorpresa habían sido determinantes, pero, una vez trascurrido el primer día, esperaba que los altercados se produjeran con los artilleros y los guardias de fronteras. Incluso no descartaba un intento de asalto de todos ellos a la fortaleza, para rescatar a los que eran sus amigos y familiares, a pesar de todas las medidas que había tomado.

Lo tenía todo previsto. Era consciente de que, en caso de producirse este ataque, se encontrarían en minoría y podían ser derrotados. Una vez más, la sorpresa y la contundencia debían ser sus principales bazas.

—Cuando caiga el sol —le dijo Felice al comandante de la fortaleza—, observará un nutrido grupo de soldados acercarse a la puerta de este castillo. Cuando se encuentren a unos cincuenta metros, dispare dos cañonazos contra ellos, sin previo aviso. Después, otros dos, pero esta vez, que sean salvas.

—¿Cómo sabe que eso ocurrirá? Y en el supuesto de que tenga razón, ¿no sería más prudente hacerlo al revés, primero las salvas para avisarlos? —le inquirió el comandante.

—Ni quiero prudencia ni quiero avisarlos, quiero sorpresa y contundencia. No se esperarán los cañonazos. Cuando vean que los dos primeros son con munición verdadera, se dispersarán. A partir de ahí, ya no hará falta más balas. Cada vez que escuchen el sonido de los cañones, pensarán que son auténticos y cundirá el pánico entre ellos. Espero que, a partir de ese momento, nos teman y vean que vamos a por todas. No olvide que estamos en minoría y no podemos andarnos con tonterías. Tienen que ver en nosotros determinación y fuerza. Si observan la más mínima debilidad, se envalentonarán y no podremos controlarlos.

—Así se hará —le respondió el comandante, al que las palabras de Felice le habían infundido el valor que necesitaba.

—No lo olvide. He venido a por su rey y lo tengo encerrado y sin escapatoria. No pienso soltar la pieza.

—¿Y qué piensa hacer con él y con el resto de su banda? —le preguntó el comandante—. No podremos quedarnos en esta fortaleza eternamente. A pesar de toda su determinación, estamos tan encerrados como nuestros propios prisioneros. Es inevitable que, en alguna de sus intentonas, puedan con nosotros. A pesar de haber desarticulado la banda de asesinos, tienen muchos amigos y familiares. El pueblo continúa acobardado. Usted mismo lo ha dicho, estamos en minoría.

—Cada cosa a su debido tiempo. ¿Cree que he concebido este plan sin pensar en esa contingencia? Ya le informaré a su debido tiempo. Ahora, puede retirarse.

Felice necesitaba descansar. Llevaba sin dormir casi desde que había llegado a Ancona, además soportando una gran tensión. Estaba agotado, aunque no se conseguía dormir.

Tal y como había previsto, a la puesta de sol, escuchó el sonido de los cañones de la fortaleza. Curiosamente, ese sonido le tranquilizó y, casi sin darse cuenta, se durmió.

—¡Señor Orsini! —escuchó gritar, de forma desesperada.

Se incorporó lentamente de su camastro de paja.

—¿Qué ocurre? ¿Qué hora es? —estaba desorientado.

—Son las seis de la madrugada.

Felice había dormido ocho horas de un tirón. Se quedó mirando a su interlocutor. Esperaba ver al comandante de la fortaleza, para que le informara de lo sucedido ayer por la noche, pero, para su sorpresa, ese no era su interlocutor.

—¿Qué hace usted aquí y a estas horas?

—Ha ocurrido una tragedia —dijo, tapándose la cara con sus manos, entre sofocados sollozos.

Era el gobernador de Ancona. Felice lo tomó por los hombros y lo sentó en su camastro. Él hizo lo propio.

—Tranquilícese y cuénteme qué ha sucedido.

—Han secuestrado a toda mi familia. Los han hecho rehenes. Me han enviado a decirle que, si no liberamos a los prisioneros, los matarán. ¡A mi esposa y mis tres hijos! —exclamo. Ahora sí que estaba llorando abiertamente.

—¿Quiénes han sido?

—En su mayoría, miembros de la guardia de fronteras, amigos de los presos. Ya no reconocen su autoridad y se han levantado en armas.

Felice intentó tranquilizarlo. Le dio su palabra de que ningún miembro de su familia sufriría daño alguno, pero también le informó que no podía ceder a su chantaje y liberar a los asesinos.

—Entonces, ¿cómo lo piensa solucionar el problema?

—Déjeme a mí. Esos desgraciados no saben con quién están tratando. Aún pensarán que soy el típico político de Roma, cobarde y acomodado. Si ellos son unos diablos, yo puedo ser satanás desatado. Dígales que aceptamos su petición. Sacaremos a los presos de la fortaleza y los conduciremos a la plaza central de Ancona, este mismo mediodía, a las doce en punto.

—Señor, hoy es jueves y hay mercado. La plaza estará muy concurrida. Es el lugar menos seguro.

—Precisamente, gobernador —sonrió Felice—. Lo importante es que, en el momento que los presos estén en las puertas de la plaza, su familia debe ser liberada. Si eso no ocurre, el trato se romperá.

—Pero no lo comprendo —el gobernador estaba confundido—. ¿No ha dicho que no piensa liberar a los prisioneros?

—Creo que, hasta ahora, he demostrado que soy digno de confianza. En dos días he hecho más cosas por esta ciudad que todos ustedes en meses. Deme un voto de confianza. Ya se habrá dado cuenta de que no soy un cualquiera, cumplo mi palabra. Ahora, puede retirarse. No necesita conocer más detalles.

El gobernador abandonó el pajar. Felice no perdió ni un solo momento. Ordenó llamar al comandante de la fortaleza. Le informó de la situación.

—¿En serio los va a sacar a los presos de la fortaleza? Ayer mismo, me ordenó disparar los cañones para impedir su liberación. Ahora ¿pretende hacerlo voluntariamente?

Felice, en apenas cinco minutos, le explicó lo que necesitaba. El comandante le miraba con cara de no comprender nada.

—Quiero que mande ocho emisarios con ocho sobres. Uno se dirigirá a Ancona, en concreto a este punto —dijo, mientras posaba su dedo sobre una localización, en un plano— y los demás, a ciudad de Macerata. Quiero una respuesta inmediata de cada uno de los destinatarios de las misivas. Que los correos se esperen a obtenerla. Una vez eso ocurra, que vuelvan a la fortaleza de inmediato y con la máxima discreción. Todo tiene que ser ejecutado antes de las once y media. A continuación, disponga todo, tal y como le he indicado. No hay tiempo que perder.

El comandante ya no se sorprendía de nada. Era supersticioso y creía que Felice disponía de algún tipo de poder sobrenatural. Parecía que sabía lo que iba a ocurrir antes de que sucediera. Tenía un plan hasta para las contingencias más absurdas. Descabellado, como todos los anteriores, pero debía de reconocer que, contra todo pronóstico, hasta ahora habían funcionado.

En consecuencia, bajó la cabeza y no puso ninguna objeción. A las tres horas, volvió al pajar.

—Todas sus misivas han sido entregadas —le informó—. Aquí tiene sus ocho respuestas.

—Perfecto —le respondió Felice, mientras las dejaba encima de la mesa, sin ni siquiera abrirlas. Se encontraba estudiando lo que parecía un plano de Ancona.

—Con la urgencia con la que se han ejecutado sus órdenes, ¿no las piensa abrir?

—Por supuesto, pero aún no es el momento. Ahora mismo, quiero que llame al jefe de los artilleros.

El comandante no salía de asombro.

—¿De los artilleros? Sabe que no son de fiar y…

—Usted limítese a traerlo ante mí. Me da la impresión de que yo sé más acerca de ellos que usted mismo —le interrumpió Felice.

El comandante se apresuró a abandonar el pajar, asombrado por el comportamiento del enviado por Roma. Estaba convencido de que los poderes ocultos de Orsini le permitían conocer el contenido de las respuestas de los sobres, sin ni siquiera abrirlos, pero lo del jefe de los artilleros no lo comprendía.

A la media hora, Felice estaba reunido con Dante Giordano. La conversación fue breve. Orsini le dio una orden y le pidió información. La orden fue acogida con sorpresa por el artillero, pero no puso objeciones. Más le sorprendió la información que le solicitó.

—Supongo que, cómo jefe de los artilleros, es usted especialista en explosivos.

—Por supuesto, es la parte más importante de mi trabajo.

—Por si acaso todo se tuerce, ¿dispone de algún artefacto explosivo de pequeño tamaño pero de gran poder de destrucción?

—¿Quiere una bomba? Sí, claro que tengo en el arsenal —Dante Giordano estaba desconcertado.

—Quiero que me explique cómo funciona. Tranquilo —dijo Felice—, no la pienso utilizar, pero debo tener todas las contingencias cubiertas. Puede haber muchas vidas en juego.

El jefe de los artilleros tomó un papel y una pluma. De inmediato, hizo un pequeño esbozo. A continuación, le explicó a Orsini su funcionamiento.

—Muchas gracias, señor Giordano. Es justamente lo que quería. Quiero dos de estas pequeñas bombas de inmediato. Mande un subordinado con ellas. Ahora, se puede retirar. Recuerde que las instrucciones deben ser cumplidas en los exactos términos y horas que le he indicado. Es muy importante.

—Por supuesto —le respondió, saliendo del pajar. Seguía sin comprender a Orsini, pero era la persona que estaba al mando y no pensaba discutir con él.

A las once y media, tal y como estaba previsto, los veintiocho prisioneros formaron en el patio central de la fortaleza. Felice se dirigió a ellos y les informó de lo que iba a suceder. Todos ellos lucieron una sonrisa de satisfacción. Sabían que sus amigos iban a reaccionar y doblegar a aquel *personajillo* llamado Orsini.

Diez minutos después, todos salieron del castillo, de forma ordenada y con Felice encabezando la comitiva.

Llegaron a las puertas de la plaza principal de Ancona. Como era de suponer, estaba abarrotada de gente, asistiendo al mercado. El gobernador les estaba esperando.

—Ahora, dígales a los guardias que retienen a su familia que la liberen de inmediato. Ya habrán comprobado que estamos aquí, los veintiocho prisioneros y yo mismo. En cuanto se produzca su puesta en libertad, entraremos en la plaza y podrán hacerse cargo de los presos.

Apenas cinco minutos después, el gobernador volvió con toda su familia. Se arrodilló ante Felice, sin poder evitar volver a llorar, pero, esta vez, de alegría. No paraba de agradecerle su generosidad.

—Hagan el favor de irse cuanto antes, pero no vuelvan a su casa, ni siquiera para coger ropa. Busquen refugio temporal en la residencia de algún amigo o familiar. Tan solo serán un par de días, no se preocupen.

—Pero... —el gobernador parecía que iba a objetar algo, pero Felice lo interrumpió.

—Cuide de su esposa y de sus hijos, gobernador. Eso es lo más importante. Ahora, debo entrar en la plaza para completar lo iniciado.

—¿Por qué debo hacer eso? —insistió el gobernador.

—Porque el infierno está a punto de desatarse.

21 NUEVA ORLEANS, ENTRE EL 9 Y EL 10 DE FEBRERO DE 1850

Hoy era el sábado previsto para su sorpresa. A pesar de ello, no faltó a su cita con Amélie, aunque tan solo durara una hora. Le resultaba muy reconfortante.

A las once en punto estaba en la puerta de la residencia de su abuelo, Joseph Le Carpentier. Llamó impaciente. Esta vez fue el servicio doméstico el que le abrió. Le informaron que era esperado en el despacho de su abuelo.

Cuando entró, vio a sus tíos Ernest y Charles, a su abuelo y otra persona que no conocía.

—Anda, no te quedes en la puerta, puedes entrar. Tengo el placer de presentarte a James McConnell.

Ahora, Paul sí que se sorprendió. No lo conocía personalmente, pero, desde luego, sí sabía quién era. Nada más y nada menos que uno de los mejores jugadores de todo Estados Unidos. Se comentaba que era muy superior a Eugène Rousseau.

—Es un placer conocerte —dijo James, mientras le extendía la mano—. Tengo que reconocer que, cuando tu abuelo me escribió, invitándome a venir a Nueva Orleans, era muy escéptico. Ya sabes, es un viaje muy largo desde Crescent City y tú demasiado joven para justificarlo. Pero me conoce de sobra y sabe que me pierde la curiosidad. Cuando me contó la partida a ciegas que jugaste con Ernest y de la manera que le venciste, no me pude resistir a conocerte. Jamás había escuchado un relato tan apasionado de una partida de ajedrez. Debió ser algo grandioso. Me hubiera gustado mucho ser testigo de ella.

— También es un placer conocerle, señor McConnell, pero aquella partida fue muy sobrevalorada —respondió Paul—. Al fin y al cabo, el ajedrez es un deporte mental. El tablero no es algo imprescindible para poder disputar una partida. Se trata tan solo de una simple proyección de tus pensamientos y una ayuda para que los espectadores puedan seguir el juego. Nada más.

—¡Caramba! No había escuchado a nadie pronunciar esas frases, ni siquiera a los grandes, como Philidor. Está claro que tienes mucha confianza en ti mismo.

—Supongo que sí, pero para mí el ajedrez es tan solo un juego divertido. No me canso de repetirlo, por eso no comprendo que alguien se enfade al caer derrotado. Está claro que yo también juego para ganar, pero si pierdo y me he divertido, supongo que tampoco ocurriría nada.

—¿Supones? ¿No me digas que jamás has perdido una partida?

—Nunca, pero sí que siento que lo debí hacer en una ocasión. Mi rival disponía de mate en cuatro movimientos. Yo lo advertí y, en ese momento, me sentí derrotado, pero él no se dio cuenta de la combinación ganadora. Recuerdo sentimientos encontrados; en un primer momento, rabia. Estaba tan obcecado en el ataque contra su sólido enroque que no me di cuenta de que dejaba desprotegido mi flanco de dama. Sin embargo, a continuación, sentí unas irresistibles ganas por superarme. Fue como lo que experimento cuando escucho a mi madre tocar el piano y cantar, un verdadero placer y una auténtica armonía mental. El resultado fue que, en tan solo diez jugadas más, le vencí.

James McConnell se quedó mirando a aquel joven con un rostro que reflejaba sorpresa, pero también admiración.

—Me parece que no me voy a arrepentir de este viaje —dijo—. Nunca había conocido a un joven tan peculiar como tú. Ahora, menos palabrería y vuelca toda esa pasión en tu juego. No estamos aquí para hablar, ¿verdad? —concluyó, mientras señalaba un único tablero de ajedrez dispuesto en el centro de la estancia.

—¿Eso es cierto? —preguntó, dirigiéndose a James— ¿Vamos a jugar? Usted es toda una celebridad en el país y yo soy un joven desconocido.

Paul estaba impresionado, pero ahora también emocionado. A pesar de que se trataba de un adversario muy fuerte, era lo que, ahora mismo, deseaba más.

—No me engañes con tu falsa modestia. Rebosas confianza y ya no eres un desconocido —le respondió—. Anda, aunque la conversación haya sido muy entretenida, dejémonos de charlas y vayamos al tablero. No he recorrido dos mil quinientas millas tan solo para eso.

Se sentaron y sortearon las piezas. Paul comenzaría con las negras. Convinieron que jugarían partidas de forma continua, intercambiando colores en cada una, con una pausa para comer.

Los pocos nervios de Paul, más producto de la emoción que del temor a enfrentarse a un rival muy fuerte, desaparecieron cuando comenzó la partida. McConnell había observado el juego de Paul y suponía que se lanzaría en tromba al ataque, por ello preparó una sólida defensa. No se equivocó. El joven empezó su colección de sacrificios, lanzando sus piezas como si tuviera treinta y dos, en lugar de dieciséis. James, poco a poco, iba ganando ventaja en material sin ver comprometida su defensa. No tenía ninguna prisa, al contrario de lo que parecía Paul, que estaba impaciente por destrozar la defensa de su rival en los menores movimientos posibles. McConnell se limitó a esperar su oportunidad, mientras el joven Paul se desgastaba.

Esa oportunidad le llegó.

Cuando Paul menos se lo esperaba, James sacó su dama y le dio jaque. Paul no lo vio venir. Ahora que se fijaba mejor, la posición de McConnell no era tan defensiva como él creía. Su caballo, situado en el centro del tablero, acompañado de su alfil, servían tanto como protección del rey blanco como para organizar un súbito ataque. Pensó que debía calmarse. Le recordó su partida contra el doctor Rizzo. Dedicó unos largos diez minutos a revaluar la posición de las piezas.

Entonces lo vio.

Levantó la vista y se quedó mirando a James McConnell, que le estaba sonriendo.

—También lo has visto, ¿verdad? —le dijo, en un tono condescendiente.

—Sí, señor —acertó a decir Paul—. Me ha pillado desprevenido. He minusvalorado la fuerza de su caballo, en esa posición. Pensaba que tan solo protegía a su peón.

—Así es, lo hacía, pero no solo eso, ¿verdad?

—Me ha ganado con facilidad. Es usted un gran jugador. Eso ya lo sabía de antemano, debería haber sido más cuidadoso.

—Me ha dicho tu abuelo que juegas así de bien de forma intuitiva. ¿Es cierto?

—Bueno, he entrenado con un jugador local que me prestó algunos libros y me animó a leerlos, pero debo reconocer que ni siquiera llegué a abrirlos. Solo estudio ajedrez cuando juego. Es como el arte, no se estudia, se crea.

—Pues yo te he ganado esta partida gracias a un libro. En concreto de Howard Staunton, el campeón inglés. Su teoría de las aperturas es fantástica, pero, sobre todo, el libro me enseñó la importancia de la posición estratégica de los caballos. Pueden aparentar que defienden, pero, combinados con la potencia de una torre o una dama, en el medio juego, pueden marcar diferencias. Acabas de ser testigo de ello. No menosprecies los consejos que te damos.

Paul se quedó mirando a McConnell de una manera extraña, sin responderle. Tanto Joseph como Ernest y Charles estaban preocupados. Ya sabían cuál había sido su reacción cuando casi cae derrotado frente al doctor Rizzo. No querían que se desmoronara. Iban a entrar en la conversación, cuando Paul les hizo un gesto con la mano, indicándoles que no lo interrumpieran.

—¿Sabe? Quizá los libros puedan enseñar cosas, no lo niego, pero hasta un punto. Mas allá, tan solo queda la persona y su capacidad de aprender. Se lo voy a demostrar.

—¿Qué quieres decir?

—Que le aseguro que no me va a ganar ninguna partida más por hoy —le respondió con contundencia, mientras tomaba las piezas y las situaba en el tablero.

McConnell sintió lástima por Paul. Le dio la impresión de que le había herido en su amor propio.

—Lo siento, no pretendía ofenderte. Eres joven y tienes un gran futuro por delante —intentó disculparse McConnell—. Perder forma parte del ajedrez. Nos ocurre a todos.

—No me ha ofendido, tan solo he aprendido de usted, sin necesidad de libros. ¿Empezamos?

Comenzó la segunda partida. Esta vez Paul jugaba con blancas. Su primer movimiento fue avanzar el peón de torre de dama. James no pudo evitar levantar la vista, ante tan inusual apertura. Paul ya había hecho ese mismo movimiento inicial, en su partida contra el general Scott, hacía algo más de dos años. Lo que buscaba era sacar a McConnell de sus libros y proponerle un juego diferente. No obstante, James compuso una buena defensa, tal y como había hecho en la partida anterior. Después de quince jugadas, la posición parecía equilibrada y la partida estaba abierta.

De repente, Paul hizo un movimiento inesperado, dando un jaque con su torre. McConnell levantó su mirada, buscando la de Paul. No la encontró. Su joven adversario tenía su mirada posada en el tablero. Aquello parecía un error de principiante, ya que la podía tomar con total tranquilidad con su caballo. Su rival podría ser joven, pero, desde luego, no era un novato. James, antes de aceptar semejante regalo, dedicó media hora a analizar la posición. Profundizo cinco seis jugadas y no vio ninguna línea de juego que justificara ese sacrificio. Consideró comentárselo a Paul, pero no levantaba la vista del tablero.

«Bueno, supongo que todos tenemos que aprender de nuestros errores», pensó McConnell, aceptando el regalo de la torre.

Para su sorpresa, Paul respondió a su captura al toque, sin pensar ni un segundo, avanzando su peón central. James volvió a fijar la vista en el tablero. Ahora tenía claro que Paul le había entregado la torre a conciencia, no debía tratarse de un error, ya que ni se había inmutado y parecía ejecutar una secuencia de movimientos ya preparada.

Dedicó otros veinte minutos a analizar de nuevo la situación. No veía ningún peligro posible, así que activó su alfil para iniciar un contrataque, dada la debilidad en el flanco de la torre de dama que le había regalado Paul. Una vez más, la respuesta de Paul fue inmediata, avanzando su caballo, también en el centro del tablero. Ahora, McConnell se preocupó de verdad. Paul estaba jugando con una clara determinación, pero no veía adónde le llevaba su anárquico juego. Sin embargo, él tenía una posibilidad clara de penetrar en su retaguardia, como había ocurrido en la partida anterior. En consecuencia, puso en juego su torre para preparar su ataque, que consideraba imparable. Paul respondió a su movimiento de inmediato, avanzando otro peón.

McConnell no comprendía el juego de Paul, así que continuó con su plan. Apoyado por la diagonal que había abierto con su alfil, le dio jaque, apoyado con su torre. Paul tomó su alfil con su otra torre. McConnell no pudo evitar dar un respingo. Aquello era inaudito. Ganaba la calidad con aquel intercambio. Con una ventaja de una torre, ahora le ofrecía la segunda. No lo dudó. McConnell la tomó sin pensarlo. Ya llevaba una ventaja de material que era determinante.

De repente, Paul avanzó otro peón. Era cierto, había conformado una estructura sólida de peones en el centro del tablero, pero ya no tenía torres y McConnell conservaba sus dos. Tan solo tenía que esperar el desarrollo natural del juego para vencer la partida, y no creía que tardara mucho.

De todas maneras, aunque James tenía claro cuál debía ser su próximo movimiento, dar jaque, ahora con la torre por el desprotegido flanco de la dama, decidió dedicar otros quince minutos a analizar la situación. Lo tenía claro, pero no quería arrollar a Paul tan rápido.

De repente, lo vio.

Aquello no era posible.

Paul lo había atrapado. Sus inocentes peones en el centro del tablero, apoyados por su caballo y su dama, en la secuencia correcta, podían abrir su enroque como una lata de conserva. Pero la secuencia era de cinco movimientos. Le resultó inconcebible que la hubiera visto hacía tres. No podía creer que la mente de aquel niño pudiera analizar una línea de juego con ocho movimientos de antelación. Eso no se lo había visto hacer a ningún rival con los que se había enfrentado. No le dio crédito y decidió seguir con su juego.

Para su absoluta sorpresa, Paul seguía jugando al toque, sin pensar sus jugadas, y empezó a ejecutar la secuencia como lo habría hecho un veterano campeón. McConnell no lo podía creer. Volvió a levantar la vista y ahora sí que se cruzaron sus miradas.

—¿No me digas que...? —le preguntó James, atónito.

—Desde la torre. No debió tomarla. Bloquear mi jaque con su caballo era la respuesta adecuada. Pero aceptó un regalo envenenado. Por su expresión, creo que ya lo ha comprendido.

—Desde luego —aceptó McConnell—. Lo que me sorprende es que lo hayas hecho tú, hace tres movimientos.

—Ha sido sencillo. He aprendido de la partida anterior. Ya le había dicho que no me volvería a ganar. No se trataba de una rabieta de un niño enfadado. He comprendido cómo juega y le he llevado a mi terreno.

Los tres testigos de la partida, Joseph, Ernest y Charles, no comprendían lo que estaban escuchando. Tan solo veían una posición claramente desesperada para Paul, por la considerable pérdida de material.

McConnell se giró hacia ellos.

—Me ha vencido como no lo había hecho nadie en toda mi vida —anunció, para sorpresa de los tres.

—Pero... —empezó a decir Ernest.

—Mirad —dijo James, mientras terminaba de ejecutar la secuencia mortal que había iniciado Paul, sobre el propio tablero.

—¡Es increíble! —no pudo evitar exclamar Ernest, dirigiéndose a su sobrino—. ¡Te daba por muerto!

—¿Cómo has podido ver eso? Cuando has entregado tu torre, ya no creía que tuvieras ninguna opción —comentó Charles.

Joseph, sin embargo, permanecía en silencio, observando a su nieto. Llevaba jugando al ajedrez muchísimos años y jamás había visto semejante belleza en una partida, con esos sacrificios casi poéticos.

—¿Jugamos otra? —le preguntó Paul a James, sin darle ninguna importancia a lo que acababa de suceder.

—Claro —le respondió, un tanto sorprendido.

Durante el sábado jugaron cinco partidas más. En total fueron siete, con el resultado de cinco victorias para Paul, unas tablas y la derrota inicial. El domingo jugaron un total de diez. Paul ganó ocho y concedió tan solo dos tablas. En total, el fin de semana habían jugado diecisiete partidas, con el apabullante resultado de trece victorias para el joven jugador, tres tablas y una única derrota, en su primera partida.

Paul había cumplido su palabra. James McConnell no había sido capaz de vencerle ni una sola partida más, desde su primera derrota.

—¿Sabes que eres un auténtico prodigio? —le dijo, cuando llegó el momento de su despedida—. Nadie, en toda mi vida, me había dado semejante lección.

—Lo siento, no lo pretendía. Tan solo es un juego.

—No te disculpes, ha sido un verdadero honor jugar contra ti. Posiblemente, me haya enfrentado al mejor ajedrecista del mundo, en un futuro no muy lejano.

—¿No cree que exagera?

—Ni un ápice. ¿En serio que no has leído jamás ningún libro de ajedrez?

—Ya se lo había dicho, aprendo jugando, no leyendo. De eso se trata, ¿no? De jugar.

—Quizá tú lo veas como eso, como un simple juego, pero ya aprenderás que es mucho más, cuando te hagas mayor.

«Ya lo hago», pensó Paul. «El ajedrez es arte».

—Tienes verdadero talento, un don muy poco común, pero ten cuidado —se despidió James McConnell, dándole un cariñoso abrazo.

—¿De qué? —le preguntó, extrañado.

—De qué no, de quién —le respondió, cuando ya salía por la puerta—. De ti mismo. Tu don tiene un precio que terminarás por averiguar y, quizá, no te guste lo que veas.

22 ANCONA, 28 DE ABRIL DE 1849

—Desde luego hace falta tener redaños para presentarse en la plaza —dijo el jefe de los guardias de fronteras.

—Es justo al revés. Hace falta ser un insensato para atreverse a sublevarse contra mí —le respondió Felice, con una mirada retadora.

Aquella persona no pudo evitar reírse a carcajadas.

—¿Está seguro? Al final, ha terminado cediendo a mis pretensiones.

—Le devuelvo la pregunta, ¿está seguro?

De repente, la risa cesó. Allegri, el jefe de los guardias, miró a los prisioneros, y se dio cuenta de que estaban todos encadenados.

—Si se refiere a los grilletes, no supondrá ningún problema liberarlos de ellos. Hemos venido acompañados de herreros. ¿Creía que no habíamos pensado en todo?

—Está claro que no lo han hecho.

De repente, para sorpresa general, los prisioneros se levantaron las capuchas que ocultaban sus rostros, se liberaron de las cadenas y encañonaron con sus mosquetes a todos los guardias sublevados. Evidentemente, no se trataba de los auténticos prisioneros, sino de veintiocho carabineros ataviados con ropajes de presos.

Al mismo tiempo, dos puestos de aparentes mercaderes dejaban al descubierto dos piezas pequeñas de artillería.

—¡Ni se os ocurra moveros o dispararemos! Creo que ya me conocen un poco y saben que no dudaré en dar la orden —dijo, dirigiéndose al desconcertado jefe de los guardias—. Todos los demás, ¡abandonen la plaza de inmediato! —ahora les gritaba a los mercaderes y clientes que ocupaban el espacio.

Casi no hizo falta el aviso. Cuando observaron el despliegue de carabineros y las piezas de artillería, ya habían salido huyendo, al mismo tiempo que entraban en la plaza cuatro carruajes con ocho carabineros más.

—Ahora —continuó Felice—, arrojen al suelo, lentamente y sin aspavientos, las armas que llevan ocultas. Si intentan algo...

En ese momento, un guardia sacó una pistola de su cinto. No le dio tiempo ni de levantarla Una de las piezas de artillería disparó de inmediato, matándole a él y a tres guardias más que se encontraban a su alrededor. La explosión fue muy violenta, a pesar del pequeño tamaño del proyectil. Aquello paralizó al resto de sublevados.

—¡Insensatos! ¿Acaso quieren morir? Adelante, a mí me ahorran un problema —les retó Felice—. Al próximo que se haga el valiente, las dos piezas de artillería serán disparadas y morirán todos, sin más aviso por mi parte. Han visto el efecto de un solo disparo. Imagínense la carnicería si continúan lanzando los explosivos. ¿Les ha quedado lo suficientemente claro?

Los guardias no reaccionaban. Felice levantó la mano, mirando a los artilleros, que apuntaban a aquellos pobres desgraciados.

—Cuando baje la mano, estarán todos muertos. Ustedes eligen. Tienen cinco segundos. ¡Las armas al suelo ya! —el rostro de Felice reflejaba furia y determinación.

Ahora, los guardias salieron de su letargo. De inmediato, arrojaron cuchillos, pistolas y palos al suelo, sin más demostraciones de valentía.

—Muy bien. Ahora se van a subir a los carruajes. Serán conducidos a la fortaleza, donde les esperan el coronel Cocchi y el coronel Gariboldi, que han sido nombrados jueces del consejo de guerra. No hace falta que les diga lo que les ocurrirá si oponen la más mínima resistencia.

—¡Somos agentes de la ley! —gritó uno de ellos.

—Antes de salir del castillo, he firmado la orden de disolución de su cuerpo. No son agentes de nada. Los guardias de frontera ya son historia en Ancona. Están despedidos. Pero como cometieron sus delitos cuando aún lo eran, serán juzgados por el consejo de guerra. La promulgación del «estado de sitio» me confiere poderes hasta para matarles ahora mismo, pero deseo que sea la Justicia la que se ocupe de ustedes.

Comprendieron que Felice Orsini, una vez más, se había anticipado a sus movimientos y subieron a los carruajes, sin oponer ninguna resistencia.

El comandante de la fortaleza se acercó a Felice, con rostro de preocupación.

—¿No ha notado la sonrisa en el rostro del jefe de los guardias? No sé por qué, pero me temo que aún nos esperan problemas. Tengo la sensación de que su plan no terminaba aquí.

—Es usted muy perspicaz. Claro que no. Por supuesto que esto aún no ha acabado.

El comandante abrió los ojos. Seguía viendo en Orsini algún tipo de mago.

—¿Acaso los sabe? ¿Tiene algún sistema de adivinación de artes ocultas? —parecía asustado tan solo con el pensamiento.

—Por supuesto que lo tengo, aquí adentro —dijo Felice, mientras se señalaba la cabeza y sonreía.

—No lo entiendo. Allegri y sus hombres van camino de un consejo de guerra. ¿Se puede saber por qué se ríe Allegri, cuando se supone que ha sido vencido?

—Porque aún no sabe que lo ha sido.

—¡Claro! —exclamó el comandante—. Ahora mismo, en los carruajes van veinte presos, escoltados tan solo por ocho carabineros. Supongo que piensa que intentarán fugarse antes de llegar a la fortaleza.

Orsini se giró para mirar al comandante a los ojos. Lucía una sonrisa enigmática.

—No. Le aseguro que no intentarán nada. El viaje hasta la fortaleza será tranquilo.

—¿Qué quiere decir?

—Piense un poco. Ayer intentaron entrar por la fuerza y fueron repelidos a cañonazos. Hoy lo van a hacer en carruajes y escoltados por carabineros. Todo un logro para ellos, ¿no?

—¡Pero van camino de un consejo de guerra!

—Sí, pero eso no les importa. Ya le he dicho que su objetivo era entrar en el castillo.

El comandante no comprendía nada. Alzó los hombros y esperó que Felice se explicara.

—Es muy sencillo. En la fortaleza hay veintiocho prisioneros, que son amigos y familiares de ellos. Si a eso sumamos los veinte que acabamos de arrestar, suman casi cincuenta. Son demasiados. Con los guardias de los que disponemos, si se produjera un motín, tendríamos muy complicado poder controlarlo. Por eso sonríe Allegri. Ese era su segundo plan. Si salía bien el intercambio de prisioneros, estupendo, pero si fracasaba y eran detenidos, sabía que serían conducidos a la fortaleza.

Ahora, el comandante pareció entenderlo.

—Y si sabe todo eso, ¿por qué lo permite?

—Me parece que algunos se van a llevar una buena sorpresa —dijo Felice, en un tono muy enigmático, al mismo tiempo que continuaba sonriendo, dando por terminada la conversación.

Como Felice había previsto, el trayecto desde la plaza de Ancona hasta la fortaleza se realizó sin sobresalto alguno. Ningún preso intentó nada. Los cuatro carruajes entraron en el castillo.

—Ahora, condúzcalos a las mazmorras.

—Además, ¿los piensa juntar con los miembros de las bandas de asesinos? —el comandante no comprendía a Felice—. ¡Estarán todos unidos! Podrán hablar entre ellos y organizarse para el motín. Podemos habilitar las antiguas caballerizas, que están en desuso, pero pueden cumplir la función de una cárcel provisional, si hace falta.

—No lo hará —le respondió Orsini—. Siga mis instrucciones y trasládelos a las mazmorras.

El comandante ya no puso ninguna objeción más. Se dispuso a cumplir las órdenes. Hizo descender a los veinte guardias encadenados de los carruajes. Cuando llegó a la puerta de las mazmorras, de inmediato se alarmó. Salió corriendo en dirección a Orsini.

—¡Señor! Los prisioneros han conseguido escapar. ¡Las mazmorras están vacías!

Para sorpresa del comandante, una más, Felice seguía sonriendo.

— Sí, es cierto que no están en estas mazmorras, pero no han huido—respondió con seguridad—. Ya sabía que esta situación podría darse, así que tomé mis medidas con antelación. Esta mañana le he ordenado que mandara ocho sobres y uno de ellos era para la ciudad de Ancona. Supongo que habrá visto adónde se dirigía su correo.

—Claro, usted me lo ha mostrado en el mapa. Al puerto.

—¿No lo comprende? Ahora mismo, los veintiocho prisioneros, los asesinos, están embarcados en el *Tiber*, un barco de vapor, con destino a la fortaleza de Spoleto. Mientras toda la acción parecía que se desarrollaba en la plaza de la ciudad, el cuerpo de artilleros ha trasladado a los presos al puerto. Ya no están aquí. Por eso me mostraba tranquilo ante sus temores. Me parece que algunos se van a llevar un buen chasco, en cuanto entren en las mazmorras —le explicó Felice, que no dejaba de sonreír.

—¿Cómo puede saber las cosas qué van a ocurrir antes de que sucedan? —el comandante ya no se pudo aguantar. Aquello no le parecía normal.

—Cuando llegué a la ciudad, ya le dije que, a pesar de ser diputado de la República Romana, no soy un político al uso. Poseo formación militar, aprendida observando a los mejores, la propia Guardia Suiza. Esta panda de desarrapados me han minusvalorado, pensando que sería un acomodado y tonto político más. Pues ahora se darán cuenta de que no es así. Para poder vencer una partida, uno tiene que mirar todo el tablero de juego y mover sus piezas con astucia, rapidez y contundencia. Eso es lo que he hecho. Sin embargo, ellos no miraban todo el tablero, estaban centrados en la plaza de Ancona. Mientras yo ejecutaba mi maniobra de distracción, no se han dado cuenta de mis movimientos por el otro flanco del tablero. Esa ha sido su perdición.

El comandante se despidió de Felice con premura. A pesar de sus explicaciones racionales, no podía evitar pensar en poderes mágicos.

La cara de sorpresa de los veinte guardias apresados, al ver las mazmorras vacías, fue antológica. Fueron juzgados por el consejo de guerra y condenados a diferentes penas.

Para sorpresa general, Ancona había pasado de ser una ciudad sin ley a ser un lugar seguro y tranquilo. Todo ello en apenas tres días. Algo casi increíble.

Felice se retiró al pajar. Ahora había llegado el momento de abrir los sobres. El dirigido al capitán del *Tiber* ya lo había hecho, pero los otros siete descansaban sobre su mesa. Se sentó y los rasgó.

Su rostro cambió por completo. Todo vestigio de buen humor había desaparecido. Los destinatarios eran siete jueces de la vecina ciudad de Macerata. Felice había considerado formar un tribunal popular en Ancona para juzgar a los veintiocho cabecillas de las bandas de asesinos, pero pronto lo descartó. Pensó que era mejor que fueran juzgados por profesionales ajenos a Ancona, para que no pudieran ser sometidos a presiones. Pero, ahora, estos siete jueces se negaban a acudir a Spoleto.

Su semblante volvió a reflejar la furia. Redactó siete notas, esta vez diferentes a las anteriores, y mandó llamar al comandante, para que fueran enviadas. A pesar de que ya eran las tres de la tarde, le ordenó que sus correos se esperaran a las respuestas.

Justo tres horas después, regresaron todos ellos. De los siete jueces, seis habían cambiado de opinión y se mostraban entusiasmados de colaborar con la justicia de la República Romana. Felice sonrió. La misiva que les había enviado contenía una amenaza muy contundente. Les dejaba claro que hablaba en nombre del Triunvirato. Si no obedecían, serían cesados de forma fulminante, además de afrontar las consecuencias de su desobediencia. Se fijó en la carta de rechazo del séptimo juez. No parecía importarle su clara amenaza. La leyó con detenimiento. Era una persona joven, vivía solo y estaba al cuidado de su hermana pequeña. Le decía que tan solo cobraba seis coronas al mes y que, con ese sueldo, no se podía permitir viajar a Spoleto.

Felice pensó que, con esa miseria, ¿cómo podían pretender que se administrara justicia de una manera honrosa? Ordenó que le subieran el sueldo a veinte coronas al mes, además, que recibiera seis coronas suplementarias, para poder pagarse el viaje. La contestación del juez no se hizo esperar, agradeciendo la magnanimidad de la República Romana. «No es magnanimidad», pensó Felice. «Es justicia».

Una vez estuvo todo dispuesto, su trabajo en Ancona había concluido. Redactó un decreto anulando el «estado de sitio» y todas las medidas restrictivas que había ordenado a su llegada a la ciudad. Ancona volvía a vivir en paz. Después, escribió una misiva al Triunvirato de Roma, para informarles del éxito de su misión, reprochándoles que lo había conseguido a pesar de no haberle dotado de los refuerzos militares que solicitó y esperando nuevas instrucciones.

La respuesta que recibió le alarmó. Había estado tan concentrado en resolver el problema de Ancona que se había desentendido del resto del Estado Romano. «He hecho lo que siempre he criticado. No ver todo el tablero donde se desarrollaba la partida», pensó, enfurecido consigo mismo.

Mazzini le informaba que no le había podido enviar los refuerzos solicitados, ya que tropas francesas, enviadas por Napoleón, estaban asediando Roma. El Triunvirato había nombrado a Garibaldi general y le habían encomendado la defensa de la capital del Estado Romano. Se estaban librando batallas por todo el territorio y le advertía que debía abandonar Ancona lo antes posible. Tropas austríacas se dirigían hacia allí. Mazzini le enviaba a Ascoli, sin más explicaciones.

«¿A Ascoli?», se preguntó Felice. «¿Para qué?»

Pronto lo comprendió.

Allí no había asesinos, pero sí toda una revolución organizada contra la República Romana, además instigada desde dentro. Para la sorpresa de Felice, no fue recibido con el desdén que esperaba. Las noticias de su pacificación de Ancona, de un modo tan rápido y contundente, ya se habían extendido. Notó el temor en las autoridades locales y no era para menos. Con presteza pudo saber quiénes eran los cabecillas de la revuelta. Nada más y nada menos que el propio gobernador de Arquata, su hijo y dos hermanos de un sacerdote que vivía con los bandidos, que controlaban todo el estado. Como hizo en Ancona, ordenó al coronel Roselli que los detuviera. Al principio se mostró temeroso.

—Los bandidos controlan todo el tráfico de armas, pero también de alimentos. Si sigo sus instrucciones, corremos el riesgo de que la población quede desabastecida y muera de hambre.

—¿Quién es el responsable máximo de ese control?

—Los dos hermanos del sacerdote.

—Los quiero en mi presencia en treinta minutos. Además, deseo que haga otra cosa por mí —le dijo, mientras le entregaba una nota—. Léala y siga sus instrucciones al pie de la letra.

El coronel también observó la determinación en la mirada de Felice. Abrió el sobre. Ahora, su rostro reflejaba el espanto, pero, a pesar de ello, no osó desobedecerle, aunque lo hiciera de mala gana.

Pronto los dos hermanos comparecieron frente a él.

—Me han dicho que estáis asociados con los bandidos de las montañas y que controláis todo el mercado de Ascoli —les dijo Felice.

—No somos bandidos, solo comerciantes —le respondieron, indignados—. Si le han contado que somos contrabandistas, le han mentido. La mejor prueba de ello es que, en la ciudad, los mercados están bien surtidos. No falta de nada.

—Quizá en Ascoli no falte de nada, pero, desde luego, sí que sobra algo. Vosotros. Quedáis arrestados por tráfico de armas en nombre del Triunvirato de la República Romana. Seréis sometidos a juicio mañana mismo.

—¡No se atreverá! —dijo uno de ellos—. ¿Qué pensará el pueblo cuando no tenga comida?

—No lo sé —le respondió Felice, con una mirada felina—, pero si eso ocurre, no habrá juicio para vosotros. ¿Veis esta pistola? —dijo, mientras señalaba su arma—. Pues yo mismo os ejecutaré y, a continuación, lo haré con vuestro hermano sacerdote.

—Tenemos poderosos protectores —continuaron retando a Felice.

—¿Como estos? —les preguntó Felice, mientras levantaba la mano a uno de los guardias. De inmediato, abrieron una puerta y aparecieron dos personas, con grilletes.

Los hermanos se quedaron blancos.

—Como veis —continuó Felice—, no tenéis nada.

En la estancia habían entrado, escoltados, el gobernador y su hijo.

—Que sepáis que este despojo humano ya no es gobernador de nada. Por los poderes que me han sido conferidos, ha sido cesado de sus funciones con carácter inmediato. Ambos serán juzgados mañana mismo.

—Cuando no volvamos a casa y nuestros compañeros se enteren de nuestro arresto, marcharán sobre Ascoli, causando un gran daño —a pesar de todo, la actitud de los bandidos seguía siendo desafiante.

Felice se les quedó mirando, pero ahora con media sonrisa en su rostro.

—Para vuestra información, quiero que sepáis que, en este mismo momento, se dirige el ejército de Ascoli hacia vuestra casa en las montañas. Si no los detengo, no habrá piedad para nadie. Arrasarán todo lo que encuentren a su paso.

—¡Pero no puede hacer eso! ¡Se supone que usted es un diputado y debe respetar la justicia!

—La misma que vosotros os saltáis —ahora, Felice parecía enfurecido—. Los personajes de vuestra calaña solo conocéis este lenguaje. Violencia. Si la queréis, la tendréis, pero no os gustará el resultado. Aun así, en vuestra mano tenéis la elección. Justicia o muerte.

Los hermanos se quedaron mirando. Una vez más, Felice se había anticipado a su jugada. Contundencia y rápido despliegue de todas sus piezas. Esa era la clave de la victoria.

—Está bien, ordene a los soldados que se detengan —dijo el que parecía estar al mando—. Aceptaremos ese juicio.

Así fue. Al final, la justicia detuvo a más de veinte personas. Al día siguiente se celebraron juicios para todas ellas, con el resultado de tres condenas a muerte y diversas penas de prisión. También hubo absoluciones. Una vez más, Felice había resuelto el problema con eficacia.

A la vuelta a su pensión, advirtió la presencia de un carabinero procedente de Roma. Se intranquilizó. Pensó que no debía ser portador de buenas noticias.

—Me manda el señor Mazzini —dijo—. Por seguridad, no ha querido enviarle ninguna nota, ya que la mayoría son interceptadas. La República se está resquebrajando. Aunque Roma aún resiste, no sabe por cuánto tiempo logrará hacerlo. A los franceses se han unido los austríacos y hasta tropas españolas.

—¡Malditos traidores! —exclamó Felice—. ¿Y qué quiere Mazzini de mí?

—Que vuelva a Roma de inmediato. Un ejército de soldados austriacos ha tomado Ancona y ahora se dirige hacia aquí. Se espera que ataquen la ciudad mañana, al anochecer. Por ello, debe abandonarla cuanto antes. Su vida corre peligro.

—¡Ni hablar! —a Felice le salió del alma—. Ya me marché de Ancona y ahora ha caído. Todo mi trabajo no sirvió de nada. Dígale a Mazzini que regresaré a Roma, pero a su debido tiempo. Antes tengo una misión que cumplir.

El carabinero partió con sus instrucciones. Felice no perdió ni un momento y convocó al coronel Roselli.

—¿De cuántos hombres dispone? —Felice fue al grano.

—No más de doscientos, pero están mal entrenados y desmotivados. Todos conocemos que la república se desmorona.

—¿Se van a rendir antes que luchar? ¿Acaso prefieren el control papal?

—Desde luego que no. Preferimos la República, pero las tropas austríacas son más numerosas que nosotros y están muy bien adiestradas. Eso es un hecho. No creo que tengamos opciones contra ellos.

—También las tropas que asedian Roma son más numerosas, sin embargo, nuestra capital resiste y ha ganado todas las escaramuzas que se han librado. A veces, no es una cuestión de cantidad, sino de actitud. De todas maneras, si reclutara a todos los jóvenes capaces de combatir de la ciudad, ¿qué ejercito podríamos conformar?

El coronel se tomó su tiempo.

—Supongo que podríamos incrementar nuestras tropas en trescientos hombres más, a lo sumo. Quinientos en total.

—¿Dispone de armas para ellos?

—Sí, pero ese no es el problema. No saben utilizarlas más que para cazar o con fines recreativos. Recuerde que no son soldados.

—Todos llevamos un soldado dentro cuando se trata de defender nuestra patria y los valores de la República Romana. Movilice a todos los que pueda. Nos anticiparemos a los austríacos y los atacaremos antes de que lleguen a la ciudad. No se lo esperarán. Partiremos en cuanto esté listo. Dispone de cinco horas. ¿Ha quedado todo claro?

El coronel no osó ni rechistar. Salió de la estancia de inmediato.

A las tres de la madrugada, Felice tenía su ejército. Al final, el coronel había conseguido reunir a quinientos cincuenta personas, más cincuenta carabineros que se habían querido unir. Todos iban armados y pertrechados.

Estaba orgulloso.

—¡Escuchad! —les arengó—. No solo luchamos por salvar las vidas de nuestras familias. También lo hacemos por nuestro país, por nuestros valores. ¡No permitamos otra ocupación! ¡Nuestra historia nos observa! ¡Viva Italia libre y unida!

Se escucharon algunos gritos de «¡muerte al invasor!», pero tampoco con el entusiasmo que Felice sentía. Pensó que era normal. En apenas unas horas entrarían en combate y, la mayoría de ellos, no eran soldados. Muchos morirían.

El tres de junio de 1849, a las tres y media de la madrugada, partieron hacia las montañas, para enfrentarse a las tropas austríacas. En un principio, la moral no era del todo mala, a pesar de la juventud y poca preparación de su ejército. La mayoría lo veía como una aventura.

Poco duró.

Después de tres días de duros combates, en un terreno que no les era nada propicio, sus bajas comenzaron a ser considerables. A pesar de ello, habían detenido el avance de las tropas invasoras, pero a un precio muy elevado. Llegó un momento que la situación se tornó desesperada. Ni siquiera eran capaces de atender a sus propios heridos.

Felice no quería prolongar más la agonía. Era consciente que serían vencidos, tarde o temprano, así que solicitó una reunión con el comandante de las tropas austríacas, para negociar una rendición. No deseaba causar más daño a aquellos jóvenes, que lo habían dado todo.

La rendición se firmó, con unas condiciones ventajosas para ellos. Al fin y al cabo, el principal objetivo del ejército austríaco no era Ascoli, sino unirse al asedio de Roma. Habían perdido tres importantes días en esta escaramuza, así que cedieron. Les prometieron la libertad a todos para que regresaran a sus casas. A los que no lo desearan, les facilitarían un pasaporte. Felice consiguió uno, a nombre de un tal subteniente Francis Pinelli.

Debía regresar a Roma, como así lo hizo.

Derrotado y exhausto, ahora debía sortear el asedio de los franceses para poder entrar en la ciudad.

Lo que vio le impresionó.

Roma estaba completamente sitiada. El ejército francés y sus aliados tenían una posición muy sólida y, estimó, disponían de más de veinte mil hombres.

Con ayuda de su pasaporte austríaco, logró traspasar las líneas enemigas y entrar en la ciudad.

Si le había impresionado el asedio, lo que vio en el interior de Roma aún lo hizo más.

La derrota se respiraba en el ambiente. Felice, en su interior, se sentía satisfecho del arrojo de sus compañeros, ya que no comprendía como, con tan pocos efectivos y en un estado tan lamentable, aún fueran capaces de resistir el asedio de un ejército muy superior. Pero eso no cambiaba su percepción. Roma iba a caer y, con ella, la república y por todo lo que había luchado.

Tantos esfuerzos y sacrificios para nada. Tanta sangre derramada de patriotas para volver a ser ocupados y sojuzgados por tropas extranjeras. La república francesa, comandada por Napoleón, destruía la República Romana. Sintió furia.

«Ya nada puede ser peor», pensó, abatido.

Se equivocaba. Las cosas siempre pueden empeorar.

23 NUEVA ORLEANS, DEL 22 AL 25 DE MAYO DE 1850

—¡De ninguna manera! ¡No lo permitiré!

—No lo podemos rechazar, es una oportunidad única de las que se dan tan solo una vez en la vida. Es un regalo caído del cielo.

—Más que caído del cielo, surgido de las entrañas del infierno.

—Creía que tenías un pacto con Paul.

—Y lo he cumplido, incluso por encima de sus condiciones expresas. Permití la partida a ciegas contigo, el encuentro con McConnell y que Eugène Rousseau lo entrenara, conociendo que lo estaba animando a leer libros ajenos a las Leyes, algo que iba expresamente en contra del pacto, evitar lecturas que no le sirvieran para su futuro profesional. También he permitido sus partidas dominicales con jugadores del club, por no extenderme en otras cuestiones en las que he hecho la vista gorda. Creo que no tendréis ninguna queja de mí, pero lo que ahora me pides es demasiado.

—Ahora que nombras a Eugène. Sabes que todos consideran a Rousseau el mejor ajedrecista de todo Louisiana, sin olvidar que es el actual subcampeón absoluto de Estados Unidos. ¿Sabes lo que opina él, después de haber entrenado a tu hijo? Que ya no se considera el mejor. Que ese puesto le corresponde a Paul. Rousseau ha jugado con europeos. Piensa que Paul, a su edad, ya está por encima del nivel de la mayoría y eso que sabe que no se ha estudiado ni uno de esos libros que le recomendó, entre otras cosas, por cumplir con el acuerdo que alcanzasteis. Eugène opina que la simplicidad del juego de Paul es de una complejidad absolutamente brillante.

Una paradoja. Dice que el concepto de desarrollo del juego que posee, rápido y contundente, no lo había visto con anterioridad a ningún jugador del mundo. Como comprenderás, no son palabras para no tenerlas en cuenta. Es lógico que, ahora, todas las miradas de la comunidad ajedrecista estén puestas en Paul. Entiende que es algo inevitable.

—Eso es precisamente lo que me espanta. Jamás creía que llegaría tan lejos.

—No te das cuenta, ¿verdad? A pesar de todo, no ha empezado a andar todavía.

—El que no te das cuenta eres tú. ¿No comprendes que cada argumento tuyo me reafirma en mi decisión? Me espanta lo que me dices. Habéis convertido a mi hijo en material de feriante, un bicho raro, como el hombre elefante o la mujer barbuda. ¡El niño prodigio de Nueva Orleans! Tan solo deseo lo mejor para él, que se aplique en los estudios, siga mis pasos y se convierta en un gran abogado. No es tan difícil de entender. Además, no hace falta que te recuerde su condición física. Cada vez que juega partidas duras de ajedrez, se debilita en exceso.

—Lo sé, pero tú pusiste remedio a eso. Sabes que a Paul no le gusta la actividad física, sin embargo, contrataste a un profesor particular para que le enseñara esgrima. Hoy en día, maneja la espada como pocos en la ciudad, y eso le ha fortalecido.

—Aun así, sigue siendo un niño de constitución débil.

Ernest hizo una pequeña pausa. Estaba manteniendo esta discusión con su hermano.

—Escucha, Alonzo, tu hijo ya no es el niño que tú crees. Está cumpliendo con su parte del acuerdo con creces. Como me temía esta conversación contigo, ayer me acerqué a la *Jefferson Academy* en Bourbon Street. Ya sabes que estudié allí también. Mantuve una breve charla con mi amigo, el director Lord, y afirmó, sin ningún lugar a dudas, que Paul es uno de los alumnos más brillantes y más aplicados que ha conocido. Sus calificaciones académicas son extraordinarias. Le encanta la literatura, lee a diario a los clásicos, pero también destaca en matemáticas. Es un alumno completo y muy bien formado. También me ha dicho que se graduará con honores. En apenas unos meses dejará Nueva Orleans para asistir al *Spring Hill College* de Alabama, tal y como tú deseas. Todo eso lo hace por ti. ¿Acaso le has preguntado alguna vez lo qué quiere él? A pesar de Amélie, se marchará, todo ello para complacerte. ¿No crees que se merece esta oportunidad? Si la desdeña, quizá no tenga otra.

—Espera, espera, ¿quién es Amélie?

Ernest no pudo evitar sonreír.

—Supongo que los padres son los últimos que se enteran de estas cosas. No te asustes. Es una muchacha extraordinaria, de buena familia de emigrantes franceses, hija de Alexandre Durand, que creo conoces. Bueno, pues desde hace unos tres años, con el pretexto de enseñarle a jugar al ajedrez, se ven todos los sábados, creo que ya me entiendes...

—¿Por qué Paul no me ha contado nada?

—¿Hace falta que te lo diga? Por el mismo motivo que estamos manteniendo esta conversación. Escucha, hermano, tu hijo Paul es muy educado, responsable, un brillante estudiante que le hace caso a su padre y lo respeta. ¡Ya me gustaría que cualquiera de mis hijos fuera como Paul! No puedes negarle esta oportunidad. No sería justo para él.

Alonzo se quedó pensativo. A pesar de que todo lo que le estaba diciendo su hermano era cierto, el detalle de ocultarle lo de Amélie era lo que más le había preocupado. «¿Será posible que esté siendo demasiado estricto con él, sin darme cuenta?», pensó Alonzo. «No se ha atrevido a contármelo, seguro que por miedo a mi reacción».

Se hizo un silencio algo incómodo, pero Ernest conocía a su hermano, así que dejó que su mente madurara la propuesta.

—¿Cuántas partidas serían?

—Tan solo tres, una por día. Nada parecido al maratón de diecisiete partidas que jugó contra McConnell, en tan solo un fin de semana —Ernest intentaba reprimir su alegría. Esa pregunta de su hermano significaba que estaba venciendo su reticencia.

—¿Perderá?

—Bueno, eso no lo sé. Paul ha alcanzado una madurez en su juego nunca vista a su edad, pero no estamos hablando de cualquier rival. Jamás se ha enfrentado a un profesional europeo. Ya sabes que ningún ajedrecista americano ha tenido jamás ninguna oportunidad contra ellos. Además, se trata del húngaro Johann Lowenthal, que quizá sea el jugador con mejor preparación técnica del mundo. Pertenece a la élite. Lleva unos meses en Estados Unidos y, por supuesto, ha barrido a todos los jugadores con los que se ha enfrentado, incluyendo a nuestro campeón, Charles Stanley, casi sin despeinarse. Cuando visitó la costa oeste, jugó contra James McConnell, al que, por supuesto, también derrotó. Él fue el que le habló de un chico prodigio que le había dado una lección, hacía un año, en Nueva Orleans. Lowenthal ni se lo pensó. Llegó ayer a la ciudad con el único propósito de medirse a Paul.

—En resumen, que crees que perderá.

—Es muy probable, pero cada vez que eso ocurre, Paul se vuelve más fuerte. Aprende más de sus tablas y derrotas que de sus victorias. Además, estoy seguro de que le curtirá como persona. Son experiencias que se viven una vez en la vida. Sin duda le ayudará en su futuro como abogado.

—No hace falta que me engatuses. Ya lo había decidido. Jugará contra el húngaro ese, pero con las condiciones que me has dicho. Tan solo tres partidas y una por día. ¿Cuándo empezarían?

Ernest no pudo evitar sonreír de nuevo.

—En tres horas en el pequeño club del tercer distrito. Una hora antes se ha organizado una recepción por todo lo alto. Ten en cuenta que jamás había visitado Nueva Orleans un ajedrecista de talla mundial como Lowenthal. Supongo que vendrás, ¿no?

—¿En tres horas? ¿Paul lo sabe? —se sorprendió Alonzo.

—Por supuesto que conoce la propuesta de Lowenthal, pero no tu decisión acerca de si le permitirías jugar. Te estará esperando en su habitación. Quizá deberías mantener una conversación con él —dijo Ernest, mientras se dirigía a la puerta de salida de la casa, satisfecho por el deber cumplido. Su hermano nunca se lo ponía fácil.

Alonzo subió a la habitación de Paul. Lo primero que hizo fue preguntarle por Amélie. Se dio cuenta de que hacía tiempo que no hablaba con su hijo. Unos minutos le bastaron para descubrir que su hermano tenía razón, ya no era el Paul que él creía que era. Había madurado, quizá debido a las partidas de ajedrez con adultos o por la cuestión que fuese, pero le gustó lo que vio. No era un niño. Se había convertido en un joven con las ideas muy claras y, aunque débil físicamente, tenía una determinación de hierro.

—¿Me acompañarás a la partida? Supongo que Ernest te habrá contado quién es mi rival. Para mí sería importante que estuvieras a mi lado. A pesar de la confianza en mi juego, soy realista. Me apetecería verte junto a mí, también en las derrotas.

—¿Sabes? —le respondió Alonzo—. Hace apenas diez minutos daba por supuesto que perderías, por eso era reticente a permitir las partidas, pero después de esta conversación, ya no lo tengo tan claro. Creo que puedes ganarle al húngaro ese.

Padre e hijo se fundieron en un abrazo. Su relación siempre había sido muy distante, tanto que Paul no recordaba cuándo había sido la última vez que se habían abrazado.

En una hora salieron hacia el club de ajedrez, juntos. Curiosamente, no pronunciaron ni una sola palabra acerca del ajedrez ni del magno evento que iba a tener lugar en un momento. La conversación giró en torno a Amélie. Su padre se rio cuando le contó sus alocadas ideas y su fuerte personalidad. También se sorprendió cuando supo que jugaba a un nivel muy respetable al ajedrez.

—¡Menuda mujer! ¿No había otra en Nueva Orleans?

—No, estoy seguro de que no hay otra como ella.

Sin darse cuenta, hablando y riendo, llegaron al club de ajedrez. Nada más ver la multitud que se agolpaba en la puerta, ya se dieron cuenta de la dimensión del evento. Aquello excedía de sus expectativas.

—Me parece que, a partir de ahora, el protagonista vas a ser tú —le dijo su padre.

—No creo, lo es Lowenthal. Todo esto lo han organizado por él.

—Quizá ahora sea así, pero espérate a que acabe la partida —le dijo, guiñándole un ojo.

Paul no pudo evitar reírse, pero agradeció las palabras de ánimo de su padre. No tenía ninguna presión, ya que tampoco tenía nada que perder. «Voy a entrar en el club y me voy a divertir», se dijo. «En realidad, ya he ganado, pase lo que pase. Es todo un honor que un gran jugador profesional europeo se fije en mí».

Así, entró en el club con una sonrisa de oreja a oreja, para asombro de todos los presentes, que quizá lo esperaran atemorizado.

A los pocos minutos de llegar Paul, observó como todas las personas congregadas en el salón se dirigían hacia la puerta.

Supuso que llegaba la estrella de la velada. Se quedó en un segundo plano, ya que él no se sentía el protagonista de nada.

La entrada en el club de Johann Lowenthal fue todo un espectáculo. Fue agasajado por el alcalde y todo el consejo de la ciudad, además de por Eugène Rousseau y demás ajedrecistas del club. Paul seguía en una esquina del salón, observando, sin acercarse a la muchedumbre.

Después de treinta largos minutos, al final, la multitud se comenzó a dispersar. Alonzo acudió al lado de su hijo, como también lo hizo Ernest. Rousseau se acercó, junto con Lowenthal y los presentó.

Por la expresión en su rostro, el maestro húngaro se sintió decepcionado. Daba la sensación de que tan solo veía en Paul a uno de esos niños que jugaba de forma decente al ajedrez, sin más. Ya se había enfrentado a algunos de ellos dándoles ventajas, y les había ganado con facilidad. Ni siquiera le dio la mano, tan solo unas palmaditas cariñosas en la cabeza. Estaba claro que no se estaba tomando en serio el desafío. Le preguntó sí aún quería jugar la partida. La respuesta de Paul fue rotunda. A continuación, le ofreció la ventaja de un alfil. Paul ni siquiera se molestó en contestarle. Su mirada, que reflejaba un profundo enfado, lo decía todo. Estaba claro que no le estaba sentando demasiado bien el trato de Lowenthal.

Ernest reconoció esa mirada de Paul. Era la misma que había exhibido en su partida contra el doctor Rizzo, cuando se vio sin opciones de ganar. Era la mirada de un tigre herido.

Lowenthal se limitó a levantar los hombros, ante el aparente desdén de su joven adversario, y se sentó delante del tablero. Paul lo hizo a continuación. Estaba mucho más serio de lo normal.

Después del sorteo, Paul jugaría con las piezas negras, La partida comenzó. Los primeros ocho movimientos fueron muy rápidos por ambos jugadores, casi al toque. Paul planteó una defensa siciliana perfectamente ejecutada, para sorpresa de su padre, ya que pensaba que no había estudiado libros de aperturas. Se lo comentó a su hermano.

—Te aseguró que jamás ha abierto uno, ni de aperturas ni de ningún otro tipo, a pesar de mis reiterados ofrecimientos y de Rousseau. Aprende viendo jugar a los demás —le respondió.

Al llegar al duodécimo movimiento, Lowenthal levanto su mirada y se quedó mirando a Paul. El húngaro tenía unas cejas muy pobladas y las alzaba como un *tic*. Cuando lo hacía, su rostro parecía cómico. Estaba claro que se había dado cuenta de la fortaleza de su rival. A partir de ese momento, comenzó a pensar sus jugadas con más detenimiento.

Paul, sin embargo, no parecía cómico en absoluto, más bien todo lo contrario. Estaba claro que le había herido el menosprecio de Lowenthal y no levantaba la vista del tablero. No parecía querer cruzar ni una sola mirada con su rival.

Para sorpresa de los presentes, Paul estaba jugando con una precisión teórica superior a la del maestro húngaro, que, a medida que avanzaba la partida, repetía con más frecuencia esos gestos tan cómicos.

Llegados a la vigésima jugada, Paul levantó la vista del tablero, por primera vez. Ahora sí, se cruzaron las miradas.

—Señor, creo que…

—Ya me he dado cuenta, joven. Sin duda, la fatiga del viaje me ha afectado más de lo que creía. La partida es tuya, enhorabuena. Me vuelvo a descansar a mis aposentos —dijo, levantándose de la mesa y saliendo del club, sin cruzar ni una sola palabra con nadie.

Tan repentino e inesperado fue toda la situación, que el público presente no parecía reaccionar. El único que lo hizo fue Eugène Rousseau, que acercó su boca al oído de Paul, para que su comentario no fuera escuchado por la gente.

—Has jugado la mejor partida que te he visto disputar jamás. No le hagas caso. Para que lo sepas, ayer, nada más llegar a la ciudad, nos enfrentamos y me ganó en tan solo veintiún movimientos. De fatigado nada, ha sido una victoria extraordinaria, casi diría que histórica. Que sepas que eres el primer estadounidense que lo logra. Quizá no seas consciente de lo que acabas de conseguir.

Después del gesto de Rousseau, los testigos de la partida parecieron reaccionar. Todos se acercaron a felicitar al joven Paul, especialmente su tío Ernest, que lo tomó en brazos y lo alzó. Su padre Alonzo, sin embargo, se apartó a una distancia prudencial. A pesar de que le había dado ánimos a su hijo, estaba claro que pensaba que no iba a tener ninguna opción de victoria. Su rostro reflejaba la preocupación.

Al cabo de un cuarto de hora, Paul y su padre volvieron a su casa.

—Parece que no te haya alegrado mi inesperada victoria —le dijo Paul.

—¡Por supuesto que sí! —le respondió—. Lo que no me alegra tanto son sus posibles consecuencias.

—¿Qué quieres decir?

—He estado observando a Lowenthal toda la partida. Era evidente que te estaba menospreciando y, cuando ha querido reaccionar, ya era tarde. En la jugada duodécima, cuando has puesto en juego tu dama, la partida ya era tuya. ¿Me equivoco?

—No, tienes razón. Yo he sentido lo mismo.

—Cualquier jugador profesional hubiera abandonado en ese momento, pero él ha seguido jugando, pensando que cometerías un error y podría darle la vuelta a la partida.

—Bueno, estaba fatigado, ha hecho un viaje muy largo para llegar a Nueva Orleans. Supongo que no ha sido buena idea jugar hoy.

Su padre sonrió.

—He escuchado lo que te ha dicho Rousseau. La victoria ha sido legítima. Cuando se sepa que un joven de trece años ha derrotado al gran maestro húngaro Lowenthal, ya no solo serás reconocido en el país. Tu nombre sonará también con fuerza en Europa.

—No te olvides que aún quedan por jugar las otras dos partidas acordadas. Si gana ambas, me habrá vencido por dos a uno. Hoy le he podido pillar desprevenido, pero no creo que vuelva a suceder mañana.

—Y yo no creo que juguéis mañana —le respondió su padre, sonriendo por primera vez en bastante tiempo.

Profético.

Al día siguiente, Paul acudió a la escuela como cualquier jueves. No se podía quitar de la cabeza lo sucedido ayer, pero pensaba que, esta tarde, las cosas serían diferentes. Lowenthal ya conocía su fuerza y no se dejaría sorprender.

Cuando volvió de la *Jefferson Academy*, su padre le estaba esperando en la puerta.

—Esta nota acaba de llegar, es para ti —dijo, mientras se la daba a su hijo.

—¿No la has abierto? —le preguntó Paul, sorprendido.

—¿Para qué? Ya conozco su contenido.

—Paul rasgó el sobre y la leyó. Era una carta de disculpa de Johann Lowenthal. Le manifestaba que había minusvalorado los efectos del largo viaje hasta Nueva Orleans y que no se encontraba en condiciones de afrontar una nueva partida hoy. Proponía reanudar el juego el sábado.

—¿Cómo sabías que esto iba a suceder? —le preguntó Paul a su padre.

—No olvides que soy abogado. Me gano la vida interpretando las cosas y ello no excluye a las personas —dijo, sonriendo—. Ahora, tienes una magnífica oportunidad de rechazar su ofrecimiento. Ha sido Lowenthal el que ha incumplido el acuerdo al que llegó con tu tío Ernest. No tienes necesidad de volverte a enfrentar a él. Además, el sábado, ¿no es el día de Amélie?

Paul se quedó mirando a los ojos de su padre.

—¿En serio crees que no quiero volver a jugar contra él? El ajedrez es un simple juego. Aunque desee volverle a ganar con todas mis fuerzas, te aseguro que no pasa nada porque pierda.

—Bueno, es tu decisión —concluyó su padre, que estaba claro que no quería exponer más a su hijo, pero tampoco faltar a su palabra.

El viernes, Paul recibió otras dos notas. La primera era de Lowenthal. Por un momento, se temió que volviera a solicitar otro aplazamiento, pero, para su sorpresa, no se trataba de eso. Confirmaba que la próxima partida sería mañana, pero no deseaba hacerlo en el club. Proponía un lugar más discreto, como su residencia. Paul lo comentó con su padre, que se limitó a sonreír y aceptar. La segunda nota era de Rousseau. Le informaba que Lowenthal le había citado ayer para jugar una serie de partidas contra él. Además, le indicaba que estaba en plena forma y, en absoluto, indispuesto.

—Parece que el gallito húngaro no las tiene todas consigo —comentó—. Te teme. Aprovéchalo.

—Padre, te quiero pedir un favor un tanto inusual. Ya que es sábado, me gustaría invitar a Amélie a que presenciara la partida. Ya conoces que la he instruido en el juego y es una buena jugadora. Le hará ilusión y a mí también.

Alonzo no pareció sorprendido.

—Si su padre Alexandre da el consentimiento, por mí no hay ningún problema.

Llegó el sábado. La partida estaba fijada para las diez de la mañana. Los únicos testigos de la misma iban a ser Alonzo, Ernest Morphy, Charles Le Carpentier, Joseph Le Carpentier, Eugène Rousseau y... Amélie Durant. Paul se la presentó a su padre. Teniendo en cuenta la abismal diferencia de caracteres entre ambos, Alonzo un abogado serio y Amélie una joven que podía ser cualquier cosa menos seria, parece que se cayeron bien.

Lowenthal fue puntual a su cita y se disculpó como un caballero por el indeseado retraso. Les informó que había estado dos días algo indispuesto, pero que ya se encontraba en condiciones de reanudar el juego.

Paul sonrió, pensando en la nota de Rousseau, pero aceptó educadamente las disculpas.

La partida se desarrolló en el despacho de Alonzo, donde solía jugar la familia las partidas dominicales.

Esta vez, Lowenthal demostró una actitud completamente diferente a la del jueves, ahora era mucho más respetuoso. Antes de comenzar la partida, le dio la mano a Paul, como ocurría en los torneos. Nada de golpecitos en la cabeza.

A Paul le correspondía jugar con blancas. Inició su juego. Para sorpresa de todos los presentes, Lowenthal propuso una defensa Petroff. Bien jugada, era considerada útil para obtener unas tablas, ya que la posición resultante obtenida era muy igualada. Después del dominio del que había hecho gala Paul con la defensa siciliana, en la anterior partida, estaba claro que Lowenthal no quería correr riesgos en los primeros movimientos. Una posición equilibrada, después de la apertura, podía darle ventaja en el medio juego. Primer error. El húngaro no conseguía ventaja. Paul estaba jugando de manera muy sólida.

Llevaban cincuenta movimientos y la posición seguía equilibrada. Entonces, se produjo lo inesperado. En la jugada cincuenta y cuatro, Lowenthal cometió un error de principiante. Inmediatamente se dio cuenta, así como Paul. La partida estaba siendo muy interesante y el joven jugador le propuso al maestro que rectificara su movimiento. No deseaba ganar así. Lowenthal se lo tomó muy mal. Sin responder, retiró todas las piezas del tablero y le propuso a Paul comenzar una nueva partida. Paul aceptó.

Todos los presentes estaban asistiendo atónitos a todo aquello. Se quedaron mirando entre ellos, sin terminar de comprender la reacción de Lowenthal, que, ahora, parecía enfadado de verdad. En cambio, Paul permanecía estoico, sin dejar vislumbrar ninguna emoción.

Ahora, el maestro húngaro jugaría con las piezas blancas. Esta partida se inició de forma completamente diferente a las dos anteriores. Lowenthal estaba herido y parecía que había considerado jugar al ataque desde el principio, para no dar opción a Paul a desarrollar su juego. Estaba claro que no lo conocía. Esa era precisamente la especialidad del joven jugador. Aquel duelo prometía. Rápidamente se produjeron intercambios de piezas y la partida se hizo muy dinámica. Sin saberlo, Lowenthal se había metido en la boca del lobo. Paul se encontraba muy cómodo con ese estilo de juego, tanto que anunció mate en cinco movimientos en la jugada veinticuatro, para sorpresa de Lowenthal, que no lo había visto. Se levantó de la mesa con rapidez, observando el tablero.

Los testigos de la partida tampoco lo habían visto venir. Estaban estudiando la posición, menos Amélie, que sonreía observando a Paul, no porque lo hubiera visto, que tampoco, sino porque sabía que era cierto, tan solo observando su mirada de confianza. Se intercambiaron sonrisas.

Paul y, por qué no decirlo, todos los presentes, se esperaban una reacción airada de Lowenthal, al verse derrotado con semejante contundencia, además, en esta partida, sin ninguna excusa posible. Sin embargo, para sorpresa de todos, cuando vio la secuencia ganadora de su rival, levantó la vista y fijó sus ojos en los de Paul. No era una mirada furiosa, sino que reflejaba una profunda admiración. Le indicó que se levantara y le dio un abrazo.

—Me has vencido y ahora no me quedan pretextos. Ha sido sencillamente brillante. Tu desarrollo de las piezas ha sido espectacular. Jamás había visto a nadie hacerlo con tanta rapidez y con semejante contundencia. Me has avasallado y lo peor es que ni lo he visto venir. No debí aceptar ese sacrificio de tu caballo a costa de mis dos peones centrales. Creía que esa pequeña ventaja de material me daría ventaja en el final de la partida, pero, sin darme cuenta, ese ha sido el principio del fin para mí. Por ahí has preparado tu ataque imparable.

Paul estaba sorprendido. No sabía qué decir, así que permaneció en silencio.

—¿Cuántos años me habías dicho que tenías?

—No se lo había dicho. Tengo trece.

—Sin ninguna duda, eres la reencarnación de Philidor. Tienes un brillante futuro por delante. ¿Te has planteado acudir al Congreso Internacional de Ajedrez? Se celebrará el año que viene en Londres. Podría conseguir que te invitaran, aunque supongo que cuando se sepa que, a tu edad, has logrado derrotarme, no te hará falta mi mediación. Estarán encantados de contar con tu presencia.

Alonzo saltó como si tuviera un muelle en su silla.

—Disculpe, *Herr* Lowenthal, pero mi hijo, en esas fechas, estará en Alabama, continuando con su formación en el *Spring Hill College*. Será abogado como yo. Ya está convenido. El ajedrez es tan solo un entretenimiento.

—Es mucho más que eso, señor Morphy, pero es su decisión. Parece que no se da cuenta de que su hijo es una crisálida en su capullo. Llegará un día en que salga de él y será imparable. Tan solo puede retrasar lo inevitable pero, mientras eso ocurre, le hará daño a Paul. De todas maneras, no deseo inmiscuirme en temas familiares. Muchas gracias por su hospitalidad.

—Ha sido un verdadero honor contar con su presencia en Nueva Orleans —intervino Ernest, que veía a su hermano enojado por los comentarios del maestro húngaro y no deseaba que la conversación trascurriera por ese camino.

—En cuanto a ti —dijo Lowenthal, dirigiéndose a Paul—, daré publicidad a estas partidas. No creas que me avergüenzo de la derrota. Probablemente haya sido el primer maestro que haya tenido el placer de jugar con el que, algún día, podría ser el campeón del mundo de ajedrez más joven de la historia, aunque no sea un título oficialmente reconocido.

Con un gesto de saludo a todos los presentes, inclinando la cabeza, abandonó la casa de los Morphy y Nueva Orleans.

—No se te ocurra ni pensarlo —dijo Alonzo, dirigiéndose también a su hijo, mientras despedía a sus invitados.

El ajedrez, como el amor o la música, tiene el poder de hacer felices a los hombres. Ahora mismo, Paul lo tenía todo. No quería mirar más allá.

Mejor así.

La vida es muy caprichosa. Cuando parece que te lo da todo, de repente, te lo arrebata.

24 EUROPA, ENTRE LOS AÑOS 1849 Y 1854

—Debes abandonar Roma cuanto antes.

—Ese no es mi deseo. Quiero combatir hasta el final.

—Este es el final. No podemos resistir más. Mañana rendiremos la ciudad y firmaremos las capitulaciones frente a los franceses. Acabas de llegar y habrás sido testigo de la diferencia de fuerzas. No podemos permitir más sufrimientos a nuestro pueblo.

Felice estaba manteniendo esta conversación con Giuseppe Mazzini, el alma del Triunvirato de la República Romana, a la que apenas le quedaban unas horas de existencia.

Bajó la cabeza. Le vino a la mente su reciente rendición frente a las tropas austriacas en Ascoli. El sentimiento era muy parecido.

—Aunque me cueste admitirlo, lo sé —dijo, al fin.

—Vuelve a Florencia con tu esposa. Esto no ha terminado. Napoleón puede haber ganado una batalla, pero no la guerra. Tendremos más ocasiones de seguir peleando por nuestra libertad. Ahora, todos los prisioneros que hiciste en Ancona y Ascoli se han unido al asedio. En cuanto entren en Roma y te reconozcan, te lincharán de inmediato.

Felice tenía un nudo en el estómago. No le salían las palabras. Mazzini le extendió la mano.

—Toma —le dijo—. Es un pasaporte inglés auténtico. Con él podrás moverte con libertad. Deshazte del que tienes ahora, ya no es seguro.

Se dieron un prolongado abrazo.

—Esto no es el fin —se dijeron.

Felice abandonó Roma la mañana del 10 de julio de 1849, con destino a Florencia. Allí se enteró de la caída de Venecia. Se había desmoronado todo por lo que había luchado durante años. Sintió rabia, pero también vergüenza. «Veintiocho millones de italianos, y tan solo han defendido Roma unos catorce mil y Venecia dieciséis mil. ¿Dónde estaba el resto?», pensaba, con amargura.

Junto con su esposa, abandonaron Florencia, con gran dolor en su corazón. Después de un breve paso por Génova y Londres, en marzo de 1850 recalaron en Niza. Los primeros meses Felice estuvo ocioso, residiendo en una pequeña casa en la campiña. Poco después, retomó sus estudios, sin olvidar su preparación militar. Todas las tardes montaba a caballo y se ejercitaba con la espada y diversas armas de fuego. Supo que su tío Orso había perdido gran parte de su fortuna, debido a la guerra y que su salud seguía empeorando, pero no lo podía visitar, ya que tenía prohibida la entrada en Imola.

Felice y su esposa se relacionaron con las comunidades francesa e inglesa de Niza, pero también con personas de otras nacionalidades, como la suiza Emma Herwegh. Era una mujer de unos cuarenta años, felizmente casada. A pesar de ello era toda una romántica, idealista y enérgica. Felice y ella conectaron enseguida. Surgió una especie de atracción magnética entre ellos. Hablaban con frecuencia de sus sueños. Un día, tuvieron una conversación, que dejó muy preocupado a Felice, ya que Emma era una persona muy intuitiva.

—Has escapado de graves peligros, pero te esperan muchos más. El círculo de tu vida aún no está completo. Tendrás días felices, pero otros muy tristes. En unos años, caerás prisionero en una de las fortalezas más lóbregas y duras de toda Italia, en manos de tus peores enemigos. Te sentirás solo y estarás a punto de morir. Cuando llegue ese momento, acuérdate de mí y acudiré en tu ayuda. Tu vida es muy valiosa y no puedes morir todavía. Aún debes prestar grandes servicios a tu patria. Tu destino está escrito.

Felice escuchó atónito las predicciones de Emma Herwegh.

—¿Quién eres en realidad? ¿Cómo puedes saber todo eso?

—No importa quién soy ni cómo lo sé. Lo importante es que no olvides mis palabras. Cuando llegue el momento, pídeme ayuda. Entonces, residiré en Zúrich y mi nombre será Matilde Herden. Recuérdalo, pero jamás se lo digas a nadie.

Felice estaba verdaderamente asombrado por las extrañas palabras de su amiga. ¿Quién sería, en realidad, Emma Herwegh?, se preguntaba. Continuó la conversación.

—Ya he estado preso en mazmorras horribles, en manos de mis peores enemigos. ¿Cómo reconoceré cuándo ha llegado ese momento que dices? Y si estoy encerrado en esa supuesta lóbrega fortaleza, ¿cómo podré ponerme en contacto contigo? —le preguntó.

—Ten por seguro que reconocerás el momento. En cuanto a contactar conmigo, si lo deseas, lo conseguirás —concluyó la conversación Emma.

Felice no pudo dormir esa noche. No sabía por qué, pero sentía que la gentil dama suiza podía tener razón. De alguna manera, estaban conectados.

Mientras tanto, para tratar de tranquilizar ese espíritu indomable de Felice, Emma Herwegh lo animó a estudiar música, cosa que hizo con tanto entusiasmo como poco acierto. Estaba claro que aquello no era lo suyo. Le gustaba escucharla, pero ejecutarla era otra cosa.

A pesar de ello, fueron tres años tranquilos. La familia de Felice aumentó con el nacimiento de dos preciosas hijas, Ernestina e Ida. Todo trascurría con normalidad, pero ese era el problema. Felice no era así. Echaba de menos la lucha por la libertad de su patria. Tenía sentimientos encontrados. Por una parte, siempre había deseado formar una familia, cosa que había conseguido, pero, por otra parte, cada vez que se comunicaba con Mazzini, sentía un impulso casi irresistible por continuar la lucha. Deseaba que llegara ese día.

Y terminó haciéndolo.

Mazzini había reconstruido el Partido Revolucionario de Italia y había contactado con todos los hombres de su confianza para que le apoyaran. Le mandó una misiva a Felice, pidiéndole su apoyo activo. Le indicaba que Montecchi, uno de sus antiguos compañeros en la prisión de *Civita Castellana* y en el parlamento de la República Romana, sería su compañero.

No dudó en aceptar. A pesar de que su esposa compartía sus ideales revolucionarios y la unidad de Italia, le recordó que ahora tenía una responsabilidad, una familia de la que cuidar. Escribió a su tío Orso pidiéndole ayuda económica, en su ausencia. Le respondió de inmediato: «Tu lugar está con tu familia. No la abandones» y se negó a facilitarle los fondos solicitados.

A pesar de todo ello, a los dos días, Felice partió hacia Génova. Organizaron los preparativos para atacar la ciudad de Massa. La fecha y el momento elegidos fueron el 3 de septiembre de 1853, al atardecer. Apenas eran un puñado de hombres y necesitaban más efectivos, así que contactaron con Ceretti de La Spezia, que era el cabecilla del Partido Revolucionario en la ciudad. Les prometió su apoyo con ciento cincuenta soldados, armados con mosquetes.

Esperaron y esperaron, pero Ceretti no aparecía. Ya llevaban un retraso de tres horas sobre sus planes, cuando un vigía les advirtió que una columna del ejército de Sardinia se dirigía a su posición. Felice se sintió traicionado y no tuvo más remedio que abortar el ataque, ordenando la retirada de sus posiciones. Lo hicieron con sigilo. Parecía que sus enemigos no habían advertido su intentona.

Parecía.

En cuanto Felice puso un pie en Sarzana, confiando en que estaría seguro, siete guardias lo detuvieron. Lo interrogaron durante días, pero Felice se mantuvo firme, repitiendo una y otra vez que no tenía ninguna intención violenta. A los pocos días lo trasladaron a Génova, donde fue encarcelado en la prisión secreta de San Andrés. Aquellas mazmorras eran utilizadas para los condenados a muerte. Los interrogatorios continuaron, pero Felice se mantuvo firme en sus declaraciones. Dado que el gobierno de Sardinia no disponía de ninguna prueba contra él, pero tampoco deseaba dejarlo libre en su territorio, decidió su destierro, trasladándolo con un barco de vapor a Marsella. Después de dos meses en aquella ciudad, Felice fue puesto en libertad. No tenían motivos para retenerlo.

No sabía qué hacer. Por una parte, sentía que debía reunirse con su familia en Niza, pero, por la otra, en su interior, no lo deseaba. A pesar de todos sus fracasos, la llama de la lucha seguía ardiendo en su interior.

Después de un gran dilema interior, su espíritu combativo se acabó imponiendo sobre su familia. Ya que disponía de un pasaporte inglés, decidió trasladarse a Londres, donde residía Mazzini.

Felice encontró una ciudad húmeda, envuelta en una constante niebla. Aquello no se parecía en nada a su amada

Italia. Estaba desubicado y melancólico. Escribió a su tío, buscando algún tipo de consuelo, pero la respuesta que recibió aún le causó más dolor. Le insistía en que dejara los asuntos políticos y le recordaba que tenía una familia en Niza, dos hermosas hijas, que se estaban criando sin un padre a su lado. Aquello aún empeoró su estado melancólico.

Decidió refugiarse en Mazzini y sus planes de grandeza. Continuaba organizando constantes revueltas en Italia, pero todas acababan en un sonoro fracaso. A pesar de ello, no se rendía.

—Tengo una nueva misión para ti —le dijo—. ¿Te apetece unirte?

Felice ni se lo pensó. Cualquier cosa menos languidecer en aquella triste ciudad.

—La misión es en Lunigiana. Dejarás tu pasaporte inglés y asumirás otra identidad. A partir de ahora, todos te conoceremos como Tito Celsi, un respetado comerciante de Ravenna, que es una persona que existe en la realidad. Físicamente, os parecéis mucho. Nos hemos hecho con su documentación verdadera, un pasaporte ajado y lleno de sellos. La tapadera es perfecta. Marcharás hasta Ostende y de allí a Bruselas. Deberás entrevistarte con el nuncio papal.

—¿En serio? —preguntó asombrado Felice—. ¿Y si me reconoce?

—No lo hará. Irás con buenos ropajes de comerciante y has estado muchas veces en Ravenna. Probablemente hasta conozcáis a personas en común. Recuerda que llevas documentación auténtica. No tendrá motivos para dudar de ti.

—¿Y para qué tengo que hacer todo eso?

—Primero, para conseguir un pasaporte nuevo, expedido por la propia autoridad papal. En segundo lugar, para confirmar tu identidad como Tito Celsi. Recuerda, ahora ya no eres Felice Orsini. Una vez conseguido, espera instrucciones.

Hizo todo lo que Mazzini le había pedido. Le resultó sorprendentemente sencillo. Como le había pronosticado, el nuncio conocía a los cardenales Amat y Falconieri, así como al Papa Pio IX, Mastai Ferreti. Mantuvieron una animada conversación y consiguió su objetivo. Documentación nueva a nombre de Tito Celsi.

Felice, mejor dicho Tito, esperó sus instrucciones, que no tardaron en llegar. Debía recorrer media Europa para impartir diversas órdenes a activistas. Pasó por París, por Génova, por

Zúrich, por Turín para terminar de nuevo en Génova. Su misión consistía en trasportar armas por vía marítima, en una pequeña y discreta embarcación. El mar bravo retrasó su partida varios días. Por fin, la mañana del 6 de mayo de 1854 consiguieron hacerse a la mar, pero sin suerte, porque una tormenta les sorprendió a las pocas horas de partir. Debido a la fragilidad de la barca, tuvieron que buscar refugio en el puerto más cercano. Fue un momento tenso, ya que iban cargados de armas y no podían ser descubiertos. Cuando el temporal amainó, volvieron a hacerse a la mar.

Lo que desconocían es que este retraso había sido fatal. Cinco días para recorrer un trayecto de apenas diez horas, había dado tiempo a las autoridades de Sardinia de darse cuenta que algo extraño estaba sucediendo. Pusieron a toda su policía en estado de alerta, incluyendo a su guardia costera. Esto último fue una muy mala noticia, ya que no pudieron desembarcar en el lugar establecido. Al final, apenas lo consiguieron en una pequeña playa, pero su suerte estaba echada. Todos los marineros fueron arrestados, excepto Felice, bajo su identidad de Tito Celsi. Comprendió que debía alejarse de la costa, así que se dirigió a las montañas. Después de muchas penurias, con la ropa hecha girones y el calzado destrozado, consiguió llegar a Génova.

Tito Celsi estaba muy enojado. «Otra operación fallida. Más patriotas apresados», pensaba. «Así no se pueden hacer las cosas, sin la adecuada preparación».

Mientras se recuperaba en Génova, supo que Mazzini se encontraba en la ciudad y que todos sus emisarios y colaboradores habían sido arrestados. No se pudo aguantar y acudió a su encuentro. La conversación fue tensa.

—¡No puedes enviar a la muerte o a la prisión a tantos valientes patriotas por planes tan mal preparados! —le reprochó—. Cada vez somos menos y peor organizados.

—Quizá te resulte difícil de comprender —le contestó Mazzini, con sorprendente tranquilidad—, pero que tu identidad como Tito Celsi haya sido plenamente reconocida, es un gran éxito. Aunque el ataque haya resultado fallido, uno de los objetivos principales de la misión ha sido conseguido.

—¿Y ha merecido la pena?

—Ya lo creo. Sé que el sacrificio de patriotas es una tragedia, pero todos sabían los peligros de la misión y sus objetivos. Piensa que han dado su vida por ti.

Felice, alias Tito, no parecía convencido por las explicaciones de Mazzini, que continuó con su exposición.

—Tu verdadera misión empieza ahora, señor Celsi —le dijo.

Mazzini se la explicó. Ahora comprendió ciertas cuestiones.

Siguiendo sus instrucciones, se estableció en la ciudad suiza de Coira. Allí pasó más de un mes. Como era lógico, llamó la atención de las autoridades locales, que le hicieron una visita. Su tapadera era perfecta. Tito Celsi de Ravenna. Le tomaron por un agente papal, ya que su pasaporte estaba expedido por el nuncio de Bruselas. Supusieron que estaba buscando soldados para enrolarlos en la Guardia Suiza.

A pesar de que intentaba hacer la menor vida social posible, era inevitable que frecuentara algunas tabernas. Lo contrario hubiera resultado sospechoso. Al tercer día, Celsi conoció a un italiano llamado Joni. Cuando supo que provenía de Ravenna, quiso entablar conversación con él.

—Una lástima lo que ocurre en Italia —comenzó la charla—. La república parecía nuestra esperanza, pero apenas duró unos meses.

Tito Celsi se puso en guardia. No conocía a aquella persona, así que fue con cuidado.

—Bueno, los revolucionarios siempre han sido muy desorganizados. Apenas logran infligir daños a los austríacos y a los franceses.

—No todos —le respondió—. He escuchado que un tal Orsini consiguió doblegarlos. Parece que le temen mucho.

Felice, en su papel de Tito Celsi, no pudo evitar esbozar una sonrisa.

—Y si tan valioso es ese Orsini, ¿qué hace ahora? ¿Dónde se encuentra? Italia le necesita.

—Es una lástima —le respondió Joni—, pero parece que se ha retirado. Las últimas noticias lo sitúan en Marsella, alejado de la política.

—Quizá haga bien. Una sola persona no puede frente a todo un imperio sin la ayuda de su pueblo.

La conversación comenzaba a incomodarle a Celsi, así que la dio por concluida. No obstante, era bueno que lo creyeran retirado y lejano.

A los pocos días, recibió una misiva de Mazzini, citándole en la vecina localidad de Saint Moritz. Allí acudió. Se reunió con el propio Mazzini y con Maurice Quadrio. La revolución empezaría en Como, donde los patriotas se harían con todos los barcos austríacos. Felice se encargaría de la parte militar, desde el cantón suizo. Los tres se reunieron con los italianos residentes de la zona. Todos se mostraron entusiasmados con la operación. Prometieron conseguir doscientos hombres para el día 19. El ataque en Como comenzaría al día siguiente.

Felice no se fiaba. Ya había sido testigo del fallo en la organización de multitud de planes. Cuando se quedó solo, fue a hablar con los italianos. Observó que su entusiasmo inicial ya no era tal. Se puso en guardia, aunque consideró continuar con el plan.

El día 19 se presentó en el lugar acordado, para reunirse con los doscientos italianos. Como se imaginaba, apenas aparecieron quince. Mazzini les informó que el ataque de Como se había postergado cuatro días.

Aquello no pintaba nada bien, para variar, pero debía de continuar con su rutina, para no llamar la atención.

Sus temores se hicieron realidad. Al día siguiente, Celsi recibió la visita de dos gendarmes suizos. Los preparativos se habían alargado en exceso y había habido filtraciones. Encontraron las armas preparadas para las doscientas personas que se suponían que se suponía que se iban a unir a ellos. Supusieron que pertenecían a Tito Celsi, así que leo arrestaron. Como en Saint Moritz no existía ninguna cárcel, permaneció en la posada, siempre vigilado por dos guardias.

Felice estaba ya harto de las prisiones. No deseaba volver a ellas. «Ya estoy cansado, no volveré a ninguna mazmorra más».

Observó, en la mesa de enfrente de su camastro, al lado de una palancana de agua para asearse, una navaja para afeitarse.

«Está decidido», pensó, quizá por última vez.

25 NUEVA ORLEANS, 30 DE NOVIEMBRE DE 1850

—¡No puedo creer que no estés enfadado!

—Te aseguro que me da igual.

—Si me lo hubiera hecho a mí, mandaría de inmediato una nota de rectificación.

—Hablas igual que mi tío Ernest. Él quiere hacer precisamente eso, pero se lo he prohibido. No merece la pena.

—¿La verdad no merece la pena? No puedo creer que esté escuchando esas palabras saliendo de tu boca.

—Me has oído miles de veces decir que el ajedrez es un juego, un entretenimiento. Sí, es cierto que quiero ganar y me siento con fuerzas para ello, pero como lo deseo en cualquier otro juego.

—Pero Lowenthal...

Paul interrumpió a Amélie.

—Sí, ya sé. Jugamos dos partidas de las que tú misma fuiste testigo, además de la del club. Se comprometió a hacer pública la noticia de su derrota y lo hizo.

—¡Pero con una verdad a medias, que es la peor de las mentiras! Publicó, en su columna del medio londinense en el que colabora, que ganaste tan solo dos y la tercera terminó en tablas. Sabes que así no sucedieron las cosas.

—Bueno, es cierto que gané la primera y la tercera. En la segunda ya conoces lo que ocurrió, cometió un error de principiante. Le ofrecí rectificar y no quiso. Probablemente cuente esa partida como tablas, porque formalmente no llegó a abandonar. La verdad es que me da igual. Lo importante es que lo vencí y lo reconoció.

—Lo que tú digas, pero no me parece la actitud de un caballero como parecía que lo era.

—¿Por qué estás tan enfadada? Si yo no le doy importancia, no se la deberías de dar tú.

Amélie bajó la cabeza y no le respondió. Paul continuó hablando.

—Ya sé que hoy es un día muy triste. Ya nos hemos graduado en la *Jefferson Academy*. En dos días partiré hacia Spring Hill y ya no nos podremos ver todos los sábados, como hasta ahora. Pero llevamos tiempo preparándonos porque sabíamos que este día llegaría. Nos seguiremos viendo en las vacaciones, que pienso volver a Nueva Orleans. Hay que mirar el lado positivo. Al final, en número de días, igual nos acabamos viendo incluso más que ahora.

Amélie seguía sin decir nada. Paul la abrazó. Notó que estaba llorando. Consideró que debía intentar mantener la compostura, aunque lo logró a duras penas.

—No hay lado positivo —acertó a decir Amélie, entre sollozos.

—Sí que lo hay. No te pienso olvidar ni un segundo durante mi estancia en Alabama. Nada cambiará.

—Te equivocas.

—No, no lo hago. De nada estoy más seguro en mi vida.

Amélie se abrazó con más fuerza a Paul, que ahora ya empezaba a estar algo desconcertado. Algo no encajaba. Le parecía algo exagerada su reacción. En un principio lo atribuyó a su condición de mujer, pero de inmediato lo descartó. Amélie no era así. «¿Me tengo que preocupar?», pensó, en ese momento de azoramiento.

—Me tendrás que olvidar —acertó a decir Amélie, entre sollozos.

Ahora, Paul se puso en guardia.

—¿Qué quieres decir?

—Lo que has oído.

—Pues no lo pienso hacer.

—¿No lo entiendes? Mis padres han concertado mi matrimonio con el hijo mayor de los Ford, ya sabes quiénes son. Me casaré la próxima primavera y nos iremos a vivir fuera de Nueva Orleans.

Paul no reaccionó. Se quedó mirando a Amélie. Parecía que le estaba costando asimilar lo que acababa de escuchar.

—Sí, Paul. Hoy es nuestro último día. No nos volveremos a ver nunca más. ¿Me comprendes ahora?

—No, no lo hago. ¡Niégate! Tú no eres así, siempre has sido un alma libre. Ahora ha llegado el momento de que pongas en práctica todo lo que me llevas diciendo durante estos años. ¿Qué hay de la Amélie que yo conozco?

No había dejado de llorar.

—La verdad es que no sé qué queda de mí. La vida no es como nosotros desearíamos que fuera. A pesar de mis ideas, las opiniones de una joven sureña valen muy poco.

—¡Por favor! ¡Si apenas tenemos trece años!

—Tendré catorce cuando me case, aunque ya sabes que la edad para el matrimonio importa muy poco en Louisiana. Además, hay otras cosas…

—¿Qué cosas hay más importantes que nosotros?

—Escucha, no lo hagas más difícil de lo que ya lo está siendo para mí. Ya sabes que tengo un hermano y dos hermanas menores que yo. Mi familia está arruinada. Mi padre hizo unas malas inversiones y vamos a perder nuestra casa en los próximos meses.

—Vaya, no lo sabía, lo siento, pero ¿qué tiene que ver eso con tu boda con el hijo de los Ford?

—Todo. Su padre es el director del Banco del Canal. Se ha ofrecido a cubrir todas las pérdidas por la mala cabeza de mi padre, además de darle trabajo en su banco. Eso salvará a mi familia.

—¡Pero eso es injusto! —exclamó Paul, indignado—. Tú no eres la responsable de esa situación.

—No, pero sí que soy la que la puede solucionar. La vida es así. Me cuesta hasta decir estas palabras, pero anteayer recibí un baño de realidad. Los sueños y los ideales son muy bonitos, hasta que se tropiezan con la crudeza de la vida real.

Paul no se resignaba.

—¡Mi familia también tiene mucho dinero! ¡Hasta yo tengo mi propio capital!

—¿Qué quieres ahora? ¿Entrar en una subasta por mí como si fuera un vulgar mueble? Las cosas ya han sido convenidas, no lo hagas más difícil, por favor —dijo, mientras le soltaba la mano.

Paul, en ese momento, comprendió que no tenía nada que hacer. Amélie se giró.

—Nunca te olvidaré, pero tú debes de hacerlo. Cuídate mucho. Lo necesitarás bastante más que yo.

Sin más palabras, se alejó.

Ni un simple beso de despedida.

En ese momento, Paul deseó estar muerto. De un plumazo, había perdido las dos cosas que más amaba en esta vida. Su querida Amélie y el ajedrez, ya que, para él, ahora, eran lo mismo.

«Todo ha terminado para mí».

En realidad, la partida apenas había comenzado, tan solo había concluido su apertura.

26 EUROPA, ENTRE LOS AÑOS 1849 Y 1854

—Debo escapar.

—¡Por Dios, no! Te volverán a atrapar enseguida y te encadenarán.

—No temo que me vuelvan a apresar. En cuanto a las cadenas, las he sufrido durante mucho tiempo. No les tengo ningún miedo. Me rio de ellas.

—Te podrían matar.

—Si no salgo de esta habitación sí que estaré muerto. ¿Me podrías hacer un pequeño favor?

—Si no supone infringir la ley, por supuesto.

Tito Celsi estaba manteniendo esta conversación con Martina, una joven de unos veinte años, que trabajaba en la pensión de Saint Moritz. Desde el principio habían hecho muy buena amistad.

—No, por supuesto. Supongo que sabes que eres una muchacha muy atractiva. ¿Te importaría saludar a uno de los guardias que custodian mi puerta? Tan solo se trata de darle conversación durante unos segundos. Nada extraño.

—¡Te quieres fugar ahora mismo! —exclamó Martina, comprendiendo las intenciones de Tito—. Pero ¿cómo piensas hacerlo? Tengo que cerrar la puerta con llave en cuanto salga, eso no lo puedo evitar.

—No importa, ya he aflojado los tornillos, con la ayuda de la navaja de afeitar. Si me abalanzo con todas mis fuerzas sobre la puerta, no resistirá.

Tito Celsi vio que Martina dudaba. Se aproximó a ella y le dio un beso en la mejilla.

—¿Te gustaría verme colgado del árbol de ahí enfrente? Es lo que ocurrirá si no hago nada. Tan solo deseo una oportunidad de vivir. No soy un malvado.

Martina se le quedó observando. Desde su llegada, le había llamado la atención. Tenía algo especial en su mirada, aunque se esforzara por ocultarlo. La había embrujado.

—Espero que tengas suerte, Tito, si es que ese es tu verdadero nombre —dijo Martina, mientras se dirigía a la puerta de la habitación—. Apenas dispondrás de diez o quince segundos.

—Me sobra la mitad —le respondió—. Pase lo que pase, nunca te olvidaré.

En cuanto Martina salió por la puerta, Celsi contó hasta diez. Pasado ese tiempo, salió de estampida y saltó por las escaleras, cayendo de forma estrepitosa sobre el salón de la pensión. A continuación, corrió por la calle y se tiró al lago, desafiando sus fuertes corrientes. Cuando los guardias quisieron reaccionar, ya había desaparecido entre las aguas.

De inmediato se presentaron cuatro guardias más. Entre los seis, recorrieron la ribera del lago, buscando rastros del fugitivo.

Mientras tanto. Celsi salió del agua lo antes que pudo. Era consciente de que no podía permanecer en las gélidas aguas más de un minuto. Completamente empapado y aterido de frío, echó a correr a través del bosque.

Los guardias seguían buscando cualquier resto de Celsi, sin ningún resultado. Nadie podía soportar las heladas temperaturas del agua y sus corrientes. Estaba claro que no había salido vivo de su intento de fuga. Regresaron a su cuartel para dar parte a sus superiores, que no quedaron nada satisfechos con las explicaciones.

Después de tres horas corriendo, Celsi llegó a Mount Bernina. Entró en la primera pensión que vio. Aún tenía la ropa mojada, así que se acercó al fuego. Miró a su alrededor. Aquello parecía un refugio de cazadores. Pidió algo de comer, para tratar de entrar en calor.

—*Guten Abend* —escuchó a sus espaldas.

—Buenas tardes —le respondió en francés—. Disculpe, no hablo alemán.

—¿Qué le ha pasado? ¿Se ha caído al lago persiguiendo a alguna pieza? Le tengo que reconocer que a mí me ha ocurrido en alguna ocasión. No es nada agradable.

Ahora, Celsi se giró. Por su indumentaria, estaba claro que se trataba de un cazador.

—No, ha sido intentando tomar una muestra de una planta y me ha fallado el pie. Soy botánico.

—Sí, desde luego —rio aquel joven—. El Cantón de los Grisones también es muy celebrado por eso, aunque a mí me va más la acción. ¿De dónde viene? ¿De Poschiavo?

—No, de Saint Moritz.

—¡Vaya! ¡Pues menuda se ha montado allí hoy! Se dice que los guardias han capturado a un caballero italiano llamado Celsi. Por lo visto estaba involucrado en algún movimiento político. También se dice que han arrestado a Mazzini y a Kossuth. La verdad es que siento simpatía por esos italianos. Me gustaría conocerlos.

—¿Conocerlos? —disimuló Celsi, que no se esperaba esa reacción del cazador—. Si me lo permite, ¿por simple curiosidad o por su causa política?

—¡Por supuesto que por su causa política! ¡Pobres italianos! No puedo evitar sentir simpatía hacia ellos. No paran de intentar recuperar el control de su propio país, pero no hacen más que fracasar, una y otra vez. Y a pesar de ello, no se rinden. Son bravos.

—Yo soy Celsi —dijo, casi sin pensarlo. Fue un acto alocado pero intuitivo. Aquel parecía un joven suizo libre de prejuicios. Además, su situación era desesperada. Los guardias no tardarían en llegar allí. Tampoco tenía muchas alternativas.

—¿En serio? —preguntó el cazador, sorprendido—. Es un verdadero placer. Yo soy Hans.

—Escuche, Hans, necesito su ayuda. Tengo que huir a través de las montañas y, si me escapo en solitario, seguro que me perdería. Usted es cazador. Seguro que conoce a algún buen guía.

—¡Claro! Mi primo es el mejor de la zona. Pero, ahora, necesita quitarse esa ropa mojada y entrar en calor. Ocupe la habitación tres. Yo me encargo de facilitarle la indumentaria adecuada para la travesía. En su condición actual, no llegaría ni a la mitad del camino. A las tres de la madrugada, alguien llamará a su puerta. Se llama Klaus. Si sigue todas sus instrucciones conseguirá salir de aquí.

Para sorpresa de Celsi, se despidió dándole un beso en la frente y, sin decirle ni una sola palabra más, se marchó.

Celsi hizo caso al cazador. No tenía nada claro que no se tratara de una trampa, aunque había cumplido con su promesa de dejarle ropa nueva. Se la puso y se acostó vestido. Apenas pudo descansar.

A las tres en punto llamaron a su puerta. Celsi la abrió, con cierto temor. Se encontró con un fornido joven. Sin mediar palabra le dio un abrazo y le hizo un gesto de que lo siguiera, con sigilo.

Salieron de la pensión sin que nadie lo advirtiera y se encaminaron a las montañas. El valle de Cavaglia tan solo podía ser atravesado por rutas a pie, peligrosas y escarpadas. Sin parar de andar, a las ocho de la mañana llegaron a Poschiavo. La actividad de los guardias era evidente. No se podía quedar allí, así que le solicitó a su guía si podían seguir hasta Coira. Por primera vez se dirigió a Celsi. Le dijo que era un camino largo y que se aproximaba una tormenta. Le respondió que lo comprendía, pero que él debía seguir. El guía tomó su mochila y, con un gesto, le indicó que lo siguiera. Estaba claro que era un joven parco en palabras, pero valiente y fuerte como un oso. La travesía fue un auténtico infierno. Celsi llegó a pensar que no iba a salir con vida de aquella situación, pero, cada vez que sus fuerzas le fallaban, allí estaba Klaus.

Alcanzaron el valle de Albula, que les dio un respiro. No era tan escarpado como el de Cavaglia y podía ser recorrido en mula, aunque ellos continuaron a pie. No se podían arriesgar a llamar la atención. Por fin, en la tarde del día 27 llegaron a Coira. Klaus se despidió de Celsi, con un fuerte abrazo. Como había hecho su primo Hans, se limitó a darle un beso en la frente, sin pronunciar ni una sola palabra.

Celsi se dirigió al centro del pueblo. Allí no se observaba ninguna actividad especial. Estaba claro que los guardias no se imaginaban que pudiera haber atravesado las montañas y encontrarse allí. Había viajado hacia el norte y supuso que lo buscarían por el sur.

Entró en la primera taberna que vio. Necesitaba algo de comer y beber, además de sentarse. Estaba agotado.

—¡Celsi! —escuchó, a sus espaldas. De inmediato, se puso en guardia y se giró. Se tranquilizó un tanto. Era Joni, el italiano que había conocido en su estancia anterior en Coira. Recordó que simpatizaba con las ideas de la República. En un segundo decidió confiar en él. Necesitaba ayuda y estaba solo.

—¿Sabes quién soy?

—¡Pues claro! ¿No me recuerda? Soy Joni, hablamos hace días en la taberna de la plaza. Tú eres Tito Celsi, de Ravenna.

—Ese no es mi nombre verdadero. Por precaución, viajo con una identidad falsa. En realidad, soy Felice Orsini.

La cara del ingeniero Joni era todo un poema.

—¿En serio? —le preguntó, mientras le daba un abrazo—. Es todo un honor conocerle.

—Necesito ayuda para llegar a Zúrich de una forma discreta. Tengo que abandonar esta zona, ya no es segura para mí.

—¡Por supuesto! ¡Todo sea por una Italia libre y unida!

Felice no pudo evitar derramar una pequeña lágrima. Había vivido días muy tensos.

Se sintió arropado. Bebió con Joni hasta emborracharse. Bajo la protección del ingeniero italiano, descansó dos días en Coira. Cuando ya se encontró en condiciones de reanudar la marcha, Joni le presentó a un guía de confianza que lo llevaría hasta Zúrich.

El gobierno suizo se había tomado como una gran ofensa la huida del que creían que era Tito Celsi, así que habían telegrafiado su descripción a todos los pueblos. Su cara era un rostro conocido en todo el país. A pesar de ello, en su largo camino, tan solo escuchó palabras de ánimo. «Los suizos son un pueblo noble», pensó.

Una vez Felice llegó a Zúrich, se refugió en la casa de su amiga Emma Herwegh, que no dudó en darle cobijo. Le informó que Mazzini no había sido capturado en Saint Moritz, pero que todo el plan se había desmoronado. Los austríacos habían detenido a la mayoría de activistas.

Felice se sintió abatido. Pensó que ya no tenía ningún lugar seguro donde ir. En su propio país no era bienvenido. Tan solo le quedaba Londres o viajar a las Américas.

Descansó y recuperó sus fuerzas durante una semana. Le hacía falta rearmarse, tanto físicamente como psicológicamente. El físico se podía recuperar reposando, pero el golpe moral le había dejado tocado. Felice era un hombre de acción y ahora se sentía inútil para continuar ayudando a su amado país.

Para su sorpresa, recibió una misiva de Mazzini, convocándole a una reunión. Si le hubiese llegado unos días antes, la hubiera rechazado, pero ahora ya se encontraba más animado.

Aun así, Felice quiso dejar las cosas claras.

—No quiero más muertes de patriotas. No participaré en ninguna misión más si no tengo garantías de que todas las personas están dispuestas a llevarla adelante. Ya han muerto demasiados patriotas por nuestra incapacidad de organizar planes serios —así comenzó Felice la reunión.

—Esta vez tengo planes diferentes para ti. No se trata de ninguna acción violenta contra nadie, aunque no te puedo ocultar que se trata de la misión más peligrosa que, quizá, hayas ejecutado en tu vida.

Felice se mostró intrigado. Había participado en acciones muy peligrosas, pero siempre eran ataques contra las tropas invasoras. Permaneció en silencio, esperando que Mazzini continuara.

—Primero, deberás marchar a Milán, vía Turín. Allí contactaras con miembros de la resistencia, que te facilitarán lo que necesitas. Después, partirás hacia Venecia.

—En todos esos lugares que me has nombrado, mi rostro es muy conocido. ¿Y qué tengo que hacer en Venecia?

—Nada. Esa será tu puerta de entrada a tu verdadero destino.

Mazzini se lo explicó. Desde luego, aquello se salía de lo normal. Era algo extraordinario, pero Felice debía de reconocer que era brillante. «El único que me voy a poner en peligro voy a ser yo, pero ¡menudo peligro!». A medida que Mazzini se lo detallaba, ya ardía en deseos de ponerse en marcha.

—Creo que deberías despedirte de tu familia —dijo Emma—. Tu mujer y tus dos hijas se merecen saber algo de ti, antes de partir hacia tu destino final. Por tu mirada, sé que eres consciente del grave peligro al que te vas a enfrentar.

Felice asintió con la cabeza. Escribió dos cartas, una dirigida a su mujer y otra a sus dos hijas. La emoción le invadió. No quería que parecieran cartas de despedida, pero, en realidad, sentía que lo eran. Se las mandó a un amigo de

Ginebra utilizando un nombre ficticio en los sobres, para que las remitiera desde allí a Niza. Así, si eran interceptadas, pensarían que se encontraba en la ciudad suiza.

Marchó para Milán con un pasaporte a nombre de otra persona. Sabía que una vez utilizado, ya no le serviría para el resto de su viaje, ya que estaría «quemado». Una vez llegado a su destino, sin mayores sobresaltos, siguiendo sus instrucciones, mandó una misiva con su nombre falso a Nicholas Ambrucci. Contenía una considerable suma de dinero e instrucciones muy precisas. Ambrucci era el mejor proveedor de documentación auténtica de toda Italia. Lo que necesitaba era muy concreto. Debía de poder cruzar Europa con absoluta naturalidad y sin contratiempos, en ninguna frontera.

Tuvo que esperar tres días. Permaneció recluido. No contactó con nadie de sus antiguos camaradas. El Partido Revolucionario de Mazzini estaba en descomposición y no podía arriesgar su misión.

Al final, recibió el esperado paquete de Ambrucci. Allí estaban un flamante pasaporte y un salvoconducto para viajar por toda Europa, a nombre de un tal George Hernagh, ciudadano suizo, antiguo oficial de su guardia. Perfecto. Era todo lo que necesitaba.

Continuó su viaje a Venecia. De ahí, tomó un barco con destino a Trieste. Cuando se disponía a entrar en su camarote, se llevó un gran sobresalto.

—Su cara me suena mucho —escuchó a sus espaldas. Felice se giró. Por supuesto que lo conocía. Se trataba del judío Moses Formiggini, que había coincidido con él en Bolonia, en 1848. Aquello era un desastre. Podría descubrir su verdadera identidad. Felice reaccionó en un segundo.

—La verdad es que a mí también.

—¿No nos conocimos en Bolonia? —insistió Moses.

—Es probable. Hace unos años serví en un regimiento de la Guardia Suiza papal, con sede en esa ciudad. Entonces, era siete años más joven.

—¡Ah! —exclamó el judío—. Puede ser. Que tenga un buen viaje.

Felice entró en su camarote, preocupado. Quería pensar que había salido airoso de la situación, pero no le gustó la mirada sombría de aquel hombre. «En cualquier caso, pronto lo sabré, en cuanto lleguemos a Trieste».

Intentó descansar, pero no lo consiguió. No solo por la preocupación que le rondaba la cabeza, sino por lo movido de las aguas.

Al llegar a Trieste, nada ocurrió. Formiggini continuó su camino, sin dirigir ni una sola mirada a Felice. «Parece que lo he conseguido», pensó, aliviado.

Su destino final era la cuna de su principal enemigo; Viena, capital de Austria. La misión que le habían encomendado era conseguir el apoyo de los soldados italianos que formaban parte de las tropas austríacas. Para ello, debía observar al enemigo en su propia casa e intentar infiltrarse entre ellos. La finalidad del plan era fomentar una revuelta interna, matando a los principales mandos. Mazzini pensaba que, si lograba descabezar a su ejército en su propio territorio, tendría una gran repercusión en Italia.

Con su documentación suiza, no tuvo ningún problema en llegar a Viena. Se alojó en una posada discreta, alejada del centro de la ciudad. Los primeros días se dedicó a conocer Viena. La verdad es que le impresionó su gran belleza. Visitó el Palacio Imperial, donde le sorprendió la cantidad de soldados que lo protegían, incluso en su interior. «El emperador se debe sentir como un prisionero en una jaula dorada», pensó. También admiró el impresionante Palacio de Schönbrunn, con sus fastuosos jardines, incluso tuvo la oportunidad de ver de cerca al emperador y a su esposa. Fue en el Teatro Imperial. Le parecieron dos tipos vulgares de aspecto germánico, sin ninguna expresión en su rostro.

La población vienesa parecía de buen corazón y amable, pero no se hablaba de política, como en Italia. Felice lo intentó, en sus visitas a la Ópera de Viena, pero parecía un tema vedado, ya que enseguida cambiaban de tema de conversación.

Una vez Felice se hizo una idea de la ciudad y sus habitantes, consideró que había llegado el momento de iniciar su plan. Lo primero que hizo fue presentarse ante el *Bezirksoffizier* Salis, que era un oficial suizo al mando del distrito. Dado que su pasaporte era suizo, se tomó interés en él. Felice le informó que quería enrolarse en el ejército austríaco, ya que había servido en el pasado en la Guardia Suiza, como oficial, al servicio del Papa. Salis le dijo que, con semejantes credenciales, no creía que tuviera ningún problema para conseguirlo, pero que debía consultarlo con su superior.

Le dio unos documentos para rellenar y le indicó que se presentara mañana a las diez.

Parecía que todo marchaba según lo previsto. El paso más sencillo para contactar con los soldados italianos que servían en el ejército austríaco, era desde dentro, como su oficial superior. Para celebrar las buenas noticias, decidió celebrarlo en el *Café Français*, situado a espaldas de la Catedral de San Esteban.

Nada más entrar, se arrepintió.

Allí sentado, estaba Moses Formiggini, el judío con el que había coincidido en el barco a Trieste. Sus miradas se cruzaron. Moses acudió a sentarse a la mesa de Felice.

—¿Puedo? —preguntó, mientras movía una de las sillas.

—Por supuesto —le respondió Felice. Una negativa hubiera resultado sospechosa.

—Desde nuestro encuentro en el barco, llevo dándole vueltas a la cabeza. Ya sé de qué le conozco. Usted es Felice Orsini.

El corazón le dio un vuelco. En apenas un segundo, tomó una decisión.

—Sí, así es. Disculpe que no me presentara con mi nombre en Trieste, pero ya conocerá que las autoridades italianas me buscan en mi propio país, a pesar de todo.

—¿Qué quiere decir con eso?

—Que ya abandoné la política hace meses, no tienen nada que temer de mí. Estoy aquí por negocios, pero mi apellido me persigue, por ello debo utilizar otro nombre. Ya ve que estoy solo.

—Me alegro de que sea así —le respondió Moses—. Su antigua actividad le hubiera conducido a una muerte segura.

—Las cosas han cambiado mucho. Ahora tengo una esposa y dos hijas en Niza, que debo cuidar. Ya no soy el alocado joven de hace años. Supongo que todos tenemos derecho a una segunda oportunidad.

—Desde luego —el judío parecía convencido, incluso le había cambiado el semblante. Ahora parecía más amable.

—Si me permite que le pida un favor, le rogaría que no revelara mi verdadera identidad. Intento rehacer mi vida para mantener a mi familia. Las cosas, ahora, me van bien, pero si se enteraran de que soy Orsini, me detendrían de inmediato, a pesar de que ya no supongo ninguna amenaza para los austríacos ni para nadie.

—Por supuesto —afirmó Moses—. Delo por hecho. Como usted ha comentado, tiene derecho a una segunda oportunidad, y más ahora con familia a su cargo. Eso es lo más importante.

—Se lo agradezco de verdad —Felice respiró tranquilo.

—Le voy a dejar solo. Parece que se disponía a celebrar algo y no quiero importunarle.

—Así es. Mañana por la mañana firmaré un importante contrato.

—Me alegro mucho por todo lo que he escuchado —dijo Moses, mientras se levantaba de la silla—. Espero que la vida le sonría.

Felice volvía a estar solo.

«¿Me tengo que preocupar?», pensó. Después de una breve reflexión, decidió que no debía hacerlo. El judío se había mostrado amable y parecía que la mención a su familia había causado el efecto deseado. Para los miembros de esa religión la familia era muy importante.

Volvió a la pensión, contento, esperando la reunión del día siguiente.

A las diez en punto acudió a su encuentro con el *Bezirksoffizier* Salis.

—Todo está arreglado, podrá incorporarse al ejército austríaco. Como comprenderá, a pesar de sus referencias, deberá ingresar en la academia de cadetes.

—¿De cadetes? —se sorprendió Felice—. He servido como oficial de la Guardia Suiza durante muchos años. ¿Cómo voy a acudir a la academia de cadetes? Ya pasé por allí hace muchos años y me gradué.

—Lo siento, señor Hernagh, pero, por la ley del año 1848, el ejército austríaco no permite ingresar directamente como oficial a ningún aspirante.

Aquello era un jarro de agua fría. No podía perder el tiempo en la academia.

—Permítame que me lo piense, *Bezirksoffizier* Salis —le respondió Felice—. Comprenderá que un caballero y un oficial de mi posición puede que no se encuentre cómodo entre jóvenes cadetes.

—Lo entiendo perfectamente, pero no podemos hacer excepciones con la ley.

Se despidieron.

El gozo de Felice en un pozo.

Aun así, Mazzini había previsto esta eventualidad. Ahora, debía ejecutar el plan alternativo. Si no podía influir en los soldados desde dentro, debería hacerlo desde fuera. Suponía una complicación, pero no era una misión irrealizable.

Sabía que los regimientos italianos estaban acuartelados en Transilvania y en las provincias del Danubio. Suponía un trastorno, ya que debería volver a viajar y cruzar la frontera húngara.

Se preparó para ello. Era diciembre y hacía mucho frío en Viena. Supuso que en Hungría aún sería peor.

Al día siguiente inició su viaje. Por el camino visitó Pest y la fortaleza de Buda. Intentó entrar, pero no se lo permitieron. Pasó la noche en Arad. Para su sorpresa, pudo percibir que los húngaros odiaban a los austríacos. Eran una raza noble y muy robusta.

Todo parecía trascurrir con normalidad. Su pasaporte suizo era toda una garantía. Apenas se fijaban en él, pasaba completamente desapercibido.

Hasta llegar a Hermannstadt.

El guardia fronterizo se le quedó mirando. Le pidió disculpas y desapareció hacia el interior del puesto de guardia, con su pasaporte. Era la primera vez que le ocurría algo así. «¿Me debo de preocupar?», volvió a pensar Felice.

Y tanto que debía.

De repente, se vio rodeado por una docena de guardias, que lo arrojaron de forma violenta contra el suelo. Casi sin darse cuenta, se vio encadenado y encerrado en una sucia mazmorra.

Intentó protestar, afirmando que era ciudadano suizo.

—¡Cállate! Conocemos perfectamente tu identidad, desde el mismo momento que entraste en nuestro país.

—Me llamo George Hernagh.

—No. Te llamas Felice Orsini. Te estábamos esperando. Haz el favor de callarte y no negar lo obvio. Disponemos de información completa de ti. Parece que ni los austríacos ni los italianos te tienen en gran estima. Han puesto precio a tu cabeza.

Felice no sabía cómo había sido descubierto. La única persona que sabía dónde se encontraba y lo había reconocido era el judío Moses Formiggini. «¡Maldita rata!», pensó, abatido.

Al día siguiente fue trasladado de la oscura celda del puesto de guardia a la prisión de Hermannstadt. Aquello era el infierno en la tierra. El frío era insoportable. Sufrió congelaciones en diversos dedos, enfermó y sufrió de fiebres. Para completar el dramático cuadro, apenas le daban de comer y de beber. Así paso un mes completo. Perdió más de quince kilos y casi toda la masa muscular.

Un día, se presentaron tres guardias y le anunciaron que lo trasladaban. Le ordenaron que se levantara. Felice lo intentó con todas sus fuerzas, pero no lo consiguió. Tal era su extrema debilidad y su lamentable estado físico que los guardias lo tuvieron que llevar en brazos.

Lo trasladaron a Viena. Aquella prisión era todavía peor que la de Hermannstadt. La visión del Danubio congelado era una alegoría de todo su cuerpo. Se encontraba al límite de su aguante físico. Pensó que, en semejantes condiciones, no podría permanecer vivo más de una semana.

Justo al día siguiente, unos agentes lo sacaron de las mazmorras. Era requerido por la Corte Criminal Provincial. Hasta se alegró de semejante noticia. Cuando los jueces vieron el estado moribundo del preso, sintieron cierta simpatía por él. La realidad es que los austríacos no disponían de ninguna acusación formal contra Felice. No había delinquido en Viena y desconocían sus planes, ya que no existía ningún documento escrito. Lo tenía todo en su cabeza. A duras penas, Felice protestó frente a los jueces. Les dijo que se había redimido y que había abandonado la política hacía tiempo. Que viajaba con un pasaporte falso porque sabía que su apellido le perseguía, pero no quería hacer daño a nadie más en su vida. También les contó lo de su familia.

Los tres jueces se pusieron a deliberar entre ellos. Felice no los podía escuchar. Concluyeron.

—Escuche, señor Orsini. Nada tenemos contra usted, así que no será condenado en el Imperio Austríaco.

Felice se esperaba el «pero». Llegó.

—Pero comprenderá que no podemos dejarle en libertad, así que decretamos su destierro y su entrega a la justicia italiana.

Orsini no sabía qué podía más en su cabeza. El deseo de abandonar aquellas horribles mazmorras que lo estaban matando o el temor a la venganza de sus compatriotas italianos, que le tenían muchas ganas. De todas maneras, decidió no preocuparse. Al fin y al cabo, nada podía hacer para remediarlo.

Al día siguiente, los guardias lo subieron a un carruaje. Para sorpresa de Felice, le quitaron las cadenas y lo trataron con delicadeza. Pensó que, más que amabilidad, esos hechos obedecían a que su extrema debilidad le impedía soportar su peso. Además, no podía ni siquiera ponerse en pie, así que nada tenían que temer acerca de una posible fuga.

No pararon ni una sola vez, más que para que descansaran los caballos. Le dieron mendrugos secos de pan y jamón seco. Aquello le pareció un verdadero lujo. Comía, no hacía frío y no iba encadenado.

Sesenta horas.

Ese fue el tiempo que les costó el viaje. Felice tuvo que ser ayudado a descender del carruaje. Cuando advirtió del lugar al que había sido conducido, la poca moral que había ganado durante el viaje, desapareció de un plumazo.

Mantua.

Era la fortaleza más inexpugnable de toda Italia. Todos sus moradores eran prisioneros condenados a muerte. Nadie salía vivo de allí, salvo los desgraciados que veían conmutada su pena por galeras, que era una muerte más lenta y dolorosa.

Lo dejaron caer en la celda número tres. Estaba tan débil que no era capaz casi ni de hablar. Estuvo tres días en ese estado y terminó cayendo seriamente enfermo de fiebres. Los carceleros se preocuparon por su inmovilidad y avisaron al comandante Casati. Al ver el grave estado de Orsini, ordenó su ingreso en la enfermería.

—No permita que muera —oyó Felice decir al comandante, dirigiéndose al doctor de la prisión—. Haga todo lo posible para que se recupere cuanto antes.

—Señor, su estado es muy grave.

—No quiero que muera tan fácil y rápido. Aún le queda mucho por sufrir.

Aunque Felice perdió la noción del tiempo, supuso que permaneció allí al menos dos semanas. Ya no tenía fiebres, pero su debilidad seguía sin permitirle caminar. En sueños, le había parecido ver al comandante visitarlo, pero su mente era pura confusión.

—¿Me oye? ¿Es capaz de entenderme?

Felice levantó la vista. No era un sueño, era el comandante.

—Sí —acertó a decir.

—Doctor, llévelo a la sala de interrogatorios —dijo, dando la espalda a Felice.

—Pero, señor, ya ve en qué condición se encuentra. No soportaría ni un interrogatorio.

—Ni lo pretendo —le respondió.

Felice observaba toda la escena entre neblinas. Le pareció ver una sonrisa en el rostro del comandante. Le pareció sadismo.

Lo llevaron a una gran sala. En el centro, había una mesa con una silla a cada lado. Nada más. Felice tuvo que ser sujetado por un guardia, ya que no conseguía estar sentado por sí mismo. En el otro extremo de la mesa, el comandante se sentó en su silla.

—No se muera, al menos todavía.

—No lo pienso hacer —a pesar de su debilidad, no habían conseguido doblegar el carácter indómito de Felice—. ¿Sabe? No tienen nada contra mí, sin embargo, yo sí que poseo algo. Una esposa y dos hijas que me adoran. A pesar del lamentable aspecto que supongo que tendrá mi cuerpo, mi espíritu está intacto.

El comandante sonrió abiertamente. Simplemente se limitó a dejar, encima de la mesa, dos cartas.

—¿Cree que será capaz de leer?

Felice ya lo estaba haciendo. La primera era la que había dirigido, en Milán, al falsificador de pasaportes Nicholas Ambrucci. En ella le detallaba sus propósitos y lo que necesitaba. Era toda una confesión. El insensato no la había destruido.

—Como verá, sí que tengo algo contra usted, sin embargo, usted no tiene nada —dijo, mientras le acercaba la segunda carta.

Reconoció la letra de inmediato. No era la suya, sino la de su esposa. Leyó dos veces la carta. Le comunicaba que no podía aguantar más. Había esperado su regreso durante mucho tiempo. Le acusaba de no estar casada con ella, sino con los ideales locos de Mazzini. En consecuencia, daba por rota su relación, lo abandonaba y no lo quería ver jamás.

Volvía a Florencia con sus hijas, a las que nunca volvería a ver.

En ese momento, Felice deseó estar muerto. De un plumazo, había perdido las dos cosas que más amaba en esta vida. Su querida familia y sus ideales, ya que, para él, ahora, eran lo mismo.

«Todo ha terminado para mí».

En realidad, la partida apenas había comenzado, tan solo había concluido su apertura.

LIBRO SEGUNDO

EL MEDIO JUEGO

«Juega la apertura como un libro, el medio juego como un mago y el final como una máquina»

Rudolf Spielmann (Viena, 1883 - Estocolmo, 1942), es considerado el último romántico del ajedrez. Fue conocido como «El amo del ataque»

27 SPRING HILL COLLEGE, ALABAMA, DE 1850 A 1852

—Me tienes muy preocupado, Paul. No puedes seguir así. Tu salud se está deteriorando.

—Para ti es muy fácil decirlo. No sabes lo que es perder a lo que más quieres en el mundo.

—¿Mi madre te vale? ¿No lo recuerdas?

Paul levantó la cabeza, mirando a su amigo.

—Lo siento, Charles, no me acordaba. No pretendía...

—Eso no importa —lo interrumpió—. Si sigues así, me vas a obligar a mandar una carta a tus padres. Ya sabes que me pidieron que vigilara tu frágil salud. No me gustaría tener que hacerlo, pero menos me agrada verte así.

Charles Maurian, el gran amigo de Paul en la *Jefferson Academy*, también había sido enviado por su familia a estudiar al *Spring Hill College*. Compartían habitación.

—Supongo que tienes razón, pero no me está resultando nada fácil.

—Cuando mi madre nos dejó prematuramente, yo también me sentí como tú. Recuerdo que no paraba de preguntarme «¿por qué ella?». Me parecía lo más injusto del mundo. Sentía dolor, rabia e impotencia, todo al mismo tiempo. Un cóctel explosivo. ¿Sabes cómo logré salir de esa espiral destructiva?

—No.

—Concentrándome en otras cosas. No hay más verdad en el mundo que el tiempo acaba por curar todas las heridas, aunque, ahora mismo, no seas capaz de verlo. Es cierto que algunas dejan profundas cicatrices, como la de mi madre, pero ya no sangran.

—¿Y en qué quieres que me concentre? ¿En mis estudios? Ya lo hago y no la consigo olvidar. Me parece una estupidez.

—¿Quizá en el ajedrez? Recuerdo que no hace mucho te apasionaba.

—Tú lo has dicho, me apasionaba. Jamás volveré a tocar ni una sola pieza, me recuerda demasiado a Amélie. Ese es un capítulo pasado de mi vida.

—Pues tendrás que buscarte otra manera de ocupar tu mente.

Paul reflexionó. Charles se preocupaba por él. Cuando eran niños, siempre demostraba ser una persona juiciosa, incluso más que él mismo, a pesar de su superior intelecto. Aunque ahora lo veía todo negro, decidió intentarlo. Peor que ahora no iba a estar, eso seguro. Además, Charles tenía razón. Cada vez que dejaba su mente vacía, era ocupada por el recuerdo de Amélie. En su interior, sabía que debía de hacer algo. Ya le dedicaba mucho tiempo a sus estudios y era el alumno más aventajado de su clase, por ello debía de pensar en otra ocupación. «La música me apasiona, pero no se me da bien practicarla», pensó Paul. «Pero me gusta la cultura, podría probar con otras artes».

Lo intentó con el teatro. Descubrió que no se le daba nada mal. En los primeros meses ya fue elegido presidente de la *Thespian Society*. Aunque hacía las funciones de director, también intervino en algunos papeles menores. Sin ninguna duda, aquello le hizo mucho bien y su espíritu mejoró de manera considerable. No obstante, Paul temía el final del curso y su vuelta a Nueva Orleans. Desde luego que deseaba ver a su familia, hacía meses que no lo hacía, pero sabía lo que iba a suceder. Se conocía demasiado bien.

Pero, como todos los años, el verano acabó llegando. Se trasladó a su casa, como estaba previsto. Sus calificaciones académicas y las notas de sus profesores habían sido extraordinarias, así que fue recibido con una gran fiesta. Paul la agradeció, pero no parecía feliz.

Decidió que debía quitarse el fantasma de Amélie de la cabeza. Sabía que su padre lo reprendería, pero era lo que debía hacer. Cuando toda la algarabía de su recibimiento terminó y se quedaron a solas, aprovechó la ocasión.

—Padre, ¿recuerdas a mi amiga Amélie? Ya sé que se habrá casado con el hijo de los Ford, ella mismo me lo contó antes de que partiera para el colegio. Tan solo quiero saber si tienes noticias de ella.

—Aún no te la has quitado de la cabeza, ¿verdad? Bueno, supongo que fueron muchos años juntos y el primer amor nunca se olvida.

Paul notó un extraño tono en la voz de su padre. Era tristeza. Le extrañó y se puso en guardia. Alonzo continuó la conversación.

—Lo que vas a escuchar no te va a gustar. Amélie no se casó con el primogénito de los Ford.

—¿Qué? —preguntó Paul, con evidente sorpresa.

—Falleció hace dos meses, apenas una semana antes de su boda. De repente, enfermó, sin que los doctores fueran capaces de diagnosticar la causa de sus fiebres. Fue toda una tragedia en Nueva Orleans. Me sorprende que no te hayas enterado, salió publicado en todos los periódicos.

Paul se tapó las manos con su cara y comenzó a llorar, absolutamente devastado. Era lo último que se esperaba escuchar. Su padre lo arropó.

—Murió de amor. Éramos almas gemelas —sollozó Paul.

—No lo sé, hijo —aún estaban abrazados—, pero, en cualquier caso, la muerte es lo único que no tiene solución en esta vida. Debes pasar página. Eres muy joven y conocerás a otras mujeres.

—No como ella. Jamás —dijo, mientras se separaba de su padre y subía hacia su habitación.

Durante los dos meses del verano no hizo nada. Su familia intentó animarlo, retándolo a partidas de ajedrez. No quiso ni siquiera acercarse a un tablero. Su madre se esforzó en que escuchara sus progresos con su ópera *Louise de Lorraine*, pero hasta se negó a escuchar música. La melancolía lo había invadido.

Su familia estaba muy preocupada por él, hasta que llegó el momento de volver a Mobile, al *Spring Hill College*. Sorprendentemente, Paul parecía más animado. En el momento de su despedida, estaban presentes sus padres, su hermano, sus tíos Ernest y Charles y su abuelo Joseph.

—Tengo que anunciaros una cosa. No me veréis en algún tiempo —les dijo—. Ya sabéis que no es por vosotros, pero ya no me apetece volver a Nueva Orleans, por lo menos durante una temporada. Lo haré cuándo lo considere. Quiero que lo comprendáis.

Todos se abrazaron a él. No dijeron nada. A pesar de que no les gustaba lo que habían escuchado, lo entendían. Debían dejarle que asimilara la pérdida y que su dolor remitiera. Estaba claro que necesitaba tiempo y espacio.

En su segundo año en el *Spring Hill College*, no quiso encerrarse en sí mismo y continuó haciendo caso a su amigo Charles Maurian. Además de dirigir diversas obras de teatro como *El mercader de Venecia*, de William Shakespeare, también tomó parte activa en ellas como actor. Para ocupar todavía más su mente, también se apuntó al Club de Oratoria y la *Philomatic Society of Astronomy*, destacando en ambos campos. Todo menos dejar su mente vacía para evitar que le invadieran los fantasmas del pasado.

A pesar de ello, su amigo Charles Maurian intentaba involucrarlo en lo que sabía que era su verdadera pasión, el ajedrez. Lo demás eran simples parches. Se esforzó durante dos largos años, pero no consiguió nada. Paul había perdido su ilusión por el juego. De hecho, parecía que lo había olvidado.

—Una vez dije que, en el momento que el ajedrez dejara de ser una diversión para mí, lo abandonaría de un día para otro. Pues eso es lo que ha ocurrido. Ya no siento que me entretenga y no deseo reabrir heridas, que tanto me está costando cerrar.

—Sé que te estás volcando en otras actividades y en tus estudios. Eres brillante y destacas en todo lo que te propones, pero eso quizá cicatrice heridas en tu mente, aunque tu aspecto físico no es nada saludable. Me tienes preocupado. ¿Te has mirado al espejo? Creo que necesitas algo más. Te hace falta alguna actividad recreativa.

—Ya practico actividades recreativas. ¿A qué te refieres exactamente?

Charles lo miró con cara de pillo.

—O chicas o ajedrez, tú eliges. A eso me refiero.

Paul no pudo evitar esbozar una tímida sonrisa. Sabía que su amigo estaba preocupado por él e intentaba animarlo.

—Desde luego, chicas no. Eso me deprimiría todavía más.

—Pues queda el ajedrez.

—Ya te he dicho que no quiero jugar más.

—¿Quién ha hablado de jugar? ¿Conoces a Louis Landry y al mexicano Rafael Carraquesde?

—Sí, claro. Van un curso por delante de nosotros.

—Pues han montado una especie de club de ajedrez. Están enseñando a jugar a otros compañeros. El otro día me los encontré. Me preguntaron si quería formar parte de su club, pero les dije que no tenía ni idea del juego. Estaban buscando alguien que conociera las reglas, para que hiciera de árbitro en sus partidas.

—Ya veo por dónde vas —le respondió Paul, que comprendía que su amigo intentaba involucrarlo en el juego por una puerta trasera.

—Nadie te obliga a jugar ni a formar parte de ese club, pero si alguien conoce a la perfección las reglas del ajedrez en *Spring Hill*, ese eres tú. No tendrías ni siquiera que tocar una sola pieza.

A pesar de que Paul conocía lo que pretendía su amigo y se lo agradecía, la proposición le pareció interesante. No deseaba jugar, había perdido el interés, pero hacer de árbitro era otra cosa. «Quizá me venga bien», pensó. Después de una mínima reflexión, terminó aceptando.

Se unió al club, con la única condición de no jugar. Tan solo hacía funciones de árbitro y, en ocasiones, cuando hacían movimientos inconsistentes, intentaba enseñarles y explicarles el motivo. Pronto, todos los miembros del club advirtieron que Paul debía ser un formidable jugador, a pesar de no haber tocado una sola pieza durante su estancia con ellos. Sus comentarios siempre eran muy acertados e ingeniosos.

—Hubo una época que me divertía jugar y no se me daba mal —les explicó—. No me gusta contarlo, pero, en una ocasión, le gané una partida a mi tío a ciegas. Él jugaba con un tablero delante y yo lo hacía en otra habitación, mirando a una pared y sin ninguna ayuda.

—¡Eso es increíble! —dijo Louis Landry—. Entonces, ¿por qué no quieres jugar con nosotros? Está claro que tu nivel es muy superior al nuestro. Podría ser muy divertido.

—Ese es el caso, quizá para vosotros lo fuera, pero no para mí.

En ese momento, pasaba por delante de la puerta del club el padre Beaudequin, uno de los profesores de la escuela.

—¿Lo que acabo de escuchar es cierto? —dijo, dirigiéndose a Paul.

—Sí, señor —le respondió—, pero fue hace algunos años. Ahora ya no juego. Como habrá escuchado, lo he dejado.

—Es normal que ganes a familiares. Seguramente serían jugadores mediocres. Otra cosa es enfrentarte a ajedrecistas como yo, reconocidos en toda Alabama.

Paul se sintió ofendido. Estaba seguro de que su tío Ernest ganaría a aquel pavo real sin apenas despeinarse. Recordó lo que le habían contado acerca de la vanidad de los ajedrecistas. Aunque él no era así, sin pensarlo, fruto de su enojo, no pudo evitarlo.

—Le propongo repetir aquel reto. Me juego una partida a ciegas contra usted. Si le venzo, permitirá a todos los miembros del club y a mi amigo Charles Maurian, aquí presente, que pasemos un fin de semana en Mobile. En caso de ser vencido, todos nosotros le limpiaremos a fondo su capilla, durante una semana.

—El padre es el mejor jugador de la escuela con diferencia —le dijo Rafael—. Creo que has enloquecido. No tienes opciones, nadie ha conseguido vencerle, ni profesores y todavía menos alumnos.

Paul se giró hacia sus compañeros que, en un principio, parecían preocupados, pero tan solo les bastó mirarlo. Ya no veían aquel paliducho y enfermizo muchacho. Lo que observaron en sus ojos fue esa furia y determinación de antaño. Ahora, parecía una pantera herida.

—Me parece correcto —le respondió el padre—. A la capilla le vendrá bien una buena limpieza.

—¡Has vuelto! —exclamó Charles—. ¡Ese es mi Paul! ¡Vamos!

—¡Machácalo! —dijo Louis, uniéndose a Charles.

Todos los jugadores del club se habían contagiado del espíritu indómito de aquel menudo muchacho. La preocupación había desaparecido. Deseaban ver esa partida como ninguna otra.

—Bueno —dijo el padre—, dispongo de dos horas libres. Supongo que me sobrará mucho tiempo.

Paul lo observaba con furia. Se había despertado la fiera que llevaba aletargada más de dos años. «Desde luego que sobrará tiempo», pensó.

El padre Beaudequin se quedó en la sala central del club, con un tablero delante. Paul se desplazó a una estancia contigua, de pequeñas dimensiones. Simplemente necesitaba una silla. Se sentó en ella, mirando la pared que tenía enfrente. Sugirió a todos sus compañeros que lo dejaran solo y acompañaran al padre, para poder seguir el juego en el tablero.

La partida comenzó. Bueno, es un decir, ya que comenzó y terminó casi al mismo tiempo. Paul había vencido al padre Beaudequin en apenas doce movimientos y en menos de quince minutos.

—He cometido un error imperdonable en mi juego. No ha sido justo —comentó el padre, claramente ofendido en su amor propio.

—¿No decía que disponía de dos horas libres? —le respondió Paul—. Si no tiene inconveniente, podemos seguir jugando de igual manera.

Así lo hicieron, hasta en tres ocasiones más. El resultado fue el mismo. El padre Beaudequin fue derrotado de forma apabullante en todas las partidas, sin llegar a pasar del vigésimo movimiento en ninguna de ellas. Estaba claro que no había oído hablar de Paul. Pasadas las dos horas, se levantó de la mesa, muy enojado, y se dirigió hacia aquel joven paliducho.

—¿Quién demonios eres tú? No había visto hacer esto a nadie en toda mi vida.

—¿No le suena mi apellido? Es Morphy. Mi tío es Ernest Morphy y no es un mediocre familiar, como usted ha dicho hace un momento. Supongo que sabrá que es uno de los jugadores *amateurs* más reconocidos de toda Louisiana. Fue a él al que vencí en la partida a ciegas, en presencia de Eugène Rousseau, entre otros, en el Club de Ajedrez de Nueva Orleans.

—¡Morphy! —exclamó el padre Beaudequin, que parecía que ahora caía en la cuenta—. Me parece que no has sido totalmente sincero. Tu tío es un gran jugador. No me has contado toda la verdad sobre ti y tu familia antes de la apuesta.

—Un hombre de su honor no pretenderá faltar a su palabra, ¿verdad? El fin de semana que viene, todos nos iremos a Mobile, con su permiso especial. Es lo que ha prometido y lo cumplirá.

—A pesar de tus malas artes, siempre hago honor a mi palabra —afirmó, claramente enfadado. Sin mediar ni una sola palabra más, abandonó la estancia.

El padre cumplió su parte de la apuesta. El fin de semana llegó. Todos estaban emocionados. A los alumnos del *Spring Hill College* no les estaba permitido acudir, sin la compañía de algún profesor, a la ciudad de Mobile. Tan solo se hacían excepciones con los alumnos del último curso... y ahora con ellos.

Buscaron una pensión donde pasar la noche del sábado y, a continuación, se fueron de compras. Pasearon por el pueblo como si nunca lo hubieran visto. Paul compró un objeto que no les quiso mostrar. La sensación de libertad les estaba gustando mucho, tanto que se embriagaron de ella. Rafael, el mexicano, les propuso tomar unas cervezas en una taberna. Charles y Paul jamás la habían probado, no así sus acompañantes, que eran mayores que ellos. Incluso Rafael les comentó que, en una ocasión, se había tomado cuatro tequilas. Ni lo dudaron. Entraron en la primera taberna que vieron.

A partir de aquí, comenzó la juerga. Paul recordaba que se tomó varias cervezas, que habló más, en esa tarde, que en los dos años en la escuela y que se lo pasó muy bien, aunque no recordaba cómo terminó. Bueno, sí que lo sabía. Entre penumbras, le parecía acordarse que fue llevado a la pensión, casi a rastras, entre Rafael y Louis.

El despertar fue horrible. Toda la habitación parecía estar girando alrededor de él. Intentó mover su cabeza para ver a su amigo Charles. Estaba vomitando en una palangana. El resto de sus compañeros, sin embargo, parecía que se divertían observando su tremenda resaca.

—En dos horas deberemos volver a Spring Hill —les recordó Paul—. A ver qué contamos, porque no creo que nuestro estado sea muy presentable.

—¡Desde luego que no! —exclamó riéndose Rafael—. Si de normal ya eres más pálido que la leche, ahora más vale que no te mires al espejo. No podemos reconocer que hemos bebido, así que tendréis que buscaros un pretexto. Creo que lo mejor sería alegar un empacho de helados, así no habrá castigos. Lo máximo que sucederá será que, quizá, os obliguen a pasar un par de días en la enfermería, con *Miss* Lotter. Ahora que lo pienso un poco mejor, no sé qué es peor, si el castigo o *Miss*

Lotter —Rafael seguía riendo, pensando en la odiosa enfermera, que nadie en todo el colegio soportaba.

Se pusieron todos de acuerdo y, como habían previsto, Paul y Charles fueron ingresados en la enfermería.

Al día siguiente ya se encontraban bastante mejor. Le pidieron a *Miss* Lotter volver a sus clases, pero se negó, alegando que los empachos de helado requerían de reposo, al menos por tres días más.

—¿Y qué hacemos estos días? —le preguntó Charles a su amigo.

—Supongo que aburrirnos encerrados aquí.

—Ahora que lo recuerdo, ¿qué compraste en Mobile? Veo que tienes el paquete sin abrir —dijo, señalando la mesa.

—En realidad, no es para mí —le respondió Paul.

—¿Es un regalo?

—Algo así, pero tampoco es para ti. Aunque, ahora que lo pienso, le podríamos sacar partido, si vamos a pasar aquí unos días —le contestó, mientras lo tomaba en sus manos y se lo entregaba a Charles.

Rasgó su envoltorio y se quedó mirando el objeto, atónito.

Sin él saberlo, aquel incidente iba a marcar toda su vida.

28 EUROPA, ENTRE ENERO Y AGOSTO DE 1855

—Escuche, todos sus cómplices han confesado. Tenemos pruebas suficientes. ¿No se da cuenta de que no consigue nada con su absurda actitud?

—No soy idiota y sé que mi vida ya no vale nada, pero mi honor permanecerá intacto para mis hijas y, sobre todo, para mi amada patria italiana. Lo que tenga que suceder, cuanto antes mejor.

—Pero ¿no se ha dado cuenta todavía? Mírese a sí mismo. Es un esqueleto que ni siquiera se puede sostener por sí mismo. Está enfermo. Lo último que tenemos es prisa. El tiempo no es una variable para nosotros, pero sí para usted.

Felice Orsini tomó conciencia de las palabras que le dirigía Casati, el jefe de la fortaleza de Mantua. A pesar de su extrema debilidad, intentaba mantenerse cuerdo con pequeños ejercicios mentales, ya que los físicos le eran imposibles. Era su trigésimo interrogatorio y llevaba 182 días encerrado en aquella putrefacta cárcel.

—No sea inconsciente —continuó el interrogador—. Como usted dice, su vida no vale nada. De hecho, la de ningún prisionero de Mantua lo vale, pero si colabora con nosotros, le podríamos facilitar su estancia e, incluso, abreviar el proceso. Ahora se encuentra en la peor celda de toda la fortaleza y apenas recibe alimentos y comida. Podríamos suavizar sus condiciones. Por otra parte, recuerde que nadie del exterior de estos muros conoce su paradero. Aunque su mujer lo haya abandonado, tiene más familia. Sus hijas, Ernestina e Ida, lo siguen siendo. Igual le gustaría despedirse de ellas, de su tío Orso, de su hermano Leonidas o de cualquier otro amigo íntimo. Unas últimas palabras siempre ayudan a templar el alma.

Felice seguía pensativo.

En el fondo, tenía que reconocer que Casati tenía razón. Durante los treinta interrogatorios que había sufrido, le habían ido mostrando documentos, incluso cartas de Mazzini que eran demoledoras. A pesar de las evidencias, lo había negado todo. Pero ¿de qué le había servido? Nada iba a cambiar su destino.

«¿Nada?», pensó, por un momento. Una chispa se le encendió en su cabeza.

—Está bien, usted gana —respondió Felice—. Tiene razón. Me gustaría despedirme de los míos. Ya nada me retiene en este mundo. En cuanto a la mejora de la celda y esas cosas, me dan igual. Lo que me da fuerzas es mi espíritu. Mi cuerpo ya está perdido.

—Bueno, pues en ese caso podemos facilitarle que les envíe unas cartas. Pero ya sabe, debe contarnos todo lo que sabe.

Orsini se quedó mirando a los ojos de Casati. Empezó a hablar. Estuvo todo lo que su frágil salud le permitió, casi una hora.

—Es un buen comienzo, pero seguiremos. Me alegro de que haya cambiado su actitud.

—Entonces, ¿puedo escribir alguna carta?

Casati sonrió.

—Podrá, pero lo que me ha contado hoy ya lo sabíamos. No se preocupe, que no faltaré a mi palabra. Nos seguiremos viendo todos los días. Cuando considere que se lo ha ganado, le permitiré hacerlo.

Felice volvió a su celda.

Al día siguiente, fue llamado de nuevo por Casati.

—¿Tiene algo más que contarme que no sepa ya?

Orsini había estado pensando. Durante la misión que le había encomendado Mazzini, tan solo había contactado con Ambrucci, el falsificador del pasaporte a nombre de George Hernagh, pero esa información ya la conocían. Por precaución, ni en Milán, Viena o Trieste se había reunido con ningún miembro del Partido Revolucionario. No se fiaba, ya que estaba en descomposición. En realidad, salvo a Mazzini, no podía delatar a nadie y lo de Mazzini suponía que también lo sabrían. Pero había una cuestión que sí podía utilizar a su favor. La red de Mazzini en Suiza había sido descubierta. Conocía que se habían efectuado algunos arrestos. Era cuestión de tiempo que fuera desmantelada en su totalidad. Quizá esa información la desconociera Casati. Había decidido probar por ese camino.

Así lo hizo. Le relató el motivo de su misión a Viena y luego a Transilvania, siguiendo instrucciones de Mazzini. También delató a sus compatriotas suizos. Sintió una punzada de dolor en el pecho, pero pensó que tan solo estaba adelantando lo inevitable. Toda la estructura estaba ya comprometida.

Casati, esta vez, pareció satisfecho con la declaración de Felice. Orsini esperaba el ansiado cambio prometido, pero sucedió lo contrario a lo que ansiaba. De repente, se levantó de la silla. Toda la amabilidad que había exhibido desapareció. Lo devolvió a su celda de malas maneras. Felice no comprendía nada.

Así estuvo dos semanas, aislado e incomunicado. Ahora ya no lo trataban como a un sospechoso, sino como a un enemigo confeso. Sabía que esa diferencia, en Mantua, no significaba nada, ya que nadie salía vivo de allí, pero esperaba que el jefe de la fortaleza cumpliera con su palabra. Su celda apenas medía dos por dos metros y no tenía ventanas. No sabía en qué hora del día vivía. Su cuerpo estaba perdido, pero, ahora, su mente también flaqueaba.

Por su cabeza pasó el suicidio. No quería que lo llevaran al cadalso para ser ahorcado. Sus piernas no tenían la fuerza como para tenerse en pie y no quería pasar por esa humillación.

De repente, sin explicación alguna, los soldados que lo vigilaban abrieron la puerta de su celda. Lo cogieron por los hombros y lo trasladaron a otra. La número cuatro. Allí había estado encerrado su amigo Calvi.

—¿Qué ha ocurrido con la persona que ocupaba esta celda?

—¿Tú que crees? —le respondieron de malas maneras—. Ayer fue ajusticiado. El próximo serás tú.

Cerraron la puerta y lo dejaron a solas con sus pensamientos. Una lágrima cayó por su mejilla. Los patriotas más valientes hacia Italia y su república estaban cayendo uno a uno. No había esperanza. Sin pretenderlo, un arranque de furia salió de sus entrañas.

—¡No me colgaréis! Prefiero que me descerrajéis un tiro. Quiero morir con honor, no sujetado por dos de vosotros mientras me ahorcáis.

—¡Cállate! —le gritaron—. Correrás la misma suerte que todos tus camaradas y ratas traidoras.

Felice iba camino de una profunda depresión, pero quería evitarla a toda costa. Decidió intentar ocupar su mente con otras cuestiones. Se le ocurrió observar su nueva celda. Era un poco más grande. Además de un sucio camastro, también disponía de un escritorio y una silla. Pero lo más importante para Orsini es que, en lo alto de ella, había un pequeño ventanal. Estaba fuera de su alcance, pero algo era algo. Por lo menos, entraba luz natural.

Al día siguiente, recibió la visita de Casati. Acudió personalmente a su celda, no lo hizo llamar a sus dependencias, como era la costumbre. Después de abrir la puerta, se sentó en la silla, mientras Felice aún estaba tumbado en el camastro.

—Su información ha resultado veraz. Hemos capturado a algunos traidores en Suiza. Ahora, por primera vez, sí que nos ha resultado útil.

Felice sintió de nuevo la punzada en el pecho y permaneció en silencio.

—Como verá, he hecho honor a mi palabra. Le he cambiado de celda y aquí le traigo papel, sobres y una pluma. Puede escribir a sus familiares o amigos. No hace falta que le diga que toda su correspondencia, tanto la que usted envíe como las contestaciones que reciba, serán revisadas por mí mismo. No me intente engañar. Tan solo pretendo que se despida de sus seres queridos, nada más. Ese era el trato.

—Se lo agradezco —le respondió Felice, sentándose en la cama.

Casati salió de la celda. Orsini, como pudo, anduvo los dos metros hasta la silla. Se sentó y pensó a quién podía escribir. Empezó por decidir a quién no. No lo haría a su tío Orso, en Imola, ya que si se enterara de que estaba encerrado en Mantua, sabría su fatal destino, y desconocía si su frágil salud lo soportaría. A sus hijas ya les había enviado una misiva antes de iniciar la misión y tampoco le apetecía que supieran que iba a morir. Después de darle muchas vueltas, decidió escribir tan solo dos cartas. A su hermano Leonidas y a su benefactora Emma Herwegh.

A Leonidas le envió una carta muy emotiva.

«Querido Leonidas. Cuando recibas esta carta igual ya estaré muerto. No quiero nada para mí, yo mismo me he buscado mi propia suerte, pero sí que deseo lo mejor para mis dos hijas. Cuida de ellas como si fueran tuyas. Eres joven y de buen espíritu. También le dirijo estas palabras a tu esposa, mi cuñada, que no he tenido el placer de conocer personalmente. Educadlas en la tolerancia y en el amor a nuestra patria. Que no caigan en manos de religiosos, ya que tan solo conducen a la negación de lo verdadero y a la ignorancia. Me gustaría vivir muchos años para verlas crecer, pero no creo que sea posible. Tanto Ernestina, a quién le gusta que la llamen Lucy, e Ida, son todo mi legado en este mundo. Por favor, no le digas nada a nuestro tío Orso. Recuerda que siempre te recordaré con amor eterno. Felice».

Metió la carta en un sobre y puso el nombre y la dirección de su hermano, en Florencia.

Ahora, se dispuso a escribir la segunda. Esta era la verdaderamente importante. La dirigió a Carlo Mesina, en Zúrich. Era un amigo íntimo de Emma Herwegh, que era la destinataria real. No quería que su nombre figurara ni se la relacionara con él. Sabía que Carlo le entregaría la carta a Emma. Ya le habían advertido que toda la correspondencia sería supervisada, así que pensó que toda precaución era poca.

«Querido Carlo. Mis días están contados en Mantua. Tan solo espero el momento en el que me ejecuten. Les he solicitado que me fusilen, ya que mi salud no me permite ni siquiera mantenerme en pie, pero se han negado. Si llega ese momento, en el cadalso, pienso mostrar mis principios hacia mi patria, sin ningún arrepentimiento. Pero no deseo que eso ocurra. No quiero ser ajusticiado, mientras soy sujetado por dos enemigos de la República. Ya sé que te estoy pidiendo mucho, pero es muy importante para mí. Prefiero suicidarme, ya lo he decidido. Necesito que entiendas bien lo que te estoy pidiendo. En mi próxima carta te daré instrucciones acerca de cómo introducir el suficiente opio en esta fortaleza como para quitarme la vida. No lo dudes ni por un momento, siempre he estado preparado para la muerte. A pesar de que una parte de mí desea poder decir mis últimas palabras de amor a mi patria, encima del cadalso, otra teme la humillación que sufriré. En el fondo, a pesar de todos los compatriotas que han muerto por la causa, siempre me he sentido muy solo. Nos encontraremos en el paraíso de Dante. No sufras por mí. Felice».

Entregó ambos sobres a su carcelero. Sabía lo que iba a ocurrir a continuación, así que no le sorprendió.

—Orsini, te llaman al cuarto de guardia —le dijo uno de sus carceleros, apenas una hora después de redactar las cartas.

Entre dos lo llevaron en volandas y lo sentaron en una silla. Allí estaban todos los carceleros del turno de la prisión. Nadie le dijo nada. A los pocos minutos, apareció el jefe Casati, con una expresión de diversión en su rostro.

—Me he leído sus dos misivas. Muy interesantes, sobre todo la que envía a ese tal Carlo de Zúrich.

—Míreme —le contestó Orsini—. No sé si seguiré vivo cuando el tribunal se decida a ejecutar mi sentencia. Quizá me queden tan solo días en este mundo.

—Eso no ocurrirá. Lo mantendremos con vida para que sufra desde el cadalso.

—Eso no lo puede asegurar, ya que no depende de usted, sino de Dios y me queda apenas un hilo de vida. Si se empeña en ajusticiarme, haré un alegato en defensa de mi patria y en contra de los invasores y traidores a la República. Se me escuchará desde toda la fortaleza. Quién sabe, quizá cree a un mártir de la causa. Sin embargo, si me encuentran muerto en mi celda, por tomar un exceso de opio, quedaré como un cobarde adicto que ha preferido quitarse la vida a enfrentarse al cadalso, como lo han hecho todos sus compatriotas.

Casati se quedó pensativo, durante un pequeño instante.

—Desde luego su cuerpo está perdido, pero su cabeza aún funciona.

—¿Eso quiere decir que acepta?

—Antes de pronunciarme, ¿cómo pensaba introducir el opio en Mantua? ¿Cuáles son esas instrucciones que le va a dar a su amigo Carlo? Ya sabe que, aquí, todo lo que entra es revisado personalmente por mí. ¿Acaso tiene algún infiltrado entre los guardias?

—¿Cree que estaría así en ese caso? Por supuesto que no. Conozco de sobra que usted es la única puerta de entrada para cualquier cosa en la fortaleza, luego usted es la persona que me facilitará el opio. Piénselo bien, yo ya estoy muerto. Tan solo queda una elección, la manera de hacerlo, y está en sus manos.

—¿Sabe que pueden pasar varios meses hasta que el opio llegue hasta Mantua, en caso de que acepte su propuesta? La correspondencia con Zúrich no es demasiado rápida.

—Lo supongo. ¿Acaso prevé que la sentencia se ejecute antes?

—No lo creo. El tribunal no tiene ninguna prisa. No me extrañaría que la pospusieran hasta el año que viene. Además, yo conoceré la fecha exacta con antelación. Ya sabes, para los preparativos...

—Entonces, debo ser capaz de aguantar hasta entonces. Sabe que, en mi caso, no es lo mismo que me suicide a que muera de cualquier enfermedad. Si me permite ejercitar mi cuerpo en el interior de mi celda y me facilita algo más de comida, podré aguantar ese tiempo. En caso contrario, dudo que me queden más de unas semanas de vida.

—O sea, que si lo he entendido bien, ¿quiere cuidarse y recuperarse para después suicidarse? —le preguntó Casati, riéndose, al mismo tiempo que lo hacían todos los guardias presentes.

«No, quiero cuidarme para después escaparme, idiota», pensó Felice.

29 SPRING HILL COLLEGE, ALABAMA, DE 1852 A 1855

—¿Esto es lo que has adquirido en Mobile, a escondidas de todos nosotros?

—Parece obvio que sí.

—La última palabra que emplearía es «obvio». ¿Has comprado alguna vez uno de estos?

—No, es la primer vez que lo hago.

—¿Y por qué lo has hecho?

—Ya te he dicho que era un regalo. Me han caído muy bien los miembros del Club de Ajedrez. Aunque ahora estemos en la enfermería, creo que ayer fue el día más divertido de los dos años que llevo *Spring Hill.*

—Pero siempre has dicho que no servían para nada.

—No es exactamente así. Lo que siempre he dicho que a mí nunca me han servido para nada, pero, quizá, a otros sí que les sea útil. La primera partida que perdí en mi vida fue, según me dijo mi adversario, gracias a ese libro que tienes en tus manos.

Esta conversación la estaban manteniendo Paul Morphy y su amigo Charles Maurian, en la enfermería del colegio.

—El libro de mano de los jugadores de ajedrez, por Howard Staunton —leyó Charles.

—Sí. A pesar de que no lo he leído, bueno, ni ese ni ninguno, parece un compendio científico de posiciones destacadas y partidas jugadas por maestros. Pensé que les gustaría tenerlo en el club. Howard Staunton es el campeón inglés y también es considerado uno de los mejores ajedrecistas del mundo.

Paul continuó con su explicación.

—El año pasado, en 1851, organizó un torneo internacional en Londres, perdiendo la final contra Adolf Anderssen. Johann Lowenthal, el ajedrecista al que vencí hace dos años en Nueva Orleans, me invitó a participar, pero, como era de prever, mi padre se negó, ya que debía estar aquí, en *Spring Hill*.

Charles se quedó en silencio durante unos minutos, mientras lo hojeaba.

—Lo que no entiendo es cómo dos personas, que se suponen inteligentes, se puedan tirar horas y horas sentados enfrente de un tablero de ajedrez, moviendo figuritas blancas y negras y que, además, encuentren algún placer en ello. Me parece hasta algo pueril.

Paul sonrió.

—Si supieras jugar, seguramente cambiarías de opinión.

—Bueno, *Miss* Lotter nos va a tener tres días aquí encerrados, sin nada que hacer. ¿Qué te parece si me enseñas los movimientos de las piezas? Tan solo por matar el aburrimiento que nos espera, aunque no creo que tenga la paciencia de acabar una partida...

—¡Claro! —le respondió Paul, sorprendido. En todos los años que se conocían, su amigo jamás había demostrado el más mínimo interés por el ajedrez.

En la enfermería había diversos juegos, para que los que estuvieran ingresados se pudieran distraer, entre ellos un tablero de ajedrez. Paul se levantó de la cama y lo tomó entre sus manos. Encima de la mesa que separaba las camas de ambos amigos dispuso las piezas en su posición inicial.

—Como curiosidad, estas piezas de madera son del diseño moderno que hizo, hace apenas tres años, el propio Howard Staunton. De hecho, las piezas llevan su nombre.

—Curioso —respondió Charles.

—Si te fijas, el tablero contiene sesenta y cuatro casillas y cada jugador dispone de dieciséis piezas.

—Eso ya lo sé.

—Bueno, pues la única que importa es el rey. El que primero consiga matarlo, ese gana el juego.

—Eso también lo sé, pero ¿cómo se hace?

Paul comenzó a explicarle el movimiento de cada pieza. Durante ese día, jugaron varias partidas de entrenamiento. Charles preguntaba acerca del juego y Paul le respondía las razones de efectuar cada jugada. Charles parecía hipnotizado.

—¡Es un juego de estrategia!

—Claro, ¿qué te creías? De todas maneras, la mejor manera de aprender es jugando partidas. Una vez conoces los fundamentos, cuanto más practiques, mejor.

—¿Sabes? Me parece que esto me va a gustar. ¿Te importa que juguemos más partidas? Así iré aprendiendo.

—¡Por supuesto que no! Pero lo haremos a mi manera —le respondió Paul—. Yo lo haré sin mi dama y sin torres. Eres un principiante, así estaremos más equilibrados. Nunca olvides que se trata de un simple juego, nada más.

Durante los dos días siguientes, jugaron infinidad de partidas. Para el asombro de Charles, aquello le gustaba, y mucho. Nunca se lo habría podido ni siquiera imaginar. Paul también estaba sorprendido por el cambio que se había producido en su amigo. Se quedó el libro de Howard Staunton y se lo leyó varias veces. Parecía que el hechizo del juego había prendido en él.

Una vez abandonaron la enfermería, en la primera ocasión que Charles tuvo de desplazarse a la ciudad de Mobile, se compró multitud de libros de ajedrez y los devoró como si el mundo se fuera a acabar al día siguiente. Había pasado del negro al blanco, nunca mejor dicho, en apenas unas semanas. De no interesarle el ajedrez a estar obsesionado con él. Después de unas semanas, abordó a su amigo Paul.

—Quiero que juegues al ajedrez conmigo —le dijo Charles.

—No te lo tomes a mal, pero no me apetece nada. Ya sabes de sobra que he perdido el interés. Me recuerda demasiado a Amélie y aún duele. Acepté jugar aquellas partidas con el padre Beaudequin por las especiales circunstancias, pero ya no me divierte. Hace unos años, el tablero era todo mi universo y deseaba entrar en él, pero, ahora, no lo quiero ni ver. No pienso jugar con nadie más, ni siquiera con los miembros del club.

—Pero yo no soy nadie, soy tu mejor amigo. Lo reconozco, me he enganchado. Tan solo te estoy pidiendo el favor de que juegues contra mí, no para tu diversión, sino para mi entrenamiento.

Paul, después de pensarlo durante un instante, aceptó. Consideró que no le podía negar ese favor a su amigo. Además, aquellas no iban a ser partidas ordinarias, sino, como decía Charles, un adiestramiento.

Jugaron infinidad de partidas y Charles se convirtió en un alumno aventajado. Pronto, Paul tuvo que reducir su ventaja inicial a jugar sin su dama pero con sus dos torres. Charles jamás le ganó ni una sola partida, pero ese no era el objetivo. Aprendía rápido, eso era lo importante y se entregaba con pasión. Escuchaba los consejos de Paul acerca de la naturaleza del juego y de determinados movimientos, absorbiéndolos todos como una esponja. «Con el tiempo, si se aplica, llegará a ser un buen jugador», pensó Paul, viendo sus progresos.

—¿De verdad que no vas a jugar a ajedrez en toda tu vida? —le preguntó Charles—. Aún veo pasión en tu juego. No lo puedes evitar. Lo de Amélie fue una verdadera tragedia, pero debes de pasar página de una vez, Cuando te veo frente al tablero, tu semblante cambia. Creo que te haría bien jugar. Ya conoces que tu constitución física es débil y es algo que tú sabes que no vas a poder solucionar, por tu frágil salud. Pues, por lo menos, que tu intelecto no decrezca. Enfrente de un tablero no pareces un paliducho, enfermizo y menudo sureño, sino un gigante nórdico.

—Te confieso que he disfrutado estos últimos años jugando contigo, para mi sorpresa, pero creo que lo hago porque me enfrento a ti. Eres mi amigo. No creo que lo hiciera si jugara contra otros ajedrecistas. Esa etapa de mi vida está cerrada.

Charles sonrió.

—Bueno, me parece que tan solo hay una manera de averiguarlo. Estamos en nuestro último año en *Spring Hill.*

—¿Qué quieres decir con eso?

—Que hay un ajedrecista con cierto prestigio en la ciudad de Mobile. Se lo he escuchado decir a nuestro profesor de español, el señor Sánchez, que también juega.

—¿Pretendes que vayamos a la ciudad para que juegue contra esa persona? ¡Ni hablar!

—No es eso lo que quiero. Pretendo que vayamos a Mobile a ver una sesión de la Corte Suprema. ¿No quieres graduarte y ejercer como abogado? Te vendrá bien.

—¿Qué pretendes? —estaba claro que Paul veía ocultas intenciones en la aparente petición inocente de su amigo.

—¿Quieres o no? Mañana hay sesión y me parece que será interesante. Ya he hablado con el director del colegio y tenemos su permiso para asistir.

—¡Lo tenías todo preparado! —exclamó Paul, simulando enfado.

—¡Y eso qué más da! Prepárate. Mañana saldremos hacia Mobile a las nueve.

Paul decidió aceptar. No sabía lo que tramaba Charles, pero su curiosidad se acabó imponiendo.

Al día siguiente, tal y como estaba previsto, se trasladaron a Mobile. La sesión de la Corte comenzaba a las diez. Llegaron justo a tiempo.

—¡Todos en pie! —exclamó un oficial, mientras entraba una estilizada persona y se sentaba en su estrado—. Preside la sesión de la Corte Suprema de Alabama, el honorable juez Alexander Meek.

—¿Me piensas decir de qué va todo esto ya? —le preguntó Paul a su amigo.

—Escucha —le respondió, señalando al estrado.

—¡Póngase en pie el acusado! —continuó el oficial—. El estado de Alabama contra Joseph Abberton, por dos cargos de asesinato, cometidos contra su mujer y su hija.

Paul ya había asistido a otras sesiones de la Corte Suprema. No veía nada inusual en la presente ocasión. Advirtió que el juez se quedó observando al público. Tomó la palabra.

—Debido a las cuestiones prejudiciales alegadas por la defensa, este tribunal aplaza la presente sesión por veinticuatro horas. Se reanudará mañana a las diez, ya sin más dilaciones —dijo, mientras se levantaba y abandonaba la sala.

—¡Menuda sorpresa me has dado! —exclamó Paul—. ¡Un viaje en balde!

Mientras hablaba, observaba la cara de Charles. Estaba sonriendo, como si ya supiera que todo se iba a desarrollar de esa manera.

—¡No te quedes callado! —insistió Paul—. ¿Qué ocurre aquí?

—¿Señor Morphy?

Paul se giró. Para su sorpresa, el mismo oficial que había conducido la sesión se estaba dirigiendo a él. Tal fue su sorpresa que no acertó a contestar.

—Le ruego que me siga —continuó el oficial–. Usted también puede acompañarnos –dijo ahora, dirigiéndose a Charles.

Paul no sabía de qué iba todo aquello, pero tenía claro que su amigo sí. Continuaba con esa enigmática sonrisa en sus labios. Dado que la invitación del oficial no parecía tal, más bien una orden, Paul le obedeció. Llegaron a una gran puerta. Su acompañante llamó y, sin esperar respuesta, la abrió.

Paul estaba pasmado. Aquel era el despacho del juez Meek, que estaba sentado detrás de su mesa, observando unos papeles.

—¿Me has metido en algún lio? —le susurró Paul a su amigo.

Charles se limitó a llevarse el dedo índice a la boca, indicándole que se callara, al mismo tiempo que el juez pareció advertir su presencia.

—Puede dejarnos solos, Ronny —dijo.

El oficial abandonó el despacho, cerrando la puertas tras él.

—¿Este es el chico que le ganó unas partidas a ciegas a Beaudequin?

—Sí, su señoría —respondió Charles.

Ahora, Paul comprendió la encerrona que le había preparado su amigo. Se enfadó y no se pudo aguantar. Haciendo caso omiso a la presencia del juez, se dirigió a Charles.

—¿Cómo te atreves a contar esas cosas por ahí? Aquellas fueron unas partidas privadas. Jamás debieron salir del club. Si yo fuera el padre Beaudequin, no me sentiría muy satisfecho.

Charles se quedó mudo e inexpresivo. Ni siquiera parecía que respirara.

—Joven, se equivoca de objetivo —dijo el juez—. No fue su amigo quien me informó de semejante hazaña. Fue el propio padre el que lo hizo primero. Pertenecemos al Club de Ajedrez de Mobile y, entre unas buenas copas de *cognac*, me contó lo que ocurrió hace un tiempo. De inmediato quise conocerle. Parece que ya no frecuenta el club de *Spring Hill* y me dijeron que tan solo jugaba con un tal Charles Maurian. Fui yo quien se puso en contacto con su amigo, para que lo trajera a la Corte Suprema. No lo culpe de nada.

—¿Y qué quiere de mí? —preguntó un asombrado Paul.

—¡Pues qué va a ser! Comprobar si es cierto lo que dicen de usted —le respondió, mientras le señalaba, en un lateral de su despacho, una mesa con un tablero de ajedrez, con las piezas dispuestas.

—¿Ha suspendido el juicio...? —empezó a preguntar Paul.

—¡Pues claro! Al pobre desgraciado ese le acabo de hacer un favor. Al fin y al cabo, vivirá veinticuatro horas más. Sin embargo, mi curiosidad no podía esperar ese tiempo.

—Hace cinco años que no juego al ajedrez, con la excepción de las partidas con el padre Beaudequin, hace más de dos. Ahora tan solo lo hago con mi amigo Charles, pero son de entrenamiento, no son partidas serias. Para mí, si no hay diversión, no hay juego. El ajedrez hace tiempo que dejó de hacerlo. Por ello, no tengo ningún aliciente para practicarlo.

El juez se levantó de la mesa y se acercó hacia ellos. Entre su considerable talla y aquellos ropajes tan formales, le conferían un aspecto imponente.

—No se lo voy a rogar, señor Morphy, pero me gustaría jugar una partida con usted —le dijo, con un tono sorprendentemente amable—. Si no lo desea, es libre de abandonar mi despacho, nadie se lo impedirá.

Paul estaba decidido a hacerlo, cuando el juez continuó hablando.

—¿Sabe? Conozco a su padre, el fiscal Alonzo Morphy de Louisiana. Es un viejo compañero y amigo. He jugado al ajedrez con él en varias ocasiones. Desde luego es un buen ajedrecista, aunque su nivel sea muy inferior al mío. No me gustaría parecer fanfarrón, pero le suelo derrotar con facilidad. No creo que su joven hijo pueda ser un rival para mí.

Paul era perfectamente consciente de que el juez Meek era una persona muy inteligente. Intentaba jugar con sus sentimientos, pero, lejos de enojarle, se sintió divertido con su actitud. Decidió pasar al ataque, como en el ajedrez, por simple entretenimiento.

—Tiene razón —le respondió, con una sonrisa en sus labios. Desde luego, detrás del rostro de Paul había mucho más.

El juez se le quedó observando, sorprendido por su respuesta y su actitud indolente.

—Entonces, ¿por qué me da la impresión de que se está burlando de mí? —le contestó.

—No es una sensación, su señoría. Con todos los respetos, lo estoy haciendo abiertamente —Paul parecía que estaba disfrutando—. Tiene razón en que mi padre es un buen jugador. Probablemente también la tenga en que sea superior a él y que lo haya derrotado. Y ya, para terminar, también tiene razón en que yo no soy rival para usted, o, formulando su enunciado de una manera más apropiada, que usted no es rival para mí y, que conste, que tampoco me gusta ser un fanfarrón.

Charles Maurian estaba escandalizado. Disimuladamente, le estiró de la chaqueta a su amigo. Aquello era toda una provocación. El juez Meek era una de las autoridades con más poder de todo el estado.

—¡Caramba! —el juez seguía asombrado, pero a la vez divertido—. Entonces, ¿eso significa que se atreve a jugar contra mí? Quizá haya sido un tanto imprudente. No me conoce. Soy el mejor jugador de toda Alabama.

—Quince —le respondió Paul, que, lejos de parecer amedrentado, seguía sonriendo.

—¿Quince qué?

—Que son los movimientos en los que le anunciaré mate.

—¡Al tablero ya! —exclamó el juez, con voz firme señalándole la mesa.

Charles continuaba abochornado. «Si llego a saber la actitud de Paul, no lo meto en semejante compromiso», pensó.

La partida comenzó de inmediato, cada uno fiel a su estilo. Paul había jugado cientos de partidas similares. Llegado al sexto movimiento de la apertura, se salió de los cánones, provocando que el juez se le quedara mirando, asombrado.

—¿Acaso no le importa su caballo?

—No, tan solo me importa su rey. Si lo desea, puede tomarlo. Es un regalo.

El juez no dudó en hacerlo.

Como casi siempre, los regalos de Paul eran envenenados. Con los dos alfiles en juego, sacó a su dama y se lanzó en tromba contra su adversario, que apenas podía contener el ataque. En la jugada once, sus dos torres ya habían entrado en juego, cuando el juez aún estaba intentando organizar su defensa.

Charles observaba la partida, ensimismado. A pesar de la ofensiva de Paul, la posición del juez le pareció sólida. Se había enrocado y tenía las piezas bien dispuestas. No veía cómo Paul podía penetrar en semejante fortín.

—Me parece que le he sorprendido, ¿verdad? Le llevo ventaja de un caballo y un peón y le recuerdo que estamos en el movimiento quince —el juez levantó la vista y se quedó mirando fijamente los ojos de Paul. Lo que vio en ellos le sorprendió. Furia.

—Mate en cinco —le respondió, aguantándole la mirada.

El juez no pudo evitar dar un respingo. Era lo último que se imaginaba.

—Se tratará de una broma, ¿no?

—¿Me ve cara de tomarle el pelo? ¿Hace falta que lo desarrolle o prefiere verlo por usted mismo? Tranquilo, puede tomarse su tiempo, como si estuviera en su casa.

Ahora sí, Charles pensaba que iban a acabar encerrados en una oscura mazmorra. Después de casi tres años jugando con Paul, ya se consideraba un ajedrecista más que decente. No veía ninguna posibilidad de mate ni en cinco ni en diez. Tan solo observaba como Paul parecía divertirse a costa del poderoso juez.

Se hizo el silencio. Pasó media hora y el juez seguía con la mirada fija en el tablero y un rostro de incredulidad. De repente, su semblante cambió. Se levantó de la mesa, como si tuviera un muelle en su culo.

—¿No me diga que todo ha empezado con el sacrificio de su caballo? —le preguntó, mientras andaba por su despacho.

—Exactamente.

—¡Pero eso es imposible! Ha ocurrido en la sexta jugada.

—Sí, desde entonces ya tenía la partida dominada. Nunca debió aceptar ese regalo, que no era tal. De hecho, podía haber anunciado el mate hace dos jugadas, pero para cumplir con mi palabra, he esperado al movimiento quince.

—¡Otra partida! —exclamó de inmediato el juez, acercándose a la mesa y poniendo las piezas en su posición inicial.

Ambos se dispusieron a jugar de nuevo. Cuando concluían una partida, de inmediato empezaban otra. Se pasó la hora de la comida y no hicieron ademán de levantarse de la mesa. Charles ya no estaba asustado, esa palabra se quedaba corta, ya que, invariablemente, el resultado de cada partida era el mismo. Paul vencía al juez como si fuera un principiante.

—No es por nada —se aventuró—, pero son las cuatro y media de la tarde. Ya deberíamos estar en *Spring Hill.* Nos vamos a llevar una buena bronca del director.

—Mate en cuatro —escuchó anunciar, en ese mismo instante, a Paul.

Después de diez minutos en silencio, el juez, por fin, se levantó de su silla. Llevaban sentados en ellas más de cinco horas, sin moverse ni para ir al aseo. Charles se limitaba a traerles vasos de agua.

Para sorpresa de los dos amigos, el juez, por primera vez en todo el día, se permitió lucir una amplia sonrisa.

—No os preocupéis por la hora —dijo, mientras se dirigía a su mesa y tomaba una pluma. Charles notó que era la primera vez que los tuteaba—. Voy a escribir una nota para que se la entreguéis al director Judd cuando lleguéis a la escuela. Tranquilos, no os castigará. Habéis estado haciendo prácticas conmigo.

—Muchas gracias —acertó a responder Charles.

—En cuanto a ti —dijo, dirigiéndose a Paul—, eres un auténtico prodigio, aunque supongo que ya estarás acostumbrado a que te lo digan. No quiero que abandones el ajedrez. No es nada habitual que aparezcan jugadores con tu talento natural y, desde luego, no se debe desperdiciar. Jugaremos un día a la semana. Está acordado y no acepto un «no» por respuesta.

La verdad es que Paul se había divertido con el juez. Sorprendentemente, se escuchó a sí mismo contestar con un simple «sí».

Durante el último curso en *Spring Hill,* todos los sábados, acudía a la residencia particular del juez. No solo jugaba con

Meek, sino con otros jugadores destacados de Alabama, como el doctor Ayers y con el director de la revista *Weekly Register* de Mobile. A pesar de las innumerables partidas que jugó, Paul no cedió ni una sola. Tan impresionados dejó a todos sus adversarios, que, por primera vez, le dedicaron un reportaje en una publicación del estado. Su cara salió en el principal periódico de Alabama, acompañada de un texto en términos muy elogiosos. Paul intentó evitarlo, pero no pudo.

El curso terminó y se graduó con los máximos honores, siendo el alumno más destacado de su promoción. A la ceremonia acudió toda su familia, incluido su tío Ernest, que, tres años antes, había abandonado Nueva Orleans para establecerse en Ohio. Incluso lo hizo el propio juez Alexander Meek. A Paul no se le pasó por alto la conversación que mantuvo, a solas, con su padre.

«Problemas a la vista», pensó.

Lo que no se podía imaginar era la naturaleza de los mismos.

Terribles.

30 MANTUA, ENTRE OCTUBRE DE 1855 Y MARZO DE 1856

—Tienes correspondencia —le gritó un carcelero, mientras abría el pequeño ventanuco y arrojaba a su interior un sobre.

Nada más verlo, a Felice le cambió la expresión de su rostro. No se trataba tan solo de una carta. Aquello abultaba bastante.

De inmediato, se levantó del camastro. Llevaba meses ejercitándose en el pequeño espacio de su celda. Ello, unido a la comida extra que le había estado facilitando el comandante Casati, había obrado un milagro. Felice estaba mucho mejor de salud, pero, lo más importante, ya era capaz de caminar e incluso correr por él mismo, sin ninguna ayuda. No había recuperado totalmente su antigua fortaleza física, pero ya no era un tullido.

Además de ello, había confraternizado con la mayoría de sus carceleros. No era infrecuente que, en el turno de noche, le permitieran salir de su celda y cenar con ellos. La idea de que Orsini estaba reponiendo fuerzas para, a continuación, quitarse la vida, les había hecho mucha gracia.

En consecuencia, durante estos meses de espera, Felice había trazado en su cabeza el plano de la parte de la fortaleza de Mantua que le interesaba conocer. Para él, era como un tablero de ajedrez, con sus carceleros dispuestos en sus correspondientes casillas. Eran las piezas negras. En cuanto a las blancas, las conformaban Felice y todos los compañeros que iban a intentar fugarse con él. Curiosamente eran dieciséis guardias contra dieciséis compatriotas. Ironías.

Abrió el sobre.

Efectivamente, en su interior había un recipiente con un líquido blanco. Estaba claro que era lo que ellos llamaban *bianco*, es decir, morfina.

Ahora sí, había llegado el momento de la verdad.

Se comunicó con sus compañeros, golpeando las paredes de las celdas. Eran señales que ya habían convenido. Todos supieron que Felice ya disponía del opiáceo. Tan solo quedaba esperar el momento adecuado para la ejecución del plan.

—Bueno, tus deseos se han hecho realidad —le sorprendió una voz, a través de la puerta.

Era Casati.

—Veo que, aunque somos enemigos, ha hecho honor a su palabra.

—Ahora espero que usted haga lo propio.

—¿Le puedo pedir un último deseo? Me gustaría emborracharme. Si voy a morir, por lo menos, que sea contento.

Casati no pudo evitar reírse.

—¡Claro, cómo no! De verdad, Orsini, cada día me parece usted más extraño. Le concedo su último deseo, pero, a cambio, deberá hacer una cosa por mí. Es importante.

Orsini sintió curiosidad. Permaneció en silencio, esperando las explicaciones de Casati.

—Ahora mismo se encuentra en Mantua el comandante Tirelli. Mientras esté alojado en la fortaleza, nada fuera de lo normal debe suceder. Una vez la abandone, le prometo que yo mismo me emborracharé con usted.

—¿Y cuándo ocurrirá eso?

—Lo desconozco, pero por sus pertrechos, parece que no será una estancia corta —respondió, mientras abandonaba la puerta de la celda.

Felice no pudo evitar preocuparse. Aquello trastocaba seriamente los planes de escape. En breve comenzaría el invierno en Mantua y las posibilidades de fugarse con éxito disminuirían. Aunque consiguieran burlar la vigilancia y salir de la fortaleza, afuera les estaría esperando la nieve y el frío. Felice ya había pasado por esa desagradable experiencia en las montañas suizas y no quería repetirla.

Por otra parte, disponía de la morfina. Le pareció extraño que el jefe Casati se la hubiera proporcionado, para, a continuación, pedirle que no la usara todavía. Pensó que quizá le estuviera poniendo a prueba.

En los siguientes días se comunicó con sus compañeros. Era una situación complicada. Ningún prisionero se había fugado jamás de Mantua, pero, además, intentarlo en invierno era una auténtica locura.

Por otra parte, no tenían más remedio que esperar. Necesitaban que las dieciséis piezas negras de aquel tablero imaginario de Felice estuvieran dispuestas en su lugar correspondiente. En caso contrario, el plan no se podría llevar a cabo, tal y como estaba concebido.

Pasaron dos meses. El nerviosismo entre los prisioneros iba en aumento. Ya habían caído los primeros copos de nieve y el exterior de la fortaleza estaba cubierto por un fino manto blanco. Necesitaban hablar. Aquello no pintaba nada bien. Aprovecharon uno de los escasos momentos en los que se podían reunir. El baldeo mensual. Los sacaban al patio de la cárcel y les echaban agua por todo el cuerpo, para mantener una mínima limpieza. También era una forma encubierta de tortura, porque la temperatura exterior no superaba los cero grados.

—Este es el último mes que nos queda para intentar fugarnos. Después de diciembre será imposible —dijo Mancini.

—Miremos el lado positivo. No hemos perdido el tiempo. Todos estamos en forma. Hace unos meses no hubiéramos sido capaces ni de avanzar unos metros. Ahora podemos vencer al frío —intentó animarles Felice, aunque ni él mismo se lo creía.

—Mancini tiene razón. Nos queda una o dos semanas a lo sumo —intervino Russo—. Si no lo logramos en esas fechas, deberíamos desistir.

Felice tuvo que reconocerlo.

—Intentaré hablar con el jefe Casati. Le diré que estoy muy deprimido y que no aguanto más, pero corremos el riesgo de que me requise la morfina, si cree que me voy a suicidar ya. Además, nuestro plan se basa en que cada uno esté en su puesto.

—¿Qué más nos da? —insistió Mancini—. Si el plan no se puede ejecutar como estaba previsto, ¿qué nos importa a estas alturas? Creo que la llegada del invierno nos condiciona. Seamos sinceros, aquí ya estamos muertos. Por lo menos, lo intentamos, salga cómo salga. ¿Qué puede pasar si nos capturan? ¿Qué nos condenen a muerte? ¡Pero si ya lo estamos!

Felice sabía que tenían razón y renunció a seguir con el debate. Se limitó a asentir con la cabeza.

—Estad atentos a las señales —les dijo, mientras los guardias los devolvían a sus celdas.

Felice solicitó a sus carceleros hablar con Casati. Tuvo que esperar tres días hasta que se dignó a aparecer.

—¿Qué te ocurre, Orsini? —le preguntó, entrando en su celda.

—No puedo más. Tengo los dedos de los pies congelados, como me ocurrió en Transilvania y Viena. No quiero pasar otra vez por ahí. Por otra parte, no hago más que pensar en mis hijas. Es un auténtico tormento. Si mi suerte está echada, quiero quitarme la vida ya. Le juro que no puedo esperar más.

—¿Pero no deseaba morir borracho?

—Sí, así era, pero si tengo que esperar a que Tirelli abandone la fortaleza...

—Tirelli se marchó hace una semana —le interrumpió Casati.

—¿Y por qué no me lo había dicho antes?

—Porque yo también me marché con mi compañero comandante. Acabo de regresar a Mantua. Como le dije, deseaba emborracharme con usted. Sin duda, es el personaje más peculiar que he conocido en mi vida.

—Entonces, ¿cuándo?

—¿Le parece en una hora en el cuerpo de guardia? Un carcelero pasará a recogerle —le respondió, mientras abandonaba la celda.

Aquella noticia era fantástica, aunque muy precipitada. Felice se comunicó con sus compañeros. Todos supieron que había llegado el día señalado. Repasó mentalmente el plan.

Como estaba previsto, a la hora convenida lo sacaron de su celda y lo llevaron al cuerpo de guardia. Además de todos los carceleros de aquella ala de la fortaleza, se encontraba Casati, sentado en una mesa.

—Bueno, ¿empezamos la ceremonia? —preguntó, mientras servía una copa de brandy a todos los presentes.

Así estuvieron durante dos horas. Cuando se terminó el brandy continuaron con el vino. La borrachera ya había hecho efecto en todos, incluso se abrazaron a Orsini, mientras cantaban y bailaban. Alguno incluso cayó inconsciente.

—Creo que ya ha llegado el momento —acertó a decir Casati, con la voz pastosa por los efectos del alcohol—. Ya te hemos concedido tu deseo. Es hora de que saques la morfina y te la bebas.

Felice se metió la mano en uno de sus bolsillos, sacó el recipiente, lo abrió y se lo bebió de un trago. Lo dejó encima de la mesa. Estaba vacío. Al poco tiempo de hacerlo perdió el conocimiento.

—Vamos, llevadlo a su celda ya. Que muera en paz.

Uno de los carceleros lo intentó coger por el brazo, pero también se cayó. Los demás tampoco se encontraban en condiciones de llevarlo a su celda. Estaba claro que se habían pasado con el brandy y el vino.

—Parece que estamos todos muy borrachos —dijo Casati, hablándole a un inconsciente Orsini—. Tendré que llevarte a la celda yo mismo.

Así lo hizo, entre trompicones. La mitad de los guardias estaban en el suelo y la otra mitad borrachos, manteniendo apenas el equilibrio, sujetados a lo que podían.

El plan de Felice estaba claro. Había intentado consumir la menor cantidad posible de alcohol, al mismo tiempo que, aprovechando los bailes y la juerga, les había echado un poco de morfina a las copas de todos los carceleros, incluida a la de Casati. No disponía de suficiente cantidad del opiáceo como para matarlos, pero sí para dejarlos inconscientes. Orsini simuló que bebía la morfina, pero para aquel entonces la botella ya estaba vacía. También fingió su desmayo.

Para sorpresa de Felice, su plan se venía abajo. Casati había conseguido encerrarle en su celda de nuevo y los carceleros, aunque estaban borrachos y drogados, no habían caído todos inconscientes. Aún quedaba alguno en pie.

Pánico total.

El plan se había desmoronado. Casati, viendo el panorama a su alrededor, como pudo preparó café con ron, que sirvió a todos los guardias. Poco a poco se fueron recuperando, para espanto de Felice, que se hacía el muerto en su camastro.

Todo había acabado en una estúpida comedia. Ninguno de los carceleros, ni el propio Casati, sospechaban que habían sido narcotizados. Pensaban que se habían pasado con el alcohol. Al día siguiente tenían una terrible resaca. Cuando llegó el cambio de guardia, el oficial al mando advirtió el lamentable estado de todos ellos y dio parte a sus superiores.

Como resultado del plan de Felice, Casati fue destituido y destinado a Suiza. El jefe no contó a nadie el tema de la morfina de Orsini, ya que su castigo hubiera sido aún mayor. Todos los carceleros fueron sustituidos y las medidas de seguridad de la fortaleza de Mantua se incrementaron. Aunque no sospecharon jamás que todo ello se había debido a un intento de fuga, la realidad es que la situación de los presos, ahora mismo, era considerablemente peor que antes.

Además, ya había llegado el invierno en su plenitud.

Felice fue consciente de que era imposible organizar otra fuga colectiva. Entre las nuevas medidas de seguridad que el nuevo comandante había implantado, cada dos horas pasaba un carcelero haciendo rondas de vigilancia y ya no se les permitía salir al patio, ni siquiera para el baldeo. Permanecían todo el día encerrados en sus celdas. Los nuevos guardias no eran italianos, sino alemanes. Orsini intentó confraternizar con ellos, como lo había hecho con los italianos, pero, de inmediato, se dio cuenta de que aquello no iba a funcionar. Los nuevos carceleros tenían una disciplina y un carácter mucho más marcial. Felice reconoció que eran soldados profesionales, no unos simples carceleros borrachos.

En consecuencia, una vez más, estaba solo.

Por lo menos, al desconocer su plan de fuga, no tomaron ninguna represalia contra él. Siguió en la misma celda y pudiendo enviar cartas. Por supuesto, la primera fue a su «amigo» Carlo Mesina, cuya destinataria real era Emma Herwegh. Sabía que le espiaban la correspondencia, así que se tuvo que apañar para que su amiga comprendiera que el plan de fuga con el *bianco* había fracasado.

Mientras tanto, los días pasaban.

En su soledad, Felice tuvo tiempo de pensar y eso no era nada bueno. Reflexionó acerca de la libertad de las personas y de su pueblo italiano. Nadie parecía preocuparse por aquellos que habían dado su vida por sus ideales. La sociedad se había acomodado y se había tornado egoísta. No pensaban más que en sobrevivir, aunque fuera sin dignidad. Aquel pensamiento enervaba a Felice. No deseaba que sus hijas vivieran en una sociedad corrompida y sin valores. Estaba al borde de la depresión. Sin embargo, cada vez que los fantasmas del suicidio se aproximaban a su mente, sacaba fuerzas y meditaba sobre su amada Italia. Soñaba con un pueblo libre y unido en torno a una república de iguales. Y soñaba que él lo lograba.

En febrero, conoció al nuevo jefe de la fortaleza de Mantua. Su personalidad era la opuesta a Casati, que, aunque implacable en sus interrogatorios, aún parecía humano. El nuevo comandante, desde luego que no. Era frío como un témpano de hielo. Le informó que el tribunal había previsto su ejecución para la primavera, en concreto para el mes de mayo. Se lo comunicó como quien da los buenos días, sin dejar traslucir la más mínima emoción. Felice intentó entablar conversación con aquella persona, por llamarla de alguna manera. En vano. El comandante levantó una mano y uno de los guardias lo sacó de la estancia. Tampoco le importó demasiado. Durante el tiempo que había trascurrido, muchos de sus compatriotas, compañeros de fuga, ya habían sido ajusticiados. A él parecía que le dejaban para el final. Estaba claro que deseaban que sufriera, viendo morir a sus amigos.

Entretanto, recibió una carta de Carlo Mesina. En ella, Emma Herwegh le escribió un poema de apoyo, para darle fuerzas. Felice lo agradeció, ya que se sentía muy solo, pero le gratificó más comprender lo que quería decir su benefactora con el poema. Era de Lord Byron. Leyendo entre líneas, quiso entender que, en el exterior, estaba todo preparado para recibirle. La alegoría de Byron a las lluvias fue lo que más le costó comprender. Estaba claro que Emma le estaba enviando un mensaje oculto, suponía que el modo de escapar de Mantua, pero no lo veía.

Se quedó observando su celda. La única manera de salir, aparte de por la puerta, que era imposible, era por el pequeño ventanuco, que también era imposible. No lo alcanzaba, estaba demasiado alto y lo peor no era eso. La altura exterior era considerable, posiblemente superior a los veinte metros. Aunque lograra, de alguna manera, salir por allí, se mataría al saltar, estampado contra las rocas del suelo.

Tenía que resolver el rompecabezas. Estaba claro que Emma Herwegh disponía de información desde el interior de la fortaleza, ya que sabía en qué celda se encontraba encerrado. Aunque no se hubiera manifestado, algún aliado debía de tener en Mantua.

Como no tenía otra cosa que hacer, decidió esperar que trascurriera algún acontecimiento que le arrojara alguna luz.

No tuvo que aguardar demasiado. A la semana siguiente de recibir la carta, se encontró con un pequeño pedazo de hierro encima de la mesa de su celda. No tenía ni idea cómo había llegado hasta allí, pero tenía que significar algo. Volvió a poner su cerebro a toda máquina. ¿Para qué podía servir ese objeto? Observándolo más de cerca, parecía un cincel casero.

De repente, su mente se iluminó.

Tan solo podía tener una utilidad. Ahora la comprendió y, de paso, a Byron también. La única utilidad de ese cincel que se le ocurría era para intentar arrancar los barrotes de hierro del ventanuco de su celda. Aunque consiguiera su objetivo, teniendo en cuenta que cada dos horas había una ronda de vigilancia, una vez liberados los barrotes, ¿qué podía hacer? Un salto al exterior, con semejante altura, sería mortal, salvo para Lord Byron.

La lluvia.

La fortaleza de Mantua estaba rodeada de un terreno llano y pantanoso. Cuando llovía mucho, el foso que rodeaba la fortaleza se inundaba. Estaba claro que Emma le estaba diciendo, Byron mediante, que la única oportunidad de escapar sería durante una gran tormenta, cuando el nivel de las aguas subiera lo suficiente como para amortiguar su caída, que ya no sería directamente sobre las rocas, sino sobre un manto de agua, aunque fuera a una gran altura. Quizá así pudiera tener una oportunidad.

El mes de febrero languidecía. La temporada de lluvias comenzaría en marzo. Si quería seguir el plan de Emma, debía ponerse a trabajar ya. La tarea se le antojaba muy complicada, pero no imposible. Tenía que intentar arrancar los dos barrotes de hierro que cerraban el paso del pequeño ventanal, sin que los carceleros lo advirtieran, además, trabajando a gran altura. Lo primero que hizo fue desmontar la silla. Uniendo sus maderas, pudo crear una especie de frágil escalera. El inconveniente era que, cada dos horas, debía de desmontar la escalera y volver a trasformarla en una silla, para que los guardias no notaran nada extraño en su celda. Todo ello al margen de intentar hacer el menor ruido posible y ocultar los escombros. Era un gran reto. A otra persona le hubiera parecido imposible, pero no a Felice. Estaba acostumbrado a ellos.

Durante mes y medio se dedicó a esa casi utópica tarea. El primer barrote, el más cercano, lo consiguió arrancar con relativa facilidad, sin embargo, el problema llegó con el segundo. Estaba a una distancia que apenas le alcanzaba el brazo. Era un grave inconveniente, añadido a todos los demás.

La primera gran tormenta ya había pasado, pero Felice aún no estaba preparado. No sabía cuándo se iba a producir la próxima, podían pasar días o semanas, así que redobló su esfuerzo. Lo único que consiguió es lesionarse en su codo izquierdo, que empezó a sangrar de forma abundante. Le obligó a parar un par de días su tarea, ya que no podía hacer ninguna fuerza.

Cuando se iba a dar por vencido, ya que el mes de marzo agonizaba, consiguió arrancar el maldito segundo barrote. Era consciente de que quizá ya fuera tarde, pero se encomendó a la providencia.

Y fue escuchado.

El 26 de marzo comenzó a diluviar. Felice no se había recuperado de su codo, que le dolía horrores, pero no estaba en condiciones de dejar pasar oportunidades. Por la noche, ayudado por la escalera improvisada, se encaramó hasta el ventanuco y se asomó al exterior.

Horror.

Aún con la intensa lluvia, aquel salto era imposible. No había manera de que pudiera sobrevivir a semejante altura. Muy a su pesar, tuvo que desistir.

Estaba desesperado.

Para fortuna de Felice, los siguientes dos días continuó lloviendo. Se asomaba a la ventana cada pocas horas, pero la sensación era la misma. Saltar era morir. «Por otra parte, ya estoy muerto, ¿no?», pensó, dándose ánimos. «Prefiero morir intentándolo».

La noche del 28 parecía que la lluvia perdía intensidad. Volvió a asomarse a la ventana. El agua había subido unos diez metros sobre el nivel del suelo exterior. Aun así, el salto hasta llegar a ella era incluso superior a esa distancia. «Unos quince», calculó, además de las rocas que jalonaban el foso.

Se armó de valor. Ahora o nunca.

Saltó.

El impacto fue brutal, sobre todo para las piernas. Apenas tenía fuerzas. Con el brazo sano se agarró a una piedra como pudo. Debía nadar hasta la otra orilla y escalar el muro del foso, pero no era capaz ni de moverse. Después de más de media hora inmóvil, decidió dejarse llevar por la corriente del agua. Se soltó y, como pudo, alcanzó la otra orilla, pero aún seguía atrapado.

Miró hacía arriba. Aquel muro de cinco metros lo separaba de la libertad. Se encaramó y se asió con sus manos a las piedras. En cuanto intentó hacer lo propio con sus pies, se dio cuenta de que, en la caída, se había lesionado el pie izquierdo. No podía hacer fuerza con él. A pesar de ello, no se desanimó y continuó la ascensión, pero, al final, ocurrió lo inevitable. Volvió a caer al foso.

Eran las dos de la madrugada y fue plenamente consciente de que su intento de fuga había fracasado. Estaba al descubierto. A unos metros, observo unos pequeños juncos que jalonaban el foso. Hizo el esfuerzo de ocultarse entre ellos, pero, en su fuero interno, sabía que sería descubierto en cuanto despuntara el alba. Ni siquiera había conseguido salir de la fortaleza. Estaba claro que el foso sería el primer lugar en el que mirarían los soldados, cuando advirtieran su ausencia de la celda.

Al menos, no se podría decir que no lo había intentado.

Su honor estaba intacto, no así su vida.

31 NUEVA ORLEANS, DE 1855 A 1856

—Mi amigo, el juez Alexander Meek, me lo ha contado todo. Cuando ya creía que te habías reconducido, va y me entero de que has jugado al ajedrez los tres últimos años con Charles Maurian y, lo que aún es peor, este último con el juez y otros miembros del club de Mobile.

—¡Padre! —exclamó Paul, enfadado —. Hace mucho tiempo llegamos a un pacto. Seríamos sinceros el uno con el otro. Yo seguiría tus pasos y me aplicaría en los estudios, y tú, a cambio, me permitirías jugar al ajedrez. No creo que haya hecho nada malo. Además, no tendrás ninguna queja de mí. Me he graduado con honores, el primero de mi promoción. El director Judd ha dicho que he sido uno de los alumnos más brillantes que ha conocido en muchos años.

—No me interpretes mal. No lo decía por eso. Creía que habías perdido el interés por el ajedrez, después de lo que hizo Amélie.

—Y así fue. Durante más de dos años no jugué ni una sola partida y... espera, espera... —Paul cayó en la cuenta en la extraña expresión que había empleado su padre. De inmediato, se puso en guardia— ¿Lo que hizo Amélie? ¿Qué quieres decir con esa frase?

Alonzo se dio cuenta de que su hijo no conocía la verdad. Se arrepintió de inmediato de su comentario, pero ya era tarde para rectificarlo. No obstante, antes de poder continuar, su hijo se le adelantó.

—Padre, hace cinco años me dijiste que Amélie había muerto de fiebres.

—Bueno, esa fue la versión oficial que se decidió hacer pública —confesó Alonzo—. Como tú dices, ya han pasado casi cinco años y supongo que las heridas estarán cerradas. En verdad, Amélie nunca enfermó. Se suicidó. Prefirió la muerte a casarse con el hijo de los Ford. Fue un tema muy embarazoso y delicado para todos, por ello prefirieron ocultar la realidad y hacer creer a todo el mundo la versión de la enfermedad. Ya conoces a la sociedad de Nueva Orleans.

Paul pensaba que había pasado página de aquello, pero, de repente, se volvió a abrir el libro olvidado de su vida, como un auténtico vendaval. Se desmoronó. Su padre fue consciente de la reacción de su hijo y lo arropó.

—Amélie tomó su decisión. Sabes perfectamente que ni tú ni nadie podríais haber hecho nada para evitarlo. Fue una tragedia, pero es el pasado. Hay que mirar hacia adelante. La vida continua.

«No para Amélie», pensó Paul, que comenzó a llorar desconsoladamente. No tenía tan claro que no hubiera podido evitarlo. «Quizá debí ser más valiente».

Alonzo, viendo a su hijo tan triste, decidió no continuar la conversación del ajedrez.

—La semana que viene te matricularás en la Universidad de Louisiana para estudiar el Grado de Leyes, tal y como lo teníamos previsto.

Para sorpresa de Alonzo, Paul se separó de forma súbita de su abrazo y se le quedó mirando.

—Nunca debiste mentirme. Creo que me he comportado como un hijo responsable y me he aplicado en sacar las mejores calificaciones escolares. También lo haré en la Universidad, no te quepa ninguna duda. Pienso obtener mi título con honores. Ahora bien, mírame a los ojos —le dijo a su padre—. No quiero que vuelvas a nombrar la palabra «ajedrez» jamás. Ni para lo bueno ni para lo malo. Has incumplido nuestro acuerdo de sinceridad, así que lo doy por roto. No lo olvides nunca, yo también puedo ser Amélie.

Alonzo no pudo evitar estremecerse. Su hijo era propenso a enfermar, por su debilidad congénita. No sabía cómo podía afectarle a su delicada salud conocer la verdad. Se maldijo varias veces por su descuido, aunque supuso que, tarde o temprano, se hubiera enterado. Nueva Orleans, pese a su tamaño, era como un pueblo.

Paul lo dejó y subió a su habitación. Al día siguiente, lo primero que hizo fue ir a casa de su amigo, Charles Maurian.

—¿Tú sabías lo de Amélie? —le preguntó, antes de saludarle.

—Vaya, buenos días —le respondió—. ¿Cuándo te has enterado?

—Ayer me lo dijo mi padre.

—Pues a mí me ha ocurrido lo mismo. Hemos estado cinco años alejados de Nueva Orleans y parece que haya pasado toda una vida.

—Quizá, pero mi padre no tuvo por qué mentirme. Sé que cree que soy muy débil y tiene razón, pero tan solo físicamente. Mi mente es mucho más poderosa de lo que se imagina. Supongo que me hubiera costado asimilar lo del suicidio, pero...

—¿Qué dices? ¿Qué suicidio? —le interrumpió extrañado Charles.

—¿No lo sabes? Entonces, ¿de qué estamos hablando? Amélie no murió de fiebres. Mi padre me contó ayer mismo la verdad, que se suicidó.

Charles lo miraba cómo si no comprendiera nada.

—No, Paul. Amélie no se suicidó. Es cierto que se celebró un entierro muy doloroso y concurrido, pero la realidad es otra. Amélie se escapó de casa, justo una semana antes de la fecha concertada para su boda. Ambas familias prefirieron simular su muerte que pasar por la vergüenza social que suponía no aceptar un matrimonio ya acordado. Recuerda que estamos en Nueva Orleans, ya sabes que, aquí, eso no se perdona. Nadie sabe dónde se fue y no la hemos vuelto a ver. Esta información es todo un secreto, así que no se la cuentes a nadie. Por otra parte, tu familia conoce la realidad. Supongo que te habrán contado la versión del suicidio para no causarte más daño.

—¡Está viva! —gritó Paul, que parecía que no había escuchado las últimas palabras de su amigo.

—Eso lo dudo mucho. Se fue sola, con catorce años recién cumplidos. Como supondrás, tu padre alertó, con discreción, a todas las fuerzas de seguridad de los estados vecinos. Desde entonces, no se ha sabido nada de ella y ya ha pasado mucho tiempo.

Paul había cambiado completamente de semblante.

—Hazme caso, Amélie no está muerta. Ella se definía a sí misma como una simple joven sureña cuyas ideas valían muy poco, pero, en realidad, era todo lo contrario. Ahora tendrá dieciocho años, como nosotros.

—¿No se te ocurrirá salir tras ella?

—No, claro que no. Si hace años que es buscada y nadie la ha encontrado, es porque no quiere que eso suceda. Sin embargo, ella sí que sabe dónde estoy yo. Conoce que, en estos años, estudiaría Leyes en Nueva Orleans. Si lo desea, vendrá, aunque, conociéndola, dudo mucho que lo haga. Supongo que habrá rehecho su vida. Merece más que nadie ser feliz. Yo, mientras tanto, seguiré con mis planes y me matricularé en la universidad.

—Me alegro de que te lo tomes tan bien.

—¡Hombre! —exclamó Paul—. Entre viva o muerta, ¿qué crees que prefiero? Por cierto, ¿sabes si Alexandre Durand, el padre de Amélie, trabaja para el Banco del Canal?

—¿Cómo puedes saber eso? Sucedió cuando nosotros ya habíamos abandonado Nueva Orleans y estábamos en *Spring Hill.*

—La familia Durand, ¿sigue residiendo en la misma casa? —continuó preguntando Paul.

—Sí, por supuesto. ¿No estarás pensando en hacerles una visita para darles el pésame?

—Hay algo que no cuadra en toda esta historia.

—No te entiendo Paul, ¿te encuentras bien? Me estás formulando unas preguntas muy extrañas.

—¿Sabías que la familia de Amélie estaba endeudada con el Banco del Canal y que iban a perder su casa? Estaban arruinados por la mala cabeza de Alexandre Durand. Los Ford, dueños del banco, convinieron el matrimonio de Amélie con su primogénito a cambio de perdonarles la hipoteca que gravaba su casa y darle trabajo. Por lo que parece, eso ha ocurrido pero, supuestamente, la boda no. ¿No te parece extraño?

—No lo sabía. ¿Cómo puedes conocer tú esos detalles?

—Las últimas palabras que me dijo Amélie, antes de despedirnos para siempre, fueron que debía cumplir con su papel de hija para salvar a sus padres y a sus hermanos. Eso suponía su boda y la aceptaba. Hay algo muy raro en toda esta historia.

Charles se quedó mirando a su amigo. Era extremadamente sagaz. No dejaba de sorprenderle. Parecía que tuviera dos caras, como la taciturna luna. De todas maneras, decidió intentar cambiar de tema.

—Todo el mundo te minusvalora. Ven en ti tan solo el físico, tu pequeña estatura y tu aspecto enfermizo, pero se equivocan. Eres una persona formidable. Si te lo propusieras, tu mente no tendría límites.

—Eso es precisamente lo que me da miedo. Una vez, el primer ajedrecista que me derrotó, me dio un gran consejo: que tuviera cuidado conmigo mismo. ¿Te crees que desde entonces no paro de darle vueltas a esa frase? Tiene razón. Aunque me ha costado mucho, ya he asumido que soy superior, intelectualmente hablando, a la media general, pero eso no es del todo bueno. A veces, tengo pensamientos muy extraños. ¿Sabes qué bebo alcohol?

—¡Qué dices! —se sorprendió Charles—. Si te refieres a que todos nos tomamos una cerveza de vez en cuando, pues…

—Durante este último año, cuando iba a jugar al ajedrez con el juez Meek y sus colegas del club de Mobile, en alguna ocasión, me invitaban a compartir una copa de *cognac* con ellos —ahora lo interrumpió Paul.

—¡Me habías asustado! —exclamó Charles, aliviado—. Eso no tiene importancia. Unas copas al año tampoco suponen nada.

—No son unas simples copas.

A Charles no le gustaba la dirección que estaba tomando aquella conversación, así que lo retó, recordando los viejos tiempos, a ir al estanque a intentar atrapar ranas. De repente, echó a correr, con Paul siguiéndole de cerca. Ya no tenían ocho años, sino diez más, pero se lo pasaron en grande. Eso sí, terminaron con la ropa llena de barro. Se despidieron, después de divertirse como niños, y cada uno se fue a su casa.

No exactamente.

Es cierto que Paul se fue a su casa, pero con el único objetivo de asearse y cambiarse de ropa. En apenas quince minutos ya la había abandonado, en dirección a la residencia de la familia Durand. Sentía que había algo en toda la historia de Amélie que no encajaba.

Ya no era un niño, así que no le dio vergüenza tocar a la puerta de su casa. Le abrió el propio Alexandre. Al principio, no lo reconoció. Habían pasado muchos años desde la última vez que se habían visto y Paul, aunque menudo, ya era un hombre. Alexandre le franqueó el acceso y lo invitó a sentarse en su despacho.

—Supongo que vienes a darme el pésame por mi hija, Amélie —le dijo—. Sé que, de niños, estabais muy unidos.

—No, señor Durand. El motivo de mi visita es conocer la verdad de sus propios labios.

Alexandre, de inmediato, se puso en guardia. Se levantó de su sillón. Paul no quería perder demasiado tiempo, era casi la hora de la comida, así que fue directamente al grano.

—Amélie me lo contó todo. Conozco el motivo de su boda concertada. Lo que me trae hasta usted es que tengo tres versiones de lo sucedido. La primera, la oficial, que murió de fiebres, una semana antes de su boda. La segunda, que se suicidó y la tercera que se fugó sin el conocimiento de nadie, para evitar casarse. ¿Cuál de las tres es la verdadera?

Alexandre se volvió a sentar. Estaba muy nervioso y parecía no querer hablar.

—Escuche, señor Durand. Diga lo que me diga, jamás saldrá de mis labios. Amélie fue lo mejor que me ha sucedido en mi vida y no se me ocurriría poner en peligro a su familia, se lo juro —dijo, con un tono de voz muy firme. Cuando se lo proponía, su profunda mirada se imponía sobre su aspecto físico.

—Está bien, creo que mereces conocer la verdad. La culpa siempre fue mía. Hace unos años era un jugador empedernido. Me gasté todo el capital de la familia, incluso me endeudé por el maldito vicio. La boda de Amélie era la única salida que nos quedaba. Ella lo entendió y lo aceptó.

—Entonces, ¿se casó con el hijo de los Ford?

—Una semana antes, ocurrió lo que nunca me pude imaginar.

—¿Qué? —preguntó Paul, con extrema curiosidad.

—Una partida de ajedrez.

Ahora fue Paul el que se levantó de su silla.

—¿Qué tiene qué ver el ajedrez con la boda de Amélie?

—Como te decía, una semana antes de la boda, los Ford cancelaron mi hipoteca, me dieron una importante suma de dinero y un trabajo en su banco. Entonces, Amélie me sorprendió. Me dijo que nunca pensó en casarse, sino en salvar a su familia y que eso ya lo había conseguido. Que antes de casarse prefería suicidarse. Me enfadé muchísimo con ella y le dije que debía cumplir con su palabra. Aquello era algo inconcebible para una sociedad como la de Nueva Orleans, ya lo sabes, pero ella conocía mis debilidades, así que me retó. Una partida de ajedrez contra mí. Si yo ganaba, se casaba de buena gana y si lo hacía ella, fingiría su muerte y yo le facilitaría su huida de la ciudad. Me pareció una apuesta ridícula. ¡Una niña de trece años contra mí, un jugador experimentado! No tenía nada que hacer, así que acepté sin pensarlo. Era una apuesta ganada de antemano. Si eso aplacaba los ánimos de mi hija, pues adelante.

Paul se volvió a sentar, esta vez con una sonrisa en sus labios. Dejó que el señor Durand continuara la historia, aunque ya se la imaginaba.

—¡La muy ladina me venció en dieciocho movimientos! ¡En dieciocho! ¡Pero si las mujeres no juegan al ajedrez! Aquello me dejó descolocado, ya que el ajedrez es demasiado complejo para sus mentes. Sin embargo, Amélie me humilló frente al tablero, con una suficiencia insultante. Estuve por pedirle la revancha, pero, viendo como jugaba, supe que me volvería a ganar. No quise pasar por ese bochorno de nuevo.

—Sus estúpidos prejuicios morales contra las mujeres le hicieron perder la apuesta. Me parece que su hija lo conocía bastante mejor que usted a ella. No se lo tome a mal, señor Durand, pero Amélie, con tan solo trece años, ya era más inteligente que usted. Está claro que la minusvaloró.

—¿No tendrías tú nada que ver con su pericia? —le preguntó Alexandre, cayendo en la cuenta al escuchar las palabras de Paul.

—Eso ya no importa —le respondió, divertido—. Supongo que, después de aquello, cumpliría con los términos de la apuesta. Un jugador siempre tiene que hacer honor a su palabra.

—Así es. Le entregué la mitad del dinero que me dieron los Ford y se marchó de Nueva Orleans. La única condición que le puse es que jamás regresara. Si la familia Ford sospechaba lo que había ocurrido en realidad, la desgracia volvería a caer sobre nosotros. Informé a Ford de su huida sin nuestro consentimiento. Les dije que había ordenado a las autoridades de todos los estados buscarla y que la traería de vuelta a Nueva Orleans, pero no era cierto, jamás di esa orden. Nadie la buscó. Al cabo de unos días, cuando estaba claro que Amélie no iba a aparecer, los Ford aceptaron que lo mejor era fingir su muerte y así se escenificó. Sé que circularon rumores acerca de un supuesto suicidio, pero la versión oficial fue que falleció a consecuencia de unas fiebres. Fue lo más conveniente para todos.

Paul se levantó de su silla.

—Le agradezco su sinceridad, señor Durand. Tiene mi palabra que nunca revelaré esta conversación —dijo, mientras se despedía de Alexandre, con una indisimulada sonrisa. Suponía que jamás volvería a verla, pero, curiosamente, eso ahora no le importaba.

Como estaba previsto, Paul se matriculó en la Universidad de Louisiana. Completó su primer año de formación siendo el primero de su promoción, con las máximas calificaciones posibles. A pesar de ser consciente de que jamás volvería a ver a Amélie, saber que estaba viva le produjo la alegría interior que necesitaba. Además, recuperó su interés por el ajedrez. Conocer que, gracias a sus enseñanzas, estaba viva, le reconfortó y le dio las fuerzas necesarias.

Los domingos acudía al Club de Ajedrez de Nueva Orleans, que lo aceptaron como miembro. Jugaba partidas contra todo aquel que quisiera enfrentarse a él y les vencía con facilidad, incluso ofreciendo ventajas de inicio. Con diecinueve años ya era considerado el mejor jugador de ajedrez del estado, por encima del propio Eugène Rousseau.

Al padre de Paul no le hacía ninguna gracia, pero su tío Ernest Morphy, que ya no residía en la ciudad, se encargó de que fuera conocido en todo el país, incluso en Europa. Se atrevió a enviar tres partidas suyas, una contra Rousseau, otra contra McConnell y una frente a Lowenthal, al *Frank Leslie's Illustrated Newspaper* de Nueva York, junto con el problema de ajedrez que había compuesto, indicando que, todo ello, había sucedido cuando Paul no superaba los trece años de edad. El periódico le dio amplia difusión, llamándolo «el niño prodigio del ajedrez estadounidense». También se los envió al campeón inglés, Howard Staunton, que ya había oído hablar de él, precisamente a través del húngaro Johann Lowenthal.

La familia Morphy celebró una gran fiesta para conmemorar el fantástico primer año de Paul en la universidad, a la que acudieron todos sus familiares, incluido su tío Ernest, desde Ohio. Después de todos los fastos, Alonzo llamó a su despacho a su hijo Paul y a su hermano Ernest.

—¡Esto tiene que parar! —les dijo a ambos—. Paul será un gran abogado y no quiero que el ajedrez lo distraiga. Hemos tenido esta conversación miles de veces. Ahora mismo, la gente lo ve como el mejor ajedrecista del país y yo deseo que sea el mejor abogado del país, ¿comprendéis la gran diferencia?

—Eso no es justo para Paul —intervino Ernest—. Puede ser ambas cosas a la vez y creo que así lo está demostrando. Además, me parece que no habéis caído en un detalle muy importante.

—¿Cuál? —preguntó Alonzo.

Paul estaba escuchando la conversación observándolos, en silencio.

—Si no ocurre nada, Paul conseguirá su graduación como abogado el año que viene, dos meses antes de cumplir los veinte años. Ya conocéis que la edad legal mínima para ejercer son los veintiuno. ¿Lo habíais pensado? Durante más de un año no se podrá dedicar a su trabajo.

—¡Claro que lo había pensado! —exclamó Alonzo—. Paul asistirá a las sesiones de los diversos tribunales del estado, para practicar.

—Estamos manteniendo esta conversación sin preguntarle al propio Paul —dijo Ernest, dirigiéndose a su sobrino—. ¿Qué opinas de todo esto?

—Creo que ambos lo sabéis. Me graduaré como abogado con los máximos honores, ya que me pienso aplicar igual que lo he hecho este año y, cuando pueda ejercer, lo haré. A ese compromiso llegué contigo cuando todavía era un niño y lo pienso cumplir —dijo Paul, dirigiéndose a su padre, con esa mirada tan firme que sabía imprimir—. Pero tú también te comprometiste conmigo a dejarme jugar al ajedrez. El tío Ernest tiene razón. Puedo hacer ambas cosas sin ningún problema. De hecho, llevo dos años haciéndolo.

—¡Pero eres muy débil y el ajedrez puede tener consecuencias para tu salud! —protestó su padre.

—También los estudios y de eso no te quejas. Jugaré al ajedrez y me gustaría que mi tío Ernest siguiera promocionándome. Quiero enfrentarme a Charles Stanley, el considerado campeón americano, y pienso ganarle.

—Eso lo puedo arreglar —dijo Ernest, anticipándose a la más que probable protesta de Alonzo—. Mandaré una nota a los periódicos más importantes del país, proponiéndoles un duelo muy atractivo. Retarás a Stanley a jugar una partida en

Nueva Orleans, pagándole los gastos del viaje más 300 dólares si consigue vencerte.

—¡Ni hablar de eso! ¡No habrá dinero de por medio! El ajedrez es un deporte de caballeros y Paul dispone de su propio capital. No necesita apostar.

—Eso ya lo sé, Alonzo, pero si pretendemos dar publicidad al evento, tiene que existir un aliciente. Además, yo cubriré todos los gastos, tu hijo no expondrá ni un solo dólar de su peculio personal.

Antes de que Alonzo respondiera, Paul se levantó de su silla y se dirigió a su padre.

—Se hará como dice el tío Ernest. Desde siempre he querido jugar contra Stanley. Creo que me lo he ganado con creces.

Su padre observó de nuevo los ojos de su hijo. En ellos vio la mirada de un tigre. Comprendió que no tenía nada que hacer en aquella discusión. Del tremendo disgusto, arrojó su silla al suelo, tan súbitamente que, de forma involuntaria, se golpeó su ojo derecho con una de las alas del *sombrero de Panamá* que llevaba puesto Ernest, causándole una pequeña herida.

—En la fiesta está el doctor Abott. Ahora mismo leollamamos y que te vea esa lesión —dijo Ernest.

—No tiene ninguna importancia, no os preocupéis por mí —les respondió—. Más daño que tu sombrero me han hecho vuestras palabras.

Abandonó de inmediato la estancia y se dirigió a su habitación, dejando la fiesta.

No sabía lo equivocado que estaba.

32 EUROPA, ENTRE MARZO Y MAYO DE 1856

—¡Socorro! ¡Qué alguien me ayude!

Eran las cinco de la madrugada. Felice hizo un último intento a la desesperada. Faltaba poco más de una hora de oscuridad y sabía que, entonces, sería descubierto por los guardias. Escuchaba a personas andar por el exterior de la fortaleza de Mantua, pero no lo podían ver, ya que se encontraba en el interior del foso. Pensó que quizá pudiera convencer a alguno de ellos de que había caído de forma accidental durante la noche, por encontrarse borracho.

Felice estaba seguro de que lo oían, pero nadie acudía a su auxilio. Estaba desesperado y sabía que era una acción igual de desesperada, pero no se quería rendir.

—¿Quién está ahí abajo?

Orsini, de inmediato, se puso en pie y se hizo visible entre los juncos. Miró hacía arriba. Una persona de aspecto fornido lo estaba observando. Le contó que se había caído hacía unas horas y que, al lesionarse en el pie, no había sido capaz de salir de allí.

Durante un instante, aquella persona no le contestó. Orsini pensó que era una explicación un tanto rocambolesca y que no iba a colar.

Para su sorpresa, aquel hombre le lanzó una cuerda. Felice se asió a ella con toda la fuerza que pudo. Poco a poco, salvó los cinco metros del foso.

—Vayamos a mi casa. Su aspecto es lamentable.

Felice era consciente de ello. Estaba lleno de barro de los bordes del foso, sus manos presentaban multitud de arañazos de intentar escalar y apenas podía apoyar su pie izquierdo, todo ello sin tener en cuenta sus ropajes harapientos y pestilentes.

No entendía el motivo de que aquella persona se ofreciera a ayudarle, pero lo hizo. Tomándolo por un hombro, lo acercó hasta su casa. Felice llegó casi inconsciente del tremendo dolor que sufría en todo su cuerpo. No era capaz ni de hablar. Entre brumas, recordaba que lo desvistió, lo metió en una bañera y, después de asearlo, le proporcionó ropajes limpios y un abrigo.

—Debemos cruzar la frontera suiza cuanto antes —le dijo—. Soy comerciante y conozco el camino. Como no puede caminar con ese pie herido, le subiré en mi mula.

Felice seguía sin comprender nada, pero no estaba en condiciones de sugerir otra cosa, así que hizo caso a aquel buen samaritano y se encaramó, como pudo, a su mula. Anduvieron dos días, hasta que llegaron a una cabaña solitaria, justo al inicio de un precioso valle.

—Este es el final del camino. Es la casa de mi hermano. Ya estamos en Suiza y a salvo.

—¿Por qué hace todo esto por un desconocido como yo? Sacándome de Mantua y trasladándome hasta aquí, está claro que sabe de dónde provengo. No soy un borracho que se cayó por accidente al foso de la fortaleza.

—Por supuesto que lo sé. Los austríacos no son bienvenidos en Mantua. Tenemos que soportar su presencia porque nos tienen ocupados, pero la población les odia. No sé quién es usted ni me importa, pero ayudar a un enemigo de nuestros invasores es suficiente motivación para mí —le dijo, mientras lo bajaba de su mula y llamaban a la puerta de la casa de su hermano.

—Le debo mi vida —Felice estaba emocionado, no tanto por su fuga como por comprobar que aún había esperanza para su pueblo—. No tengo nada que ofrecerle a cambio de lo que ha hecho por mí. Al menos, me gustaría saber su nombre para recordarlo.

—Mejor que no. Yo tampoco quiero saber el suyo, aunque supongo que me enteraré cuando llegue a la ciudad. En Mantua ya se habrá descubierto su huida de la fortaleza. Los soldados habrán mandado mensajes telegráficos a todos los puestos de guardia. Si me paran en un puesto de control y las cosas se ponen feas en el camino de vuelta, al menos no sabré quién es usted y no me lo podrán arrancar.

Mientras contestaba a Felice, se subió en la mula y se marchó, sin decir ni una sola palabra más. Lo siguió con la mirada hasta que desapareció. Después, se giró hacia la pequeña cabaña de madera. En la puerta había una persona, que guardaba gran parecido con su salvador. Con una mano, le hizo el gesto de que entrara en el interior.

Vivía con su esposa y sus tres hijas pequeñas, que no tendrían más de diez años de edad. Felice, en un principio, se sintió incómodo por la situación. Aquella familia se ponía en peligro por protegerlo, aun sin saber ni siquiera quién era.

—Mi hermano tiene razón. Mejor nada de nombres. Esta es una zona apartada de los caminos habituales de los guardias. Es extraño que se pasen por aquí, pero no imposible. Ahora, lo que necesita es descansar y recuperarse de ese tobillo lesionado.

Felice asintió con la cabeza. Aquella persona tenía razón. El dolor en su pie izquierdo, cada vez que intentaba apoyarlo en el suelo, era insoportable.

Durmió toda la noche de un tirón, cosa que no había conseguido durante bastantes meses. Le despertó el sonido de los pájaros. Miró por la ventana. Lo que observó reconfortó su alma.

Vio la libertad.

Pensó que, hasta que no la pierdes, no alcanzas a comprender su verdadero significado. También reflexionó acerca de su amada Italia. Aún quedaba esperanza mientras existieran hombres nobles de espíritu, como sus salvadores.

El tiempo pasaba. Felice perdió la cuenta de los días que llevaba en aquella encantadora cabaña. Las atenciones que estaba recibiendo eran magníficas y su pie iba mejorando poco a poco.

—No lo intente.

—Deseo marcharme de su casa cuanto antes. No me interprete mal, jamás me habían tratado con tanto cariño, pero no quiero ponerlos en peligro más de lo necesario. Debo marcharme a Zúrich para reunirme con mis amigos.

Nada más terminar de hablar, se puso en pie. De inmediato, cayó al suelo. Su acompañante lo recogió y lo volvió a sentar en el butacón.

—Se lo había advertido. La lesión en su tobillo izquierdo es importante y para su completa recuperación se requiere mucho reposo. Si no se cura como es debido, quizá no vuelva a caminar jamás.

—Lo siento —acertó a mascullar Felice, dominado por el tremendo dolor que sentía.

—Además, aunque estuviera recuperado, hay que esperar al momento oportuno para que se pueda desplazar hasta Zúrich. Ahora sería imposible, ya que lo atraparían en el primer control. Su fuga del castillo de San Jorge de Mantua ha sido muy sonada y los austríacos se lo han tomado muy mal. Todos los puestos de la guardia disponen de su descripción. El propio emperador ha puesto precio a su cabeza. Sería una locura. ¿Acaso desea regresar a la fortaleza?

—Tiene usted razón —reconoció Felice—. A estas alturas ya sabrá quién soy y también conocerá que soy un hombre de acción.

—A veces, la acción también consiste en la inacción —le respondió aquella persona, mientras abandonaba la estancia y lo dejaba descansar.

Orsini se quedó pensativo. Reconoció que la frase que acababa de escuchar escondía un gran y sabio consejo. ¡Cuántas vidas de patriotas italianos se hubieran salvado con más prudencia y organización! Ahora tenía claro que el triunfo de una república italiana libre no pasaba tan solo por la valentía, sino también por la prudencia y la astucia. Era inútil asestar mil golpes si todos eran en vano. Quizá la solución pasara por un solo golpe, pero definitivo.

Trascurrieron tres semanas más. La salud de Felice había mejorado notablemente y no solo su pie. Ya lo podía apoyar e incluso dar pequeños paseos. El ambiente de la montaña le había sentado de maravilla.

—Creo que en una semana más estaré listo para partir.

—Aún lo buscan. El emperador no se ha olvidado de usted. Creo que llegará el momento adecuado. Es bueno que hayan puesto precio a su cabeza.

—¿Por qué?

—Supongo que pronto lo sabremos.

La comunicación de Felice con aquella familia era la mínima. Estaba seguro de que no era una cuestión de descortesía, ya que lo estaban tratando como si fuera un miembro más de ella, sino una medida de seguridad. No podía olvidar que ya estaría muerto si no hubiera sido por su ayuda.

Aunque trataba de respetar su silencio, ahora no se pudo aguantar.

—¿Qué sabremos? ¿Por qué piensa que es una buena noticia que hayan puesto precio a mi cabeza?

—Mi hermano nos visitará dentro de una semana. Entonces, hablaremos —le respondió, dando por concluida la breve conversación.

Felice esperó pacientemente que llegara ese momento, pero no dejó de ejercitar su cuerpo y su espíritu. Si algo había aprendido durante este último mes, era el significado de la palabra «paciencia». Le daba sentido a gran parte de sus planes.

Finalmente, pasó esa ansiada semana y, como le había prometido su cuidador, tuvieron visita.

—¡Vaya cambio! —no pudo evitar exclamar su salvador de Mantua, al ver el aspecto de Orsini—. Casi no parece ni la misma persona. El aire de la montaña ha obrado un milagro. Sin esa tupida barba que lucía, hasta parece otra persona.

—He recibido magníficas atenciones. No sabe lo agradecido que les estoy porque...

—¿Cómo va del pie? —lo interrumpió.

—Mucho mejor. Cada vez soy capaz de caminar con más soltura. Y no solo el pie. Físicamente me encuentro en forma.

—Entremos en la cabaña.

Una vez en su interior, se sentaron alrededor de la mesa los dos hermanos y Felice.

—El momento ha llegado y es ahora —dijo, así, de sopetón.

Orsini no pudo evitar sorprenderse por la contundencia.

—¿Por qué ahora? Llevo escuchando todo el mes que mi descripción está en todos los puestos de guardia y que me reconocerán.

—Supongo que mi hermano le habrá contado que habían puesto precio a su cabeza y que eso era bueno.

—¿Habían? —preguntó Felice, sorprendido por la expresión en pasado.

—La recompensa por usted era demasiado elevada.

Felice no comprendía nada. El recién llegado continuó con su explicación.

—Hace tres días lo apresaron de nuevo. Toda la prensa de Mantua se ha hecho eco. Vuelve a estar encerrado en el castillo de San Jorge.

—¿Qué? —preguntó Felice, pasmado.

—Han atrapado a un pobre desgraciado que supongo que guardará cierto parecido con usted. La recompensa hizo que la gente lo buscara con ahínco. Ya sabe que no corren buenos tiempos y la gente anda muy necesitada. Si sumamos eso al deseo de los austríacos de recuperarse del bochorno que supuso su huida, estaba claro que era cuestión de esperar a que ocurriera lo que ha terminado sucediendo.

Ahora, Felice comprendió todo. Las palabras de su cuidador y el «esperar al momento adecuado».

—No sé cuánto tiempo durará la farsa, pero, ahora mismo, ya no es un fugitivo.

—¿Eso significa que ya puedo partir?

—Significa que debe hacerlo ya. Quizá no se presente otra oportunidad como esta. Mi hermano me ha dicho que quiere llegar a Zúrich. Si se da prisa, podrá alcanzar su objetivo con seguridad. Le proporcionaremos una mula e indicaciones para llegar a su destino.

Felice se quedó mirando a aquellas dos personas. No sabía ni cómo se llamaban, pero lo habían arriesgado todo por él.

—Algún día, Italia volverá a estar unida y seremos libres. Les prometo que lo primero que haré será venir a Mantua y buscarlos.

Por primera vez, los tres se abrazaron.

—Cuando digo que debe partir ya, es ya. Mi hermano le ha preparado unos pertrechos y debe empaquetar sus ropajes. En una hora, tiene que estar en camino.

Felice estaba listo en media hora. Se quedaron los tres mirando y no pudieron evitar que unas lágrimas brotaran de sus ojos. No se dijeron ni una sola palabra más, tan solo con la mirada bastó. Se subió a la mula y partió de aquel bucólico paisaje. Le esperaba un largo camino hasta Zúrich.

Después de ocho largos días, por fin llegó a su destino. Como le habían informado los hermanos, ya no lo buscaban y pudo pasar por los puestos de guardia con total tranquilidad.

Lo primero que hizo, nada más entrar en Zúrich, fue dirigirse a la mansión de Emma Herwegh, que ahora había adoptado el nombre de Matilde Herden. Cuando lo vio, no pudo evitar abrazarlo con todas sus fuerzas.

—¡Estás libre! ¿No te habían vuelto a apresar los austríacos?

—Algún pobre diablo estará, ahora mismo, ocupando la celda número tres, la peor de la fortaleza de Mantua, pero, como puedes observar, yo no soy esa persona.

Emma estaba llorando. Le había costado mucho conseguir infiltrar a un amigo en la fortaleza de Mantua y creía que había fracasado en su intento de liberar a Felice.

—¡Emma!

—Lo siento, no lo puedo evitar.

Orsini quería a Emma Herwegh como si fuera su madre. Aunque fueran lágrimas de alegría, le dolía verla así. Intentó cambiar de tema.

—Hay una cosa que me tiene muy intrigado. Cuando nos conocimos, hace ya algunos años, me dijiste una frase que aún recuerdo. Literalmente, me advertiste de que «*en unos años, caerás prisionero en una de las fortalezas más lóbregas y duras de toda Italia, en manos de tus peores enemigos. Te sentirás solo y estarás a punto de morir. Cuando llegue ese momento, acuérdate de mí y acudiré en tu ayuda. Tu vida es muy valiosa y no puedes morir todavía. Aún debes prestar grandes servicios a tu patria*». Ante mi pregunta de cómo podías saber eso, te escabulliste y no me contestaste. Es exactamente lo que me ha ocurrido y tú has cumplido con tu palabra. ¿Quién eres, en realidad?

Emma se secó las lágrimas con un pañuelo y una tímida sonrisa apareció en sus labios.

—Eso no importa. También es lo mismo que te contesté entonces, ¿verdad? Ahora, lo fundamental es comunicar a todos nuestros amigos que estás libre.

—Estamos en Suiza. ¿No será peligroso?

—¡Claro que lo será! Pero no te quedarás aquí mucho tiempo.

Cuando Felice le iba a volver a preguntar, Emma se le adelantó.

—Hay que escribir a Mazzini. Es muy importante.

—Entiendo que se alegrará de saber que estoy con vida, pero me pondré en peligro. Ahora me puedo mover libremente. No me gustaría volver a las mazmorras. Nunca más.

—Por eso no te preocupes. Ya lo tenía todo previsto en el caso de que lograses fugarte de Mantua. Anda, vayamos por pasos. Primero, la carta a Mazzini.

Sin ninguna duda, Emma Herwegh, Matilde Herden o como quiera que se llamase o quienquiera que fuese su benefactora, parecía anticiparse a los hechos futuros. Felice confiaba plenamente en ella, así que no dudó en hacerle caso. Se sentó en un pequeño escritorio y se dispuso a escribir a Mazzini, contándole todas las novedades. Le entregó la carta a Emma.

—Ahora, tienes que descansar. Supongo que habrá sido un largo viaje. Mañana volveremos a hablar.

Al día siguiente, Felice cayó enfermo de fiebres. Supuso que el duro trayecto hasta Zúrich era el responsable. Emma lo cuidó como si de su hijo se tratara.

Mientras pasaba los días postrado, recibió la contestación de su carta enviada a Mazzini. La leyó y se la mostró a Emma.

—Además de agradecerte todo lo que has hecho por mí —dijo Felice—, me indica que no me mueva de Zúrich, excepto en caso de peligro.

—Ese es precisamente el caso. El peligro —le respondió Emma, con un gesto de evidente preocupación.

—¿Pasa algo?

—Y tanto.

33 NUEVA ORLEANS, DE 1856 A 1857

Paul pensaba que no podía sentir más dolor que con la marcha de Amélie, pero estaba equivocado. La lesión en el ojo de su padre se infectó, causándole una grave infección, que acabó con su vida el 22 de noviembre de 1856. Apenas le quedaban cinco meses para terminar sus estudios y aquello lo sumió en una profunda depresión.

A pesar de ello, decidió que el mejor homenaje que le podía hacer a su padre era graduarse con honores. El 7 de abril de 1857, en una triste ceremonia para Paul, ya que nada deseaba más en el mundo que su padre hubiera asistido, recibió su diploma en Leyes, con un discurso a cargo del rector de la universidad, destacando las habilidades del caballero Paul Morphy.

—Sin duda, el mejor alumno que ha visto esta universidad. Es capaz de recitar el Código Civil de Louisiana de memoria, desde el primer artículo hasta el último. Estoy seguro de que alcanzará todos los objetivos que se proponga en su vida —dijo.

Mientras todo esto pasaba, también ocurrían otras cosas, o, mejor dicho, no sucedían. Tal era la fama como ajedrecista que había logrado Paul, que ni Charles Stanley ni ningún otro jugador estadounidense había aceptado su reto de los 300 dólares por una sola partida. Estaba claro que nadie se atrevía a enfrentarse a él.

Durante los primeros meses de aquel año, 1857, Daniel Willard Fiske, editor de la revista más prestigiosa del país dedicada al ajedrez, *Chess Monthly*, decidió crear una asamblea general de jugadores americanos. El mismo Fiske fue nombrado secretario del comité organizador, encargado de remitir cartas a los ajedrecistas más prestigiosos del país, así como a todos los clubes.

Justo unos días después de la muerte de su padre, Paul recibió la carta de Fiske, invitándolo a formar parte de la asamblea. Ni siquiera se dignó a contestarle. Paul, una vez más, había perdido todo el interés por el ajedrez.

Fiske, viendo que no recibía respuesta por parte de Morphy, decidió escribirle otra carta a Charles Maurian, que, tras las enseñanzas que había recibido de Paul en *Spring Hill*, se había convertido en un reputado ajedrecista *amateur*. Conocía que eran muy buenos amigos e intentó que influyera en la aparente apatía de Paul. En la misiva le decía que lo intentara convencer para que su nombre y el de otros tres ajedrecistas de Nueva Orleans figuraran en el comité del Primer Congreso Americano de Ajedrez.

Sin ningún éxito.

El propio Paul Morphy respondió en julio a Fiske declinando su propuesta, ya que la muerte de su padre aún estaba muy reciente en su mente y que no le parecía apropiado asistir a ningún tipo de celebración, aunque fuera relacionada con el ajedrez.

Fiske no se rindió. Era consciente de que la presencia de Paul era fundamental para asegurar el éxito del Congreso, puesto que, ahora, ya era conocido por todos los ajedrecistas del país. Su presencia serviría de reclamo para otros. Fiske intentó apelar a su condición de sureño, ya que le decía que todos los jugadores del norte acudirían al evento y que su presencia lo haría muy respetado internacionalmente. Incluso, aun sin tener la confirmación de Paul, puso su nombre en el «Comité del Código del Ajedrez». El joven volvió a enviar una misiva a Fiske, agradeciéndole el honor, pero comunicándole que su lugar estaba ahora con su afligida madre, Thelcide, y que no tenía ninguna intención de abandonar Nueva Orleans.

A los pocos días Paul recibió una visita que no esperaba. El juez Alexander Meek, con el que había jugado todos los sábados durante su último año en *Spring Hill*. Hacía más de dos años que no lo veía, pero, por lo visto, conocía muy bien a su madre.

—Thelcide, no sabes lo que siento el fallecimiento de Alonzo. Aunque, desde la distancia, en Mobile, todos sus compañeros organizamos un acto en memoria de él —dijo, abrazándola.

—Lo sé —le respondió—. Lo leí en la prensa y me pareció un gesto muy bonito. Alonzo os lo agradecería desde el cielo.

—Tienes un gran hijo, Paul. Supongo que sabías que frecuentaba mi residencia.

Thelcide se sorprendió. Estaba claro que no lo sabía.

—Tiene un gran don. Jugábamos al ajedrez y jamás fuimos capaces de vencerle ni una sola partida. Me he enterado que se ha graduado en Leyes. Estoy seguro de que seguirá nuestros pasos y honrará a su padre, pero también existe otra forma de honrar a la familia. Ya sabes a lo que me refiero. Conozco a Paul y estoy seguro de que le encantaría acudir a Nueva York al Congreso Americano de Ajedrez. No quiere hacerlo por ti, ya que no desea dejarte sola, en estos momentos tan duros.

—No lo sabía —le respondió Thelcide—. Paul no me cuenta gran cosa, tan solo se preocupa en exceso por mi tranquilidad. Fue una verdadera tragedia, pero ya han pasado más de nueve meses y creo que lo estoy superando. Cada vez estoy mejor, incluso he vuelto a la música.

—No sabes lo que me alegro, pero Paul insiste en jugar el papel de hijo protector de su madre. ¿Te importa que, en tu presencia, le pregunte si desea asistir al congreso?

—Pues claro que no —le respondió Thelcide, mientras le indicaba a un sirviente que hiciera llamar a Paul.

Mantuvieron una breve conversación. El juez Meek se mostró muy persuasivo y la madre de Paul sabía que estaba perdiendo el tiempo en Nueva Orleans, ya que, hasta el año que viene, no podría ejercer como abogado. Lo veía deambular por la casa como un fantasma. Además, Meek se comprometió con Thelcide a cuidar de su hijo, ya que él también pensaba asistir al evento. Paul se vio desarmado entre los dos, así que acabó aceptando. El día 19 de septiembre remitió un telegrama a Nueva York, confirmando su asistencia al Congreso. Este anuncio fue amplificado de inmediato por el comité organizador a toda la prensa, clubes y ajedrecistas de todo el país. Suponía una gran noticia.

El 23 de septiembre de 1857, Paul partió hacia Nueva York. Para su sorpresa, el Club de Ajedrez de Nueva Orleans le organizó una gran despedida y sus compañeros, de forma unánime, lo nombraron presidente. Paul se emocionó, pero poco le duró, ya que le esperaba un viaje muy pesado y no sabía cómo le iba a afectar a su frágil salud. Debía tomar un barco de vapor por el río Mississippi hasta Cincinatti y de ahí hasta Nueva York en tren. Once largos días de viaje.

Nada más llegar a su destino, Paul se registró en el *St. Nicholas Hotel*. El presidente del Club de Ajedrez de Nueva York fue a recibirlo de forma personal al hotel, pretendiendo que asistiera a un cóctel de bienvenida. A pesar de su juventud y de que apenas se habían publicado tres partidas suyas en revistas de ajedrez, todos conocían su fortaleza en el juego, después de que el juez Meek se encargara de publicar varios artículos en la prensa local hablando del joven Morphy, días antes de su llegada. Declinó la oferta, ya que se encontraba muy fatigado del viaje. En ese momento supo que se habían organizado tres torneos, el llamado mayor, el menor y uno específico para problemas de ajedrez. Por supuesto, Paul participaría en el mayor, que tenía previsto su inicio justo a los dos días de su llegada.

Paul se preocupó. No sabía si iba a disponer de tiempo suficiente para recuperarse. Debía descansar si quería ser capaz de estar a su altura. Hace poco más de dos semanas ni siquiera se planteaba asistir, pero ahora que lo había decidido, quería dejar el pabellón de Nueva Orleans bien alto.

El reglamento del torneo era muy simple. El emparejamiento de los jugadores se elegiría al azar. El primer jugador en ganar tres partidas a su oponente pasaría a la siguiente ronda. Eran eliminatorias. Se jugarían desde las nueve de la mañana hasta las doce de la noche, con descansos de una hora cada cuatro de juego. Las reglas seguirían el «Código de las reglas del ajedrez» publicado por Howard Staunton. Ello suponía que, en las primeras rondas, podían ser emparejados jugadores muy fuertes entre sí, pero se decidió seguir los mismos pasos que en el Torneo de Londres, celebrado en 1851. El cuadro definitivo de los participantes en el torneo mayor se sabría el mismo día 5, a las tres de la tarde, cuando se sortearían los emparejamientos. Al día siguiente, el día 6, comenzaría la acción.

En la mañana del día 5, todos los miembros de la asamblea eligieron a sus representantes. Paul se escondió en la última fila. Por nada del mundo deseaba captar la atención. Por unanimidad, fue elegido su amigo, el juez Meek, como presidente y Daniel Fiske, el que había tenido la idea de organizar todo aquello, secretario.

Paul se dio cuenta de que le había afectado el viaje bastante más de lo que se imaginaba. Todavía no se encontraba bien, estaba mareado. Intentó descansar un poco, pero a las tres de la tarde se iba a efectuar el sorteo en el Club de Ajedrez de Nueva York. No había tregua posible para su fatiga.

A su llegada al club, lo que vio le sorprendió muchísimo. El ajedrez no era un juego de masas, sin embargo, la expectación en Nueva York era máxima. Se había congregado una ingente cantidad de público, rebasando todas las previsiones de la organización. Estaba claro que las instalaciones del club eran insuficientes para acoger a semejante cantidad de gente, para agobio de Paul, al que solo le faltaba eso para su maltrecha salud. El comité organizador, desbordado, decidió habilitar un nuevo espacio en las llamadas *Descombes' Rooms*. Estaba claro que iba a ser el acontecimiento del año en Nueva York.

En ese momento, Paul pudo ver la lista de entradas en el torneo mayor:

W.S. ALLISON – HASTINGS, MINNESOTA
HIRAM KENNICOTT – CHICAGO, ILLINOIS
T. LICHTENHEIM – NEW YORK CITY
N. MARACHE – NEW YORK CITY
HON. ALEXANDER MEEK – MOBILE, ALABAMA
HUBER KNOTT – BROOKLYN, NEW YORK
PAUL MORPHY – NEW ORLEANS, LOUISIANA
LOIUS PAULSEN – DUBUQUE, IOWA
FREDERICK PERRIN – NEW YORK CITY
DR.B.I. RAPHAEL – LOUISVILLE, KENTUCKY
CHARLES H. STANLEY – NEW YORK CITY
JAMES THOMSON – NEW YORK CITY
W.J.A FULLER – BOSTON, MASSACHUSETTS
H.P. MONTGOMERY – PHILADELPHIA, PENSILVANIA
DANIEL W. FISKE – NEW YORK CITY
S.R. CALTHROP – LONG ISLAND, NEW YORK

No había ninguna duda que habían acudido los mejores ajedrecistas de todo el país. De repente, en las abarrotadas salas del club, Paul pudo escuchar un gran estruendo. Parecía que la gente se hubiera vuelto loca.

—¡Stanley! ¡Stanley! —resonaba.

Estaba claro que el héroe local había llegado al club. Paul no se dejó amedrentar por aquella muestra de fervor popular. Le tenía más respeto a su delicada condición física. «Al final, mi padre siempre tuvo razón», pensó con cierta tristeza, recordando sus palabras acerca de su frágil salud.

—No hagas caso —escuchó Paul a sus espaldas.

Se giró y vio al juez Meek. Se saludaron efusivamente.

—Stanley, a pesar de contar con el entusiasmo local, no va a ser tu principal rival. Ya sé que es el actual campeón, pero su juego ya no es el mismo que hace unos años. Ahora, sin duda, el más fuerte de todos es Paulsen. Mucho ojo con él, es un formidable ajedrecista, reconocido en toda Europa. No te será fácil vencerle, si es que lo consigues. Todos lo consideran el gran favorito del torneo, incluso por encima de ti —le dijo el juez.

En ese mismo instante, se hizo el silencio en el club. Paul pudo observar que había una especie de urna en el centro de la sala. De repente, una potente voz se elevó sobre las masas. Explicó que, en su interior, había ocho papeles blancos y ocho papeles amarillos, señalados con los números del 1 al 8. Eso marcaría el emparejamiento de la primera ronda. Aquel que obtuviera el papel blanco, podía elegir el color de sus piezas en su partida inicial.

Paul no pudo evitar sentir un poco de nerviosismo. Las palabras del juez no le habían ayudado.

El primer emparejamiento cruzó a Paulsen con Calthrop, a Meek con Fuller y a Morphy con Thomson.

—Parece que no hemos tenido demasiada fortuna —le comentó el juez—. Ten mucho cuidado con Thomson, es uno de los mejores jugadores de este club. En cuanto a mí, Fuller es un hueso muy duro de roer.

—¿Quién es Thomson? No lo conozco.

—Es un gran jugador, curtido en Londres y en París antes de recalar en Nueva York. Tiene prestigio internacional.

—Al final, eso no importa —le respondió Paul—. Si quieres ganar, debes vencer a los mejores.

–Sí, pero no hace falta que sea en las primeras rondas –le contestó el juez, sonriendo.

Paul, una vez efectuado el sorteo, se retiró a descansar. Su peor enemigo no era Thomas, sino su estado de debilidad. Había mejorado un poco, pero no lo suficiente.

Al día siguiente, a la hora convenida, Paul se presentó en el Club de Ajedrez de Nueva York. Buscó su tablero y, para su sorpresa, observó una gran cantidad de público a su alrededor. Recordó las palabras del juez Meek, Thomson era uno de los mejores jugadores locales.

Después de saludarse, comenzaron la partida. Paul jugaba con las piezas blancas. En apenas cincuenta minutos ya lo había vencido, con asombrosa facilidad. Thomson se negó a darle la mano, como era habitual después de ser derrotado. Estaba claro que el aspecto menudo y enfermizo de Paul lo había llevado a minusvalorarlo. Enrabietado, de inmediato, dispuso la piezas para la segunda partida. Esta vez jugaba con blancas. Paul pudo ver en su rostro que estaba convencido de su victoria. La partida parecía más igualada que la anterior. Paul llevaba desventaja de material y, después de tres horas, no parecía tener una posición claramente ventajosa. Thomson parecía más animado.

—Mate en cuatro —anunció Paul, sin inmutarse.

Se escuchó un «*ooh*» alrededor de la mesa. Nadie se lo esperaba ni lo había visto venir. Thomson le dedicó media hora a analizar la posición y, cuando concluyó, se levantó de la mesa y se fue, sin dirigirle ni una sola mirada a Paul, que ya había vencido dos partidas. Una más y pasaría a la siguiente ronda.

Al día siguiente, Paul se presentó a la hora convenida. Para su sorpresa, se encontró con la noticia de que Thomson no jugaría hoy. Parece que se encontraba indispuesto y el comité decidió aplazar la partida un día. «¿Indispuesto?», pensó Paul, que le recordó a sus partidas con Lowenthal, hacía ya siete años. «No me lo creo, pero no sería de caballeros dudar de la palabra de otro compañero».

Así, se encontró sin nada que hacer durante todo el día. Decidió asistir como público a las partidas de Louis Paulsen. Descubrió que era alemán, no estadounidense, aunque residiera en el estado de Iowa. Su nombre original no era Louis, sino Ludwig. Apenas le dio tiempo a ver el final de su segunda partida, que venció con mucha rapidez. Iba dos a cero en su duelo con Calthrop. De inmediato se dispusieron a iniciar la tercera partida. Paul tenía curiosidad acerca del juego de Paulsen, a ver si se trataba de ese formidable jugador que le había descrito el juez Meek.

Desde luego que lo era, pero sus estilos eran muy diferentes. Paulsen basaba su juego en una sólida defensa inicial, para, una vez consolidada la posición, esperar su momento para atacar. Desde luego era su «némesis». Paul atacaba desde el mismo inicio.

Observó la partida, que se alargó más de tres horas. Paulsen esperó al final para rematar a su rival de una forma absolutamente brillante. Desde ese mismo momento, Paul deseó enfrentarse a Paulsen.

Para pasar el resto del día, se acercó a ver las partidas de su amigo, Alexander Meek. Para su sorpresa, perdía dos a cero. Aquello no pintaba nada bien. Ahora estaban jugando la tercera. Si el juez caía derrotado, sería eliminado. La posición en el tablero parecía igualada.

Parecía.

Paul había jugado muchas partidas contra el juez y aquella le recordaba a una de ellas. Si no se equivocaba, ahora sacaría la dama y, con la diagonal abierta de su alfil, amenazaría la defensa de Fuller. Así fue. En diez movimientos más, Meek venció la partida. Aunque perdiera dos a uno en su enfrentamiento y, en consecuencia, estuviera obligado a ganar las dos siguientes, aún le quedaba esperanza.

Al día siguiente, Paul acudió de nuevo al club. Esperaba que no hubiera más aplazamientos por parte de Thomson. Nada más llegar a su tablero vio que su rival ya estaba sentado frente a él. Había acudido con cierta antelación y su rostro reflejaba confianza, a pesar del dos a cero en contra.

La partida se inició de la manera habitual. Paul se lanzó al ataque, pero, esta vez, Thomson jugó diferente. Construyó una sólida defensa y parecía anticiparse a todos los movimientos de Paul. Estaba claro que había empleado el día de descanso en analizar su juego. Parecía evidente que aquella iba a ser una partida muy dura y competida. Después de cuarenta y seis movimientos, Thomson abandonó. Esta vez sí que le dio la mano a Paul, felicitándole por su brillante juego.

Tanto Paulsen como Morphy habían pasado a la siguiente ronda con un resultado impecable, tres a cero, pero debían de esperar a que el resto de jugadores también lo hiciesen, para poder volver a sortear los emparejamientos de la segunda fase.

Paul levantó la vista del tablero y se encontró con la mirada de Paulsen. Igual que él había hecho el día anterior, ahora era el alemán el que había observado su juego.

—Muy interesante la partida —se dirigió a Paul—, aunque esos sacrificios iniciales no creo que te hubieran valido conmigo.

Paul recordó la vanidad de los jugadores de ajedrez y no quiso entrar en discusiones.

—Quizá no. Está claro que eres un maestro del juego defensivo, para acabar rematando a tus rivales en los finales, no como yo. Mis partidas suelen acabar con más rapidez.

—Ya lo veo —le respondió—. Ahora tendremos unos días libres hasta el próximo sorteo. Para pasar el tiempo, había pensado jugar unas partidas a ciegas con cuatro jugadores de forma simultánea. ¿Te apetecería ser uno de ellos?

Paul se sorprendió. Él había jugado una partida a ciegas con su tío Ernest hacía muchos años y otra con el padre Beaudequin en Spring Hill, pero lo que le proponía Paulsen iba mucho más allá.

—Claro que acepto, pero con una condición —respondió Paul—. Que yo también juegue a ciegas. Los otros tres, si lo desean, que lo hagan con un tablero delante.

—Bueno, como tú quieras. Eso me da ventaja a mí —le dijo, mientras se alejaba—. Pasado mañana, a las cuatro de la tarde, en las *Descombes' Rooms.* Aquí, en el club, no tendríamos la tranquilidad necesaria.

Cuando Paul se presentó a su cita con Paulsen, aún se asombró más. Para la partida a ciegas, había elegido a jugadores de primera línea, nada de aficionados. Además de él, se enfrentaría a Fuller, a Schultz y a Julien. Observó una tarima elevada en el centro de la sala principal y dos sillas, opuestas la una de la otra. Supuso que en una se sentaría Paulsen, en otra él mismo y que, en otra habitación y con tableros delante, lo haría el resto de jugadores.

Así fue.

La expectación era máxima. Nadie en la historia se había atrevido a jugar cuatro partidas simultáneas a ciegas. Las *Descombes' Rooms* estaban abarrotadas y el público expectante.

La exhibición comenzó a las cuatro y media. Paulsen y Morphy anunciaban sus movimientos desde encima de la tarima, sin ver el tablero, mientras los otros tres lo hacían a gritos, desde la sala adjunta.

A las diez y media de la noche, Paul anunció mate en cinco. Después de veinte minutos analizando la posición en su cabeza, Louis Paulsen aceptó su derrota con elegancia, dándole la mano a Morphy, que se quedó sentado en su silla, siguiendo en su cabeza las otras tres partidas. A las doce de la noche, Paulsen venció su partida contra Schultz y aplazó las otras dos. Al día siguiente, logró vencer a Fuller y forzar unas tablas con Denis Julien.

A pesar de que el resultado no fue perfecto, dos victorias, unas tablas y una derrota, aquella demostración fue recogida por toda la prensa como un gran acontecimiento nunca visto, poniendo por las nubes a Paulsen y convirtiéndolo, si no lo era ya, en el principal favorito para ganar el torneo, a pesar de que había perdido su partida contra Morphy.

El lunes, Paul se llevó una alegría y una decepción. Su amigo, el juez Meek, había conseguido darle la vuelta al marcador, ganando por tres a dos su enfrentamiento. Sin embargo, Charles Stanley había caído eliminado en la primera ronda. Paul quería jugar contra él y no pudo evitar enojarse. En consecuencia, se procedió a celebrar el sorteo de la siguiente fase.

—Vaya, parece que no estoy teniendo suerte en este torneo —le comentó el juez Meek.

Paul se le quedó mirando, extrañado, hasta que lo comprendió. El capricho había querido que se enfrentaran entre ellos en la siguiente ronda.

—Te advierto de que ya no soy la misma persona que hace dos años —le recordó el juez, intentando darse moral.

«Ni yo», pensó Paul, melancólico.

Hasta ahora, durante su estancia en Nueva York, se había limitado a ver y jugar al ajedrez y, cuando eso concluía, se retiraba a su habitación a descansar. Solía acabar las jornadas agotado. Su frágil salud le pasaba factura, y eso que intentaba que sus partidas terminaran lo más rápido posible.

El juez le había pedido comenzar su enfrentamiento dos días después del sorteo, para darle tiempo a recuperarse de su duro duelo con Fuller. Por supuesto, Paul se lo concedió, aunque él, ahora, se encontrara mejor que a su llegada a Nueva York.

Esa fue su perdición.

Disponía de un día libre y no le apetecía ver más ajedrez, así que decidió salir del hotel y conocer Nueva York. Hasta ahora, se había limitado a ir del *St. Nicholas Hotel* al club de ajedrez y a las *Descombes' Rooms* en Brooklyn.

«Creo que hoy toca turismo», se dijo, animado.

Pero no fue precisamente turismo lo que hizo. Descubrió el lado lúgubre de la ciudad. Después de tomar innumerables copas en los peores antros de la ciudad, regresó borracho a su hotel. Se acomodó en un taburete de su bar y pidió la última copa, antes de retirarse a su habitación.

Para sorpresa de Paul, un desconocido se sentó junto a él.

—En apenas unas horas tienes una partida de ajedrez. ¿Crees que serás capaz de hacerlo en semejante estado?

—¿Quién es usted? —le preguntó Paul, extrañado.

—Ya veo que no me recuerdas. No me extraña, viendo tu lamentable aspecto. Una vez te dije que tenías verdadero talento, un don muy poco común, pero que tuvieras cuidado.

Paul fijó la vista en aquella persona, pero se le hacía difícil conseguir enfocar su mirada. No se atrevió a decir nada.

—Ante tu incredulidad, te dije que tuvieras cuidado de ti mismo y que tu don tenía un precio que terminarías por averiguar. Me parece que ya lo has hecho —dijo, mientras se levantaba del taburete y lo dejaba sumido en sus pensamientos.

«Eso me lo dijo James McDonnell», recordó Paul. «Ese discurso me lo soltó cuando tenía doce años y me anticipó que quizá no me gustara lo que viera».

Y no le gustaba.

34 EUROPA, ENTRE MAYO Y JUNIO DE 1856

—¿Corro peligro en Zúrich?

—Lo siento, no pretendía asustarte. No corres un peligro inminente, pero no debes permanecer más tiempo del estrictamente necesario para completar tu recuperación.

—Ya me encuentro bastante mejor.

—Pues ahora debes escribir a tu tío Orso y a tu hermano Leonidas. Es posible que te crean muerto. Les darás una alegría.

Felice se quedó mirando a Emma Herwegh. Aunque había muchas cosas que desconocía de ella, ese gesto que lucía en su rostro era muy significativo.

—No es por eso, ¿verdad?

Emma tardó un par de segundos en responderle.

—Es para eso, pero también para algo más.

Felice se quedó en silencio, esperando la explicación de Emma.

—Debes despedirte de ellos —le dijo, finalmente.

—¿Por qué?

—Porque vas a emprender un largo viaje.

—¿Qué tiene de especial ese viaje? Te recuerdo que me he desplazado por toda Europa, arriesgando mi vida a cada paso que daba. Y no me he estado despidiendo de ellos cada vez que emprendía una aventura peligrosa.

—Esta vez es diferente. Debes salir de Suiza, atravesar Francia y cruzar el canal hasta llegar a Londres.

—¿A Londres? —preguntó sorprendido Felice—. ¿Para qué?

—Me temo que eso lo tendrás que descubrir por ti mismo, pero, como te dije una vez, tu destino está escrito. Te queda por completar la misión más importante y peligrosa de tu vida, para la que has sido preparado. Ya te lo dije en una ocasión. Ahora, ha llegado ese momento.

—Lo siento, Emma, pero no te entiendo.

—Lo harás cuando llegues a Londres —le respondió, mientras abandonaba la estancia.

Felice se quedó pensativo. No entendía nada, pero confiaba en Emma, así que escribió a su tío y su hermano. Simplemente les comunicaba que se encontraba a salvo, pero no añadía ningún detalle más. Preguntó por sus hijas y trató de darle un tono cariñoso a la misiva. Por supuesto, no se despidió de ellos. Fuera la que fuese la misión que le aguardaba, no pensaba morir. Después de todas sus desventuras, ya se consideraba un superviviente nato.

Antes de abandonar Zúrich, recibió la respuesta de ambos. De sus cartas tan solo sacó dos conclusiones. Se alegraban de que estuviera vivo, pero sin el toque fraternal que él había impreso en su misiva. Le faltaba el cariño. Le pareció evidente que la influencia papal se había acrecentado en Imola y que no aprobaban sus actos. La segunda, que le reconfortó, fue saber que sus hijas crecían sanas y salvas. No había nada más en aquellas cartas. Parecía que su tío y su hermano se habían alejado de él. Se sintió triste. Ya le quedaban pocos apoyos en esta vida. Se estaba convirtiendo en un solitario. «¿Acaso no lo he sido siempre?», se dijo, melancólico.

Pasaron dos semanas sin que nada sucediera. Felice se encontraba plenamente recuperado, incluso había estado ejercitándose. Su aspecto era saludable.

Pero todo tenía un final.

Emma entró en su habitación. Se notaba que intentaba evitar la tristeza, pero sus ojos no mentían.

—Ha llegado el momento. Toma —le dijo, mientras le entregaba un pasaporte—. Es suizo y no es falso. Te permitirá cruzar con total tranquilidad Francia.

—¿Y qué debo hacer en Francia?

—Nada. Ya sabes que tu destino definitivo es Londres.

—¿Cuándo debo partir?—le preguntó Felice, sorprendido. No entendía nada de lo que estaba escuchando.

—Ahora. Aquí ya no estás seguro. Dispones de treinta minutos para preparar tu equipaje. Tengo tu itinerario planificado. No te preocupes por nada, está todo previsto.

—Entonces, si voy a cruzar Europa sin peligro, ¿a qué vienen esos ojos tan tristes? Me podrás ocultar muchas cosas, pero jamás tu mirada.

Emma bajó la vista.

—Bueno, esta es nuestra despedida, pero no una más. Es la última. Me temo que jamás nos volveremos a ver.

—¿Por qué? —Felice seguía sin comprender nada.

—Basta de preguntas. Prepárate o no llegaremos a tiempo —le respondió, mientras abandonaba apresurada la estancia, probablemente para no derrumbarse en su presencia.

Felice, una vez más, hizo caso a Emma. Para su sorpresa, cuando bajó al salón, se encontró con su anfitriona esperándolo.

—Vamos, te acompaño a la estación de tren de Zúrich.

Felice se extrañó, pero no quiso preguntar nada más. Durante el trayecto en carruaje, ninguno de los dos pronunció palabra alguna. Al llegar a su destino, Emma también bajó y lo condujo hasta el andén.

—Tomarás el expreso hasta París. De allí te dirigirás hasta Calais, donde cruzarás en el vapor hasta Dover. Una vez en suelo británico, debes dirigirte a Londres. Evita llamar la atención y alójate en posadas discretas. No hagas amistades e intenta hablar lo menos posible. Ahora viene lo más importante —dijo Emma, mientras abría su bolso y sacaba un sobre.

Se lo entregó. Felice se dispuso a abrirlo, intrigado por su contenido, pero, para su extrañeza, Emma lo detuvo.

—Te acabo de decir que este sobre es importante. No debes abrirlo hasta que vayas a abandonar Francia. No lo pierdas. Guárdalo como si fuera un tesoro para ti y defiéndelo, si hace falta, con tu vida. No debe caer, bajo ningún concepto, en manos enemigas.

Felice estaba sorprendido, pero aún había una cuestión que le intrigaba más.

—¿Y qué se supone que debo hacer cuándo llegue a Londres? Allí no conozco a nadie.

—Tranquilo. Cuando estés allí, sabrás qué hacer.

En ese preciso instante, entró el expreso en la estación de Zúrich. El ruido era atronador. Emma y Felice se abrazaron. Ahora, ambos lloraron.

—¿De verdad que todo esto es necesario?

—Es para lo que te he estado protegiendo. Sé que has hecho grandes servicios a tu amada Italia, con un gran coste familiar y personal. Bueno, pues esta misión supera cualquier otra cosa que hayas realizado anteriormente. Además, en Londres estarás seguro. No tienen tratado de extradición y creo que te sentirás a gusto con las ideas liberales de los británicos. Enseguida te acoplarás con las personas que te vas a encontrar.

Escucharon el silbato, indicación de que el tren se disponía a partir.

—Me fio de ti, Emma. Siempre lo he hecho. Pero una cosa te quiero dejar muy clara. Te volveré a ver. Te lo prometo.

—No lo hagas, porque no ocurrirá. Sube al tren ya —le respondió Emma, mientras se daba la vuelta y abandonaba el andén.

Felice sintió como si perdiera a su madre. La punzada de dolor lo dejó aturdido. Durante un instante, pensó en salir detrás de Emma y no tomar ese tren.

—¿Va a subir o se queda?

Orsini salió de sus pensamientos y entró en el interior del expreso, eso sí, sin saber si estaba haciendo lo correcto. Su mente estaba confusa y no podía reflexionar con claridad.

Como su benefactora le había indicado, llegó a París sin ningún problema. Nadie sospechó que era Felice Orsini. Su pasaporte suizo había obrado milagros. Tomó otro tren hasta Calais, donde arribó por la noche. Se alojó en una posada alejada del puerto. A pesar de que nadie había sospechado de él, siguió escrupulosamente las indicaciones de Emma. Total discreción.

Hablando de las indicaciones de Emma, Felice pensó en el sobre misterioso que le había entregado antes de abandonar Zúrich. Hasta ese momento, había resistido todas las tentaciones de abrirlo, pero recordó sus palabras exactas, «no debes abrirlo hasta que vayas a abandonar Francia». Eso era precisamente lo que se disponía a hacer, al día siguiente por la mañana. Iba a abandonar Francia.

Ya no se pudo aguantar más y lo abrió.

En su interior, había otros tres sobres más pequeños. Primero, abrió el más voluminoso. Era dinero, libras esterlinas en una cantidad más que suficiente para pasar una larga temporada en Londres. Era cierto que Emma pensaba en todo. A continuación, le llamó la atención otro sobre, ya que parecía que contenía un pequeño libro. Rasgó el envoltorio y se encontró con un pasaporte nuevo. Para su absoluta sorpresa, era italiano y parecía auténtico. Lo abrió de inmediato.

Ahora sí que se sorprendió de verdad.

Era su propio pasaporte.

Aquello no tenía ningún sentido. Ya disponía de un pasaporte suizo con identidad falsa que le abría todas las puertas. ¿Para qué necesitaba otro, además a su nombre? Lo observó con más detenimiento. Lo primero que le llamó la atención fue su nombre. Era el suyo, pero con una significativa y enigmática diferencia. Estaba expedido a nombre del «conde Felice Orsini». Junto a la primera página, había dos pequeñas notas. La primera era del embajador de los Estados Pontificios en París, confirmando su título de conde. No pudo evitar reírse de aquella tremenda ironía. Sus enemigos le habían otorgado un título nobiliario y los documentos parecían auténticos. De locos. Tomó en sus manos la segunda nota. Era de Emma.

«Deshazte del pasaporte suizo y, a partir de ahora, utiliza el presente. No te rías, no se trata de una broma, esto es muy serio».

Llegaba tarde su aviso de que no se riera, ya lo había hecho, pero tenía que reconocer que no sabía cómo Emma podía lograr esas cosas. Parecía obra de magia.

«¿Pretende que entre en suelo británico con mi propio nombre? ¿Para qué? En este viaje, ¿no habíamos convenido que no debía de llamar la atención?», no pudo evitar pensar con preocupación Felice. «Esto es todo lo contrario. Se descubrirá de inmediato que no estoy en poder de los austríacos y volveré a ser buscado y, en consecuencia, me pondré en riesgo. Ahora vivo tranquilo y me puedo mover con libertad».

Se quedó reflexionando durante un instante. Por más que pensaba, no le encontraba ninguna lógica. «De todas maneras, tampoco sé a qué obedece mi presencia en Londres». Estuvo tentado de no seguir aquellas, en apariencia, absurdas instrucciones. Finalmente, decidió hacer caso a Emma, que parecía que sabía lo que hacía. Aunque no la comprendiera, siempre había acertado en todo. Y le debía la vida.

Ahora dirigió la vista hacia el tercer sobre. Al contrario de los dos anteriores, no abultaba nada. Como los otros dos, también lo abrió. Tan solo había una nota, con tres líneas escritas.

Era una dirección de Londres, aunque omitía a quién pertenecía.

«Una vez más, Emma tenía razón», pensó. «Me dijo que sabría qué hacer a su debido tiempo. Ahora ya lo sé, aunque desconozco a quién voy a ver».

A pesar de todos los interrogantes que sobrevolaban su cabeza, durmió toda la noche de un tirón. Se despertó con el alba, a tiempo de tomar el vapor a Dover.

Llegó con antelación al puerto. El bullicio que se respiraba era impresionante, aunque a Felice le interesaba otra clase de aroma.

El olor a la libertad.

Utilizó su nuevo pasaporte. El oficial de aduanas lo saludó con mucho respeto. Felice tuvo que reprimir una sonrisa y esforzarse por mantener su rostro adusto. No podía olvidar que, ahora, era un noble romano.

Subió al vapor y se apoyó en la barandilla. A pesar de las distancias, la brisa marina le recordó el aire de los Alpes suizos, de aquella cabaña y de los hermanos de Mantua que le habían salvado la vida. Por primera vez en bastante tiempo, sintió una gran felicidad. Tenía el pálpito de que Emma tenía razón. También tenía la sensación de que algo grande se aproximaba.

Sus iniciales sensaciones, nada más pisar suelo británico, fueron muy curiosas. La primera, la espesa niebla que no te dejaba ver más allá de unos metros le llevó a tropezar con una persona. Felice hablaba inglés, aunque con un inevitable ligero acento italiano.

—Disculpe mi torpeza, señor.

—¿Italiano?

Felice se puso en guardia y todavía más cuando advirtió que se trataba de un policía.

—Sí, oficial. Soy el conde Orsini.

—Es un placer, señor. ¿Le puedo ayudar en algo?

Desde que tenía uso de razón, Felice no recordaba que ningún guardia se ofreciera a ayudarle. Aquello le pareció chocante e irónico. «Apenas a dos horas en vapor de aquí, este tropiezo con un policía hubiera acabado con mis huesos en prisión». Sintió de nuevo lo que significaba la libertad. Era una sensación que no había experimentado en demasiadas ocasiones. De inmediato, supo que su estancia en Londres sería placentera. El policía le indicó el camino hacia la estación de Dover. Le informó, con una amabilidad desconocida para Felice, que salían trenes constantemente, así que no se preocupara.

Nada más llegar a Londres, se dirigió a la dirección que le había indicado Emma Herwegh. Tenía gran curiosidad por conocer la identidad de su anfitrión.

Llamó a la aldaba, sin poder evitar ponerse algo nervioso.

Cuando la puerta se abrió, Felice se llevó una grandísima sorpresa.

Aquello no podía ser.

35 NUEVA YORK, AÑO 1857

—¿Te encuentras bien? Tienes un aspecto lamentable.

—No he pasado una buena noche.

—¿Quieres que aplacemos la partida para mañana? Por mí, no hay ningún problema.

—No, lo que quiero es una jarra llena de agua. Eso será suficiente.

El juez Alexander Meek ordenó a uno de los camareros que cumpliera con la petición de Paul. Se bebió tres vasos seguidos, casi sin respirar.

—Ahora ya estoy mejor —le respondió—. Podemos comenzar cuando quieras.

—Como desees —dijo Meek, no demasiado convencido.

Paul, frente a las sesenta y cuatro casillas del tablero de ajedrez, se trasformaba. Sentía que lo controlaba. Para sorpresa del juez, Paul lo arrolló en tan solo diecisiete movimientos y cuarenta minutos. De inmediato, se prepararon para la siguiente partida. Esta vez fueron veintidós jugadas y poco más de una hora, pero el resultado fue el mismo. Paul lo volvió a vencer con pasmosa facilidad.

—Me parece que dejaremos la tercera partida para mañana —dijo el juez—. Creo que con dos humillaciones ya he cubierto la cuota del día.

—Lo siento de verdad —acertó a decir Paul, mientras se bebía su décimo vaso de agua.

—No lo hagas, aunque mañana espero verte con mejor aspecto que hoy. Si te encuentras mal, el club de ajedrez dispone de un doctor, aunque viendo cómo has jugado, no sé si lo necesitas —le respondió, mientras se levantaba de la mesa y le daba la mano a Paul.

—Le repito que lo lamento. Ya me conoce y sabe que no pretendía herir sus sentimientos. Siempre lo he respetado mucho, es todo un ejemplo de virtud para mí.

—No lo has hecho, más bien todo lo contrario. No esperaba menos de ti, pero tampoco olvides que remonté un dos a cero en la primera ronda —le replicó el juez, al tiempo que abandonaba la estancia, con una ligera sonrisa en la boca, a pesar de haber sido arrollado por su joven rival.

Paul regresó al hotel. Hoy tampoco pensaba quedarse en el club. No sabía si era su cabeza o el mundo, pero uno de los dos no paraba de dar vueltas. Se tumbó en la cama y no se despertó en todo el día, ni siquiera para comer ni cenar.

Al día siguiente, Paul volvió al club. Se encontraba algo mejor. La tremenda resaca de ayer ya había desaparecido, pero se sentía muy débil.

—No puedo decir que tengas mejor aspecto que ayer —le dijo el juez Meek, levantándose de la mesa, para darle la mano—, pero ya sé por experiencia que eso no influye demasiado en tu juego.

—Me encuentro mejor, se lo aseguro —le respondió Paul.

—¡Caramba! —exclamó el juez—. Entonces, ¿qué debo esperar hoy?

—Pues eso, no creo que nada diferente a ayer —se limitó a responder Paul, con esa confianza que le otorgaba el tablero.

Y así fue. En veinticinco movimientos y poco más de una hora de juego, el juez Alexander Meek había abandonado la partida, sin ninguna opción. Paul fue un auténtico torbellino, como acostumbraba.

—Está claro que no puedo contigo —dijo, mientras concedía la derrota—. No sé dónde llegarás, quizá hasta donde tú mismo quieras. La cuestión es ¿qué es lo que quieres?

Paul no estaba para conversaciones profundas, pero se sintió en la obligación de responder al juez. Siempre se había portado muy bien con él.

—Ese es el problema. No sé qué quiero. Lo único que tengo claro es que deseo divertirme, ese es el verdadero motor que me anima a seguir jugando. Contra usted no lo he conseguido. Lo considero mi amigo y no he sentido ningún placer venciéndolo.

—Agradezco tus palabras, Paul, pero frente al tablero, no hay amigos, hay adversarios, no lo olvides ni por un momento

—le recordó el juez, que, a pesar de la apabullante derrota, volvió a abandonar la sala con una sonrisa en la boca.

Pese a sus palabras iniciales, el juez Meek sabía que iba a ser vencido con facilidad por Morphy. Ya lo conocía de sobra y sabía que el límite de Paul era el propio Paul.

Paul Morphy había accedido a la tercera fase del torneo por tres a cero y disponía de toda la mañana libre. Consideró acercarse a ver la tercera partida de Paulsen frente a Montgomery. Paulsen dominaba por dos a cero. Para su decepción, se enteró que Montgomery no se había presentado y había anunciado que abandonaba el campeonato, ya que urgentes asuntos familiares le requerían en Filadelfia. En consecuencia, una vez más, Paulsen y Morphy eran los primeros en avanzar de ronda con idéntico resultado, tres a cero, siendo los únicos jugadores que permanecían invictos en el torneo.

En los siguientes tres días, Lichtenhein y el doctor Raphael consiguieron imponerse en sus respectivos enfrentamientos, después de una dura lucha. En consecuencia, quedaban ellos dos, junto a Paulsen y Morphy, como semifinalistas del Gran Torneo.

Para sorpresa de Paul, el sábado 17 de octubre, el campeonato fue aplazado por unos días. Él tan solo deseaba jugar, aunque comprendía que había otras cuestiones que tratar. En realidad, se temía a sí mismo.

Esa misma noche se organizó una gran gala para los participantes en el torneo, en el *St. Denis Hotel*, propiedad de Denis Julien, destacado ajedrecista. Fue un acto muy distendido, donde todos se lo pasaron muy bien. El *chef* del restaurante del hotel confeccionó un menú divertido, ya que le puso un nombre diferente a cada plato que servía, relacionado con los jugadores. Así, Paul pudo saborear un fantástico «*Arco del Triunfo en paté de gouyana al estilo Morphy, adornado con guirnaldas de pensamientos y coronado por la victoria de la Diosa Caïssa*». La gran mesa estaba decorada con profusión de elementos relacionados con el ajedrez, figuras de alfiles y torres, incluyendo una pequeña escultura de Philidor.

El juez Meek presidió la cena y, al finalizar, dio un pequeño discurso. Aquello pareció más una arenga. Afirmó que el nivel de juego que estaba observando en el torneo no tenía nada que envidiar a los celebrados en el Viejo Mundo. Comparó a algunos grandes jugadores europeos, como Staunton,

Andersen, Saint-Amant o Lowenthal con los americanos Paulsen, Stanley o Morphy, para vergüenza de este último.

Todos tuvieron su minuto de gloria, pudiendo dirigir al resto unas breves palabras. Paul no sabía qué decir. Afortunadamente, le correspondió hablar el último. Todos los anteriores, incluido el propio Paulsen, se habían dirigido a Morphy en términos muy elogiosos, repitiendo que «ese pálido colegial con cara enfermiza se trasformaba en un fiero león frente al tablero», así que, en su intervención, se limitó a agradecer con educación todos los cumplidos que había recibido.

La velada concluyó con el juez Meek cantando sus propias composiciones, para sorpresa de Paul, que desconocía esa faceta suya. Denis Julien, para el deleite general, se encargó de los coros. El ambiente de camaradería era general y muy sano.

Paul lo intentó, pero tenía el demonio enfrente de sus propios ojos. Bebió abundante vino y acabó cantando con el juez, para la hilaridad de todos los presentes.

El día siguiente lo pasó encerrado en su habitación, aprovechando que no había ningún acto previsto. Como le solía ocurrir, el alcohol le sentaba fatal a su salud. Aun así, se obligó a comer y a cenar, eso sí, sin salir de su estancia. No quería cruzarse con nadie. Debía recuperarse, ya que mañana estaba prevista la constitución de la Asociación Americana de Ajedrez y Paul quería sentirse fresco.

Así ocurrió. Paul pensaba proponer como presidente al coronel Charles Mead, que fue elegido por unanimidad. También se decidió, para darle una alcance internacional, nombrar miembros honorarios a grandes jugadores europeos. Después de discutirlo, se acordó la siguiente lista:

Mr. J. LOWENTHAL – LONDON
Mr. H. STAUNTON – LONDON
Mr. T. VON HEYDERBRANDT UND DER LAAS – BERLIN
Mr. C. SAINT-AMANT – PARIS
Mr. C. F. JAENISCH – ST. PETERSBOURG
Mr. A. ANDERSSEN – BRESLAU
Mr. G. WALKER – LONDON

Paul se había enfrentado a Lowenthal y había leído acerca de Staunton, de Saint-Amant y de Anderssen, pero no tenía ni idea quiénes eran los otros. Tampoco le interesaba demasiado. Lo único que deseaba era que se reanudara el torneo y seguir jugando al ajedrez. No quería más jornadas ociosas. Sus demonios seguían ahí.

Aún tuvo que esperar tres días más, hasta el 22 de octubre, para que se sorteara la tercera fase del torneo, las semifinales. El ambiente en el Club de Ajedrez de Nueva York era impresionante. No cabía ni un alfiler. Paul, como siempre acostumbraba a hacer, se situó en uno de sus rincones, aunque ahora ya le costaba pasar desapercibido, como había ocurrido al principio del torneo. Todos los periódicos de Nueva York se habían hecho eco del acto y su rostro ya era conocido. Seguían considerando a Paulsen superior a Morphy, pero ya lo situaban como el segundo favorito. Teniendo en cuenta su edad, suscitaba más atención que el propio Louis Paulsen.

Paul ya no estaba nervioso, como sí le había sucedido en el sorteo de la primera fase. Tenía una cosa muy clara, quería ganar el torneo y para ello debía vencer a Paulsen, así que, secretamente, deseó que el sorteo los emparejara ya.

No ocurrió.

Paulsen se enfrentaría al doctor Raphael y Morphy haría lo propio contra Lichtenhein. Los tableros estaban dispuestos para iniciar la primera partida de las semifinales.

Paul saludó a su rival y se sentó enfrente del tablero. Jugaría la primera partida con las piezas negras. Nada más comenzar, ya advirtió que su rival era de mucha entidad, pero no pensaba cambiar su estilo de juego. Hasta ahora le había ido bien. Planteó una defensa siciliana, en apariencia cerrada, pero pronto despistó a su oponente con un movimiento inesperado. Lichtenhein estuvo pensando durante más de media hora su octava jugada. Cuando, por fin, decidió su jugada, Paul respondió al toque, sin pensar ni un segundo. En apenas quince movimientos más, Lichtenhein terminó abandonando. Le dio respetuosamente la mano a su rival, pero no quiso jugar la segunda partida hasta el día siguiente.

Paul se acercó a ver la partida de Paulsen. Aún seguía en juego tras superar las dos horas, pero la posición le era claramente favorable. «Es cuestión de tiempo», pensó Paul, nunca mejor dicho, ya que Paulsen jugaba de forma muy pausada, como ya había observado en otra partida que le había seguido. En ocasiones, su siguiente jugada era más que obvia, pero, a pesar de ello, se tomaba sus buenos quince minutos para realizarla. Así, la partida se alargó dos horas más, cuando, según Paul, en bastante menos de la mitad de ese tiempo, él la hubiera acabado. Paulsen venció y acordaron reanudar la siguiente mañana.

Paul volvió al hotel y reprodujo la partida de Paulsen, desde que empezó a observarla. Enseguida comprendió el motivo por el que los periódicos y las revistas lo consideraban el favorito para ganar el torneo. Su juego era muy sólido. Era cierto que pensaba sus jugadas en exceso, pero no cometía errores ni jugadas inconsistentes. Si querías vencerlo debías jugar mejor que él, no podías esperar movimientos flojos. Siempre elegía la alternativa que más le convenía a su juego. Aquello no hizo más que infundir el deseo de enfrentarse a Paulsen cuanto antes.

Al día siguiente nada cambió. Paul venció con facilidad a Lichtenhein y Paulsen hizo lo propio con el doctor Raphael. Ambos iban dos a cero en sus enfrentamientos y parecía que se encaminaban a la final habiendo vencido todas sus partidas.

Al menos eso creían.

Paul tan solo pensaba en Paulsen. Casi se había convertido en una obsesión. Inició su partida con las piezas negras como de costumbre. Bueno, no tanto como de costumbre. Lichtenhein estaba jugando con mucha solidez, parecía que había estudiado sus dos partidas anteriores, tanto que el propio Paul, en sus reflexiones, tuvo que conceder que su posición era inferior a la de su adversario. Si Lichtenhein seguía jugando así, lo podía vencer, así que decidió reinventarse para evitar una posible derrota. Empezó un intercambio de piezas nada usual en él, con el objeto de llevar la partida hasta el final. En teoría, ese era el escenario que menos dominaba, pero hacía rato que se había dado cuenta de que no podía vencer la partida. Por primera vez en su vida, jugó, no para ganar, sino para forzar tablas, cosa que consiguió en el movimiento cincuenta y cinco, después de más de cuatro horas de juego.

A pesar de no vencer, estaba satisfecho. De las tres partidas jugadas con Lichtenhein, esta era en la que más se había divertido, aunque fuera la única que no había ganado.

Para su sorpresa, cuando se acercó a ver la partida de Paulsen, observó algo que le sorprendió. El doctor Raphael disponía de una posición claramente ganadora, al ataque. Se notaba que Paulsen lo estaba pasando mal, ya que apenas podía contener la brecha que su rival había abierto en su flanco de dama. La partida se alargó casi ocho horas, sobre todo por la lentitud de Paulsen, pero, al final, con un juego brillante en defensa, consiguió forzar unas tablas, en una partida que tenía perdida.

«Es curioso», pensó Paul. «Parece que tengamos algún tipo de conexión mental, a mí me ha ocurrido lo mismo».

En consecuencia, ambos deberían jugar una cuarta partida al día siguiente. Paul observó como Paulsen se levantaba enfadado del tablero y se marchaba del club, sin cruzar ni media palabra con nadie.

Paul regresó al hotel contento. Comió mejor que nunca y se dispuso a descansar. De repente, escuchó unos golpes en su puerta. «¿Quién será el inoportuno?», pensó. «No espero a nadie».

Su sorpresa fue mayúscula cuando abrió la puerta y comprobó la identidad de su visitante.

Era Louis Paulsen.

—Ya sé que ni me esperabas ni son horas para hacerte una visita, pero necesito que me hagas un favor —le dijo, a modo de presentación.

—Claro, adelante —le respondió Paul, franqueándole el acceso a su habitación.

—Sé que has visto mis tres partidas con el doctor Raphael. Me está costando más de lo previsto imponer mi juego. Por ejemplo, hoy merecía haber perdido.

—Sí, ya me he dado cuenta, pero no debes de preocuparte. A mí me ha ocurrido lo mismo, pero mañana pienso ganar a Lichtenhein, igual que tú lo harás con el doctor Raphael.

—Me asombra tu confianza, pero yo estoy preocupado. Ese es el motivo de mi visita. Sé que deseas jugar la final contra mí y yo también. ¿Me puedes ayudar a conseguirlo?

Paul se sorprendió.

—No sé cómo podría hacerlo.

—Sé que te mueres por jugar contra mí. ¡Hagámoslo! Ahora mismo, sin público, en tu habitación. Nos servirá de entrenamiento.

Ahora, la sorpresa inicial de Paul se trasformó en asombro. No se podía imaginar semejante propuesta. Le pareció estrafalaria, por eso le gustó, pero había un inconveniente.

—Me temo que no será posible. No tengo ningún tablero de ajedrez en mi habitación. Después de jugarlas, acostumbro a recrear las partidas, pero en mi cabeza, sin necesidad de piezas de por medio.

—¿Y para qué las necesitamos? Ya hemos jugado una partida a ciegas. Te propongo que lo volvamos a hacer. Dos simultáneas. Tengo que despejar mi mente de lo que ha ocurrido hoy, como sea. No se me ocurre una mejor manera de hacerlo.

Paul se quedó pensativo. Era un ofrecimiento muy inusual, pero era verdad que quería jugar contra Paulsen.

—De acuerdo, pero tan solo con una condición. Tres horas. Si llegado ese tiempo no hemos concluido las partidas, las interrumpiremos. Me disponía a descansar y no quiero que se haga de noche jugando contra ti, cuando mañana tenemos nuestra cuarta partida de la tercera ronda. Tú juegas por entrenamiento, pero yo lo haré por simple diversión.

Paulsen aceptó de inmediato. Tomaron dos sillas y se sentaron, dándose la espalda. Aquella estampa resultaba de lo más curiosa.

Comenzaron a anunciar sus movimientos. A las dos horas, Paul le anunció mate en cuatro, en la partida que jugaba con las piezas blancas. En la otra, la situación era muy equilibrada. Al llegar al movimiento veintiocho, Paul se levantó de su silla.

—Tres horas, lo acordado. Interrumpimos el juego. Además, convendrás conmigo que, con toda probabilidad, hubiera terminado en tablas.

—Tienes razón, Morphy. No sabes lo que me has ayudado. Te lo agradezco de verdad. Espero con ansia poder jugar la final del Gran Torneo contra ti. Sería todo un honor.

—Para eso hemos de ganar nuestras respectivas partidas de mañana. Reconozco que me lo he pasado muy bien, yo también agradezco tu inesperada visita —dijo Paul, mientras se despedían en la puerta.

Cuando Paulsen abandonó la estancia, Paul ordenó la cena en su habitación. Después, relajado, leyó en la prensa las noticias del campeonato. Le entró sueño.

Sin ninguna duda, Paul pasó la mejor noche desde que llegara a Nueva York. Consiguió descansar con absoluta tranquilidad y se levantó de buen humor y relajado.

Llegó sonriente al club, incluso permitió que Fiske lo entrevistara para su revista *Chess Monthly* antes del comienzo de su partida. Se sentó frente al tablero. Paul no solía levantar su mirada de las piezas, no acostumbraba a observar a su adversario, pero esta vez estaba cambiando sus rutinas. Alzó la vista y vio a un Lichtenhein muy serio y completamente concentrado. Sonrío para sí mismo. «Hoy te espera un vendaval», pensó.

Y así ocurrió. Paul venció una de sus partidas con más contundencia en todo el torneo. Apenas dieciséis movimientos y menos de una hora le bastaron para doblegar a un Lichtenhein, que se vio abrumado desde la misma jugada inicial. Paul jugaba con blancas y abrió con su peón de torre de dama, un movimiento nada usual que ya había empleado contra otros rivales, cuando pretendía descolocarlos desde el inicio de la partida. Y así fue. Su juego fue tan brillante y su desarrollo tan fulgurante que apenas le dio ninguna opción a su adversario. Cuando Lichtenhein se quiso dar cuenta, Paul ya había anunciado el mate. Casi ni había calentado su silla, ni siquiera su mente. Esta vez no se lo tomó tan bien como en las otras tres partidas y se levantó de la mesa, sin darle la mano a Paul, que supuso que quizá se había sentido humillado. «No lo pretendía», pensó, pero su mente ya estaba centrada en Paulsen.

Se acercó a ver su partida. Parecían almas gemelas. Paulsen tenía una posición claramente ganadora, pero esta vez decidió pasar al ataque antes de lo que era habitual en él. En apenas dos horas, había conseguido desarbolar al doctor Raphael.

«Lo previsto», pensó. «Ya se lo dije ayer».

De repente, una estruendosa ovación se escuchó en el Club de Ajedrez de Nueva York. Multitud de periodistas juntaron a Paulsen y a Morphy y los fotografiaron. Parecía algo cómico. Paulsen era de gran estatura y de constitución física nórdica, mientras que Paul tenía el aspecto de un menudo y pálido colegial, recién salido de una enfermedad.

Todos tenían lo que querían. Los aficionados, expectantes ante un duelo de dos ajedrecistas con estilos muy diferentes. La prensa, la partida del siglo en América. Por su parte, Paulsen y Morphy deseaban medirse cuanto antes.

Pasara lo que pasara, aquello iba a ser algo muy grande.

36 GRAN BRETAÑA, ENTRE JUNIO DE 1856 Y ABRIL DE 1857

—¿Qué haces tú aquí? Este no es tu lugar.

—¿Quién te ha dicho eso? Anda, no te quedes con esa cara de pasmado y entra.

—Pero tú...

—Sí, ya sé que debería estar en Italia, pero este es mi refugio secreto. Tan secreto que, fuera de Londres, tan solo lo conoce Emma, los mandos militares y ahora tú.

Felice estaba conversando con el mismísimo Giuseppe Mazzini.

—¿Desde aquí organizas los planes?

—Así es. Aquí estamos a salvo. Pero, anda, entra de una vez. Las sorpresas aún no han terminado —dijo, mientras Mazzini abría las puertas del salón.

—¡Coronel Ribotti! —exclamó con alegría Felice—. Hace años que no lo veía. Mis últimas noticias eran que había sido apresado por los austríacos. Pensaba que ya estaría muerto.

—Lo mismo que yo pensaba de ti. Tu fuga de la fortaleza de Mantua recorrió las portadas de toda la prensa de Europa. Aquí, en Gran Bretaña, eres un personaje muy conocido en los círculos liberales. ¡Verás cuándo se enteren de que estás vivo y libre! Serás todavía más popular.

—No tenía conciencia de que me conociera nadie, más allá de los guardias de media Europa, que me quieren atrapar.

—Has estado demasiado tiempo aislado. Creo que es hora de que te pongamos al día de nuestros planes —dijo Mazzini, que parecía muy animado.

Los dos le informaron de la situación en Italia. La población estaba lista para luchar por su unidad y rechazar a los invasores. Tan solo faltaba prender la mecha adecuada, pero para eso, primero debían de encontrarla. En ese tema trabajaban ahora mismo. Le contaron que estaban esperando la llegada del general Giuseppe Garibaldi y del coronel Thûr, para, una vez todos juntos, preparar la ofensiva final.

Felice les escuchaba como hablaban con mucha pasión.

—Es una magnífica noticia —les respondió—, pero el plan que preparéis debe ser el definitivo. No podemos permitirnos más fracasos. No quiero más ridículos ni más muertes de patriotas en vano.

—Esta vez será así —exclamó Mazzini, con gran convicción—. Por fin podremos estar juntos todos los mandos militares. Llevamos varios años sin poder trabajar unidos. Es un gran avance.

Felice pensó que de qué servían los generales y coroneles si no disponían de un ejército que comandar, pero prefirió quedarse callado. Quizá hubiera cuestiones que desconociera y que no supiera, por simple seguridad. Al menos, eso quería pensar, porque, en caso contrario, no entendía el entusiasmo de los presentes.

—Para ti, tenemos otra misión —dijo Ribotti, dirigiéndose a Orsini. Percibiendo su inquietud, se apresuró a aclararle su naturaleza—. No temas, no es una expedición militar, sino política.

—¡Pero si acabo de llegar!

—La misión será aquí, en Gran Bretaña. El aspecto político y los apoyos internacionales son tan importantes como las cuestiones militares. Después de todo lo que has pasado, tu salud se ha resentido. Hasta que no estés plenamente recuperado, no participarás en misiones militares. Además, dadas las circunstancias, ahora nos eres más útil en otro frente. Queremos que des discursos y conferencias por toda Gran Bretaña. Eres un héroe para los liberales y te escucharán con entusiasmo. Nadie ha logrado escapar del Castillo de San Jorge de Mantua. Tan solo por conocer los detalles de tu increíble fuga, ya tienes asegurada una gran audiencia. Ya sabes, la gente es muy morbosa.

Felice no se esperaba esa proposición. Es cierto que hablaba inglés de forma correcta, pero no con la suficiente fluidez como para debatir en público. Además, él era un hombre de acción, no de palabras. Expuso sus objeciones a sus compañeros.

—Tonterías —dijo Mazzini—. Piensa que la gente que vaya a escucharte ya sabe que eres italiano. Es normal que no domines a la perfección su idioma. Les interesará más el contenido que el continente. Además, ya has hablado en público con anterioridad y con notable éxito.

—¿Dónde? —Felice se sorprendió. No recordaba nada de eso.

—A tus soldados. Me acuerdo perfectamente de tus arengas en Roma, cuando estábamos sitiados. Tus palabras los enardecían. Piensa que esto es lo mismo con la única diferencia que te dirigirás a civiles y no a militares.

«¿Lo mismo? Desde luego que no», pensó Felice, pero tenía que reconocer que ambos tenían razón. No estaba físicamente preparado para participar en misiones militares como antaño. Necesitaba algo más de tiempo para recuperarse. Quizá unos meses de diplomacia le vendrían bien. Decidió aceptar, pero con alguna condición.

—Está bien, pero quiero probar primero con un auditorio reducido. Desde luego que no me estrenaré aquí, en Londres.

—Eso ya lo habíamos pensado. Acabas de llegar. Tómate una semana de descanso y luego partirás hacia Brighton, una ciudad del sur. Ya lo tenemos preparado, no tienes nada que temer. Allí tenemos buenos amigos que te ayudarán en tu estreno.

Felice no pudo evitar dar un respingo. Había escuchado muchas veces en boca de Mazzini esa misma frase, «no tienes nada que temer» e, invariablemente, después todo había terminado en un gran desastre. De todas maneras, convino que, esta vez, no arriesgaba su vida, sino su pronunciación inglesa, algo más llevadero, aunque también pudiera terminar en desastre.

Como habían convenido, descansó durante una semana. Durmió como hacía meses que no lo había hecho. El saber que nadie iba a llamar a su puerta a medianoche para llevárselo preso era una tranquilidad añadida. Además, Felice debía de reconocer que lo necesitaba.

Cuando concluyó su reposo, Mazzini lo envió a Brighton.

El viaje le sentó bien, así que decidió no reposar más. Al día siguiente, estaba en un estrado frente a unas doscientas personas. Se quedó mirando a su público sin decir nada. Se sorprendió de la variedad de personas, tanto mujeres como hombres de todas las edades. Aquello lo puso más nervioso todavía.

«Si no digo nada ya, quedaré en ridículo», pensó, así que se lanzó.

Su inglés le sonaba terrible, pero, para su sorpresa, parecía que a su auditorio no le importaba. No tenía claro si le comprendían, pero, desde luego, le estaban prestando mucha atención. En un par de ocasiones lo interrumpieron, tan solo para pedirle más detalles, sobre todo acerca de su fuga de Mantua. Cuando concluyó, para su completo asombro, recibió una sonora ovación de los doscientos asistentes, puestos en pie. Una vez descendió del estrado, lo rodearon, dándole la mano con efusividad y formulándole multitud de preguntas, que respondió con interés. Orsini pudo percibir que la gente lo miraba como a un héroe y simpatizaba con su causa.

Cuando se retiró, pensó que quizá Gran Bretaña, por su condición de isla, había permanecido aislada de los vientos de despotismo que asolaban el resto de Europa. Aquí se vivía el ideal liberal como no lo había visto en ningún otro lugar, incluso con pasión.

Su siguiente destino, según lo planeado por Mazzini, fue marcharse a casa de Mr. Joseph Cowen. Felice no lo conocía, pero le bastó poco para hacerlo. Era un liberal convencido que residía en una población cerca de Newcastle. Le había preparado una sala de conferencias en el mejor hotel de la ciudad. Aquello ya eran palabras mayores, ya que cabrían unas quinientas personas.

Felice, aunque todavía estaba intimidado, rememoró su discurso de Brighton. El éxito fue abrumador. Empezó a convencerse que, quizá, era el momento de establecer alianzas con el partido liberal británico. Era algo que jamás había imaginado, pero ahora comprendía lo que Mazzini quería de él.

Marchó hacia el norte, en concreto hasta Escocia. Su capital, Edimburgo, le pareció la «pequeña Atenas». Su noble arquitectura iba en consonancia con sus habitantes. Era un pueblo bravo, orgulloso de su pasado y generoso. Felice fue recibido de forma muy acogedora y presentado a toda la clase cultivada de la ciudad. Conoció a sir George Sinclair, al general Thomas McDougall o al famoso médico Mr. George Combe. Su discurso fue otro gran éxito. Todas las personas con las que hablaba eran favorables a la libertad del pueblo italiano y se ofrecieron a ayudar a su causa de forma desinteresada.

Permaneció unas semanas disfrutando de la hospitalidad del pueblo escocés, ya que Mazzini no había dispuesto más planes para él. Dio otros discursos por la zona, con idéntico resultado a los anteriores. Cuando consideró que ya había recorrido toda la zona, decidió volver hacia el sur. No tenía noticias de Mazzini, así que pensó que ya estaba preparado para hablar en la capital del reino.

Sus discursos habían sido portadas de toda la prensa británica, que, en general, simpatizaba con Orsini. Lo definían como una «*self made person*», o sea, una persona hecha a sí misma, con unos ideales liberales que ponía por delante de su propia vida, como sus hazañas así lo habían demostrado. Lo habían convertido en un héroe.

De camino de vuelta a Londres, paró en Liverpool y se alojó en un hotel sencillo. Para su sorpresa, fue reconocido de inmediato. En menos de una hora se presentaron en su alojamiento Mr. Thomas Allsop y Mr. Peter Stuart. Este último insistió en que se alojara en su residencia. Pasó varias veladas en agradable conversación con ambos caballeros, liberales y partidarios de Italia. Junto a Mr. John Finch, lo invitaron a un festival en honor de sir William Brown, uno de los políticos liberales más conocidos en las islas. Ahí fue cuando Felice se convenció del poder real del liberalismo. Asistieron más de ochocientas personas. No pudo evitar ser el centro de atención de aquel banquete. Todo el mundo le presentó sus respetos y simpatías por su causa.

«¿Qué pasaba con los italianos?», se preguntaba amargamente Felice. Aquellas demostraciones eran impensables en la Italia actual, dijera lo que dijese Mazzini. Los británicos parecían más dispuestos a ayudar a Italia que los propios italianos a ayudarse a sí mismos.

—Nos equivocamos.

—¿Qué? —preguntó Orsini, sin entender a qué venía esa frase.

—Estaba respondiendo a sus pensamientos. Disculpe mi intromisión, ya que no hemos sido presentados. Soy Giovanni Andrea Pieri, pero no me llame así. O «Giuseppe» o simplemente Pieri.

—¡Un compatriota! No me lo hubiera imaginado jamás. Domina el inglés de maravilla, no como yo.

—En cambio, usted habla el francés muy bien y mi acento en ese idioma es terrible.

Felice pensó que era raro que aquel extraño pareciera conocerlo tan bien, pero lo achacó a todo lo que la prensa había publicado sobre él. No se acostumbraba.

—Por cierto, ¿cómo sabía lo que estaba pensando?

—Como usted, también soy un luchador por la causa italiana. No ha sido difícil comprender la expresión en su rostro, viendo las ochocientas personas que nos rodean y pensando en nuestra amada patria. Los italianos parecemos anestesiados y, como ya habrá observado en sus discursos por Gran Bretaña. Eso no sucede aquí. La gente aprecia la libertad y está dispuesta a defenderla hasta la última gota de su sangre.

—¿Y en qué cree que nos equivocamos? —Felice volvió sobre la afirmación inicial de Pieri.

—En el objetivo.

—¿Y cuál debería ser? A mí me parece obvio, debemos luchar contra nuestros invasores.

—¿Está seguro? Ya lo hemos hecho en demasiadas ocasiones y hemos fracasado en todas ellas. Creo que deberíamos de pensar en que, quizá, nuestro planteamiento sea erróneo desde su misma raíz.

En ese momento, se sentó junto a ellos Thomas Allsop.

—Veo que ya os conocéis. No debéis hablar de estas cuestiones delante de tanta gente. Os podrían escuchar, como yo he hecho. Es peligroso.

—¿Por qué? —Felice, ahora, estaba muy intrigado.

—Mañana a mediodía, si le parece bien, les invito a comer a mi residencia. Allí podremos tratar ciertas cuestiones con más discreción —le respondió a Felice, mientras le daba una tarjeta con sus señas. Le aseguro que será una reunión muy interesante.

Se despidieron. Al día siguiente, Orsini acudió a la residencia de Mr. Allsop. Lo recibió en persona en la puerta y lo acompañó al salón principal. Para sorpresa de Felice, allí había otras personas, desconocidas para él.

—Tengo el gusto de presentarle al conde Di Rudio, a Simon François Bernard y a Mr. Joseph Taylor. A Pieri ya lo conoce de ayer.

—Es un placer —respondió educadamente, sin saber el motivo de aquel cónclave.

—Se preguntará el porqué de esta discreta reunión en mi residencia —dijo Thomas Allsop.

«¿Acaso tiene poderes mentales?», pensó Felice. Supuso que sabía leer las expresiones en su rostro, como le había comentado ayer.

—Desde luego —respondió Orsini.

—Lo haremos mientras disfrutamos de una excelente comida. No tema —dijo, dirigiéndose a Felice con una sonrisa en sus labios—. Mi cocinero es francés, no británico.

Todos se rieron.

Nada más se sentaron en la mesa, Mr. Allsop no perdió ni un segundo en ir al grano. Había mucho de qué hablar.

—Quiero que sepa que, tanto el conde Di Rudio como Giuseppe Pieri, se han desplazado desde Birmingham, tan solo con el objeto de mantener esta reunión. Todos simpatizamos con sus ideales, pero Mazzini nunca conseguirá nada y usted lo sabe.

Felice se sintió un tanto ofendido.

—Giuseppe Mazzini es uno de los más grandes patriotas que he conocido en mi vida. Ha arriesgado todo por Italia.

—¿Y qué ha conseguido? No responda, ya se lo digo yo, nada. No pretendo ofenderle, sé que son amigos, pero creo que, fruto de sus innumerables fracasos, la moral del pueblo italiano se ha resentido de forma notable. Seguro que se ha dado cuenta de que el fervor liberal aquí es muy superior al de una Italia sojuzgada. ¿No se imagina una de las principales causas? Las constantes derrotas. Todos los intentos acaban de igual manera, con patriotas liberales muertos. Es normal que el sentimiento de nación se resienta. Usted está viendo la salud de la que gozan los liberales en Gran Bretaña. ¿Dónde está, hoy en día, el Partido Revolucionario? ¿Qué fuerza tiene Mazzini en Italia, ahora mismo? Absolutamente ninguna. Sus hazañas, todas desastrosas, le preceden.

Felice se quedó pensativo. Debía de reconocer que, por su cabeza, también habían pasado esos mismos pensamientos.

—Entonces, ¿qué es lo que proponen? Dicen que nos equivocamos de objetivo. Muy bien y, ¿cuál debería ser? Mazzini lucha contra los invasores. ¿Existe otro modo de liberar Italia?

Felice escuchó a aquellas personas durante más de dos horas. Al principio los tomó como unos dementes, pero, a medida que avanzaba la conversación, las cosas parecían cobrar cierto sentido. Y eso era mucho decir, ya que había escuchado una auténtica barbaridad. No temió expresar sus pensamientos en voz alta.

—Pero lo que proponen es imposible. Si se reían de Mazzini por sus alocadas ideas, ¿cómo llamarían a esta?

—Hay una gran diferencia y por eso está usted aquí. No queremos a Giuseppe Mazzini. Es más político que militar y se rodea de gente muy valiente, pero que carecen de ciertas cualidades y aptitudes que usted posee.

—¿Y cuáles son esas? —Felice seguía intrigado.

—Las que lo llevaron a triunfar en Ancona, por ejemplo —ahora le respondió Joseph Taylor—. Demostró un dominio de la estrategia y una comprensión de la situación general como pocos. Es capaz de ver el tablero de juego desde una posición elevada y no se deja ofuscar por las cuestiones secundarias. Sabe distinguir entre lo esencial y lo importante. Quizá no le dé importancia, pero es un gran estratega y desarrolla sus piezas como nadie, con contundencia y rapidez, pero también con una gran precisión. Eso es lo que nos hace falta para poder llevar a cabo el plan con posibilidades de éxito. Debe dirigirlo usted y tan solo usted.

Felice se quedó pensativo durante un instante. Miró a la cara de aquellas personas. Desde luego no parecían bromear y lo que le habían propuesto podía tener un gran sentido estratégico, aunque fuera, en apariencia, una locura. Por otra parte, ¿cómo podían conocer estos británicos sus pasadas actividades en Ancona, además con tanta precisión? Hacía casi ocho años de aquello. Era toda una incógnita, pero decidió responderles sin pensar en esa cuestión.

—Comprenderán que le soy fiel a Mazzini. Él también está preparando un plan, junto con los militares Garibaldi, Ribotti y Thür.

—No hay problema —afirmó Allsop—. Vuelva a Londres y escúcheles como ha hecho con nosotros. Una vez conocidos ambos planes, estoy seguro de que sabrá cuál elegir. Confiamos plenamente en su criterio.

Todos se levantaron de la mesa. Felice se despidió de los presentes, todavía con la sorpresa en el cuerpo. Aquella parte de su aventura por Gran Bretaña ni estaba prevista ni se la esperaba. De aquella reunión salía con más incógnitas que certezas.

Tal y como tenía programado, regresó a Londres. De inmediato, se dirigió a la residencia de Mazzini, que lo recibió con gran entusiasmo.

—¡Te has convertido en toda una celebridad en el país! —exclamó—. Te lo había dicho, eras capaz de hacerlo. Has conseguido extender por toda Gran Bretaña un sentimiento favorable a la liberación de nuestro pueblo. ¡Gran trabajo! No te creas que nosotros hemos perdido el tiempo en Londres. Anda, pasa y te lo explicaremos todo.

Felice entró en el salón principal. Lo primero que hizo fue fundirse en un prolongado y cariñoso abrazo con el general Garibaldi. Desde el asedio a Roma que no se veían. También saludo a Ribotti y a Thür.

—Tenemos buenas noticias. ¿Te acuerdas de que, la última vez que hablamos, comentamos que necesitábamos una mecha que prendiera en el adormecido pueblo italiano?

—Sí, claro que lo recuerdo.

—Pues ya tenemos esa mecha. Piamonte.

—¿Qué tiene qué ver el Piamonte con la mecha?

—Su gobierno se ha declarado en rebeldía frente a los austríacos y partidario de la República Romana. Ha abolido las normas establecidas y promulgado unas nuevas leyes, con el espíritu liberal que todos ansiamos. La población lo ha acogido con tanto entusiasmo que ha salido a las calles a festejarlo. Están dispuestos a levantarse en armas. Esa es la mecha que estábamos buscando —Mazzini parecía tan entusiasmado como si fuera un piamontés más.

Felice no parecía compartir su emoción.

—¿Y qué pasará después? Me temo que sobrestimas el sentimiento de unidad y libertad de nuestro pueblo. La clase alta quizá sea partidaria nuestra, porque, en general, son más ilustrados, pero ¿qué ocurre con la clase trabajadora? En su mayoría son unos ignorantes que desconocen la grandeza pasada de nuestro pueblo. ¿Confías en que se alcen en armas contra los invasores, por un sentimiento que ni siquiera comprenden? Luchan por sobrevivir y llevar el pan a sus hogares. Esa es su verdadera batalla diaria.

—Necesitan un estímulo y creo que ver a sus compañeros luchar por liberarlos del yugo imperial les hará recapacitar.

—No, Giuseppe. En primer lugar, una cosa es cambiar ciertas leyes y otra muy distinta es alzarse en armas, arriesgando su vida y la de sus familias. Aun en el supuesto de que los piamonteses lo hagan, cuestión que dudo, lo que ocurrirá después es que serán aplastados por el ejército austríaco y el del propio Napoleón. O sea, lo de siempre. ¿Acaso esperas que la clase baja del Reino de Nápoles, por ejemplo, los apoye? Lo que pretendes es organizar una gran batalla sin disponer del elemento fundamental para triunfar.

Los presentes se quedaron mirando a Orsini, muy extrañados. No solía poner tantas objeciones en materia militar, todo lo contrario. Siempre era el primer entusiasta y dispuesto a encabezar cualquier revuelta.

—¿Qué nos falta, Felice? Lo tenemos todo —insistió Mazzini.

—¿Acaso disponéis de un ejército? ¿Cómo pensáis vencer en una guerra de semejantes proporciones sin soldados? Lo fiais todo, como siempre, al sufrido pueblo, que no tiene ni armas ni formación militar. Además, está cansado de luchar una y otra vez sin ver ningún resultado. Será un paseo para las tropas imperiales y lo único que conseguiréis es causar sufrimiento a los piamonteses.

Garibaldi estaba descolocado con su amigo Orsini. Consideró reconducir la conversación.

—No te creas que no hemos pensado en todo eso, amigo Felice. Hay tres frentes en los que hay que luchar para poder tener éxito. El primero, el simple inicio de una revolución en Italia. A continuación, debemos debilitar a nuestros enemigos. ¿Cómo? Extendiendo el germen de esa revolución al corazón de Francia. Su pueblo también desea la libertad como nosotros. El despotismo de Napoleón los tiene sojuzgados. El tercer frente no es militar. Hemos de librar la batalla de las ideas liberales por toda Europa. No sé si te habrás dado cuenta, pero tú ya has empezado con la tercera. Ahora, hay que prender la mecha de la primera.

Felice, de nuevo, se quedó en silencio. Garibaldi podría ser un militar, pero también era una persona con una profunda formación. No era un idiota que había ascendido a base de librar infinidad de batallas. Era mucho más.

Orsini se puso en pie.

—No te falta razón, amigo Giuseppe, pero, en este caso, me voy a permitir contradecir al mismísimo Pitágoras. El orden de los factores sí que altera el producto.

—¿Qué es lo que quieres decir? —Mazzini parecía molesto.

—Que no me lo creo. Ya te dije, nada más llegar a Londres, que no participaría en ninguna misión que no tuviera elevadas posibilidades de éxito. Ya basta de sacrificar cientos de vidas y hacer el ridículo. Os deseo lo mejor, pero, en esta ocasión, no contéis conmigo.

—¡Orsini! —ahora, Mazzini ya no parecía molesto, estaba claramente enfadado—. ¿No me digas que abandonas la causa?

—Ni mucho menos —le respondió, aguantando su desafiante mirada—. Juré que no descansaría hasta ver una república italiana de ciudadanos libres e iguales y es lo que me dispongo a hacer. Ha sido un placer compartir tantos años de batallas con vosotros, pero creo que ha llegado el momento de que emprenda un camino diferente. Tenemos el mismo objetivo, veremos quién lo consigue antes. Tan solo os pido una cosa. Decidáis lo que decidáis, pensad en el sufrimiento de los piamonteses y de sus familias. Ellos no deberían ser vuestro ejército.

El discurso de Orsini dejó sin palabras a los presentes. Jamás se podían esperar esa reacción de un luchador nato, que nunca había cuestionado nada ni hecho asco a ningún peligro, ni siquiera a poner su propia vida en juego.

Felice, que ya estaba levantado de la mesa, les hizo un gesto con la mano, a modo de despedida, y abandonó la residencia de Mazzini, mientras escuchaba los alaridos de este último retumbar por toda la casa. Estaba claro que no se estaba tomando su abandono con muy buen talante. «Todo tiene un principio y un final», se decía Felice. A pesar de ello, mientras andaba por la calle, no podía evitar pensar que quizá estuviera desvariando.

El plan que se disponía a preparar y ejecutar era mucho más alocado que el de sus camaradas, pero una cosa tenía muy clara. El camino de Mazzini ya lo había recorrido mil veces y sabía adónde conducía. Si siempre haces lo mismo, no esperes resultados diferentes. Era el momento de apostar por el cambio. Ese pensamiento era el que, ahora mismo, ocupaba su mente.

Y aquello sí que era diferente de verdad. Y también muy peligroso.

«Éxito o muerte», se dijo. «Ya no caben términos medios».

Además, había otra cuestión muy interesante que había averiguado. Le parecía casi increíble, pero sabía que era lo que lo había llevado a tomar su decisión.

37 NUEVA YORK, AÑO 1857

—¡Por fin!

—Por fin, ¿qué?

—Que por fin vamos a jugar una partida de ajedrez viéndonos las caras. Hasta ahora, siempre lo habíamos hecho de espaldas.

Paul Morphy no pudo evitar reírse, mientras le daba la mano a Louis Paulsen.

La gente prorrumpió en aplausos. Un fotógrafo inmortalizó el momento. Paul ya había perdido la cuenta de las fotos que le habían tomado, pero, seguramente, esta sería la portada de los periódicos de Nueva York del día siguiente. El menudo y pálido americano sureño frente al fornido y atlético germánico. Además, el hecho de que ambos hubieran alcanzado la final con idéntico marcador, nueve victorias, unas únicas tablas y ninguna derrota, había avivado todavía más el interés de las masas. El choque se presentaba incierto. Al principio, Paulsen parecía el favorito, pero después de ver las demostraciones de Morphy frente al tablero, ya no parecía tan claro el desenlace del torneo.

—¿Abrumado? —le preguntó Paulsen—. No pensaba que el ajedrez pudiera suscitar tanto interés. Jamás había jugado una partida con tanta gente alrededor, ni siquiera cuando vivía en mi Alemania natal. Por cierto, hay periodistas venidos desde allí para cubrir esta final. ¿No me digas que no estás impresionado, aunque tan solo sea un poco? Staunton, Saint-Amant, Lowenthal y todos los grandes nos observan.

—Con Lowenthal ya he jugado, así que no me impresiona.

—¿Has viajado recientemente a Europa? —ahora Paulsen parecía sorprendido.

—No, fue cuando él visitó los Estados Unidos.

—¡Pero eso ocurrió en 1850! ¿Qué edad tenías entonces?

—No había cumplido todavía los trece años. Y antes de que me preguntes el resultado, te diré que lo vencí en las tres partidas que jugamos. No me pareció tan temible como me lo pintaron.

Paulsen se quedó mudo. No sabía si Paul le estaba tomando el pelo, pero, mirándolo a los ojos, supo que le estaba diciendo la verdad. Intentó que no se le notara su sorpresa, pero fue consciente de que no lo logró. De hecho, no supo cómo continuar la conversación, así que lo hizo Paul.

—En cuanto al público, me da absolutamente igual. Cuando me pongo a jugar, ni siquiera advierto la presencia de mi adversario. Imagínate lo que me importa la gente de alrededor.

—Pues creo que sí advertirás la mía —pareció reaccionar Paulsen, en un tono burlón.

Paul no terminó de comprender el comentario. Al principio lo interpretó como una simple fanfarronada, propia de la vanidad de los ajedrecistas, aunque la realidad no era esa. Ya llegaría el momento en que lo entendiera.

—Ya conocen que en la final del Gran Torneo las reglas cambian —les interrumpió Fiske, que iba a oficiar de juez principal de la final, dirigiéndose a ambos—. Lo ganará el primero que venza cinco partidas a su adversario, no las tres habituales hasta llegar a esta final. Será proclamado campeón americano. No hay límite de tiempo, aunque las partidas que no sean terminadas antes de las doce de la noche se aplazarán obligatoriamente al día siguiente. Cualquiera de ustedes podrá solicitar los días de descanso que considere conveniente, siempre dentro de lo razonable y que sea aceptado por su rival.

Al fin, la mañana del jueves 29 de octubre, comenzó la partida que todos estaban deseando ver. Para sorpresa general, Morphy planteó un juego clásico, nada de astracanadas en la apertura, avanzando su peón de rey. La partida llegó al medio juego y ahí se desató Paul. Con una brillante combinación de movimientos jugados casi al toque, sin pensar más de unos segundos en cada uno de ellos, arrolló a Paulsen, a pesar de que no movía una pieza en menos de quince minutos. La victoria de Morphy fue inapelable, en cinco horas y media. Paul habría consumido con su juego menos de una hora, el resto fue cosa de Paulsen.

—Enhorabuena, una excelente combinación —le dijo, dándole la mano—. Si te parece, comenzamos la segunda partida después de comer y descansar un poco. Te aseguro que la siguiente no será como esta.

—Claro, cómo quieras —le respondió Paul.

Así fue. Al las siete y media de la tarde comenzaron su segunda partida. Paul enseguida comprendió lo que su adversario le había querido decir. Jugaron hasta las once y media de la noche, durante cuatro horas. Tan solo efectuaron siete movimientos cada uno. Paulsen se tomaba más de media hora para cada jugada en la apertura, para desesperación de Paul que, por educación, permanecía estoico sentado frente al tablero, sin aparentar impaciencia.

La partida se reanudó el viernes 30 por la mañana. Paulsen seguía con su deliberada táctica. Se tomaba, como mínimo, treinta minutos para cada movimiento. Paul, a pesar de su autocontrol, comenzaba a perder la paciencia. Intentaba no trasmitir ninguna emoción, pero se empezaba a poner nervioso.

Después del movimiento veintitrés y más de diez horas de juego, debido a las dilaciones de Paulsen, a Morphy le pareció ver una línea ganadora. Estaba cansado y cometió un error. Fruto del agotamiento, tocó su dama. En consecuencia, se vio obligado a jugarla. Ese debía ser el movimiento veinticuatro de la secuencia, no el veintitrés. Se había despistado. Paulsen había logrado sacarlo de sus casillas y confundirlo. A consecuencia de este error, Paul tuvo que acordar tablas, después de quince horas. Le dio la mano a su adversario y se retiró a la habitación de su hotel.

Estaba muy cansado, pero todavía más enojado por las malas artes de Paulsen. Ahora comprendía su frase, antes del comienzo de la primera partida, cuando Paul le dijo que, cuando jugaba al ajedrez, no advertía la presencia del público ni de su adversario. «Creo que sí advertirás la mía», le respondió Paulsen. Estaba claro que conocía su debilidad y la estaba explotando, con dilaciones innecesarias. Lo peor es que lo estaba logrando. Paul se desahogó, lanzando una jarra de agua contra la pared.

—¡Maldito bastardo! ¡Esto no es ajedrez! —gritó, en la soledad de su habitación.

Paul durmió fatal, sin descansar lo que necesitaba. Se presentó a jugar la tercera partida con un aspecto más pálido de lo habitual, lo cual ya era difícil.

Paulsen estaba logrando su objetivo. Paul empleaba las pocas fuerzas que tenía en autocontrolarse y parecer tranquilo, más que en el propio juego. No pretendía dejar traslucir ninguna emoción, aun en los casos en que Paulsen tan solo tenía una posibilidad de movimiento y, a pesar de ello, tardaba treinta minutos en efectuarlo. Se lo llevaban los demonios.

En consecuencia, en las dos siguientes partidas jugó francamente mal, cediendo unas tablas y perdiendo la otra. Los espectadores estaban desconcertados por el inconsistente juego de Morphy. No se parecía en nada al que habían visto en el resto del torneo. El enfrentamiento estaba empatado. De las cuatro partidas que habían jugado, cada uno había ganado una de ellas y las dos restantes habían terminado en tablas.

Paul estaba en la habitación de su hotel, tapándose la cara con sus manos. Su capacidad de autocontrol estaba llegando al límite. Se había esforzado en no realizar ni un mal gesto, ni una mala expresión, ni siquiera había dejado traslucir su impaciencia, pero era consciente de que ello lo estaba consumiendo. Intentaba comportarse como un caballero, fruto de la educación que había recibido, pero era un hecho que cada día que pasaba se encontraba peor.

—¡Es inconcebible que le permitan esas sucias tácticas! —gritó Paul, que, de nuevo, intentaba desahogarse—. En la última partida yo he consumido cuarenta y cinco minutos y el maldito bastardo once horas. Una cosa es que no haya límite de tiempo para las jugadas o las partidas y otra no comportarse como un verdadero caballero, como estoy haciendo yo.

Consideró elevar una protesta formal al juez Fiske, aunque suponía que no conduciría a ningún lugar. Las reglas estaban escritas y permitían el antideportivo comportamiento de Paulsen.

En ese preciso instante, alguien llamó a su puerta. «Como sea Paulsen para jugar otra partida a ciegas, le estampo la silla en su cabeza», pensó Paul.

Pero no era él. Se trataba de su amigo, el juez Alexander Meek. Otra visita sorpresa.

—Vengo a despedirme —le dijo, nada más entrar en la habitación—. Mis obligaciones me reclaman en Alabama. Este congreso se ha alargado más de lo previsto.

—Siento que no pueda quedarse a ver el final —le respondió Paul.

—Lo que yo siento es verte así. No es suficiente ser un excelente jugador de ajedrez, también hace falta jugar bien y, para ello, hay que saber manejar las circunstancias. Ahora mismo, tú no lo estás haciendo.

—Lo sé, pero aunque no se me note en mi semblante, consigue ponerme nervioso.

—Lo que consigue es llevarte a su terreno. Paulsen, como buen alemán, concibe el ajedrez como una batalla, no como una diversión como haces tú. En la guerra todo vale, hasta las tácticas más rastreras, pero tú eres mucho más inteligente que eso. No se lo permitas. Mira el juego como siempre lo has hecho, como si tu adorable madre Thelcide estuviera interpretando una ópera. ¿A que no te importaría escucharla durante horas? El ajedrez es un arte, no permitas que Paulsen lo convierta en otra cosa. No sientas furia, ya que la belleza siempre debe imponerse en tu mente. Cuando deje pasar más de treinta minutos para luego efectuar un movimiento obvio, llena tu cabeza de música. Siente el placer y que tu juego fluya como una buena ópera. En definitiva, vuelve a disfrutar con el ajedrez.

Paul se sentó en una silla. Las palabras del juez le habían hecho reflexionar. Meek seguía en pie, observándolo. Notó cómo le cambiaba la expresión.

—¿Sabe? —le respondió Paul—. Creo que lo ha logrado.

—¿Qué?

—Mi madre Thelcide siempre me ha reconfortado. Su música me ha relajado y me sentía en el cielo cuando la escuchaba. Me podía pasar horas escuchándola. Eso es lo que me hace falta.

—Me alegro de haber contribuido a la paz de tu espíritu. Si quieres ganar el Gran Torneo, la necesitarás.

—No solo voy a ganar el Gran Torneo —le respondió Paul, mirando a los ojos al juez, con una seguridad impropia de su edad—. Lo voy a arrollar. Paulsen perderá todas las partidas que juegue contra mí mientras viva. Jamás volveré a ceder ni siquiera unas míseras tablas. Dalo por hecho.

—Tampoco hace falta tomárselo... —empezó a decir Meek.

—Mi mente fluirá como la música y Paulsen no sabrá ni qué le habrá ocurrido. Gracias, amigo Alexander, no sabe lo que me acaba de ayudar. Lamento que no pueda quedarse para verlo.

Se dieron un abrazo y se despidieron.

Paul durmió muy bien y se levantó con una sonrisa, aunque esta vez no era igual a las anteriores. «Vamos a divertirnos», pensó, mientras se dirigía hacia el club.

Nada más llegar, Paulsen ya advirtió un gran cambio en el semblante de Morphy. Aunque se esforzara por ocultarla, el alemán notaba su tensión, sin embargo, esta mañana le daba la impresión de que iba a una ópera, no a una partida de ajedrez.

Y así era exactamente.

A pesar de las acostumbradas dilaciones de Paulsen, Paul lo derrotó brillantemente en tan solo veintidós movimientos, sin perder esa extraña sonrisa en sus labios. De inmediato, procedieron a empezar su sexta partida, con idéntico resultado. Paul volvió a vencer, esta vez en veinticinco movimientos, ya casi llegada la medianoche.

Paulsen parecía abrumado.

—No me volverás a ganar jamás —le dijo Paul, cuando Paulsen se levantó para darle la mano, reconociendo la derrota.

Tanta determinación vio Paulsen en la mirada de su adversario que, de inmediato, solicitó al juez Fiske una jornada de descanso. Al día siguiente no jugarían su séptima partida. Afirmó que necesitaba reposar. Paul seguía sonriendo. «Pero si lo puedes hacer entre jugada y jugada, hasta incluso dormirte», pensó, divertido. «Me parece que le he dado la vuelta a sus tácticas mentales contra mí».

Durante el día de descanso, Paul no dedicó ni un solo minuto a pensar en ajedrez. Rememoró las veladas musicales de los domingos en su casa, cuando era un niño. Su madre al piano y esa voz celestial... aquello era puro arte. Sintió que debía recuperar aquellas sensaciones.

Y vaya si lo hizo.

Aquella partida sería recordada para siempre. Morphy jugaba con negras y, llegado al movimiento diecisiete, le dedicó doce minutos. En otro ajedrecista aquello hubiera parecido normal, pero no en Paul. De las dieciséis partidas que había disputado en el torneo, no le había dedicado tanto tiempo a una simple jugada. Rara vez pasaba de los dos o tres minutos.

Levantó la mirada y la cruzó con su adversario. Para sorpresa general, a continuación, capturó un alfil con su dama. Paulsen casi se cae de la silla. Podía tomar la dama con su peón. Aquello no parecía tener ningún sentido. «¿Me está regalando su dama en la decimoséptima jugada?». Paulsen no daba crédito, así que se puso a analizar la posición. Paul, viendo que aquello iba para largo, se levantó de la silla y se acercó al restaurante. Era la primera vez que lo hacía en todo el torneo, pero tenía hambre.

—¿Qué es lo que has hecho? ¡Es el movimiento más loco que he visto jamás!

Paul se giró. Era Charles Stanley, el todavía campeón americano.

—Doce —le respondió.

—Doce ¿qué?

—Observa la partida y diviértete —le dijo, mientras abandonaba el restaurante en dirección a la sala de juego.

Cuando llegó, Paulsen aún seguía pensando. Una hora después, decidió aceptar aquel extraño regalo. No vio ningún riesgo posible, así que tomó la dama de Paul con su peón. El público asistía atónito a aquello. Sus rostros reflejaban que Morphy había cometido un grave error que le iba a costar la partida.

Paul permaneció el resto de la partida con sus ojos cerrados. Paulsen no daba crédito. Le daba la impresión de que se encontraba extasiado, como si estuviera asistiendo a un espectáculo musical.

Y no se equivocaba. Allí estaba Paul, que tan solo abría sus ojos para jugar al toque, respondiendo a los movimientos de Paulsen, como si ya los tuviera todos previstos.

La expectación entre el público era máxima. Estaba claro que Paul seguía un plan, pero nadie era capaz de intuirlo. Trascurridas doce jugadas desde el aparente regalo de su dama, Paul anunció mate en cuatro.

Los asistentes pegaron un brinco. ¿Cómo era posible aquello? De todos ellos, Stanley era el más sorprendido, recordando su breve conversación con Paul en el restaurante. «Doce», pensó. No daba crédito. «¿Cómo es posible que haya podido seguir una línea de juego con doce movimientos de antelación y todas sus posibles variantes?», pensó, atónito. Aquello no se lo había visto hacer a nadie. «Bueno, hasta ahora», se dijo, aún pasmado. Ni siquiera fue capaz de levantarse de su silla.

Cuando Paulsen, abrumado, le dio la mano a Morphy, reconociendo su derrota, el público estalló en una atronadora ovación. Eran conscientes de que habían asistido a la mejor partida del torneo y quizá una de las mejores de la historia. Diez minutos duraron los aplausos. No era para menos.

El resultado era de cuatro partidas ganadas por Morphy, una por Paulsen y dos tablas. Si Paul vencía en la siguiente, sería declarado triunfador del Gran Torneo y campeón de América. Paulsen estaba descolocado, así que solicitó al juez un descanso de cuatro días. Aquello era completamente inusual, así que Fiske se quedó mirando a Morphy, que hizo un gesto afirmativo con la cabeza, aceptando el descanso solicitado por su adversario.

—Nada va a cambiar. Ya te dije que la suerte estaba echada —le dijo a Paulsen, serio y con una voz templada—. No acostumbro a bromear con el ajedrez.

Sin duda, Morphy había comprendido que una partida de ajedrez no se disputa jugando las piezas, sino también jugando con tu adversario, cosa que Paulsen había hecho con él en los inicios. Ahora, las tornas habían cambiado.

Por fin, el 10 de noviembre se disputó la octava partida. Paulsen no se podía permitir perderla, pero ocurrió con estrépito ante un imparable Morphy, que no hizo ningún aspaviento especial. Parecía como si hubiera ganado una partida más, no la que le otorgaba el título de campeón de América.

El público asistente se volvió loco, incluso lanzando sus sombreros al aire. Al principio del enfrentamiento quizá estuvieran más del lado de Paulsen, pero a medida que habían trascurrido las partidas, cambiaron las tornas.

—Enhorabuena —Paulsen se levantó y le dio un abrazo—. Nadie me había vencido de semejante manera. Jamás. Tengo que reconocer que tu juego ha sido prodigioso y te mereces el torneo.

—No han sido partidas de ajedrez, sino óperas bien ejecutadas —le respondió Paul, ante la cara de asombro de su rival, que no le comprendió.

Todos los medios de comunicación del mundo se hicieron eco de la gesta de un joven de veinte años que había conseguido derrotar con brillantez a todos los maestros americanos, que le superaban ampliamente en edad y experiencia.

El apodo de «El joven Philidor» ya se hizo internacional. Se reprodujeron sus principales partidas, sobre todo la séptima que jugó contra Paulsen, que ya se conocía como «el más bello sacrificio de dama». También incluían declaraciones del propio Paul, que afirmaba que no le importaría enfrentarse a los más prestigiosos jugadores europeos, en especial al campeón inglés, Howard Staunton, también considerado «oficioso» campeón del mundo, aunque no existiera tal título.

La locura «Morphy» se había desatado.

Al día siguiente, es decir, el 11 de noviembre de 1857, se produjo la ceremonia de entrega de premios. El coronel Charles Mead, presidente de la Asociación Americana de Ajedrez, dada la gran expectación creada, decidió abrir las puertas. La afluencia del público fue masiva.

Morphy copaba las portadas de todos los medios de comunicación americanos e incluso aparecían reseñas en los periódicos europeos, que también habían seguido con mucho interés, sobre todo el final del torneo y la paliducha figura de aquel joven que parecía vencer a todos sus rivales con una suficiencia insultante.

El Gran Torneo y el Torneo Menor habían concluido con los siguientes resultados:

GRAN TORNEO
PRIMER PREMIO: PAUL MORPHY – LOUISIANA
SEGUNDO PREMIO: LOUIS PAULSEN – IOWA
TERCER PREMIO: T. LICHTENHEIN – NEW YORK
CUARTO PREMIO: DR. B.I. RAPHAEL – KENTUCKY

TORNEO MENOR
PRIMER PREMIO: WILLIAM HORNER – NEW YORK
SEGUNDO PREMIO: MOSES SOLOMONS – NEW YORK
TERCER PREMIO: WILLIAM SEEBACH – NEW YORK
CUARTO PREMIO: MARTIN MANTIN – NEW YORK

BALLOU'S PICTORIAL

BOSTON, SATURDAY, JULY 2, 1859. | VOL. XVII, No. 1.

La ceremonia fue muy solemne. Paul fue proclamado campeón de América y el coronel Charles Mead, después de dedicarle unas palabras muy elogiosas, le hizo entrega de un servicio de plata, consistente en una jarra, cuatro copas y una bandeja, con la siguiente inscripción: «*Este servicio de plata es entregado a PAUL MORPHY. El vencedor en el Gran Torneo en el primer Congreso de la Asociación Americana de Ajedrez. Nueva York, 1857*». Estaba valorado en trescientos dólares, cantidad a la que ascendía el primer premio. Todo el resto de premios se entregaron en efectivo, pero la organización conocía de antemano que Morphy no aceptaba recibir dinero en metálico, de ahí que se vieran obligados a improvisar el servicio de plata.

Paul permaneció hasta el mes de diciembre en Nueva York, jugando multitud de partidas con todo aquel que lo deseara. Disfrutó muchísimo de su estancia, pero todo tenía un fin y este venía marcado por la llegada del fin de año, que deseaba pasar en familia. Así que abandonó Nueva York el 17 de diciembre de 1857, rumbo a Nueva Orleans, aunque su mente estaba muy lejos de allí.

Todo lo vivido en Nueva York lO había terminado de decidir. Deseaba como nunca enfrentarse a Howard Staunton, el que consideraba el mejor jugador de Europa. Quería vencerlo. Ese era su único pensamiento en la actualidad.

Y eso que no se imaginaba lo que le esperaba en su ciudad natal.

38 GRAN BRETAÑA, ENTRE ABRIL DE 1857 Y MAYO DE 1857

—¡Sabía que volvería!

—Pues sabía más que yo. La verdad es que no me decidí hasta el último momento.

Felice Orsini estaba en la puerta de la residencia de Thomas Allsop en Liverpool. Lo invitó a entrar en su casa.

—Entonces, ¿ha decidido liderar nuestro proyecto?

—No, he decidido escuchar de nuevo su proyecto. He tenido tiempo de pensar y hay cuestiones que debo aclarar, antes de tomar una decisión definitiva.

—¡Por supuesto! ¡Por supuesto! —Mr. Allsop parecía emocionado.

—¿Dónde se encuentran sus compañeros?

—Sé que no le importa viajar, así que no le supondrá ningún problema. Nos deberemos desplazar a Birmingham. Allí residen el conde Di Rudio y Giuseppe Pieri, que disponen de casas en el campo, más discretas que la mía, en el centro de la ciudad. Nadie notará nuestra presencia.

—¿Y Joseph Taylor?

—Si lo dice por Birmingham, no vive allí. Tiene un negocio cercano a Londres. ¿Por qué se interesa por él en particular?

—Por nada en concreto, es que me ha llamado la atención que no lo nombrara.

Felice se dio perfectamente cuenta de que Allsop no se había creído su respuesta. «No me puedo olvidar de que es muy intuitivo y parece saber leer los gestos de mi cara», pensó.

—Partiremos en dos días y así podrá descansar de su viaje. Por otra parte, yo también tengo que arreglar ciertas cuestiones profesionales en Liverpool. Estaremos una temporada en Birmingham y debo dejar mis negocios atados. En la anterior conversación no se lo dije, pero soy agente de bolsa y, en mis ratos libres, escritor.

—Es curioso. En nuestra anterior reunión, en realidad, ninguno de los presentes nombró su oficio.

—Bueno, tampoco hay ningún misterio. Me sorprende que no conozca al conde Di Rudio. Es un noble italiano que participó en la defensa de Roma, durante su asedio durante la breve vida de la República Romana. Usted era diputado y creo que también estaba allí. Se estableció, hace algunos años, en Birmingham. Se casó con una británica y vive cómodamente, aunque desconozco de qué. Supongo que será de la fortuna familiar. Desde luego no tiene ningún trabajo conocido.

—Aunque es imposible que conociera a todos los héroes de aquella gesta, siendo un noble, sí que me resulta extraño que ni siquiera me suene su nombre.

—En cuanto a Giuseppe Pieri, también me resulta curioso que no lo conozca. Era un revolucionario en favor de la república y no uno cualquiera, sino de los duros. Vivió durante un tiempo en Francia y tuvo algún altercado con la Ley, hasta que se mudó a Gran Bretaña hace bien poco. En sus inicios, perteneció a la «Joven Italia» de su amigo Mazzini, pero, en cuanto comprendió que era un perdedor, lo abandonó.

—Eso es más normal. La estructura de la organización estaba muy compartimentada, para evitar que, si una célula era descubierta, pudiera poner en peligro a todo el proyecto. Yo no conocía más que a las personas de mi alrededor.

—Supongo que será por eso —le respondió Allsop—. En cuanto a su vida actual, es modesta pero cómoda. Es profesor de idiomas.

Felice decidió no insistir más. Era cierto que estaba cansado. Ya tomaría una decisión cuando llegaran a Birmingham y pudiera conocer de verdad a todo el equipo.

Como estaba previsto, a los dos días tomaron el expreso que los llevaría hasta Birmingham. En la estación les estaba esperando el conde Di Rudio, con su carruaje, que los trasladó a su residencia. Felice observó que aquello, más que una vivienda, parecía una casa de campo fortificada, situada en una posición estratégica y con altos muros que impedían la visión desde el exterior.

—Ya se ha dado cuenta, ¿verdad? —le dijo el conde, en cuanto observó la reacción de Orsini.

—¿Ha sido militar? —le preguntó.

—Digamos que he servido bajo las órdenes del general Garibaldi. En los próximos días, descubrirá que tenemos bastantes cosas en común, aunque no nos conozcamos. Hace seis años, mi padre, el conde Ercole Placido y mi hermana mayor, Luigia, fueron encarcelados, como usted, en la fortaleza de Mantua. Participamos en la insurrección comandada por Mazzini en Cadore, hace seis años.

—La recuerdo —respondió Felice—. Yo no estuve allí. Me encontraba en Suiza, también enviado por Mazzini.

—Pues mejor que no participara. Como todos los planes de su amigo, aquello fue una carnicería y un auténtico desastre. Yo fui dado por muerto en combate, pero tan solo estaba gravemente herido. Me pude recuperar, pero mi padre y mi hermana no tuvieron tanta suerte como usted o yo. Murieron en Mantua. Comprenderá que no guarde un buen recuerdo de Joseph Mazzini.

Felice iba cobrando conciencia de lo que, en realidad, hace tiempo que sabía. Llevaba años batallando en vano y viendo morir a patriotas sin ningún sentido. Se daba cuenta de que no era el único. Mucha gente había sufrido al lado de Mazzini.

—Perdonen, he sido un descortés —continuó Di Rudio—. Les presento a mi esposa, Eliza Booth.

Se saludaron y se sentaron alrededor de una mesa en un salón de la casa. Felice no podía dejar de observar a su alrededor. La residencia era grande e impresionante, vista desde fuera, pero la apariencia interior era diferente. Estaba descuidada e incluso se veían signos de goteras en el techo. Aquellos detalles no parecían corresponderse a un noble italiano con fortuna. Tomó nota mental del dato e intentó incorporarse a la conversación, que ya se había iniciado.

—Mañana llegará —dijo Di Rudio.

—Estupendo. ¿Sabemos algo de Joseph Taylor?

—Nada. Aún no he conseguido comunicarme con él.

—¿Debemos preocuparnos?

—En absoluto. Por su trabajo, es habitual que viaje bastante. Le he dejado una nota en su residencia. En cuanto vuelva a ella, seguro que me contestará.

«Su trabajo», pensó Felice, detalle que aún no le habían revelado. No podía evitar sentirse inquieto.

—Pues entonces, mientras nos reunimos todos, dispondremos de unos días para descansar y reflexionar.

—Perdone conde, pero ¿quién viene mañana? No lo he escuchado.

—Giuseppe Pieri.

—¿Y Simon Bernard?

—Ya se encuentra en su posición —le respondió Allsop, luciendo una pequeña sonrisa.

—¿Cómo sabía que consideraría unirme a su proyecto? —Orsini no estaba cómodo. Que Bernard ya estuviera preparado para cumplir su parte en la misión era la prueba.

—Usted, aunque no lo supiera, siempre ha sido uno de los nuestros.

Durante los siguientes seis días se limitaron a pasear por la enorme finca del conde Di Rudio, hablar entre los tres, contarse sus aventuras y conocerse. A pesar de que no comentaron nada de su gran *complot*, Felice tuvo que reconocer que se sentía a gusto en presencia de sus camaradas. Su conciencia se tranquilizó un tanto.

Hasta que llego el séptimo día.

Mejor dicho, hasta que llegó Joseph Taylor.

Los nervios de Felice hicieron, de nuevo, acto de presencia. Mr. Taylor se disculpó por incorporarse con una semana de retraso. Se encontraba en Bath, haciendo un trabajo a medida para un cliente.

—Bueno, ahora ya podemos centrarnos en lo importante —comentó Di Rudio, mientras los cuatro se sentaban alrededor de la mesa del salón. Orsini notó que, esta vez, el conde cerraba la puerta.

Allsop desplegó un gran plano encima de la mesa.

—París, *rue Le Peletier*. Se trata de una vibrante calle en el noveno distrito. Los edificios que la flanquean son compactos y tienen entre seis o siete alturas. La mayoría de los bajos están ocupados por restaurantes y tiendas de lujo, con grandes cristaleras que dan a la propia calle. El *Théâtre Impérial de l'Opéra* o *Salle Le Peletier*, se encuentra en su número 12.

—¿Es frecuentada por guardias? —preguntó Felice.

—Sí, por agentes de la Prefectura de París, que se encargan de la seguridad interna de la ciudad. Su edificio principal se encuentra muy cercano.

—¿Iluminación?

—Toda la calle cuenta con lámparas de gas.

—¿Cómo es la entrada a la Ópera?

—Grande, cubierta por una gran marquesina.

—¿A qué distancia se encuentra del inicio de la calle?

—A doscientas yardas, o sea, unos ciento ochenta metros, más o menos.

Felice se quedó mirando el plano, concentrado. Estaba evaluando el escenario.

—Cuando se produce la llegada del carruaje, ¿qué sucede a continuación?

—Los carruajes, en plural. En el primero viaja el *Grand Chamberlain.* En el segundo nuestro objetivo. El *Théâtre Impérial de l'Opéra* se encuentra a tan solo una manzana del *Bolevard des Italiens*, que es una de las zonas más concurridas de París. Lo que se produce es una verdadera aglomeración de gente. La policía de París acordona la calle y no permite acercarse a nadie a los carruajes.

—Supongo que se detendrán frente a la entrada principal de la Ópera.

—Así es. El carruaje del *Grand Chamberlain* va delante y se para una vez pasada la entrada, para permitir el suficiente espacio al segundo. Abren la puerta y descienden enfrente mismo de la marquesina. Ese es el punto más vulnerable, pero también es el más vigilado. La policía lo sabe y despliega un cordón humano que no permite, ya no solo traspasarlo, sino ni siquiera ver lo que sucede detrás de él. También son apoyados por la guardia a caballo que acompaña a la comitiva.

—Aparte de la policía de la Prefectura de París, ¿con qué sorpresas más nos podemos encontrar?

—Como te acabo de decir, lanceros montados a caballo y fuertemente armados. Tienen una visión panorámica de todo el público asistente. Suelen ser unos quince o veinte. Pero eso no es lo peor.

—Pues a mí me parece bastante malo. Ya veo que la seguridad es casi paranoica.

—No olvides que ya lo han intentado asesinar en alguna otra ocasión. Como te decía, lo peor de todo no es eso. Tienen perfectamente estudiado el recorrido y es frecuente que aposten policías de paisano, que se camuflan entre la multitud. Es imposible reconocerlos, aunque suelen situarse en las posiciones más estratégicas. Desconocemos el número concreto, pero hemos de presumir que son bastantes. Se supone que ayudan a los lanceros y a los policías de uniforme a cubrir todos los puntos débiles del recorrido.

—O sea, que nos enfrentamos a una fuerza formidable —repitió Felice, que se notaba que seguía concentrado—. Está claro que, si pretendemos tener alguna posibilidad de éxito, hemos de hacer las cosas de una forma original y diferente a todo lo que se puedan imaginar. Algo que no se esperen en el lugar que tampoco se esperen.

—Para eso estás aquí con nosotros. Sabemos que eres aficionado al ajedrez y que te gusta mirar los escenarios como si de un tablero se tratara. ¿Cómo lo ves?

—Se puede intentar, desde luego, pero no necesitamos un plan muy preciso. En realidad, varios que se ejecuten a la vez.

—¿Cómo jugar unas partidas simultáneas?

Felice se permitió una pequeña sonrisa.

—Sí, algo así. Distracción y acción, además de forma inesperada y ejecutada de forma rápida y coordinada, en diferentes planos.

—¿Y cómo pretende conseguir eso rodeado de una gran muchedumbre, además, con fuerte vigilancia?

—Necesitaré cinco personas situadas en diferentes posiciones. Aquí, aquí, aquí, aquí y aquí —dijo Felice, señalando lugares concretos del plano.

—Pero son zonas muy concurridas. No tendremos líneas de visión claras.

—No las necesito. Tan solo preciso la ayuda de Dante.

—¿Dante? ¿Quién es ese? —preguntó, extrañado.

—¿No lo reconoce? Pues está sentado en esta misma mesa —Felice lucía una enigmática sonrisa.

—Me temo que no... —empezó a decir un confundido Allsop.

—Déjelo, Thomas —respondió Joseph Taylor, dirigiéndose a Orsini—. ¿Cómo lo ha sabido? He cambiado bastante de aspecto.

—Debí averiguarlo antes. Estaba claro que el plan precisaba de un experto en una disciplina que no veía representada en nadie de esta mesa. El único que me faltaba era usted.

Además, aunque hable un inglés magnífico, a oídos de un italiano que ha vivido mucho tiempo en Florencia, no se le escapa. Es de allí, ¿verdad?

—Creo que les debo una explicación —dijo Mr. Taylor, girándose hacia todos los presentes—. Aunque llevo bastantes años residiendo cerca de Londres, mi nombre real es Dante Giordano. El señor Orsini y yo nos conocimos en Ancona, cuando yo ejercía como jefe de los artilleros, por eso se lo recomendé y les informé de su impecable estrategia en aquel conflicto.

—Un placer, Dante —dijo Felice, que seguía sonriendo—. Hiciste un gran trabajo en Ancona trasladando a los prisioneros al puerto y con las dos piezas de artillería en el mercado, pero ahora necesito otra cosa de ti.

Todos los presentes en la reunión estaban atónitos. Felice aprovechó el momentáneo silencio para extraer de su bolsillo un arrugado papel.

—¡Aún lo conserva! —exclamó Dante.

—Por supuesto. Tengo formación militar y sé distinguir un buen diseño de uno mediocre. Y este es excelente. Se sorprendería la compañía que me hizo mientras estaba encerrado en Mantua. Los carceleros lo tomaron como un simple dibujo sin importancia y me permitieron conservarlo. Tuve meses para pensar en ello. Creo que lo he conseguido mejorar.

—¿De qué estáis hablando? —Allsop no entendía nada.

—Parece el diseño de una bomba de pequeño tamaño —respondió Di Rudio—. ¿Me equivoco? Yo también poseo formación militar.

—Pues a mí me parece un juguete y también he participado en muchas batallas —dijo Pieri—. Viéndolo, jamás pensaría eso.

—Tiene razón, Di Rudio —intervino Dante—, pero no es exactamente mi diseño. ¿Qué son esas protuberancias que rodean la bomba? Eso no estaba en mis planos originales.

—Me he permitido modificarlo, incluso sobre sus propios planos —le respondió Felice—. Espero que no le importe, ya que su diseño original ya era muy ingenioso.

—¿En serio es una bomba? —Allsop también estaba asombrado—. No se parece a nada que haya visto anteriormente.

—Porque nada ha existido así.

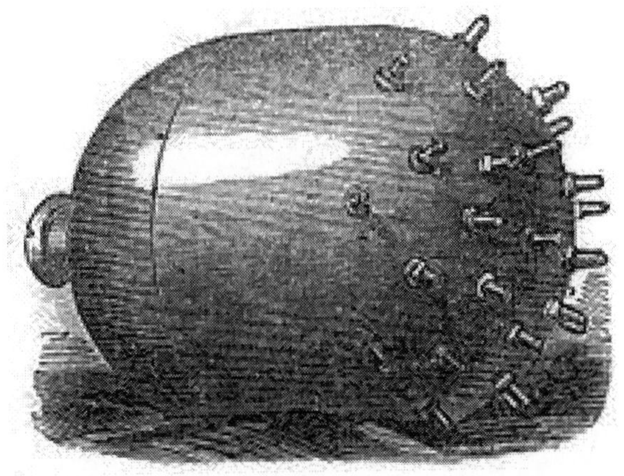

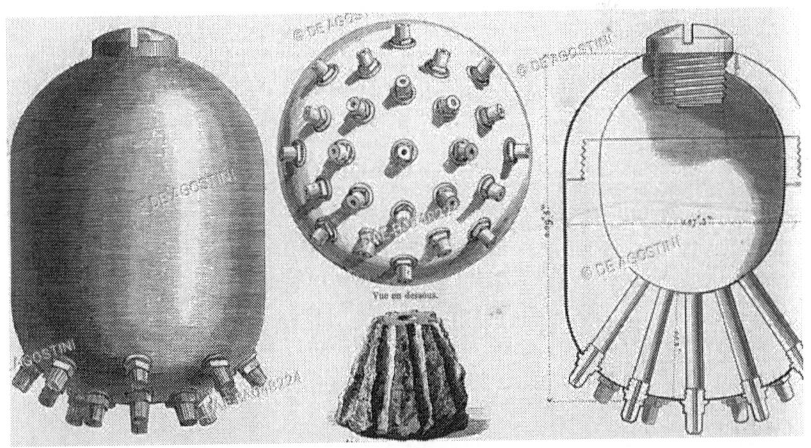

—¿Qué pretende con ellas? —le preguntó Dante, intrigado.

—Algo revolucionario. Usted me mostró el camino. Hasta ahora, para estallar una bomba hacía falta una mecha o un temporizador. Al señor Giordano, al que llamaré Mr. Taylor para no confundirles, se le ocurrió una idea genial. ¿Me equivoco si tu trabajo en Londres es armero especialista en carcasas?

—No, no te equivocas.

Felice se vio obligado a explicarse, ante aquellas sorprendentes manifestaciones.

—Mr. Taylor pensó que había que dar un paso adelante. Se le ocurrió fabricar una carcasa con pequeñas incrustaciones de fulminato de mercurio. El interior de la bomba estaba diseñado para contener unas cuatro libras de pólvora, cuyo detonante era el fulminato de mercurio, con mucho poder explosivo. En cuanto golpeaba una superficie, hacía que la pólvora estallara. Al ser la carcasa metálica, las esquirlas producían un efecto devastador. Mi diseño es algo diferente. Esas protuberancias que he añadido a tu bomba son precisamente recipientes de fulminato de mercurio. En cuanto cualquiera de ellas entra en fuerte contacto con el suelo, estalla con una mayor violencia, al no hacerlo directamente sobre la superficie. La potencia de expansión de las esquirlas debería ser muy superior.

—Muy ingenioso —observó Mr. Taylor, mirando el diseño de Orsini—. ¿La has probado?

—¿Cómo podría? No soy armero, tan solo dispuse del suficiente tiempo libre en Mantua para pensar. Jamás se ha construido una de estas. ¿Podrías hacerlo tú?

—Supongo que sí, pero necesitaré materiales y herramientas que tengo en mi taller.

—Dieciséis.

—¿Dieciséis bombas? —Mr. Taylor preguntó, completamente sorprendido—. No dispongo de tanto material, aunque supongo que podría conseguirlo. De todas maneras, las bombas, aunque de pequeño tamaño, son pesadas y su diseño llama mucho la atención. ¿Cómo piensas introducir tantos artefactos en Francia?

—No lo pienso hacer. Entraremos tan solo ocho.

—¿Ocho? —repitió Thomas Allsop—. ¿Cómo se las dividirán las cinco personas que necesitas para el plan?

Felice sonrió.

—En realidad, tan solo habrá cuatro que porten dos bombas cada uno. Habrá un quinto hombre que tendrá otra misión diferente.

—¿Y cuál será? —Allsop insistía.

—Todo a su debido tiempo, no queráis adelantaros.

—Y si solo vamos a trasportar a París ocho bombas, ¿por qué necesitamos el doble? —Taylor seguía preocupado por la cantidad de material que iba a precisar. Temía llamar la atención.

—Para el ensayo general —respondió Felice—. Estas bombas jamás han sido construidas ni detonadas. Su diseño es revolucionario. Quiero asegurarme, primero, de que funcionan y, después, de su poder explosivo. No podemos preparar el plan sin asegurarnos de estos extremos.

Todos asintieron con la cabeza. La idea era prudente y razonable.

—Pues el tiempo apremia —dijo el conde Di Rudio—. Vuelva cuanto antes a su taller. Recoja todo el material que necesite y regrese. Mi finca dispone de una discreta caseta alejada de esta residencia. Será perfecta para su trabajo.

—Que así sea —afirmó Allsop.

Joseph Taylor partió de inmediato. La tarea que tenía por delante no era nada sencilla.

Una vez se marchó, los presentes se quedaron mirando. Ahora que el plan parecía avanzar, tomaban conciencia de su magnitud.

Se disponían a asesinar a Napoleón, emperador de Francia y uno de los pilares del despotismo en Europa. A eso no se había atrevido ni Mazzini.

Casi nada.

39 NUEVA ORLEANS, FINAL DE 1857 Y PRINCIPIOS DE 1858

—¡Qué ganas tenía de verte! Nunca habíamos estado tanto tiempo separados.

Ambos amigos se abrazaron.

—No lo hemos estado. Tus cartas llegaban a Nueva York y suponían un oasis de tranquilidad para mí. La verdad es que he disfrutado muchísimo. Imagínate, he jugado más de cien partidas con los mejores ajedrecistas del país. Incluso me he convertido en coeditor de la revista *Chess Monthly*. Fiske me lo propuso antes de mi partida final y acepté. Le mandaré material todos los meses para que lo publique.

—¡Qué casualidad! Yo también tengo una oferta del periódico local *Sunday Delta*, como jefe editor de la sección de ajedrez. Pienso aceptarla.

—¡Cómo me alegro! Pero, ahora mismo, después de la tormenta, lo que de verdad me apetece es algo de tranquilidad.

La conversación la estaban manteniendo Charles Maurian y su amigo Paul Morphy, nada más bajarse del barco.

—Pues lo que es tranquilidad, me parece que te espera poca, por lo menos en los próximos días.

—¿Por qué me dices eso? —le preguntó Paul, sin comprenderle.

—Yo me he adelantado, pero gírate y verás.

Así lo hizo.

Se sintió abrumado.

Allí estaba Paul, un joven delgado que no aparentaba más de quince años, mejillas suaves, cabello castaño peinado hacía atrás, lo que permitía ver su amplia frente pálida, plantado frente a una verdadera multitud que parecía que lo ovacionaba.

—¿Qué es esto? —le preguntó a Charles, espantado.

—Esta es tu tranquilidad —le respondió, sonriendo—. Toda la ciudad está aquí para recibir a su héroe.

Paul estaba agotado del largo viaje, pero comprendió, aunque a desgana, que era el peaje que debía de pagar.

Pasó el mal trago lo más rápido que pudo y se refugió con su madre Thelcide y sus dos hermanas, en el interior de un hogar que ya echaba de menos. No se podía quejar de las atenciones que había recibido en Nueva York, pero nada había como su casa. Era su refugio, tanto físico como mental.

Para su sorpresa, en su ausencia, el ajedrez había florecido en Nueva Orleans, fruto del interés por su juego. El club de su ciudad ya disponía de más de sesenta miembros. Su ubicación antigua se había quedado pequeña y ahora ocupaba todas las salas de la *Asociación y Librería Mercantil*, en *Canal Street*. Paul seguía siendo su presidente, desde que lo nombraron antes de su viaje a Nueva York.

Aún le faltaban varios meses para alcanzar la edad legal de veintiún años, así que seguía sin poder ejercer como abogado.

—Debes empezar a prepararte. En junio ya podrás dedicarte a tu profesión, como un buen Morphy, haciendo honor a tu apellido —le dijo Thelcide.

—Madre, ya estoy preparado y falta medio año. No puedo permanecer ocioso. Entiende que jugar al ajedrez me relaje y me ayude.

—Te equivocas. Para lo único que te ayuda es para debilitarte más —le respondió de inmediato—. No creas que no lo he advertido. Quizá ahora seas todo un campeón de América y un joven reconocido en todo el país, pero tu físico se ha desmejorado de forma notable. A pesar de esos ojos violetas que rezuman confianza, eso ya es lo único que te queda. Tu cuerpo va por caminos diferentes a tu mente. Y lo peor no es eso, es que tú lo sabes y no haces nada para remediarlo. Creo no hace falta que te lo recuerde más.

—Madre, agradezco tu preocupación, pero mi salud es algo que me acompañará toda mi vida. Tengo que aprender a convivir con ella. El ajedrez, aunque te cueste creerlo, atempera mi mente, que también lo necesito. Es todo lo que puedo hacer ahora.

Thelcide salió de la estancia, enfadada. Le había quedado claro que no iba a poder apartar a su hijo del ajedrez, al menos hasta que alcanzara la edad mínima legal para ejercer su profesión.

Paul, no obstante, subió a su habitación y se quedó pensativo. A pesar de que ya había decidido continuar con el ajedrez, al menos hasta que tuviera la edad legal para ejercer, no podía evitar pensar que su madre tenía parte de razón. El ajedrez no mejoraba su salud, la enmascaraba. Mientras jugaba, su universo se ceñía a las sesenta y cuatro casillas del tablero y no existía nada más a su alrededor, pero era consciente de que esos esfuerzos no le hacían ningún bien a su cuerpo. Y tampoco tenía claro si se lo hacían a su mente, pero, fiel a su principio desde bien pequeño, mientras se divirtiera, seguiría con el juego.

Lo peor para él era estar ocioso. Los fantasmas le rondaban por su cabeza. No sabía aburrirse y ya no tenía edad de jugar por las charcas con su amigo Charles Maurian, como cuando tenían ocho años. Además, había abierto la Caja de Pandora. Ahora, Charles parecía más enganchado al ajedrez que él mismo. Así que no hizo nada por resistirse.

En consecuencia, decidió frecuentar casi a diario las nuevas instalaciones del Club de Ajedrez de Nueva Orleans. Disfrutaba jugando con todos los socios, otorgándoles ventajas importantes, para tratar de equilibrar su nivel.

Había alcanzado una gran fama dentro del ajedrez americano, así que no era infrecuente que jugadores de otros rincones viajaran hasta su ciudad para medirse con él. Paul recibió con alegría la llegada de Montgomery a Nueva Orleans, con el único propósito de medirse a él. En un principio, Montgomery fue reacio a aceptar ventajas de Paul, pero, tras perder de forma estrepitosa las cuatro primeras partidas, terminó cediendo. Para deleite de Paul, jugaron otras trece partidas, con diferentes ventajas para Montgomery. Aun así, Paul tan solo perdió una de ellas, cediendo otras tablas y ganando las once restantes. El joven jugador aprovechó para mandarle a su amigo Daniel Willard Fiske, editor de *Chess Monthly* en Nueva York, algunas de ellas con anotaciones.

Cada vez que se publicaban partidas suyas, su fama crecía exponencialmente. Ya era considerado no solo el mejor jugador americano, sino uno de los ajedrecistas con más proyección mundial.

—¿Seguro que quieres jugar de esta manera? Es muy posible que te gane. Te recuerdo que hace dos años vencí al campeón inglés Howard Staunton con esta misma ventaja que tú me estás ofreciendo.

—No me entienda mal, quiero ganar todas las partidas que juego, pero, por encima de eso, está la diversión. Por otra parte, así sabré cuál es mi nivel real entre los europeos. Si arrolló a Staunton, quiero saber si lo hará también conmigo.

—Como quieras, pero si te derroto con facilidad como hice con Howard, jugaremos sin ventajas. No he venido adrede desde México para aburrirme.

—No se preocupe, le aseguro que no lo hará.

Paul Morphy estaba manteniendo esta conversación con Thomas Herbert Worrall, que además de un gran ajedrecista, era el embajador británico en México.

Desde luego que ninguno de los dos se aburrió ni lo más mínimo. Paul jugaba sin su alfil de dama. Aquello era todo un atrevimiento frente a un rival de esa categoría. Habían convenido jugar quince partidas en una semana. El resultado no podía estar más interesante. Cada uno había ganado siete partidas y ahora estaban disputando la decimoquinta, la que decidiría la suerte del enfrentamiento.

La partida parecía que se iba a inclinar del lado de Worrall, ya que Morphy no había conseguido recuperar la ventaja de material y la posición era equilibrada. Paul no solía levantar la vista del tablero ni siquiera para mirar a su rival, pero, esta vez, algo captó su atención.

—¿Me permite levantarme un minuto?

Worrall se extrañó, ya que no lo había hecho en ninguna de sus anteriores partidas, pero asintió con la cabeza.

—¿Qué haces aquí? —preguntó Paul, mientras abrazaba efusivamente a su tío Ernest Morphy.

—No me des estos achuchones, que acabo de llegar de Iowa. Un viaje de mil millas te deja un tanto cansado.

Paul se separó, pero insistió.

—No has contestado a mi pregunta.

—Yo también me alegro de verte. Anda, anuncia el mate a Worrall y luego hablaremos.

—¿Cómo sabes eso? —ahora Paul parecía sorprendido.

—Yo también juego, ¿o acaso no lo recuerdas? Tu rival tan solo desea llegar al final de la partida para vencerte, pero no ha caído en la cuenta de que ese caballo tuyo está situado en una posición que, junto con tu torre y tu dama, le van a hacer mucho daño en los próximos cuatro movimientos. ¿Me equivoco? —le preguntó, con cara de pillo.

Paul se permitió una pequeña sonrisa.

—No, no lo haces —respondió, mientras dejaba a su tío, volvía a sentarse en su silla y anunciaba el mate.

Cuando Thomas Worrall reconoció su derrota, se produjo una atronadora ovación en el club, que estaba abarrotado de gente.

—¿Sabes? —le dijo Worrall—. Reconozco que me has vencido y no me lo esperaba. ¿No te has planteado viajar a Londres y medirte con Staunton? Por lo que he visto esta semana, creo que tendrías serias opciones de ganarle.

—Mi madre jamás me lo permitiría. Ya me costó convencerla de que me dejara jugar en este club, y eso que está en la misma ciudad.

—Pues es una lástima —dijo Worrall, mientras se despedían, dándose la mano.

Paul volvió con su tío.

—Ahora te toca a ti. ¿Qué te trae por Nueva Orleans?

—Simplemente quería verte. ¿Acaso no te parece suficiente motivo?

—Tío, ya llevo casi cuatro meses aquí desde que volví de Nueva York. ¿Por qué ahora?

—Veo que sigues igual de sagaz que siempre —le respondió, riéndose—, pero todo a su debido tiempo. Ahora tengo que descansar, pero mañana será otro día.

—¿Qué quieres decir?

—Lo que has oído. Mañana es sábado. Te quiero a las diez de la mañana aquí mismo, en el club. Supongo que pasaremos todo el día.

—¿Para qué? —ahora, a Paul le podía la curiosidad—. Mi madre tolera que juegue al ajedrez, no le queda más remedio, pero, por mi salud, siempre debo de volver a casa a comer.

—Por eso no te preocupes. Antes de venir al club, me he pasado por tu casa para saludar a Thelcide y a mis dos sobrinas preferidas, Malvina y Helena. No te esperan a comer mañana.

La curiosidad de Paul iba en aumento.

—Sigues sin contestar a mi pregunta. ¿Para qué?

—¿Te acuerdas, cuando aún eras un niño, que te proponía retos? Bueno, pues mañana te enfrentarás a uno de ellos.

—¿A uno? ¿Es que hay más?

—Pregunta estúpida y respuesta obvia. Lo dicho, mañana a las diez —respondió Ernest Morphy, mientras dejaba a Paul con cara de idiota y se marchaba del club.

Esa noche le costó conciliar el sueño. Que su tío se hubiera desplazado desde tan lejos debía de ser por un motivo de bastante importancia. Lo había citado en el club, por lo que estaba claro que iba a disputar algunas partidas, pero eso no justificaba su viaje. Ya lo llevaba haciendo desde que regresó de Nueva York. Había jugado con todos los ajedrecistas que había podido, incluyendo a Tanner, McConnell, Rousseau, el doctor Beattie y hasta con su amigo Charles Maurian. «Por cierto, hoy estaban todos presentes en el club», se dijo Paul. Fue su último e inquietante pensamiento antes de dormirse.

Al día siguiente, a las diez en punto, estaba entrando en el Club de Ajedrez de Nueva Orleans.

«¿Qué ocurre aquí?», pensó de inmediato Paul.

Se encontraba abarrotado. Ayer, cuando disputó su última partida con Thomas Worrall había gente, pero ni mucho menos se respiraba el interés de hoy.

Su tío Ernest acudió a su encuentro.

—Veo en tu rostro la cara de perplejidad.

—¿A qué se debe esta expectación? Vengo casi todos los días y no había visto el club tan lleno de gente como hoy.

—Bueno, ya me conoces. Hoy debes de superar una gran prueba. Si lo consigues, entonces hablaremos de lo importante. Pero ya te advierto, no se trata de una prueba cualquiera.

—¿Lo importante?

—No pienses en ello, céntrate en lo que va a ocurrir ahora.

—¿Cómo quieres que lo haga si desconozco de qué se trata?

—Ya lo deberías haber deducido. Ya sé que no sueles prestar mucha atención a tu entorno, cuando juegas al ajedrez, pero ayer sí lo hiciste, por ello me viste a mí.

—Sí, es cierto, pero ¿adónde quieres llegar?

—No solo estaba yo presente, ¿verdad?

Paul cayó en la cuenta. Su último pensamiento antes de dormirse ayer. Ahora, levantó su mirada. Allí estaban todos. Los grandes que ayer también asistieron a su duelo, incluyendo el propio Thomas Worrall. «¿No se suponía que volvía a México hoy?», pensó. Su mente se iluminó. Aquello tan solo tenía una explicación posible.

—¿En serio quieres que lo haga?

—Te devuelvo la pregunta, ¿quieres tú intentarlo?

—¿Con cuántos?

—Con los ocho mejores que ves a tu alrededor.

—Bueno, tampoco me parece que jugar ocho simultáneas sea para tanto. Ya lo he hecho con anterioridad y eso no justificaría ni esta expectación ni tu viaje. Como siempre, supongo que quieres ir un paso más allá. ¿Quizá a ciegas?

—Brillante deducción.

—También supongo que sabes que eso no se ha hecho jamás. Recuerdo que Louis Paulsen jugó cinco en Nueva York, hará medio año, pero ocho...

—Por eso se llama «reto» —le interrumpió su tío, sonriente—. Anda, no perdamos más el tiempo. Además, tus rivales son de mucha entidad, los tienes a tu alrededor. Tanner, McConnell, Rousseau, Beattie, Maurian, Montgomery, Hammond y el propio Thomas Worrall, que amablemente ha accedido a retrasar un día su retorno a México. Yo mismo actuaré de juez.

Paul se quedó en silencio. Aquello era más que un «reto», estaba claro, pero ¿cuál era el verdadero motivo?

—¿No te atreves a intentarlo? —le preguntó su tío, ante el silencio de Morphy—. ¿Acaso no crees estar a la altura?

—¡Vamos a comenzar ya! —le contestó, ahora con una sonrisa en los labios.

Paul se sentó en un sillón, como siempre mirando a la pared. Los ocho jugadores restantes se situaron en una sala contigua, con sus tableros delante.

En apenas dos horas ya había ganado sus partidas contra Maurian y Tanner. Antes de la pausa para comer había hecho lo propio con Beattie y Hammond. A las cinco reanudaron el juego. Venció a McConnell en apenas media hora más, sin embargo, las tres restantes no estaban tan claras. A las ocho consiguió vencer a Rousseau, después de una gran batalla. Sin embargo, se vio obligado a conceder tablas frente a Montgomery y a Worrall, casi a las diez de la noche.

El resultado había sido seis victorias para Morphy, dos tablas y ninguna derrota. Aquello era un auténtico hito. Jamás nadie lo había logrado. El público presente prorrumpió en una sonora ovación que se prolongó durante más de diez minutos. Los ocho rivales rodearon a Paul y le dieron la mano. Eran conscientes que habían sido partícipes de algo histórico.

Ernest Morphy se acercó a su sobrino.

—Tengo que serte sincero. Sabía que serías capaz de jugar estas partidas, pero nunca me imaginé el resultado. Has superado la prueba con creces.

—¿Eso qué significa?

—Ya te dije que había dos retos. Para alcanzar el segundo, era necesario pasar por el primero. Una vez completado, ahora toca lo verdaderamente importante. Anda, despídete de todo el mundo que tenemos una reunión.

—¿Ahora? ¿Es necesario? No he cenado, son las diez de la noche y estoy muy cansado. Tan solo deseo llegar a casa, tomar algo y dormir.

—Créeme, no te gustaría perdértelo. Es el motivo de todo.

La curiosidad innata de Paul, una vez más, se acabó imponiendo, a pesar de estar exhausto.

Ernest Morphy tomó a su sobrino por el brazo y, junto con Rousseau, Maurian y McConnell, entraron en la sala de reuniones del club. Los cinco se sentaron alrededor de la enorme mesa de nogal.

Paul estaba expectante. Aquel segundo reto no parecía tener relación con el ajedrez, ya que en aquella estancia no había tableros. Se utilizaba tan solo para cuestiones administrativas del club.

—Bueno —comenzó hablando Ernest, dirigiéndose a su sobrino—, te hemos sometido casi a una tortura, pero era necesario.

«¿Para qué?», se preguntaba Paul, que permanecía en silencio.

Tomó la palabra Rousseau. Luego, uno a uno, fueron hablando todos los presentes. Ahora, estaba claro qué pretendían.

Paul estaba escuchándolos desde una nube.

Aquello no era un reto, era sencillamente imposible.

40 GRAN BRETAÑA Y FRANCIA, ENTRE JULIO DE 1857 Y ENERO DE 1858

—Es preciosa.

—Si tú lo dices...

—Hemos de probar este prototipo antes de fabricar las demás.

—Pero va a producir un enorme estruendo. Ni siquiera en la finca del conde Di Rudio lo podríamos hacer. Se escucharía hasta en Birmingham.

—Lo sé. Tendremos que buscar un emplazamiento más solitario —afirmó Orsini, que estaba manteniendo esta conversación con Joseph Taylor, el armero—. Además, necesitamos recrear el escenario, aunque sea algo muy básico.

Dejaron el artefacto en la cabaña y se dirigieron hacia la residencia. Les informaron de sus intenciones. Decidieron que el lugar ideal para la detonación de prueba podría ser una cantera. Allí no se extrañarían de escuchar una explosión.

—¡Las canteras de Sheffield, en el condado de Yorkshire! —exclamó Taylor—. No las recordaba. En el pasado, hice allí algunas pruebas. Están medio abandonadas y alejadas de cualquier núcleo de población. Ya sé que están en el sur, lejos de Birmingham, pero es una excelente opción.

Todos se mostraron de acuerdo. Al día siguiente partieron hacia su objetivo. Una vez en la cantera, intentaron recrear con piedras la *rue Le Peletier*, con sus doscientas yardas de longitud y la anchura adecuada. Felice tomó en sus manos la bomba. Sorprendentemente no se dirigió hacía lo que se suponía que era la puerta de la Ópera, sino en dirección contraria. Llegó a un pequeño terraplén. Lanzó la bomba contra la presunta calle y se ocultó detrás del desnivel del terreno.

La explosión fue atronadora. Saltaron cientos de esquirlas, que volaron en todas direcciones. Orsini dejó pasar un par de minutos y se acercó al lugar del impacto. Había generado un cráter de unos dos metros de profundidad. Sus compañeros se acercaron a ver los efectos.

—¡Mejor de lo esperado! —exclamó un exultante Felice—. No solo genera una gigantesca onda expansiva llena de trozos de metal, sino que lanzará por los aires los adoquines de la calle.

Joseph Taylor también estaba impresionado. Era su oficio, pero jamás había visto un artefacto tan pequeño causar tantos destrozos.

—¿Aún insistes en fabricar dieciséis? Nos ha costado casi una semana construir tan solo una. El tiempo se nos echará encima. Visto lo visto, con dos o tres de estas, revientas los dos carruajes con total seguridad —le dijo a Felice.

—No fabricaremos dieciséis porque, como tú dices, esta prueba nos ahorra el ensayo general, pero sí que necesitaré las ocho originales. Todas son necesarias para el plan. Pensad que pueden ocurrir muchas contingencias y debo tenerlas todas previstas y cubiertas.

—Tú mandas —dijo Thomas Allsop, que aún estaba impresionado.

—Entonces, volvamos cuanto antes a mi residencia. Hay mucho trabajo por hacer —intervino el conde Carlo Di Rudio.

En poco más de un mes, entre Orsini y Taylor fabricaron las ocho bombas. La primera les costó más porque tenían que evitar que entrara en contacto la pólvora con el fulminato de mercurio, ya que se podía producir una explosión espontánea. A partir de la segunda bomba, modificaron ligeramente el diseño del interior de la misma, alojando la pólvora en un cilindro separado. Ello les permitió acelerar su fabricación, a pesar de que Orsini se debía de ausentar dos o tres veces por semana. Todo Birmingham sabía que se encontraba en la ciudad y hubiera resultado extraño que no participara en actos sociales y conferencias, muy a su pesar.

—Bueno, ya hemos concluido la primera fase. Ahora empieza la parte complicada de verdad.

Mr. Taylor lo miraba con cara de pasmado, pensando en la complejidad que les había supuesto fabricar las bombas. Felice, ahora, se dirigió a Allsop.

Thomas, ¿cuándo se supone que debemos ejecutar el plan?

—El día señalado es el 14 de enero del año que viene.

—¿Por qué?

—Porque ese día se representará en el *Théâtre Impérial de l'Opéra* de París la obra «Guillermo Tell» de Rossini. Estamos convencidos de que Napoleón asistirá.

—¿Por qué lo tiene tan claro?

—Porque supone la despedida de los escenarios del gran tenor y barítono francés, Jean-Étienne-Auguste Massol. Será una función benéfica. Además, por si todo eso no fuera suficiente, interpretará el papel de María Estuardo nada más y nada menos que la italiana Adelaide Ristori.

—¿Y qué?

—Bueno —empezó Allsop, luciendo una pequeña sonrisa en su rostro—, todo París conoce las aventuras amorosas de Napoleón. Siente especial predilección por las cantantes de ópera. Elisabeth Félix, más conocida por «La gran Raquel», es una de sus amantes actuales, pero al depravado emperador le gusta coleccionarlas. Ahora mismo, *Madame* Ristori es la nueva estrella emergente de la ópera parisina y la gran rival en los escenarios de «La gran Raquel». Se rumorea que quiere añadirla a su amplia lista de conquistas. Es imposible que se resista a asistir, con todos estos ingredientes.

—¿Y si no lo hace?

—Juego con algo de ventaja —volvió a sonreír Allsop—. Le he explicado todo lo anterior para que comprenda el motivo por el que Napoleón ya ha confirmado su asistencia a tan magno evento, además, acompañado de su esposa, la emperatriz Eugenia de Montijo. Será un dos por uno.

Todos los presentes, incluido Felice, sonrieron abiertamente.

—Pues en ese caso, debemos apresurarnos —empezó a explicar Orsini—. Aunque parezca que falte mucho tiempo, tres meses no es demasiado. En primer lugar, os hablaré de nuestro desplazamiento hasta París. Por seguridad, no lo haremos todos juntos, ni siquiera por los mismos medios. Giuseppe —dijo, dirigiéndose a Pieri—, tengo entendido que tienes cuentas pendientes con la justicia italiana y francesa.

Debemos tomar especiales precauciones contigo. Mr. Allsop, que tiene buenos contactos con la policía, nos proveerá a todos de pasaportes británicos legales, pero tú necesitarás algo más. No sería prudente que te desplazaras directamente desde aquí a París. Hace un par de semanas me dijiste que habías dado clases de italiano a la hija del vicecónsul de Francia en Birmingham. Irás a su casa y le pedirás un visado. Le dirás que no piensas viajar directamente a su país, sino que te propones visitar Bruselas y Prusia, por motivos turísticos y para practicar sus idiomas. No creo que sospeche nada. Una vez en Bruselas, con un pasaporte legal británico y el visado francés, no deberías tener problemas para llegar a París. Llevarás contigo dos bombas. Si en la frontera te preguntan por la naturaleza de los artefactos, diles que son instrumentos para afinar pianos y que son muy delicados. Tenemos la ventaja de que no parecen verdaderas bombas. No creo que el guardia de fronteras tenga la más remota idea de pianos.

—De acuerdo —le contestó Pieri.

—En cuanto a ti, Carlo —dijo dirigiéndose al conde—, viajarás a París justo unos días antes de la fecha de ejecución del plan. No quiero correr riesgos contigo. También llevarás dos bombas. En cuanto a Taylor y a mí, partiremos de inmediato con dos bombas cada uno, por medios diferentes. Somos los que más entendemos el funcionamiento de los artefactos y quiero que estemos unos dos meses antes de la ejecución de la misión en París, supervisando el plan sobre el terreno y ponderando los lugares exactos.

—¿Y qué pasa conmigo? —preguntó Allsop, extrañado por no haber sido nombrado.

—Tu función concluirá con la consecución de los pasaportes. Los necesitamos cuanto antes. Piensa que, después de ejecutar el plan, las cosas se complicarán en París. Si, por cualquier motivo, alguno de nosotros es detenido, comprobarán nuestras identidades. Debes permanecer oculto durante esos días. Además, yo viajaré con tu pasaporte original. Físicamente nos parecemos mucho y así, mientras te crean en París, estarás seguro en Liverpool.

Thomas Allsop asintió con la cabeza. Quería estar presente en París, pero entendía la prudencia de Felice. Además, él estaba al mando de la misión, así que le obedeció sin rechistar. Al día siguiente, se marchó a Liverpool para conseguir los pasaportes para todos, a través de su contacto.

No tuvo ningún problema con ello, sin embargo, hubo una cuestión que le produjo un profundo desasosiego. Volvió intranquilo a Birmingham.

—Amigos, es posible que tengamos un problema —les dijo, nada más verlos—. No se trata de los pasaportes, pero quizá sea importante.

—Entonces ¿qué ocurre? —le preguntó Felice.

—En el momento en el que mi contacto en la policía de Liverpool me los estaba preparando, se ha recibido un cable urgente. Se trataba de un aviso emitido por los servicios secretos británicos a todos sus colegas europeos. Por lo visto, detectaron hace casi dos meses la compra de una cantidad inusual de pólvora, mercurio, ácido nítrico y etanol.

—¿Y qué tiene eso de extraño? —preguntó el conde Di Rudio—. Yo mismo compro pólvora con frecuencia y nadie me dice nada.

Ahora contestó Felice, que le había cambiado por completo el semblante.

—La pólvora, por si sola, quizá no hubiera llamado la atención, pero los otros tres elementos lo cambian todo. El fulminato de mercurio se prepara disolviendo mercurio en ácido nítrico y luego añadiéndole etanol. Una vez cristalizado, se produce una especie de sal. Es una sustancia muy inestable y con gran poder explosivo, como ya pudisteis comprobar el otro día en la cantera. Atando cabos, está claro que los servicios secretos piensan que se han fabricado bombas de gran potencia en suelo británico y están avisando a sus colegas. Esto nos obliga a cambiar una parte del plan.

Todos estaban mirando a Orsini, esperando sus conclusiones.

—Lo siento, Joseph —dijo, dirigiéndose al armero—. Deberás ocultarte, al igual que lo hará Allsop. Tomad precauciones y, durante la ejecución de la misión, no permanezcáis en vuestras casas, por si acaso.

—Si no viajo, te faltará un hombre, ¿no?

—Bueno, digamos que tenía todas las contingencias cubiertas. Por si ocurría algún imprevisto entre nosotros, contacté con Simon Bernard en Francia. Tiraremos del primer suplente de la lista, que ya está allí. Por eso no os preocupéis. Lo único es que deberemos tomar precauciones adicionales, cosa que tampoco nos vendrá mal. Yo trasportaré las cuatro bombas restantes hasta París.

Se formó un pequeño revuelo, ya que, si la policía de fronteras era advertida, podían ser descubiertos. Giuseppe Pieri los tranquilizó.

—Os aseguro que los servicios secretos franceses son muy flojos. Nada que ver con los británicos. Reciben multitud de avisos y no creo que le presten especial atención a este. Al fin y al cabo, no se trata de una advertencia de atentado inminente, sino simplemente de la compra de sustancias en suelo británico que, quizá, podrían emplearse para fabricar explosivos o para cualquier otra cosa. Tampoco es un aviso tan grave, desde su punto de vista. Dudo que le hagan caso.

Todos conocían que Pieri había tenido problemas en el pasado con la policía francesa y había conseguido fugarse del país con facilidad, por lo que le creyeron.

—Ahora, nos separaremos. Allsop volverá a Liverpool y Taylor a Londres. Pieri conseguirá los visados y se marchará a Bruselas y yo lo haré a París. El conde Di Rudio esperará en Birmingham hasta que falte una semana para la fecha señalada. ¿Todos lo habéis comprendido?

Asintieron con la cabeza.

La despedida fue emotiva, pero Felice no quería tristeza, todo lo contrario.

—Con este golpe, descabezaremos al Imperio francés y Europa se quedará sin el principal referente del despotismo. El terremoto se extenderá y alcanzará a nuestra amada Italia. Esa es la mecha que, de verdad, prenderá la revolución e iniciará la liberación de nuestro pueblo. No es un momento de tristeza, sino de alegría.

Después de abrazarse durante un buen rato, se separaron. En sus miradas había preocupación, pero también esperanza.

Felice Orsini, como estaba previsto, partió hacia Dover y de allí, con el vapor, cruzó a Calais. No tuvo ningún problema en la frontera. Se quedó a descansar una noche en la ciudad portuaria francesa y, al día siguiente, tomó el expreso de París. Llegó sin ningún sobresalto. En la estación le estaba esperando Simon Bernard. Felice fue al grano.

—¿Lo tienes todo dispuesto, según las instrucciones que te envié?

—Sin ningún problema —le respondió el francés.

Se trasladaron a la vivienda que Bernard había alquilado, sita en el número 10 de la *rue du Mont Thabor,* en el primer distrito, junto al Jardín de las Tullerías y a espaldas del *Hotel Le Meurice*. Se trataba de un apartamento en la planta baja arrendado a nombre de sir Thomas Allsop, un oficial de la Armada Británica. Para darle más verosimilitud a su personaje, Bernard le había adquirido un magnífico caballo blanco a Orsini. Iba a ser su medio de transporte por París, como lo hubiera hecho cualquier otro caballero británico. También precisaba de un sirviente. En este caso, ese papel lo iba a desempeñar Antonio Gómez, que era el sustituto del armero Joseph Taylor en el *complot*. Era una perfecta tapadera para ambos.

Faltaban justo tres semanas para la fecha señalada. Ese día, Napoleón III y su esposa, la emperatriz Eugenia de Montijo, tenían previsto acudir a la *Salle Le Peletier,* sede del *Théâtre Impérial de l'Opéra*, como les había informado Allsop.

Antonio Gómez, aunque ocupaba el puesto del armero en la misión, evidentemente, no tenía los conocimientos de Taylor como para reconocer el escenario y evaluar el impacto de las bombas, por lo que Orsini tuvo que hacer ese trabajo en solitario, paseando por la *rue Le Peletier* en innumerables ocasiones. El *Théâtre Impérial de l'Opéra* lucia espléndido.

Felice lo tenía todo calculado. Mentalmente, situó todas sus piezas en su imaginario tablero de ajedrez. Tan solo faltaba que llegara la fecha para iniciar la partida. Él jugaría con las blancas, ya que haría el primer movimiento. Estaba impaciente.

A falta de una semana, llegó el conde Carlo Di Rudio. Tampoco había tenido ningún problema para cruzar la frontera y alcanzar París. Se alojó en el apartamento de Orsini. Ocultaron sus dos bombas junto con las cuatro que ya tenía Felice, tras la falsa chimenea que había construido Simon Bernard antes de su llegada, siguiendo el plan ya establecido.

Emplearon los tres siguientes días reconociendo la *rue Le Peletier*. Repasaron todos los detalles de la calle, junto con Antonio Gómez.

Tan solo faltaba por llegar Giuseppe Pieri. Él tenía el viaje más complicado. En teoría, debía presentarse tres días antes de la fecha señalada, que era el jueves 14 de enero de 1858. Era lunes y aún no había aparecido.

—¿No le habrá ocurrido nada? —preguntó Di Rudio, preocupado.

—No lo creo. Está acostumbrado a moverse por Europa. Es un superviviente nato y su documentación es impecable. Pero, aunque no lo consiguiera, el plan seguiría adelante. Por eso insistí en traer ocho bombas. A todas luces es una cantidad exagerada, pero así me cubría de posibles imprevistos y...

Las palabras de Orsini fueron interrumpidas por unos golpes en la puerta. Era la señal convenida. Podían abrir sin peligro. Para su alegría, allí estaba Gómez acompañado de Pieri.

—Nos empezabas a preocupar —le dijo Felice, dándole un abrazo.

—¿Por mí? —preguntó Giuseppe, en un tono claramente burlón—. Y no será que no he tenido problemas en la frontera. Un guardia se empeñó en que abriera mi equipaje. Tu truco de instrumentos para afinar pianos funcionó. Ni siquiera se imaginó que eran lo que eran.

—Bueno, ahora que estamos los cinco, es el momento de que conozcáis el plan con detalle. Voy a disputar tres partidas simultáneas de ajedrez. Recordad, es fundamental la coordinación y los tiempos de la ejecución en cada una de ellas. Para tener éxito, todo tiene que suceder en su momento adecuado. El inicio de las partidas lo marcaré yo, con un grito de «¡Viva Napoleón!», mientras levanto mi sombrero de forma ostentosa. Pensad que habrá mucha gente y tenéis que estar atentos a mi señal. En ese momento, Simon, que no portará ninguna bomba, hará sonar ese silbato que, aunque es inaudible para las personas, molesta mucho a los caballos. Se producirá un pequeño instante de confusión en el primer carruaje, el del *Grand Chamberlain*. Recordad que ese no es nuestro objetivo, pero debe servir de tapón para el segundo, el que nos interesa. Cuando eso suceda, yo lanzaré la primera bomba entre los dos carruajes, para matar a los caballos y aislarlos entre ellos. Al segundo siguiente, Carlo, desde tu posición, deberías tener delante de ti el carruaje del emperador parado, que no habrá alcanzado la entrada del teatro. En consecuencia, todos estarán en su interior, esperando la reanudación de esos escasos metros. Lanzarás tu primera bomba. Se supone que producirá un gran daño. Debes permanecer en tu posición, pase lo que pase. A continuación, yo lanzaré mi segunda bomba contra el carruaje. Quiero que lo visualicéis, apenas han pasado diez segundos desde mi primera señal. En el carruaje del emperador siempre viajan tres personas. Por supuesto el emperador y la emperatriz, pero, entre ellos, lo hace su ayuda de cámara, un general. En ese momento, ya deberían estar los tres muertos, a pesar del blindaje que seguro que llevará el carruaje. El gran poder explosivo de las bombas traspasará sus chapas metálicas con total seguridad. ¿Alguna pregunta?

—Si ya se supone que están muertos, ¿por qué debo permanecer inmóvil en mi posición? —preguntó el conde Di Rudio—. Parecerá un tanto sospechoso que no haga nada mientras toda la gente esté huyendo despavorida...

—Menos de un minuto después de comenzar nuestro ataque, el *Grand Chamberlain* ya habrá descendido de su carruaje y se dirigirá a toda prisa hacia la puerta del segundo. La abrirá para intentar auxiliarles. ¿Qué pasa si, por lo que sea, están malheridos pero aún siguen con vida? En el momento exacto en que la puerta esté abierta y quede desprotegido el interior del carruaje imperial, deberás lanzar tu segunda bomba, así ya no habrá ninguna duda. Gómez estará junto a ti, por si se presenta algún imprevisto. Recuerda que llevará dos bombas más de repuesto. Es su único papel, servirte de ayuda. No puedes fallar.

Carlo hizo un gesto de asentimiento. Ahora lo comprendía.

—¿Y cuál es mi función en todo ese plan? —preguntó Pieri—. Ni siquiera me has nombrado, Se supone que todo habrá acabado y yo aún tendré dos bombas sin detonar.

—Tu parte puede ser muy importante. Anda, toma —dijo, mientras le entregaba un pequeño papel.

Giuseppe lo desplegó. En cuanto lo leyó, su rostro palideció por completo.

—¿En serio? —preguntó, con un hilo de voz.

—¿Acaso me ves cara de bromear?

41 NUEVA ORLEANS, AÑO 1858

Paul estaba agotado. Llegó a su casa pasadas las once de la noche. Se le habían quitado las ganas de cenar y hasta de dormir. No había nadie esperándolo despierto, por lo que supuso que su tío ya habría previsto su tardía hora de llegada y habría hablado con su madre Thelcide.

Intentó despejar su mente para poder dormir. Lo que había escuchado hacía un rato era una locura que jamás se iba a producir. Era imposible. Ese pensamiento le permitió liberar algo de tensión y acabó cediendo al cansancio.

Durmió hasta pasadas las nueve de la mañana. Le despertaron unas voces en su casa que no pertenecían ni a su madre ni a sus hermanas. Se extrañó. Era demasiado pronto para visitas.

De repente, cayó en la cuenta.

No eran visitas.

Se aseó y se vistió lo más rápido que pudo y bajo al comedor. Allí, alrededor de la mesa, estaban su tío paterno Ernest, su tío materno Charles y su abuelo materno Joseph, en animada conversación.

«Esto no es una conversación cualquiera», pensó de inmediato Paul. «Es toda una discusión a las nueve y cuarto de la mañana».

—Olvídate, Ernest. Sabes que no lo voy a consentir. No sé ni cómo te atreves a plantearlo —escuchó decir a su madre. Parecía muy enfadada.

—Creo que mi hermana tiene razón —intervino Charles Le Carpentier—. Siempre hemos apoyado a Paul y lo sabes, pero lo que nos pides no puede ser.

—¿Por qué? —insistió Ernest.

—En primer lugar, porque somos una familia respetada en la comunidad y, en segundo lugar, porque es algo fuera de lugar —ahora intervino Joseph Le Carpentier.

Parecía que ninguno de ellos había advertido la presencia de Paul. Se hizo notar.

—Buenos días a todos, por decir algo.

—Hola, Paul —dijo Thelcide levantándose para dar un beso a su hijo. Sus tíos y abuelo lo abrazaron.

—¿Desde cuándo llevas escuchándonos? —le preguntó Ernest.

—Ahora mismo acabo de bajar de mi habitación. Aunque no haya oído toda la conversación, ya me hago una idea.

—¿Y qué opinas? —siguió Ernest.

Pareció que Paul dudaba por un momento, ya que no contestó de inmediato, pero no eran dudas. Estaba buscando la manera de explicarse lo más racional posible.

—Cada uno tenéis vuestras razones y todas son válidas.

—Eso no contesta a mi pregunta.

—¿Quieres una respuesta? ¡Pues claro que me apetece aceptar el reto! ¿Qué otra respuesta esperabais? Pero mi madre, mi tío y mi abuelo también tienen razón.

—Explícate —Ernest seguía sin soltar su presa.

—Quiero jugar con Howard Staunton. Es el mejor ajedrecista inglés y es considerado por muchos como el campeón del mundo, aunque no exista semejante título. Pero también entiendo a mi madre, a Charles y a Joseph. Todos sabéis que juego por diversión. No aceptaré un reto si hay dinero de por medio.

—Pero ya has jugado por dinero en otras ocasiones. Hace poco llegaste de Nueva York y ganaste el primer premio, trescientos dólares...

—Que no acepté en metálico —le interrumpió Paul—. La Asociación Americana de Ajedrez lo conocía de antemano, por eso me obsequió con un trofeo de plata con una inscripción.

—Has retado a jugadores americanos a partidas por cien dólares —insistía Ernest— y no he visto que nadie de esta mesa se quejara.

—En primer lugar —le respondió su sobrino—, ni uno solo ha aceptado ni va a aceptar jugar contra mí por ese importe, por lo que la partida no se ha producido ni lo hará, todos lo sabéis. Y, en segundo lugar, en caso de haber ganado, no pensaba quedarme con el dinero, le hubiera hecho un obsequio equivalente a mi adversario.

—¡Pues haz lo mismo ahora!

—¡Por favor, Ernest! —Thelcide no se pudo aguantar más—. Es una suma de dinero absurda. ¿Qué regalo piensas que le podría hacer Paul a Howard Staunton por valor de cinco mil dólares? ¿Comprarle a ese inglés una casa en Nueva Orleans?

Ernest se quedó pensativo. Estaba claro que estaba perdiendo el debate, pero contaba con una baza importante de su lado. El deseo de su sobrino de jugar esa partida.

—Seamos racionales. En el ajedrez, en los grandes campeonatos y torneos, siempre hay dinero de por medio. Es el aliciente para que acudan los mejores jugadores. Ahora, estamos hablando quizá del mejor ajedrecista del mundo. ¿Cómo queréis que venga desde Londres a Nueva Orleans? El desafío lo organiza el propio club de la ciudad y ellos corren con todos los gastos del torneo, incluyendo los cinco mil dólares para el ganador. En caso de que pierda Staunton, para compensarle el viaje, se le entregarán otros mil dólares. Todo ese dinero no sale de la familia, sino de aportaciones particulares de los socios del club. Yo mismo he contribuido con trescientos dólares. Ni Paul ni vosotros tenéis que poner ni un centavo.

—Eso no cambia nada —insistió Thelcide.

—Creo que podemos alcanzar un punto intermedio —intervino Paul—. Si gana Staunton, yo no percibo nada, por lo que no hay ningún problema. Si, por el contrario, resulto ser el vencedor, no me quedaré ni un solo dólar y emplearé la totalidad del premio en arreglar el teatro de la ópera, que falta le hace. Así, yo obtengo mis partidas y la ciudad de Nueva Orleans un teatro nuevo y reluciente. Pase lo que pase, la cultura y el ajedrez ganan.

Los cuatro se quedaron mirando. Paul sabía que había tocado la fibra sensible de su madre.

—No sé a vosotros, pero a mí me parece una fantástica solución —insistió Ernest—. Pensad que será un acontecimiento de talla mundial y Nueva Orleans estará en el centro del planeta por unas semanas. Coparíamos los titulares de prensa. Imaginaos, «América contra Europa en Nueva Orleans». Además, si Paul ganara, la ciudad saldría doblemente beneficiada, todo ello sin arriesgar ni un solo dólar de vuestro bolsillo. No apostáis, lo hace el club.

Ernest y Paul vieron la duda reflejada en el rostro del resto de su familia.

—¡Decidido pues! —Ernest no se quiso esperar más—. El Club de Ajedrez de Nueva Orleans invitará formalmente a Howard Staunton al torneo. Antes de que nadie reaccionara, se levantó de su silla y se marchó.

—Aun así, sigue sin gustarme —dijo Thelcide, una vez Ernest abandonara la estancia.

—Paul, has demostrado una vez más que eres muy listo, dentro y fuera del tablero —le dijo su abuelo Joseph—, pero, recuerda, un caballero jamás debe apostar a ningún juego, aunque sea por causas altruistas como la tuya.

Paul estaba contento. En ningún caso se esperaba que su familia aceptara el reto, como tampoco se imaginaba lo que vendría a continuación.

Staunton respondió a la invitación, tanto a través de su columna en el periódico *Illustrated London News* como a través de una misiva remitida al club. De forma sorprendente, declinaba el ofrecimiento. Afirmaba que llevaba alejado del ajedrez unos años y que sus obligaciones profesionales no le permitían viajar a Nueva Orleans para disputar ese torneo. Afirmaba que, en este momento, se encontraba estudiando al escritor William Shakespeare y estaba trabajando en un libro acerca de su obra.

Paul se tomó muy mal la negativa de Staunton y contratacó. Le mandó a su amigo Fiske, coeditor de la revista más prestigiosa de América, *Chess Monthly*, sus partidas a ciegas y las dos cartas, tanto la de su club de ajedrez invitando a Staunton como su negativa a jugar contra él. Pronto las noticias corrieron como la pólvora por todo el mundo.

Los ingleses se vieron heridos en su orgullo y reaccionaron. Invitaron a Morphy a participar en el torneo que se estaba organizando en Birmingham en el mes de junio. En él estarían presentes tanto Staunton como los mejores ajedrecistas europeos, como Lowenthal, Saint-Amant, Falkbeer y una larga lista de campeones de sus respectivos países.

Paul decidió tomar la iniciativa de forma particular. Le envió una carta privada a Howard Staunton, afirmando que aceptaría participar en ese torneo, siempre y cuando jugara contra él de forma pública. Esperaba una negativa de Staunton, ya que parecía que no deseaba enfrentarse a él, pero, para su sorpresa, no fue así. Staunton aceptaba con dos condiciones. La primera, que el enfrentamiento se celebrara en Londres y, la segunda, que le permitiera dos meses para recuperar su antigua fortaleza en el ajedrez. Afirmaba que llevaba unos años alejado de él.

Ahora, Paul se enfrentaba a un gran dilema. Ambas condiciones le parecían aceptables... a él. Como pensaba que Staunton se iba a negar a jugar, ni siquiera se había planteado el problema que se le avecinaba con su familia. Si ya eran reticentes a permitirle jugar en su ciudad, no se imaginaba lo qué le dirían si les sugería un viaje a Londres, además en vísperas de alcanzar su mayoría de edad legal, que le permitiría empezar a ejercer como abogado.

Como era de esperar, se encontró con la rotunda oposición de su madre, Thelcide. Sin embargo, para su sorpresa, parecía que su tío Charles y su abuelo Joseph ya no eran tan reacios. El supuesto duelo «Morphy-Staunton» había copado las principales cabeceras de los periódicos americanos y europeos durante un mes. Antes era Paul el que retaba a Staunton, pero ahora era justo al revés. Si no aceptaba, sería Morphy el que quedaría mal, ya no solo a nivel personal, sino como campeón de América. Representaba a todo un país.

—¡Está enfermo! —gritaba Thelcide—. ¿No habéis pensado cómo le puede afectar desplazarse a Europa?

—No está enfermo, simplemente es débil de constitución, desde su mismo nacimiento. Hemos pensado en todo. Durante su estancia en Londres le acompañará, como ayuda de cámara y secretario personal, Frederick Edge, un hombre culto y de total confianza. Nos hemos permitido hablar con él y, si lo consideramos, aceptaría el empleo. Vigilaría a Paul y nos mantendría informados todas las semanas. Al primer contratiempo que surja, tendría instrucciones de mandarlo de vuelta a Nueva Orleans —dijo Joseph Le Carpentier.

Thelcide se quedó mirando a los tres, a Ernest, a Charles y a Joseph.

—O sea, que ya lo habéis decidido sin contar conmigo, con su madre.

—Escucha, querida hija —continuó Joseph—. Ya sabes que te apoyamos en la anterior ocasión, pero, ahora, las cosas han cambiado. Paul ya no es solo Paul. Ahora es el orgullo de América.

—¿Crees que me importa algo ese argumento? ¡También es mi orgullo!

—Además —intervino Ernest—, creo que no has caído en un importante detalle.

—¿Cuál?

—Este mismo mes, Paul alcanzará su mayoría de edad legal. Podrá hacer lo que quiera sin nuestro permiso ni control, incluso irse a Londres, si así lo desea. ¿No crees que es mejor llegar a un acuerdo con él? Si acepta a Frederick Edge como su «vigilante», siempre estaremos informados de todo lo que le ocurre. Si enferma, se compromete a volver. Es mucho más de lo que lograríamos enfrentándonos a Paul, que ya ha decidido aceptar su asistencia al torneo de Birmingham.

—¿También habéis hablado con él antes de hacerlo conmigo? —Thelcide estaba más que indignada.

—No te ofendas, hija —ahora era el turno de un paternal Joseph, mientras la abrazaba—. Necesitábamos saber si aceptaba las condiciones de Staunton y las nuestras. Nada más. Sabes que nos preocupamos por él tanto como tú.

—Entonces, ¿de qué sirve mi opinión? No la necesitáis, ya habéis decidido por mí —respondió, mientras se separaba de su padre y abandonaba la estancia.

Tanto Ernest como Charles y Joseph marcharon a hablar con Paul, que permanecía en su habitación. Tenía vía libre para viajar a Londres, con las condiciones pactadas. Paul no mostró especiales signos de alegría. Hubiera preferido escoger personalmente a su acompañante y no que le impusieran a un británico. También pactaron que Charles Le Carpentier sería su tutor desde Nueva Orleans, dado que su madre, Thelcide, se había desentendido del viaje, muy enfadada.

—¿Por qué no puede viajar conmigo Charles Maurian en lugar de ese estirado caballero inglés? Es americano, ajedrecista y amigo. Todo lo que necesito.

—Te equivocas —intervino Joseph—. En realidad, es todo lo contrario a lo que requieres. En cuanto al ajedrez, no creo que tu amigo Charles te fuera de gran ayuda. Aunque ha mejorado mucho su juego, lo vences dormido. Por otra parte, no olvides que vas a viajar a un continente que no conoces, con costumbres muy diferentes a las nuestras. No necesitas a un amigo americano que te cubra tus excesos, lo que precisas es un secretario local que te atienda, te cuide y...

—...os mantenga informados —lo interrumpió Paul.

—Eso también. No seas tan egoísta y piensa un poco en tu madre. Como comprenderás, no está de acuerdo con este viaje, pero, por lo menos, sabrá de ti cada semana. Eso la reconfortará un tanto.

Paul se quedó absorto en sus pensamientos. En realidad, tenían razón. Ya había conseguido algo que no esperaba, poder viajar. Decidió que no era el momento de discutir por los detalles menores. Además, tenía otros planes que no había contado a nadie.

—Está bien —respondió, dando por zanjada la discusión—. Decidido.

Paul recibió la invitación formal de la *British Chess Association*, junto con los detalles y la fecha del comienzo del campeonato, que sería el 22 de junio de 1858, justo el día de su veintiún cumpleaños. De inmediato, contestó a la misiva confirmando su presencia.

Todos los medios ingleses se hicieron eco de la presencia de Morphy en Birmingham. Aunque lo reconocían como a un buen ajedrecista, no pensaban que tuviera el nivel de los europeos. A pesar de ello, las expectativas de ver al joven americano enfrentándose a los mejores jugadores del mundo levantó un gran interés, y no solo en la comunidad ajedrecística.

Ernest Falkbeer, editor del *Sunday Times* londinense escribió una serie de elogiosas columnas acerca de Paul Morphy, afirmando que su presencia en Birmingham atraía todas las miradas y recordando que, con trece años, ya fue capaz de vencer a Lowenthal. «Desde Philidor y La Bourdonnais, no recordamos a otro ajedrecista que haya impresionado de esta manera, a su edad, a toda la comunidad internacional».

Paul planificó el viaje con meticulosidad, con la ayuda de su nuevo secretario, Frederick Edge, desde Londres. Deseaba llegar justo para el comienzo del campeonato, así que organizó su partida en barco para llegar al puerto de Liverpool el día 20 de junio, justo dos días antes del inicio.

Pero ocurrió una cosa que nadie se podía esperar.

Justo un día después de la partida de Paul, el Club de Ajedrez de Nueva Orleans recibió un telegrama de la Asociación Británica de Ajedrez, comunicándoles que el Torneo de Birmingham se había aplazado.

Ya no se jugaría en junio, se había pospuesto hasta el mes de agosto.

Mientras tanto, Paul iba camino de Liverpool sin conocer la noticia. Toda su familia se mostró consternada, pero ya nada podían hacer. El barco no iba a regresar al puerto por esa cuestión.

Si Paul hubiera conocido la noticia del aplazamiento del campeonato, no se hubiera marchado en junio. Al menos, eso era lo que ellos creían.

En realidad, a Paul nunca le había interesado ni un ápice ese torneo.

Jamás había sido el verdadero motivo del viaje. No se lo había dicho a nadie.

42 PARÍS, JUEVES 14 DE ENERO DE 1858

—¡Patria o muerte!

—¡Patria muerte! —Di Rudio, Pieri, Gómez y Bernard repitieron el grito de Orsini.

Hoy era el día señalado. Felice iba a jugar unas partidas simultáneas contra Napoleón y no necesitaba vencer más que en uno de los tableros. Todos sabían lo que tenían que hacer y cuándo. Tan importante era una cosa como la otra. El éxito radicaba en la rapidez del desarrollo, la coordinación y la contundencia. No debían permitir que su adversario reaccionara defensivamente. Lo habían ensayado infinidad de veces, sobre la propia *rue Le Peletier* y sobre el papel. El plan parecía sólido. Orsini había previsto todas las contingencias que se había imaginado. Poseían ocho bombas, cuando con cuatro ya debía ser más que suficiente. Disponían de un «Plan A», un «Plan B» y hasta un «Plan C», aunque este último no fuera conocido por todos. Pero, a pesar de lo anterior, los preparativos y la gran organización no eran lo más importante. Todos estaban dispuestos a entregar su vida. Esa era una gran ventaja estratégica.

—Aunque podáis estar algo nerviosos, vamos a matar a ese pavo real —les arengó Felice—. Quizá no os lo parezca, pero ya hemos hecho lo más difícil. Estamos los cinco en París, tenemos las ocho bombas, un gran plan y nadie sospecha nada. Llegar hasta aquí ha sido lo más complicado. Ahora solo nos queda demostrar nuestro arrojo y creo que eso ya lo hemos hecho en numerosas ocasiones. Nadie nos tiene que dar lecciones de valentía.

La adrenalina corría por sus venas. Todos estaban ansiosos de que llegara la hora. No había ni un solo atisbo de temor en ninguno de los presentes. Sentían que iban a hacer historia.

—No os voy a engañar —prosiguió Felice—. Todos conocéis el plan y sabéis que está diseñado para triunfar, incluso en el supuesto de que alguno de nosotros no salga con vida. No sois idiotas y sabéis que es una posibilidad real, pero eso nos debe hacer más fuertes. Llevamos años luchando por la liberación de Italia y todos hemos visto la muerte de cerca. No nos asusta, todo lo contrario. Yo estaría dispuesto a cambiar mi vida por la de Napoleón ahora mismo.

—¡Y yo! —no pudo evitar gritar Di Rudio.

—¡Viva la república del pueblo italiano! —exclamó Orsini.

Todos profirieron gritos parecidos y contra Napoleón. Estaban enardecidos.

Felice siempre hacía lo mismo, en todas sus misiones. Primero arengaba a sus soldados y luego volvían a repasar el plan de ataque, una y otra vez. Aunque le parecía muy elaborado y cubría todas las posibilidades, era consciente de que la perfección no existía. La experiencia le había enseñado que siempre sucedían imprevistos. Los había vivido en sus propias carnes en infinidad de ocasiones, pero ahora había una gran diferencia. Este no era un plan más.

Era el Plan, con mayúsculas.

Esta vez tenían que triunfar, porque no habría otros.

También era consciente de que su papel en el *complot* le dejaba sin apenas cobertura. Bernard no portaba ninguna bomba, era francés y estaría fuera de la zona peligrosa. Tendría fácil escapar después del atentado. A Pieri le había encomendado el «Plan C», ya que, aunque hacía años que no pisaba suelo francés, tenía cuentas con su justicia y no quería arriesgarse. Ello hacía poco probable que llegara a entrar en acción. Su prudencia le había dictado que no participara en el ataque principal. Por otra parte, Carlo Di Rudio iba a disponer de la ayuda sobre el terreno de Antonio Gómez. Pero Felice iba a estar solo, en el centro de la escena.

No le importaba, de hecho, casi lo prefería. Se dio cuenta de que se había quedado en silencio y que todos lo estaban observando, esperando que continuara.

—Ya conocéis de sobra el plan de ataque. Ahora nos vamos a centrar en nuestra llegada a la *rue Le Peletier* y, sobre todo, en su salida de ella, después de ejecutada la acción. Aunque todos estemos dispuestos a morir, nadie tiene por qué hacerlo, si todo sale como está previsto y no fallamos. Empecemos por el principio. Tomad —dijo, abriendo un arcón.

—¿Qué es eso? —preguntó Pieri.

—Sombreros, chaquetas de cuello alto y algún cachivache más, como gafas y eso. Tampoco se lo vamos a poner fácil a la policía, ¿no? Tenemos la suerte que ha salido un día muy frío en París, así que nadie se extrañará si vamos abrigados, incluso con bufandas. No olvidemos que tanto Carlo como Giuseppe o yo mismo hemos participado en insurrecciones por diferentes lugares de Europa. Aunque es improbable, ya que ha pasado bastante tiempo, nuestros rostros podrían ser reconocidos por algún miembro veterano de la policía secreta francesa. No olvidemos el aviso que nos dio Thomas Allsop, cuando nos entregó los pasaportes. Seguro que el dispositivo de vigilancia es considerable. Tenemos un gran plan, pero tampoco minusvaloremos a nuestros enemigos.

—Sí, claro —reconoció Pieri.

—Por otra parte, está el trasporte de las bombas. No las podemos llevar en las manos al descubierto, como si nada. Son objetos muy extraños que llamarían la atención de la gente. Tampoco podemos olvidar que son artefactos muy peligrosos. Un golpe fuerte contra ellas las podría hacer detonar. Pensad que vamos a estar rodeados de una gran multitud y que sufriremos, sin duda, codazos y empujones para colocarnos en nuestra posición. Eso también descarta llevarlas en los bolsillos de las chaquetas.

—Si no las podemos llevar en los bolsillos y tampoco entre las manos, ¿cómo piensas hacerlo? —el conde Di Rudio estaba intrigado.

—Mirad todo lo que contiene el arcón.

Todos se asomaron.

—¿Nos lo puedes explicar? —preguntó Pieri—. No veo nada que pueda servir de trasporte, la verdad...

—Pues los tienes delante de ti —le respondió, con una pequeña sonrisa—. Pensad un poco. Excepto Simon Bernard, cada uno de nosotros llevará dos bombas. No pueden viajar en el mismo lugar, ya que el fulminato de mercurio de las protuberancias es muy inestable. No me fío de que el roce entre ellas pudiera hacerlas detonar. Recordad cómo las hemos entrado en Francia, bien envueltas y separadas entre sí lo máximo posible, pero claro, íbamos con equipaje. Aquí no podremos hacerlo así.

—Cada vez que te explicas te entiendo menos —apuntó Di Rudio.

—Fijaos en la forma de los sombreros.

—No pretenderás que... —empezó a decir Pieri.

—Sí. Son a medida. Los encargó Simon. Yo mismo los recogí la semana pasada y los probé. Me paseé montado en mi caballo con uno de esos puestos en mi cabeza y una bomba oculta debajo, cubierta con un pañuelo de mano, además por la propia *rue Le Peletier*. El interior del sombrero es muy mullido y aguantó perfectamente el cabalgar de un caballo. Es la prueba de que es seguro. En cuanto a la segunda bomba, no nos quedará más remedio que utilizar una bufanda o *foulard* y llevarlas en una de nuestras manos, con mucho cuidado. La bufanda, como el sombrero, amortiguará los posibles empujones de la multitud. Antes de que me lo preguntéis también lo he probado. Me di una vuelta andando por el Jardín de las Tullerías el domingo pasado. Había bastante gente. Nadie le prestó la menor atención a la bomba envuelta en un *foulard*. No es lo suficientemente grande para ello.

—Parece que lo tienes todo pensado y probado —le comentó Pieri.

—Sí, pero hay un inconveniente.

—¿Cuál? —se interesó Di Rudio.

—Cuál, no. Quién. Y soy yo.

Todos se quedaron mirando a Orsini, sin comprenderlo. Continuó con su explicación.

—Supongo que recordaréis el plan. Se iniciará con la detención de la comitiva por parte de Bernard, pero yo daré el aviso del inicio de las explosiones, con mi grito de «¡Viva Napoleón!». Con el gentío que se espera, igual no me escucháis, por eso debo levantar mi mano y agitar el sombrero. Si lo hago, se me vería la bomba. En consecuencia, en mi caso, no puedo trasportarla debajo del sombrero.

—Seguro que ya has pensado algo —indicó Pieri.

—No me queda otra opción que llevar las dos bombas en mis manos. No es lo ideal, pero no quedan opciones. Por otra parte, pensad que, nada más dé la señal, yo seré el primero que lanzaré una bomba entre los dos carruajes, para asegurar que el importante, que es el segundo, el imperial, quede inmóvil delante de vuestra posición —les dijo a Di Rudio y Gómez—. Por ello, nada más iniciar la acción, tan solo tendré una bomba en la mano, como vosotros.

Todos asintieron con la cabeza. Felice continuó.

—En cuanto a nuestra salida de esta casa, primero lo harán Di Rudio y Gómez juntos, ya que vuestra posición es la más alejada. A continuación, partiré yo solo y, en intervalos de cinco minutos, lo harán Pieri y Bernard.

—Todo claro —dijo Di Rudio.

—Ahora vamos a hablar de nuestra fuga. En primer lugar, si el plan funciona como está previsto, abandonad con tranquilidad el lugar. En un primer momento, con la gran confusión que vamos a crear, todo el mundo, incluyendo la propia policía, pensarán que se trata de una explosión de gas. Son frecuentes en París, pero el engaño durará como mucho unos tres o cuatro minutos, tiempo suficiente para dejar la *rue Le Peletier*. Una vez estemos todos fuera del escenario de la acción, Pieri y Gómez aún deberían portar sus dos bombas. Es muy importante que no las conservéis con vosotros. Pueden surgir contingencias y no nos pueden atrapar en posesión de ninguno de estos artefactos. Gómez y yo volveremos a esta misma casa y Pieri y Di Rudio lo haréis a la otra vivienda que he alquilado, bajo un nombre ficticio. También es una planta baja, en este caso en la *rue Saint-Honoré*, que se encuentra de camino a nuestro objetivo y a apenas doscientos metros de aquí. ¿Os acordáis que ayer, en nuestro último ensayo sobre la *rue de Peletier*, a la vuelta os dije que os fijarais en un edificio feo y bastante sucio?

—Me extrañó que nos lo comentaras, pero me acuerdo perfectamente —dijo Pieri.

—Pues ese será vuestro refugio, es mucho más grande que este apartamento —dijo, mientras le entregaba una llave—. Debemos permanecer sin comunicarnos ni salir de nuestras casas hasta que pasen unos días. Las dos viviendas disponen de pertrechos suficientes para aguantar más de una semana, si fuera necesario. Pensad que estaremos a mil quinientos metros del *Théâtre Impérial de l'Opéra*. Con seguridad, la policía registrará las viviendas cercanas, pero no lo puede hacer con todas las de la ciudad. ¿Hasta ahora lo tenéis claro?

—Sí —respondieron los cuatro.

—Bueno, pues ahora olvidad todo lo que habéis escuchado.

—¿Qué? —se sorprendieron todos—. Creo que coincidiréis conmigo en que casi ningún plan sale como está previsto inicialmente. Por vuestra propia experiencia lo sabéis. Vamos a estudiar las posibles contingencias. La primera os atañe a vosotros dos —dijo Felice, dirigiéndose a Di Rudio y Gómez—. Sois pareja de baile y vuestra función en el plan es intercambiable. Si, por lo que fuera, Carlo no puede arrojar sus dos bombas, lo debes hacer tú, Antonio. Tenéis que permanecer juntos en todo momento. Tan importante es lanzar las bombas como hacerlo en el instante preciso. Recordad que lleváis cuatro. Vuestra acción es la más decisiva.

—De acuerdo —le contestaron.

—Por otra parte, si cualquiera de nosotros fuera apresado por la policía, debe ganar el mayor tiempo posible para que los demás puedan ponerse a salvo. Si os interrogan, dad nombres falsos y direcciones inventadas. Llevadlo preparado de antemano y que suene creíble. Por ejemplo, mi pasaporte me identifica como el caballero inglés, sir Thomas Allsop. Gómez es mi sirviente. Di Rudio y Pieri, por vuestra procedencia, podríais pasar por turistas. Sobre todo, aferraos a las identidades de vuestro pasaporte. Se formará un gran tumulto después de la acción. Debéis camuflaros con la muchedumbre y actuar como cualquiera. En definitiva, hay que evitar a toda costa llamar la atención.

—¿Y cuál es la función de Pieri en todo este plan? —preguntó Di Rudio. No se pudo aguantar, era algo que no comprendía.

—Hemos de pensar que pueden fallar cosas que ni siquiera hayamos previsto. Pieri se encargará de esa eventualidad. No os puedo contar más, por seguridad. No os pueden arrancar aquello que desconocéis.

A Carlo no le gustaba no conocer la totalidad del plan, pero confiaba en Orsini. Le daba la impresión que tenía controlado hasta lo incontrolado.

—Ahora, os quiero concentrados —continuó Felice—. Lo que vamos a hacer sacudirá toda Europa. Pensad en ello y no vaciléis ni un instante. Ya conocéis que me gusta jugar al ajedrez. Cuando lo hago, lo fundamental para mi es el desarrollo de las piezas, con lo que ganas el factor sorpresa, la coordinación en el ataque y la rapidez en su ejecución. No hay que darle tiempo a nuestro adversario para que prepare su defensa. Hay que pillarlo desprevenido. Pues esa es toda la esencia de este plan. ¿Os queda alguna duda?

—No —respondieron los cuatro.

—Vamos a hacer historia, compañeros. ¡Viva la república del pueblo italiano! —volvió a gritar Orsini—. ¡Viva la libertad!

Todos respondieron enardecidos, con proclamas similares.

—Una última cuestión —dijo, mientras tomaba un paquete y lo abría—. Como veréis, hay diez pistolas. Tomad una cada uno. El resto lo guardaremos en la *rue Saint-Honoré*. Nunca se sabe qué puede suceder. Si las cosas se tuercen y sois apresados, recordad que es fundamental ganar tiempo para que los demás estén a salvo. Haced uso de ella tan solo en caso de extrema necesidad. No se trata de disparar a Napoleón, para eso ya tenemos las bombas. Es una medida de autoprotección.

Los cuatro asintieron y se guardaron una de aquellas en un bolsillo de su chaqueta. Orsini hizo lo propio.

—Pues ahora, ¡adelante camaradas! —les respondió Felice—. Ya sabéis que estamos a media hora andando de la *rue Le Peletier*, teniendo en cuenta el gentío. Vamos a prepararnos con los sombreros, las chaquetas y las bufandas.

Felice abrió la falsa chimenea.

—Menos Simon, que cada uno de vosotros se acomode un par de bombas. Recordad envolverlas bien, la de la cabeza con un pañuelo de bolsillo debajo del sombrero y la de la mano con una bufanda o un *foulard* más ligero, lo que os parezca mejor. Ante todo, naturalidad y tranquilidad. Nadie sospecha de nosotros. Si lo hubiera hecho, la policía jamás hubiera permitido que estuviéramos todos juntos, aquí y ahora, con ocho bombas capaces de matar a su emperador.

Cuando concluyeron, Felice dio su primera instrucción del plan. Faltaba una hora y cuarto para la llegada del emperador a la ópera, que estaba prevista a las ocho y media.

—Carlo y Antonio, ha llegado vuestra hora de partir.

Los cinco se abrazaron y se dieron ánimos. Se despidieron de los dos. En esta clase de planes, nunca sabías si volverías a ver a tus compañeros.

A continuación, por el orden establecido y a los intervalos previstos, se marcharon los otros tres.

La misión de su vida había comenzado.

Felice partió a continuación. Como había hecho en incontables ocasiones, se dirigió hacia la *rue Le Peletier*, pero no por el camino más directo. A medida que se iba aproximando, la cantidad de gente se incrementaba de forma exponencial. Sin duda, iba a ser un acontecimiento de masas. Por un momento, pensó que había subestimado el número de personas que iban a presenciar el paso del carruaje imperial, pero ahora ya no había vuelta atrás. Lo único que podía suponer es que el lanzamiento de las bombas no fuera todo lo preciso que debiera, pero se tranquilizó pensando que disponían de ocho bombas. «Si con cuatro ya basta, con ocho no podemos fallar».

En efecto, al pasar por enfrente del *Théâtre Impérial de l'Opéra*, la muchedumbre tan solo le permitió situarse en quinta o sexta fila. No necesitaba estar en la primera, pero tampoco tan lejos. Como pudo, se abrió paso con ese porte de caballero británico que tanto había ensayado, ayudado por su elevada talla y elegancia en el vestir. Nadie pareció advertir lo que portaba en sus manos, ya que no miraban hacia abajo. Alcanzó la tercera fila cuando aún faltaba un cuarto de hora para la llegada de Napoleón. «Perfecto, ya estoy en posición», se dijo, satisfecho, aunque pensó que los demás también se iban a encontrar con su mismo problema. «Deberé exagerar aún más el grito y los gestos que marcarán el inicio del ataque, para asegurarme de que me vean».

Carlo Di Rudio y Antonio Gómez, como había predicho Orsini, se encontraron con el mismo problema. Debían acercarse algo más, para tener garantías de poder arrojar las bombas con precisión. No les resultó nada sencillo, ya que eran dos personas y debían permanecer juntas. Después de algún que otro forcejeo, consiguieron situarse en la tercera fila, como lo había hecho Orsini. Era suficiente. Carlo era de elevada estatura y tenía una clara visión de la calle, no así su compañero Antonio, que era menudo. En cualquier caso, eso les daba igual. El que iba a arrojar las bombas era Di Rudio, no Gómez.

Simon, en cambio, tuvo menos problemas. Él no portaba ninguna bomba, tan solo el silbato para los caballos. Para eso no necesitaba estar en las primeras filas.

Tampoco tuvo excesivos problemas Pieri. Su papel en el plan era quedarse en la retaguardia y esperar acontecimientos. Ni siquiera hizo ademán de situarse para ver el paso de los carruajes. Permaneció apoyado en una de las paredes de la *Salle Le Peletier*, intentando pasar desapercibido.

—¿Giovanni? —escuchó Pieri a sus espaldas.

De inmediato, se puso en guardia. Pocas personas lo llamaban por su nombre de pila verdadero, exceptuando sus familiares y...

—¿Giovanni Pieri? ¿Eres tú?

Se giró.

—Lo siento, caballero. Me parece que me ha confundido con otra persona.

—No, no lo creo. Nos conocimos hace seis años y nunca olvido un rostro —dijo, mientras lucía una sonrisa en su cara.

Pieri estaba haciendo esfuerzos por recordarlo, pero no sabía quién era. Vivió algunos años en París y, por su oficio de profesor de idiomas, conoció a mucha gente. Pero había una cuestión que le alarmaba. Todos sus antiguos alumnos lo conocían por Giuseppe Pieri, no Giovanni.

—Ya veo que no se acuerda de mí. Vamos, le invito a un trago y hablamos.

Pieri no debía de abandonar su posición, pero, por otra parte, hubiera llamado la atención no aceptando la propuesta de aquel caballero. Tenía que decidirse en apenas dos o tres segundos.

Miró de nuevo a su interlocutor.

Horror.

De inmediato, se abalanzó sobre Pieri, arrojándolo al suelo.

—Por su expresión, veo que ya me ha reconocido. Sí, soy su viejo amigo, el inspector Hebert. Ya sabe que tiene cuentas pendientes con nosotros.

Hebert era miembro de la *Direction Générale de la Sûreté Publique*, conocida coloquialmente por la *Sûreté*. Era la policía secreta y política francesa. Había estado al frente de su persecución, en 1853. Pieri logró burlarle y fugarse del país.

—Sí, ya sé lo que está pensando. Olvídelo. Ahora no se me va a escapar como hace cinco años —dijo, mientras se disponía a esposarle las manos. Entonces, advirtió el objeto que portaba envuelto en una bufanda.

—¿Qué llevas ahí? —le preguntó de inmediato.

—Por favor —le rogó Pieri, que, ahora, temía por su vida—. Tenga mucho cuidado con él. Es muy frágil y peligroso.

Hebert lo destapó. No dedujo lo que era, pero decidió hacer caso a Pieri. Se lo llevó hasta el edificio de la Prefectura de París, que se encontraba justo a espaldas de la ópera. Apenas había trescientos metros de distancia. Allí estarían más seguros y cómodos para poder interrogarlo. En cinco minutos ya se encontraban en su interior. Le quitó las esposas y se sentó enfrente de él, con una mesa de por medio.

—¿Por qué ha vuelto a París, sabiendo que era buscado? Creíamos que se encontraba en Birmingham. Tendrá algún motivo de importancia.

—Claro, el económico. Hace años que abandoné mi pasado. Ahora soy un ciudadano legal. Me gano la vida como profesor de idiomas. Además, desde hace un año, afino pianos. Ese objeto que ha depositado encima de la mesa sirve para ello.

—¿Y un instrumento para afinar pianos es tan peligroso?

Era evidente que Pieri, fiel a las instrucciones de Orsini, intentaba ganar todo el tiempo posible para que sus camaradas completaran la misión.

—Es muy delicado. El más mínimo golpe que pudiera recibir lo arruinaría. Piense que es una herramienta de precisión y muy cara.

—¿Le importaría quitarse el sombrero? Estamos en el interior, aquí ya no lo necesita.

Pieri sabía que su coartada se iba a venir abajo, pero tampoco podía ignorar las instrucciones del inspector.

En ese justo momento, se sintió una explosión atronadora. El propio edificio de la comisaria se tambaleó. A continuación, apenas unos segundos después, se escucharon otras, en rápida sucesión. Incluso una viga del techo de la Prefectura se desprendió. De milagro no atrapó a nadie. Todos se miraban entre sí, con el nerviosismo reflejado en sus rostros. Durante un instante, reinó la confusión general. A continuación, todos los policías salieron a la calle. Nadie sabía qué había sucedido.

Bueno, nadie no.

Pieri lucía una extraña sonrisa en su rostro. Ahora ya no le importaba nada.

Sus camaradas lo habían conseguido.

43 REINO UNIDO, JUNIO DE 1858

—¡Por fin! —no pudo evitar gritar Paul, cuando el barco amarró en el puerto de Liverpool y pudo descender por su pasarela.

—Por fin, ¿qué?

—Me imagino que usted debe ser mi secretario, Frederick Edge.

—Así es, señor Morphy. He dispuesto que le ayuden con su equipaje, no se preocupe por él. Permítame decirle que no tiene muy buen aspecto.

—Por eso afirmaba que por fin se había acabado la tortura. Los barcos y yo no nos llevamos demasiado bien. Doce días de travesía trasatlántica han sido demasiados.

—No se preocupe por eso. A Birmingham llegaremos en tren, que debemos tomar de inmediato. Lo tengo todo dispuesto. Me he permitido reservar un compartimento para nosotros dos solos, para su mayor comodidad.

—Excelente.

Estaba claro que Edge desconocía la noticia del aplazamiento del Torneo de Birmingham, así que ambos hicieron acto de presencia en la estación de esa ciudad, tal y como tenían previsto. Alderman Thomas Avery, presidente del *Birmingham Chess Club*, sabedor del desconocimiento del aplazamiento del torneo por parte de Morphy, acudió a la *Curzon Street Station* para recibirlo y comunicarle la noticia.

Avery no reconoció a Paul cuando descendió del tren. Por todo lo que había leído acerca de él, se esperaba un hombre fornido y de aspecto temible. Sin embargo, allí tenía enfrente a un joven imberbe, que no aparentaba más de dieciocho años, con un sombrero de paja que le daba un aspecto más juvenil, si eso era posible.

—¿Paul Morphy? —preguntó, todavía impresionado.

—Nadie más que nosotros dos ha bajado del tren, así que no parece una deducción muy complicada —le respondió.

Avery, de inmediato, se dio cuenta de que su aspecto físico no tenía nada que ver con su agilidad mental. Después de las presentaciones, le dio la noticia del aplazamiento del torneo. Esperaba una reacción de enfado por parte de Paul, pero se encontró con un gesto de indiferencia que le sorprendió. Le comunicó que lo estaban esperando en el club de ajedrez para recibirlo con honores. Paul no se encontraba con fuerzas, pero aceptó, con el compromiso de que no se alargara más de treinta minutos, ya que se encontraba extenuado del viaje. Y así fue. Avery y Morphy se hicieron una fotografía que, aún hoy en día, cuelga de una de las paredes del Club de Ajedrez de Birmingham.

Una vez concluida la breve ceremonia, Edge y Morphy se alojaron en la pensión más cercana al club, esperando al día siguiente para tomar otro tren con dirección a Londres. Morphy pasó una muy mala noche. Todo el cansancio del viaje le estaba pasando factura. Tanto es así que Edge tuvo que tomar en brazos a Paul y meterlo en la bañera para que reaccionara, ya que perdían su tren a Londres.

A su llegada a la capital, Edge ya se había encargado de reservar dos habitaciones en el *Lowe's Hotel*, propiedad de Edward Lowe, un buen ajedrecista local. Nada más conocer la presencia de Morphy en sus instalaciones, fue a recibirlo con honores.

—Me parece que la mejor manera de darle la bienvenida es invitarlo a jugar unas partidas. Tendré el honor de ser el primer ajedrecista en retarlo en suelo inglés.

—Le ruego disculpe al señor Morphy, está agotado y...

—No importa, Mr. Edge —lo interrumpió Paul—. Quizá me ayude a despejarme. Llevo más de dos semanas sin jugar. Eso sí, un máximo de seis partidas antes de la hora de la cena. Luego, como bien dice Frederick, debo descansar.

Edward Lowe miró su reloj. Apenas quedaban tres horas. «¿Quiere jugar seis partidas en ese tiempo?», pensó asombrado. Dicho y hecho. Paul ganó las seis con una rapidez que rayó en la insolencia.

—Veo que hace honor a su fama, hasta enfermo.

—No crea. No se lo tome a mal, pero he jugado mal. Este no es mi verdadero nivel. Debía haberlas terminado antes, al menos cuatro de ellas. Ha sido un placer —se despidió Paul en dirección al comedor, dejando a un asombrado Lowe, que le faltó tiempo para acudir al *Grand Cigar Divan*, conocido como *Simpson's on the Strand*. Era el restaurante más lujoso de Londres y también donde se daban cita los mejores ajedrecistas locales.

Paul Morphy había llegado a la ciudad.

Al día siguiente, Lowe lo invitó al *Grand Cigar Divan* a comer, donde todo el mundo quería saludarlo y hacerse fotografías con él. Después, se marcharon hacia el *St. George's Chess Club*.

—Mr. Staunton, supongo —dijo Paul, nada más entrar y reconocer a su anhelado adversario.

—Y usted debe ser Paul Morphy —le respondió, mientras se daban la mano.

—Lo que queda de él. Aún no me he recuperado del viaje y no me encuentro demasiado bien. Ahora es su oportunidad. ¿Le apetece una partida rápida?

Staunton no pudo evitar reírse.

—Ya veo lo que desea enfrentarse a mí, pero lamento declinar su ofrecimiento. No sería justo. No se preocupe, tendremos muchas oportunidades de hacerlo, cuando esté algo más recuperado. Y hablando de recuperación, aquí en la *city* no creo que lo vaya a hacer. No deshaga su equipaje y trasládese a mi residencia de Streatham, alejada del bullicio. Sería un honor que fuera mi invitado.

—Se lo agradezco de verdad.

Así, Paul Morphy se trasladó, junto con su secretario, a la residencia de Howard Staunton. Le recordó un poco a su infancia, en Nueva Orleans, no por la arquitectura, que no tenía nada que ver, sino por el bullicio que se respiraba en la casa. Ajedrecistas de todo el país solían visitar a Staunton, bien para hablar, bien para jugar. Y no solo eso, también organizaba veladas literarias para comentar textos de Shakespeare, su otra gran afición.

«Caramba con mi amigo Howard», pensó Paul. «Eso de que estaba retirado del ajedrez fue un mero pretexto para no aceptar el desafío del club de Nueva Orleans. Quizá no juegue a diario ni sea su principal actividad, pero desde luego no ha dejado de hacerlo». Precisamente cuando estaba sumido en esos pensamientos, se tropezó, de frente, con Staunton.

—Hasta parece que en su propia casa me rehúya —le dijo Paul—. Le recuerdo que la proposición que le hizo mi club sigue en pie. Podemos jugar las partidas donde usted desee.

—Claro —le respondió Staunton—, pero debo ponerle dos condiciones.

—Eso ya lo hizo y las acepté.

—Pues entonces, supongo que también las hará con las nuevas. La primera, no quiero jugar por una cantidad tan importante de dinero. Cinco mil dólares es mucho, aunque usted lo tenga. Me encontraría más cómodo con una cifra de quinientas libras cada uno. Además, creo que el dinero no es el propósito del juego. La segunda ya la conoce, necesito al menos un mes para ponerme en forma. Ya no juego de forma regular, tengo otras ocupaciones.

—Por el tema económico no vamos a discutir. Yo juego por placer, aunque entiendo que, si hay dinero en juego, la expectación es mayor. Por cierto, ayer no pude evitar ver a Thomas Barnes y al reverendo John Owen. Tengo entendido que son dos formidables ajedrecistas. Si desea practicar, ¿por qué no lo hacemos? Aún no estoy recuperado por completo, pero creo que, aun así, sería un buen rival para ustedes.

Howard Staunton volvió a sonreír. Las ganas de Morphy de enfrentarse a él eran incluso hilarantes.

—¿Sabe que le digo? Que no me parece mala idea, pero no quiero jugar contra usted. Si se conoce que ya hemos jugado, eso devaluaría nuestro enfrentamiento estelar, pero podemos hacer otra cosa. Mañana vendrán Barnes y Owen de nuevo. ¿Qué le parecería jugar una partida por parejas? Usted con Barnes contra Owen y yo.

—¡Por supuesto que quiero! —exclamó Paul. Era mucho más de lo que pensaba sacarle a Staunton.

—Mañana a las once —dijo, mientras se retiraba al interior de su residencia.

«No jugaré una partida contra Staunton a solas, pero, al menos, algo es algo», pensó un emocionado Paul.

A las once menos cinco estaba en la sala de juegos de la residencia. Al instante, entraron Staunton, Barnes y Owen. Después de presentar a Morphy y decidir tutearse, comenzaron la primera partida.

Aquello era otra cosa.

Ya iban por el movimiento cincuenta, con una posición equilibrada. Barnes consultó con Morphy la siguiente jugada, que era la que le parecía más sólida, tanto que Barnes se lanzó a avanzar el peón de rey. Morphy le tomó la mano y lo detuvo. Barnes se le quedó mirando, incrédulo. Sin hablar, tan solo con el movimiento de su mano en el aire, Paul ejecutó una serie de cinco movimientos. Barnes lo miraba con cara de deslumbrado.

—Mate en cinco —anunció.

Staunton y Owen se quedaron mirando el tablero. No lo veían por ningún sitio. Ahora, Barnes había comprendido la secuencia.

—Es con el caballo. Luego debéis tomarlo y nosotros avanzamos el peón de reina, que libera la diagonal. Con la torre y el alfil...

—No hace falta que sigas, ya lo he visto —lo interrumpió Staunton—. Brillante, aunque os ha costado demasiado vencernos. No es habitual en ti, Morphy.

—No, no lo es. Reconozco que no estoy jugando bien. No sé qué me pasa, supongo que los efectos del viaje todavía no me han abandonado. ¿Otra?

—¡Venga! —le respondió Staunton, que, a pesar de haber perdido la partida, no veía a Morphy en forma.

La segunda fue todavía peor que la primera. Cuando llevaban cincuenta y cinco movimientos, Staunton y Owen propusieron tablas. Barnes las aceptó, no así Morphy.

—Entiendo que hoy ya se ha hecho demasiado tarde para continuar esta partida, pero, aunque mi compañero acepte las tablas, yo no lo hago. Ya la reanudaremos en cualquier otra ocasión.

—Lo que tú quieras —contestaron a la vez Staunton y Barnes—, pero es una posición muy clara de tablas.

Se despidieron.

Thomas Barnes acudía todos los días a Streatham. Invariablemente, nada más llegar, se encerraba con Howard Staunton. Paul suponía que jugaban unas cuantas partidas a puerta cerrada. Cuando terminaban ya era la hora de la comida. Después, Barnes se enfrentaba a Morphy, pero con la puerta abierta. Staunton los observaba.

Paul sabía que era el jugador más formidable al que se había enfrentado en su vida, si no teníamos en cuenta sus partidas con Lowenthal, pero entonces tenía trece años. El juego de Barnes era muy sólido, tanto en defensa como en ataque. No era nada sencillo encontrar debilidades. Sorprendentemente para todos, después de jugar diez partidas, el marcador iba cinco a cinco. Paul no había conseguido doblegar a su rival.

También pactó jugar una serie de tres partidas con el reverendo Owen. La primera ya la habían disputado y el reverendo se acabó imponiendo en un final muy ajustado.

Estaba confirmado que Morphy no estaba a su altura habitual de juego.

—¿Se encuentra bien?

—¿Por qué me lo preguntas, Mr. Edge?

—Ya sabe que, entre mis cometidos, está velar por su salud e informar a su familia en Nueva Orleans. Ese es el pacto que se alcanzó y que debo cumplir.

—¿Qué quieres decir con eso?

—Que no lo veo bien. No mejora. Ya han pasado bastante tiempo desde que llegamos y sigue igual de pálido.

—Siempre he sido pálido, desde que nací. No es un síntoma de nada, sino una característica de mi rostro.

—Me refiero a su juego, no a su cara. No consideramos apropiado informarle antes del viaje, pero yo también soy ajedrecista *amateur*. Observo sus partidas y en ellas baso mi diagnóstico. No está bien, no juega como usted sabe. Ya debería haber recuperado su salud. Es preocupante. Además, sus malos resultados ya son de público conocimiento. En el *St. George Chess Club* y en el *Divan* ya comentan que no está a la altura de lo que esperaban de usted. Barnes y Owen son dos buenos jugadores, de lo mejor de Londres, pero ahí afuera hay otros más potentes que ellos. Comparan su nivel con el de Barnes y le hacen un flaco favor. No me parece que esta estrategia le esté ayudando en nada.

Para sorpresa de Frederick Edge, Paul Morphy sonrió.

—Ya sabía que usted jugaba al ajedrez. No es el único que sabe observar. Me doy cuenta como analiza mis partidas. No soy idiota. En cuanto a mi salud, es cierto que me está costando recuperarme más de lo que yo mismo creía, pero cada día estoy mejor y lo noto. En cuanto a lo que digan de mí en el club o en ese restaurante, me da igual. De hecho, en una hora tengo acordadas el inicio de una serie de diez partidas con Samuel Boden, en el *Divan*. Me han dicho que es el mejor jugador de club de Londres. Ha ganado el torneo provincial de la ciudad y, el año pasado, el prestigioso Torneo de Manchester.

—¿Cree que es lo más apropiado? Si no puede ni con Barnes ni con Owen...

—¿Quién le ha dicho eso? —lo interrumpió, con otra sonrisa en sus labios—. Tan solo me estoy entrenando y, por cierto, también divirtiéndome, por qué no decirlo.

—Con todos los respetos, me parece un simple pretexto. Jamás ha perdido tantas partidas en tan poco tiempo, además con rivales no tan potentes como se le supone a usted. Eso no es divertido.

—Deje de suponer tanto. ¿Acaso me ve cara de preocupación?

—De preocupación no, pero tampoco...

¿Desea acompañarme al *Grand Cigar Divan*? —lo volvió a interrumpir.

—Por supuesto, señor Morphy.

Salieron de Streatham y se dirigieron al restaurante. Nada más llegar, se encontraron con Samuel Boden, que los condujo a una sala privada. No quería que sus partidas fueran públicas. A Paul le daba igual, así que aceptó.

La primera fue muy competida. Paul sobreestimó su ataque, sacrificando un caballo para no conseguir la ventaja posicional que quería. Después de más de sesenta movimientos, acordaron tablas, que es lo que perseguía Paul desde hacía treinta agónicas jugadas.

—¿Se da cuenta? —insistió Mr. Edge—. Esta partida la ha merecido perder.

—Pero he disfrutado mucho y no lo he hecho. Observe la siguiente.

Paul la ganó en apenas veinticuatro movimientos.

Después de tres días, Morphy no cedió ni una sola partida más contra Boden. En total, ganó seis, tres tablas y una derrota, la primera que jugaron.

Al día siguiente, Paul y Edge se acercaron al *St. George Chess Club*. Dio la casualidad de que ahí se encontraban el reverendo Owen, Thomas Barnes y el propio Howard Staunton. De inmediato, Morphy se dirigió hacia ellos. Después de los saludos de rigor, fue directamente al grano.

—¿Os acordáis de aquella partida que no terminamos en Streatham? ¿La que los tres creíais que eran unas tablas claras? ¿La reanudamos?

—¿Es necesario? —le respondió Staunton, con un tono de claro disgusto—. La hemos analizado en el club y no ha habido ni un solo ajedrecista que viera una línea ganadora, incluido Boden. Son unas tablas claras.

—Todos no —le respondió Paul, mientras tomaba un tablero y reproducía la posición en la que la dejaron.

Thomas Barnes decidió no jugar y tan solo observar, así que Morphy se enfrentaba a Staunton y Owen conjuntamente. Todos los jugadores presentes en el club se arremolinaron frente al tablero. En diez movimientos, Paul había vencido la partida, para sorpresa general. La ovación fue espontánea, ya que nadie había sido capaz de ver con los ojos de Morphy.

Al día siguiente, Samuel Boden publicó una columna en el *London Field* dedicada a Paul:

«Hagamos justicia al señor Morphy; está fuera de toda duda, es uno de los mejores jugadores de la actualidad; y podemos cuestionarnos con justicia si se reunirá con alguno superior. Posee una frialdad singular junto con un gran poder de concentración. Piensa pero juega con una gran profundidad de percepción unido a una rapidez y una facultad en las combinaciones que no hemos visto superadas. Su memoria es notablemente tenaz, y, la verdad, infalible, y la fuerza con la que persigue una ventaja una vez obtenida han despertado la admiración de los mejores jugadores de Londres. Su estilo de juego es ofensivo y brillante, en ocasiones bastante arriesgado, pero posee una firmeza que, si consideramos su juventud, es maravillosa. Felicitamos de todo corazón a nuestros hermanos de ajedrez en Estados Unidos por la habilidad y la caballerosidad de su joven campeón. Posee una capacidad gigantesca para el ajedrez que nunca ha sido verdaderamente demostrada, porque, jugando a medio gas, es capaz de imponerse a sus rivales».

Fue el primer reconocimiento público de semejante envergadura durante su estancia en Londres, además viniendo de un jugador muy respetado.

Morphy seguía esperando una respuesta por parte de Howard Staunton acerca de su enfrentamiento particular. El mes que le había pedido para recuperar su nivel ya había trascurrido, pero Paul sabía que se estaba preparando a conciencia. Solía frecuentar todos los clubes de ajedrez de la ciudad para jugar contra quien se lo propusiera, y había visto a Staunton en alguno de ellos, también jugando, por ello no lo quería agobiar. Veía que se esforzaba, pero el tiempo pasaba y la fecha exacta no llegaba.

—Creo que lo deberías dejar para después del Torneo de Birmingham. Te servirá de entrenamiento y ahí podremos calibrar la fuerza real de Morphy.

—A pesar de que está mejorando a medida que se recupera del viaje, su nivel no es el mismo que exhibió el año pasado en Nueva York. No juega con la misma confianza y eso, en un ajedrecista intuitivo, lo hace extremadamente vulnerable. Por eso está perdiendo tantas partidas.

Paul estaba escuchando, atónito, esta conversación. Por casualidad, camino de la cocina, había pasado por delante de la sala de juegos de Streatham. La puerta estaba cerrada, pero se les podía oír perfectamente. Las voces eran las de Thomas Barnes y la del reverendo Owen, los dos mejores amigos de Staunton.

—¿Creéis que será conveniente? ¿No decís que está mejorando?

Esa voz era la del propio Staunton.

—No juega como en América. Si no lo ha hecho ya, es que no lo va a volver a hacer. La comida y el clima de Nueva Orleans no tienen nada que ver con el de Londres. Está claro que el hecho de estar fuera de su ambiente le influye de forma muy negativa. Sus inconsistencias en el juego ya no las podemos achacar al cansancio del viaje. ¿Sabes lo que pienso? Que nunca volverá a jugar como antes. Sin embargo, tú sí que estás mejorando visiblemente y ya casi estás a tu mejor nivel —dijo el reverendo.

Staunton se fiaba mucho de su opinión. Era una persona muy juiciosa.

—Pues que así sea. Mañana se lo diré.

Paul se retiró lo más rápido que pudo hacia la cocina. Se tomó el vaso de leche que perseguía, subió las escaleras y llamó a la habitación de Frederick Edge, que se sorprendió al verlo.

—¿Se encuentra bien? —fue lo primero que preguntó.

—Tengo una buena noticia y otra mala. ¿Por cuál quieres que empiece?

—Señor, estos juegos de niños no me gustan. ¿Qué ocurre?

—Bueno, pues elegiré yo. La mala noticia es que no jugaré contra Staunton hasta después del Torneo de Birmingham.

—¡Pero eso no puede ser! El campeonato es en agosto. Eso supone que su encuentro con Staunton será en septiembre, como pronto. Su familia no lo aprobará. Debo informarles.

—Por mí como si les manda un telegrama ahora mismo. No sé si se ha dado cuenta de que ya he alcanzado la mayoría de edad. Soy libre de hacer lo que quiera, no me pueden obligar a volver, aunque estoy seguro de que lo intentarán.

Frederick Edge estaba claramente alterado. Se había levantado de su cama y andaba en círculos por la habitación.

—¿Y la buena? —preguntó, al fin.

—Que, si no me equivoco y no creo que lo haga, mañana volveremos al *Lowe's Hotel* de Londres y abandonaremos Streatham.

—¿Esa es la buena noticia?

—No, la buena es que mi plan marcha como esperaba.

Ahora, se habían cambiado los papeles. El rostro de Edge estaba tan pálido como la leche que se acababa de beber Paul y el de este estaba sonriente y sonrosado.

—¿Qué plan?

—No se creería que había venido a Europa para jugar ese Torneo de Birmingham, ¿verdad?

—¿Acaso no era así?

—¡Pues claro que no, tonto! ¿Por qué todos me minusvaloran?

44 PARÍS, JUEVES 14 DE ENERO DE 1858

Jamás se había sentido así.

Estaba nervioso. No es que fuera la primera vez que sentía nerviosismo, pero nunca de esa manera. Apenas debían de faltar unos pocos minutos para que el primer carruaje, el del *Grand Chamberlain*, hiciera su aparición por la *rue Le Peletier.*

Orsini buscó con la mirada a sus cuatro compañeros. No los vio. Pensó que era normal, la multitud era mucho más numerosa de lo esperado. Eso era bueno para ellos, ya que pasarían más desapercibidos.

De repente, pudo escuchar unos aplausos hacia el inicio de la calle. Desde su posición no podía observar nada todavía, pero estaba claro que era cuestión de segundos que viera aparecer a los lanceros a caballo, la guardia personal del emperador.

Efectivamente, allí estaban.

Detrás de los lanceros pudo ver el primer carruaje. Iba a poca velocidad. A Napoleón le encantaba darse baños de masas, no perdía ocasión. Lo suponía disfrutando de tal demostración de cariño popular. «Disfruta, cerdo, que te queda poco», pensó, dándose ánimos, aunque no los necesitara.

Estaba llegando el momento de la verdad. Felice se preparó para comenzar el espectáculo. Tenía previsto esconder una de las dos bombas que llevaba en las manos en un bolsillo de su chaqueta, para ser capaz de levantar el sombrero y vitorear a Napoleón, pero el escándalo de los aplausos era superior a lo previsto. Temió que no se escuchara su grito, así que decidió, sobre la marcha, esconder las dos bombas, así tendría libres sus dos brazos para poder gesticular y levantarlos de forma ostentosa. Si no era escuchado, como todos sus camaradas sabían dónde se encontraba y estarían atentos a su señal, al menos, esperaba que lo vieran.

Cuando llegó a su altura el primer carruaje, sabía que había llegado el momento.

—¡Viva Napoleón! ¡Vivan el emperador y la emperatriz! —gritó con todas sus fuerzas, mientras levantaba y movía sus brazos en todas las direcciones.

De repente, los caballos parecieron ponerse nerviosos y se detuvieron. Orsini tuvo claro que Simon Bernard había utilizado su silbato. El carruaje Imperial, que iba justo detrás, se vio obligado a detenerse también. Aún no había llegado a la marquesina de entrada de la ópera, que era el lugar previsto para que descendiera Napoleón y su esposa, Eugenia de Montijo.

Aunque ese no fuera el lugar previsto para ellos, sí lo era para Felice y los suyos.

Era su turno.

Metió una de sus manos en el bolsillo de su chaqueta y sacó una de las bombas. Nadie parecía advertir sus movimientos. Con discreción y aprovechándose de su altura, la arrojó justo entre los dos carruajes.

El estruendo fue terrible e impresionante, incluso Felice se asustó. Fue bastante más potente que la prueba que habían realizado en la cantera de Sheffield. Supuso que, al estar rodeados de edificios de seis o siete plantas, se había magnificado su efecto.

El resultado de la explosión hirió a varios caballos y dejó a la comitiva detenida. «Ahora es el turno de Carlo», se dijo.

Efectivamente, casi no había terminado su pensamiento cuando escuchó otro gran estallido. Esta vez el público pareció reaccionar. La primera detonación podía haberse debido a una explosión de gas, pero la siguiente los despertó de su aparente letargo. Además, esta segunda bomba había caído más cerca de la gente y no había sido amortiguada por los cuerpos de los caballos, como la primera. Como resultado, todos los cristales de la calle se hicieron añicos y cayeron sobre el público.

En consecuencia, todos empezaron a correr despavoridos en todas direcciones, y eso los que podían, porque también observó decenas de personas en el suelo. Algunos parecían muertos, pero otros pedían auxilio. Delante de él yacían una madre y una niña pequeña, con la cara destrozada. Felice permaneció inmóvil en su posición. Posiblemente las dos le habían cubierto de los daños de la explosión, ya que no parecía sufrir ninguna herida.

Ahora, despejado de gente, disponía de una mejor visual sobre el carruaje Imperial. Para su sorpresa, pudo observar que la bomba de Di Rudio no había impactado debajo mismo del carruaje, sino en su frontal. No se lo pensó dos veces, sacó de su bolsillo su segunda bomba y la arrojó con todas las fuerzas que pudo.

Esta vez sí.

Su bomba estalló justo al lado de la puerta del carruaje de Napoleón, produciéndole abundantes daños y destrozando una parte importante de él. Entre la bomba de Carlo y la suya habían logrado que los trozos de metal de las bombas penetrasen en su interior, a pesar del blindaje del carruaje. Desde su posición, podía observar más de treinta impactos directos. «Y seguro que serán más», pensó.

De repente, todo se quedó en completa oscuridad y pudo escuchar una explosión, esta vez de menor entidad. Supuso que el sistema de gas, que alimentaba las farolas, había colapsado.

El pánico y el descontrol se habían apoderado de todos los presentes. La tercera explosión había sido la más potente, levantando multitud de adoquines que volaban en todas direcciones e hiriendo a mucha gente.

La escena era dantesca.

En ese preciso momento, Felice se dio cuenta de que sangraba de forma abundante por la cabeza. Se palpó una herida en su frente. Tenía fragmentos de lo que parecía un adoquín. Estaba claro que, desprotegido del público que lo arropaba, su bomba lo había alcanzado a él también.

Fue consciente de que no podía permanecer inmóvil en esa posición. Llamaba demasiado la atención. Además, veía a los guardias y galenos apresurarse a atender a la multitud de heridos que había causado la explosión entre el público. No podía permitir que lo auxiliaran. Eso era lo último que deseaba.

Cuando se disponía a marcharse, vio como el *Grand Chamberlain*, como había previsto en su plan, acudía a toda prisa al carruaje Imperial, para intentar abrir una puerta completamente agujerada por los impactos de los fragmentos de metal de las bombas. Aguardó un instante más. Dentro del carruaje no se observaba ningún movimiento, tan solo salía humo de su interior. Sus tres ocupantes ni siquiera habían intentado abrir la puerta para salir de aquel infierno.

Eso era muy buena señal.

El *Gran Chamberlain*, ayudado por algunos guardias heridos, por fin consiguió abrir la puerta del carruaje. La última imagen que pudo observar Orsini fue el cuerpo inmóvil de la emperatriz Eugenia de Montijo, con toda la cabeza cubierta de sangre.

Se apresuró a marcharse en dirección a su piso de la *rue du Mont Thabor*, como estaba previsto en el plan de escape.

Ahora era el momento que Carlo debía arrojar su segunda bomba, para asegurarse de matar a todos, aunque le daba la impresión, por lo que había visto, que, probablemente, ni siquiera hiciera falta.

Felice se confundió entre la multitud que huía despavorida. Se limpió como pudo la sangre de su cabeza con uno de sus pañuelos, en vano. La herida parecía más seria de lo que se había imaginado en un principio. Una vez recorrió unos quinientos metros, se sintió mareado. Se sentó en uno de los bancos de la calle e intento evaluar sus daños. Con la mano, observó que tenía dos heridas diferentes en la cabeza, una en la frente y otra en un costado. La primera no parecía revestir gravedad, pero la segunda lo asustó. Era profunda y sangraba sin parar. Tomó su segundo pañuelo y, como pudo, la taponó.

No era la primera vez que lo herían, así que se obligó a levantarse y proseguir hasta su refugio seguro.

Nada más lo hizo, se tambaleó. Estaba claro que había perdido bastante sangre y la debilidad se había apoderado de él.

De repente, Felice notó como lo cogían de un brazo con fuerza. Como un acto reflejo, con el otro se metió la mano en uno de sus bolsillos, con la intención de sacar su revólver y defenderse. No pensaba dejarse atrapar vivo. «No más cárceles», se dijo. Para su frustración, también se lo impidieron.

—¡Quieto! —pudo escuchar—. ¡No intente nada!

Aunque hubiera querido, no hubiese podido. Ni siquiera era capaz de mantenerse en pie, pero sacó fuerzas de flaqueza y le pegó un empujón a su captor.

Lo único que consiguió es que los dos cayeran al suelo.

—¿Quiere dejar de hacer tonterías de una vez? ¿No ve que no puede ni ponerse en pie?

Ahora, Felice levantó la mirada.

Para su absoluta sorpresa, su supuesto captor no era tal, sino Antonio Gómez. Sintió un profundo alivio, al mismo tiempo que también experimentó una sensación cercana a la pérdida de conocimiento.

—No se duerma —le dijo su compañero—. Yo lo llevaré hasta el piso de la *rue du Mont Thabor*. No debe esforzarse. Necesita urgente atención médica.

—¿Qué ha pasado? ¿Dónde está Carlo?

—La primera bomba que lanzó usted, dejó malheridos a los caballos del primer carruaje, pero espantó a los del segundo, que arremetieron contra el gentío, justo delante de nosotros. Ambos caímos al suelo. Desde esa posición, el conde Di Rudio se vio obligado a lanzar su primera bomba, por eso no impactó donde pretendíamos, debajo del carruaje, sino al principio de él. Vimos cómo se rompían todos sus cristales. Causó bastante daño, pero no el suficiente.

—Sí, eso lo puede ver, pero mi segunda bomba cayó junto a la puerta.

—Sí, me di cuenta. En ese momento, vi cómo el conde Di Rudio se ponía en pie. Fue arrastrado por la multitud enloquecida y lo perdí de vista.

—¿Y tus bombas? Ya sabías que tu labor era sustituir a Carlo. Si el no pudo lanzar su segunda bomba, ¿por qué no lo hiciste tú?

—Ya le he dicho que estaba en el suelo y rodeado de gente herida o muerta. La bomba que portaba en mi mano la perdí en la caída y el sombrero se me desprendió. Intenté alcanzarlo, pero ya era tarde. De todas maneras, pude ver el interior del carruaje. Es imposible que hubiera alguien vivo ahí adentro.

—Sí —reconoció Felice—. Yo tan solo pude observar a la emperatriz ensangrentada, pero nadie se movía. Por cierto, ¿sabes algo de Pieri? Bernard debía abandonar el escenario nada más utilizara su silbato, pero Giuseppe tenía que mantener su posición. No lo he visto.

—Ahora no es momento de preocuparse por eso. Vamos a centrarnos en ser capaces de llegar a la casa, que nos queda un kilómetro andando. Lo de la frente apenas es un rasguño, pero la otra herida de la cabeza hay que limpiarla, y suturarla cuanto antes. No tiene buena pinta, ni usted tampoco.

Después de más de una hora, por fin llegaron a la *rue du Mont Thabor*. Orsini estuvo varias veces a punto de perder el conocimiento, pero aguantó.

Entraron con temor en la casa, sin embargo, estaba tal y como la habían dejado. La policía no los había descubierto.

—Espero que Giuseppe y Carlo se encuentren a salvo en la casa de la *rue Saint-Honoré,* como estaba previsto.

—No se preocupe por eso ahora —intentó tranquilizarlo Carlo—. El caos que hemos organizado ha sacudido toda la ciudad. Acabamos de matar a Napoleón. Si nosotros hemos cumplido nuestra parte del plan, seguro que ellos también lo habrán hecho. Sabe que, por seguridad, no debemos comunicarnos con ellos.

Felice asintió con la cabeza. Gómez tenía razón, pero tenía un mal pálpito.

Mientras hablaba, Antonio buscó el botiquín que había traído con él. No era médico, pero, en ocasiones, había ejercido de enfermero.

—Como tú decías, ahora reina el caos. ¿No crees que deberías acercarte a la otra casa y echar un vistazo? ¿Y si les ha ocurrido algo? No estoy tranquilo.

—Señor Orsini, usted mismo dijo que debíamos aislarnos por unos días. Tiene la mente confusa a consecuencia del golpe en la cabeza. Si no lo curo, es posible que no pueda saborear su gran victoria —le respondió muy serio, mientras le quitaba el vendaje provisional que le había aplicado hacía una hora. Limpió la herida con agua—. Ahora, tome un buen trago de este *cognac*. Le hará falta.

—Créeme, he pasado por cosas bastante peores. Te acepto el trago como celebración, no porque me haga ninguna falta.

—El motivo me da igual, pero bébaselo —le respondió, mientras le cortaba el pelo alrededor de la herida. A continuación, con una aguja que había desinfectado al fuego, le cosió la tremenda brecha. Felice ni se quejó.

Cuando terminó, Gómez se quedó mirando a su compañero.

—Ya sé que está preocupado por el equipo y algo confuso. Bernard estará en su casa con su esposa. Pieri es un superviviente nato que ha librado mil batallas. No lo doblegaría ni toda la policía del mundo. En cuanto a Di Rudio, es un militar curtido en batalla. Incluso poniéndonos en el supuesto de que hayan sido capturados y estén siendo interrogados por miembros de la prefectura, tampoco los someterán. Saben lo que tienen que hacer, usted ya previó esa posibilidad. Se habrán deshecho de las bombas que les sobraban. Inicialmente no tienen motivos para desconfiar de ellos, además, ya no estaban en la *rue Le Peletier* cuando la policía se ha acercado al lugar de las explosiones. Probablemente vieron lo mismo que nosotros y dieron la misión por cumplida, escapándose del lugar de los hechos.

—Quizá tengas razón y esté preocupado por nada. Lo importante es que el plan ha salido bien, aunque haya sido casi por casualidad —reconoció Orsini, mientras cerraba los ojos.

—No ha sido por eso. Todo estaba previsto —intentó tranquilizarlo Gómez, que, ahora, se estaba curando sus propias heridas. Aunque menos importantes, tampoco había salido ileso.

—El tirano de Europa está muerto. Me quedo con ese pensamiento y la seguridad de que los cinco camaradas estamos a salvo —dijo Felice, mientras se dormía.

A veces, las cosas no son como parecen.

45 LONDRES, JULIO DE 1858

—Lo único que quiero es una fecha en concreto. Ya he aceptado varias veces tus condiciones y me he comportado como un caballero. Si deseas que nuestro enfrentamiento tenga lugar después del Torneo de Birmingham, pues también lo acepto, pero fija una fecha en septiembre para el inicio de las partidas.

—Siento no poder satisfacerte, Paul, tan solo te puedo decir que será en septiembre. No sé cómo terminaré físicamente el Torneo de Birmingham, así que supongo que dejaré pasar dos semanas desde su conclusión, para poder descansar. Eso también te vendrá bien a ti. Por otra parte, los términos del *match* ya están concertados. Veintiuna partidas con una apuesta de quinientas libras cada uno, no los cinco mil dólares iniciales.

—Entonces, ¿te comprometes formalmente a iniciar nuestras partidas justo dos semanas después?

—Dos o tres, o quizá una. Ya te he dicho que depende de mi estado y también del tuyo.

—Por mí las jugaríamos ya, pero no te veo muy entusiasmado por hacerlo. De todas maneras, una vez más, aceptaré la fecha que fijes, siempre dentro del mes de septiembre. No se puede dilatar más. En ese momento habré jugado con todos los ajedrecistas de renombre menos contigo. No tiene ningún sentido.

—Así el encuentro será más esperado y levantará más expectación.

Paul se quedó mirando a los ojos a Howard Staunton. No sabía si hablaba en serio o lo estaba rehuyendo, como así parecía, ya que intentaba dar por concluida la conversación.

—Una última cosa —le dijo Paul—. Esta misma mañana nos trasladaremos de nuevo al *Lowe's Hotel*. Agradezco mucho tu hospitalidad en Streatham, pero no quiero abusar. Llevo aquí casi tres semanas y ya estoy recuperado.

—No es ninguna molestia, ya sabes que...

—Está decidido y nuestro equipaje preparado. Muchas gracias, Howard. Nos seguiremos viendo en el *Divan* y en los clubes de Londres. Te has portado muy bien conmigo y ahora tan solo falta que lo culmines cumpliendo con tu palabra.

Se dieron la mano de forma educada y se despidieron.

Paul subió a sus aposentos, donde se encontraba Frederick Edge, preparado para el traslado.

—Me da la sensación de que Staunton rehúye enfrentarse contra mí.

—No lo creo, señor Morphy. Haría el más espantoso de los ridículos si se negara.

—No sé qué clase de ridículo teme más, si declinar mi ofrecimiento o caer derrotado frente a un joven imberbe americano.

—No piense más en esa cuestión. Staunton acabará aceptando. El problema sabe que no es ese, sino los tiempos.

—¿Los tiempos?

—Se supone que venía a Europa a jugar el Torneo de Birmingham en junio. Así se acordó con su familia. Ahora resulta que su estancia se va a alargar, por lo menos hasta septiembre. Eso es mucho más de lo previsto inicialmente. Debo informarle. Ayer no pude evitarlo y mandé un cable a Daniel Fiske, en Nueva York y a su tío Charles Le Carpentier, en Nueva Orleans, que acordamos que sería su tutor durante su estancia en Europa. Ya sabe que su madre, Thelcide, no aprobaba el viaje y no quiso saber nada de él. Entiéndalo, es mi obligación mantenerlos informados, ya lo sabe. También quiero que sepa que, por mi propia iniciativa, le mandé otro cable a su amigo Charles Maurian. Pensé que le gustaría conocer cómo marchan los asuntos por aquí. Sé que no se han comunicado últimamente.

—Le agradezco lo de Maurian, ha sido un detalle por su parte. En cuanto al resto, usted haga su trabajo que yo haré el mío. Ahora, vayámonos al hotel —le respondió Paul, con aparente despreocupación.

Edward Lowe, que conocía la llegada de la pareja a su hotel, los estaba esperando en el vestíbulo de entrada. Les acompañó personalmente hasta la puerta de su habitación.

Dejaron el equipaje y bajaron al comedor. Ya era mediodía y el ambiente era muy bullicioso. Al llegar a la puerta del restaurante, Paul se encontró con una agradable sorpresa.

Johann Lowenthal.

Se dieron la mano de forma afectuosa.

—Pareces el mismo niño que me derrotó hace ocho años. Has cambiado poco.

Paul sonrió.

—Porque yo quizá aún sea aquel mocoso, sin embargo, sé que tú has mejorado muchísimo. He visto partidas tuyas recientes. Me encantó la que disputaste el año pasado contra Saint-Amant. Elegancia y técnica, como siempre, pero a la vez una contundencia impropia de tu juego de antaño. No lo recordaba así. El contundente solía ser yo.

Lowenthal no pudo evitar reírse.

—No te falta razón. Me diste una buena lección en Nueva Orleans, que aprendí. Como bien dices, ahora soy otro jugador, mucho más completo. En gran parte es mérito tuyo.

—Vaya, pues me alegro.

—Fue una verdadera cura de humildad que necesitaba— reconoció—. Pero dejemos de hablar de ajedrez. Os invito a comer a ti y a tu secretario. Abandonemos el hotel y vayamos al *Divan*.

Morphy ya era una persona muy conocida en el restaurante. Siempre que hacía acto de presencia se producía un significativo revuelo. Esta vez no fue la excepción, además viniendo acompañado de *Herr* Lowenthal.

De inmediato se acercaron una pareja de jugadores habituales a saludarlos.

—¿Van a jugar este mediodía? Sería un verdadero placer ser testigos de semejante enfrentamiento.

—Me temo que no será posible —le respondió Lowenthal—. El motivo de nuestra presencia tan solo es disfrutar de los placeres gastronómicos del restaurante.

«No me lo creo», pensó Paul. «Lowenthal se trae algo entre manos. No tengo ni idea qué pretende, pero supongo que pronto lo sabré. Nuestro encuentro ha sido cualquier cosa menos casual. Me estaba esperando en el *Lowe's Hotel*».

Morphy observó a su secretario. Por la expresión en su rostro, estaba claro que pensaba como él.

Se sentaron los tres alrededor de la mesa. Encargaron la comida e iniciaron la conversación.

—Bueno, ¿cómo te va por Londres? He oído que el viaje se te hizo muy pesado y no te sentó demasiado bien.

—Así es. Los barcos y yo estamos reñidos. La verdad es que los primeros días los pasé enfermo en casa de Howard Staunton.

—¡Ese pimpollo! Seguro que aún no ha aceptado el desafío que le llevas proponiendo desde antes de tu llegada a Europa.

—¿Cómo lo sabes?

—Porque, en caso contrario, ya se habría anunciado y toda la prensa lo hubiera publicado. En confianza, no creo que se atreva a enfrentarse a ti. Aunque, entre amigos, se permita pavonearse, alardeando de su evidente superioridad, en el fondo no lo tiene tan claro. Si te gana, es lo que todo el mundo se esperaba y no le va a reportar nada, pero si pierde... ¡amigo! eso es otra cosa. Su prestigio quedaría dañado y eso no se lo puede permitir.

Paul se quedó pensativo. De inmediato, comprendió el motivo de su encuentro con Johann Lowenthal. Ahora lo tenía claro, a ver cuánto tardaba en proponérselo. No creía que mucho.

—¡Pero ya se ha comprometido en firme a disputar ese enfrentamiento a través de su columna en el *Illustrated London News*! —Frederick Edge no se pudo reprimir.

—El tiempo es un gran juez. Ya lo veréis. La cuestión es que ahora te encuentras ocioso en Londres, jugando con mediocres jugadores de club, incluso ofreciéndoles absurdas ventajas —dijo Lowenthal, dirigiéndose a Paul.

—No es así. Cuando terminemos de comer, me iré a *St. George Chess Club* para jugar las dos partidas acordadas que me faltan con el reverendo Owen. Y no es un ajedrecista mediocre.

—No, desde luego que no. Creo que te venció en la primera de las tres partidas que convinisteis, además, de una forma bastante contundente.

—Así fue, tal cual lo dices. No tengo ninguna excusa. Mi juego fue horrible.

—Sabes que tan solo fue una mala partida. John Owen no es rival para el gran Paul Morphy.

—Anda, ve al grano, que apenas me quedan quince minutos. ¿Qué es lo que me quieres proponer? —le respondió, sonriendo.

Lowenthal no pudo evitar reírse.

—A veces me olvido de que, detrás de ese aspecto de colegial enfermo, se encierra un cerebro privilegiado. Tienes razón. Tengo algo que proponerte. Ya que no vas a jugar con Staunton, al menos hasta septiembre, ¿por qué no lo hacemos entre nosotros? Creo que, ahora mismo, soy superior a él. Organicemos un *match* con una pequeña apuesta, digamos cincuenta libras por cabeza, por ejemplo, para que la prensa se tome interés. Seremos portadas de todos los medios londinenses y Staunton se morirá de rabia. Matas dos pájaros de un tiro. Un nuevo reto, que sé que te gustan y darle algún aliciente al soberbio inglés para que acepte jugar contra ti.

Paul ya se lo había imaginado hacía un buen rato. Se quedó mirando a su secretario. Estaba claro que lo desaprobaba con notoria claridad.

—No quiero ningún enfrentamiento largo. Lo que tú defines como «jugar con ajedrecistas mediocres dándoles absurdas ventajas de inicio», resulta que me divierte. A la gran mayoría les termino ganando, pero me tengo que esforzar.

—El primero que gane siete partidas se lleva las cien libras, así de sencillo. Creo que me merezco una revancha por lo ocurrido hace ocho años —le respondió Lowenthal—. Podemos empezar cuando termines tus partidas con el reverendo, si no tienes problemas en conseguir ese dinero, que me consta que no.

—El dinero no será inconveniente. Tengo fondos propios suficientes y no necesito recurrir a mis mecenas del club de Nueva Orleans.

En ese momento, se acercaron a la mesa unos amigos de Lowenthal. Morphy también los conocía. Eran ajedrecistas del *St. George Chess Club* y del *London Chess Club*. Entre ellos estaba el presidente de este último club.

—Disculpen, distinguidos caballeros, pero no hemos podido evitar escuchar su conversación. Estábamos sentados en la mesa junto a ustedes —hablaba el presidente del *London Chess Club*—. Estamos dispuestos a respaldar con nuestros fondos propios a *Herr* Lowenthal hasta las cien libras. ¿Tiene algún inconveniente, señor Morphy?

—No, no lo tengo, pero no comprendo el motivo.

—Es muy sencillo. El *London Chess Club* está tan interesado en este fascinante encuentro como el *St. George Chess Club*. Si aceptan elevar el *match* a nueve partidas ganadas y jugar la mitad en cada club, sería fantástico para todos. Sin duda, se trataría de uno de los acontecimientos ajedrecísticos del año en Londres.

Lowenthal se quedó mirando a Morphy, que alzó los hombros en señal de indiferencia. Parecía que aceptaba.

—Bueno, acordaremos los términos del juego, pero, si te parece, empezaremos en dos días.

—Me parece correcto —respondió Morphy, mientras se despedía de Lowenthal y de sus amigos.

Cuando se quedaron solos, Frederick Edge no lo pudo evitar.

—Con todos los respetos, señor, ¿se ha vuelto loco? ¿No le parece suficiente haber retado al reverendo Owen, que lo barrió en su primera partida? Ahora lo hace con el mismísimo Lowenthal. Él sabe que se encuentra débil y ha visto la oportunidad de aprovecharse de ella y resarcirse de su derrota en Nueva Orleans. Fue una humillación y ahora busca justo lo contrario, humillarlo a usted.

—Eso ya lo sé. No me asusta en absoluto.

—¿Lo cree oportuno? Para empezar, me he informado de ese reverendo. John Owen juega bajo un seudónimo. Se hace llamar «Alter» y es un grandísimo jugador. Muchos lo consideran a un nivel muy similar a Staunton, ahora mismo.

—De nuevo no me dice nada que no sepa, Mr. Edge. Por otra parte, no tema por mi nivel de juego. Al contrario de lo que creen muchos, y en ese grupo los incluyo a Lowenthal y a usted mismo, ya hace tiempo que me recuperé de los efectos del viaje y me encuentro en mi mejor momento. El tal «Alter» va a sufrir dos severas derrotas esta tarde. Le recomiendo que me acompañe y sea testigo. No le voy a dar ninguna opción.

Mr. Edge lo miraba como si hubiera enloquecido o enfermado de nuevo. No sabía qué era peor.

—Ha llegado el momento —se limitó a decir Morphy, con una peculiar expresión en su cara.

«El momento ¿de qué?», se preguntó Frederick Edge, mientras miraba con detenimiento a Paul, intentando desentrañar qué es lo que pasaba por su mente. Su aspecto físico continuaba siendo débil y su rostro pálido, pero lo que vio en sus ojos violetas no lo había observado desde que llegaron a Londres. Era la mirada de un tigre.

Una idea le pasó por la cabeza. No pudo evitar preguntársela a Paul.

—¿No me estará insinuando que ha jugado por debajo de su nivel a propósito? Sería inaudito e incomprensible.

—Yo no diría tanto. Inaudito quizá, pero desde luego no incomprensible. Por otra parte, algunas derrotas han sido legítimas, sobre todo en las primeras partidas que disputé. En ese momento sí que me encontraba enfermo de verdad y mi juego fue terrible. Merecí perder incluso alguna más.

—¿Algunas solo?

—Nunca dude de mí, Frederick, ni en los peores momentos, que estoy seguro de que llegarán —le respondió sonriendo, mientras se levantaba de la mesa. Le dio un golpe amistoso en el hombro a su secretario y le hizo un gesto para que lo acompañara.

Mr. Edge estaba confundido. Era la primera vez que Paul se dirigía a él por su nombre propio. Además, lo que acababa de escuchar lo había perturbado. No comprendía lo de «los peores momentos que seguro que llegarán». Le resultaba inquietante, pero decidió no seguir con la conversación.

Al entrar en el club, el reverendo les estaba esperando. Confiado en su victoria sobre Morphy en la primera partida, había dispuesto el tablero en el centro de la sala principal, rodeado de público. Estaba claro que su ego era más grande que él mismo, lo que ya era mucho decir.

Paul estaba especialmente sonriente. Saludó a todos los miembros del club y se sentó en su silla. Le dio la mano a su rival.

—¿Seguro que quiere jugar en la sala principal? Me parece que hoy le voy a sorprender.

—Estoy deseando verlo —le respondió Owen, observando el extraño comportamiento de Paul, que parecía feliz. Teniendo en cuenta el contundente resultado de su última partida, el reverendo se extrañó, pero lo atribuyó al ego de Morphy.

Lo que no sabía es que Paul no tenía de eso. En caso de haberlo conocido mejor, se hubiera preocupado.

Morphy jugaría la primera partida con las piezas blancas. En apenas veintidós movimientos ya había derrotado a Owen, alias «Alter», que pareció disgustarse mucho, sobre todo por la rapidez y rotundidad de la victoria de Paul. La segunda no fue muy diferente, apenas seis movimientos más, pero idéntico resultado.

—¿Qué le ha ocurrido? —no pudo evitar preguntar el reverendo, que estaba claramente ofendido—. Su juego parece otro.

—Le aseguro que es el mismo de siempre. Quizá no lo hayas analizado como es debido. Ya te había advertido que te iba a sorprender.

Owen se enfadó aún más por la aparente indolencia de Morphy. Lo retó a dos partidas más, pero esta vez en la sala privada.

En vano.

Paul lo volvió a vencer como si se enfrentara a un colegial. Cuatro partidas en apenas siete horas. El reverendo se levantó de su silla y, sin darle la mano a Paul, abandonó el club. Estaba claro que no se esperaba este resultado, pero, sobre todo, la manera de producirse. Nadie le había ganado jamás de esa manera, ni siquiera Staunton.

Paul, sin embargo, no había cambiado su semblante desde que llegara al club.

—Creo que ya es hora de cenar. ¿Volvemos al hotel? — preguntó, como si no hubiera ocurrido nada.

—Por supuesto, señor Morphy —le respondió un asombrado Edge, que no sabía cómo interpretar aquello de lo que había sido testigo.

Cenaron y cada uno se retiró a su habitación.

Apenas Paul se había acostado, escuchó aporrear la puerta de su estancia.

«¿Quién será a estas horas de la noche?», pensó, preocupado.

Abrió la puerta y allí estaba Mr. Edge. Parecía que había heredado la palidez natural de Paul.

—Lo siento, señor Morphy.

—¿Por qué?

—Porque no podrá jugar con Lowenthal.

—¿Y quién me lo va a impedir?

—¿Se acuerda de que ayer envié dos cables a los Estados Unidos?

—Si, claro. Me lo dijo.

—Pues aquí tiene la respuesta del primero —dijo, mientras se lo entregaba a Paul, que, inmediatamente después de leerlo, se puso hecho una verdadera furia.

—¿Pero quién se creen que soy? ¿Un paliducho esclavo sureño a las órdenes de sus amos? ¡Pues no! —gritó a todo pulmón, para el sonrojo de Mr. Edge.

—Señor... —intentó reconducir la situación, ante el estallido de cólera de Paul.

Morphy levantó el cable y lo partió en mil pedazos, delante de la cara de Mr. Edge.

—Le recomiendo que no se interponga entre el ajedrez y yo —le dijo, con los ojos inyectados en sangre—. Ahora, ¡márchese a su habitación!

Frederick jamás había visto tan furioso a Paul. Volvía a parecerse a un tigre, pero esta vez no solo con sus ojos.

«Y eso que no le he enseñado la contestación al segundo cable», pensó, mientras abandonaba a toda prisa la habitación de Morphy, asustado.

46 PARÍS, JUEVES 14 DE ENERO DE 1858

—¡Están todos muertos! —gritó el *Grand Chamberlain*, con lágrimas en los ojos.

El panorama que estaba observando era desolador. La emperatriz parecía que tenía la cabeza reventada, llena de sangre, los ojos cerrados y no se movía. El ayuda de cámara, el general Roguet, que iba sentado en el centro del carruaje también tenía sangre por todo el cuerpo. El emperador, el más lejano, apenas lo podía ver, ya que estaban casi a oscuras, pero tampoco se movía. Las esquirlas metálicas de las bombas habían atravesado por todas partes aquel carruaje, a pesar de su aparente blindaje. Las explosiones habían sido de una magnitud desconocida.

—Anda, déjenos a nosotros —escuchó a sus espaldas. Se giró y observó un rostro conocido. Se trataba del prefecto de la policía de París, Pierre Marie Pietri, pistola en mano.

Se asomó al carruaje, del que aún salía humo.

—¡Emperador! —gritó—. Soy el prefecto.

No obtuvo respuesta.

Se fijó en la emperatriz, que la tenía justo delante. Una esquirla de la bomba le había atravesado una mejilla de la cara y estaba cubierta de sangre, pero, a simple vista, no se apreciaban más daños. De todas maneras, su aspecto pálido y su inmovilidad eran características de una persona muerta. Se dispuso a mover su cuerpo para poder entrar en el carruaje.

Se llevó el susto de su vida.

De repente, la emperatriz abrió los ojos y puso sus dos manos enfrente de la cara de Pietri, a modo de protección.

—¿En serio es usted el prefecto de la policía de París?

—Le aseguro que sí, Su Alteza —dijo, aún sin recuperarse de la impresión que le había causado—. ¡Quiero todos los médicos aquí de inmediato! —gritó—. ¡Dejen lo que sea que estén haciendo!

—Como tiene una pistola en la mano, le había tomado por uno de los asesinos que acudían a rematar su faena. Por eso me he quedado inmóvil, para que pensaran que ya estaba muerta.

Los galenos estaban atendiendo a los numerosos heridos que estaban esparcidos por la calle. Al grito del prefecto, todos se dispusieron a acudir al carruaje Imperial.

Ahora, se llevó el segundo susto de su vida.

—¡De eso nada! —escuchó una voz potente salir del interior del carruaje—. ¿Me hace el favor de poner las escaleras del carruaje, para que pueda descender?

El prefecto no daba crédito. Aunque, entre la oscuridad y el humo casi no podía ver nada, sin duda se trataba de la voz de Napoleón.

El emperador se subió por encima del general Roguet, que permanecía inmóvil, seguramente muerto o herido de gravedad. Junto con su esposa, Napoleón descendió por su propio pie del carruaje. Nada más hacerlo, observo el desolador panorama.

La emperatriz no lo pudo aguantar y se mareó, sentándose en el suelo con las manos en la cara, llenas de sangre. Los médicos la rodearon de inmediato, sin embargo, Napoleón los rechazó.

—Atiendan primero a todos los heridos del público —les gritó.

En ese momento, descendió el general Roguet del carruaje. No estaba muerto, pero sí presentaba varias heridas, en la cabeza y en el abdomen. Su estado parecía más grave, pero también rechazó la asistencia médica.

—Otro carruaje está de camino para llevarlos a su palacio. No tardará ni cinco minutos —dijo el prefecto, dirigiéndose a Napoleón.

—Anule esa orden de inmediato. Mi esposa y yo no vamos a cambiar nuestros planes ni se suspenderá la ópera. Si esos bastardos pretendían atemorizarnos, que vean que no lo han conseguido.

—Comprenda que, ahora mismo, no podemos garantizarle su seguridad. No sabemos cuántos formaban parte del *complot*, ni siquiera si queda alguno de ellos en los alrededores y puede que...

—Ese es su trabajo, no el mío —le respondió, con un tono de voz muy autoritario, mientras dejaba con la palabra en la boca al prefecto y se acercaba al lugar donde estaba sentada su esposa. Ya le habían limpiado y curado la herida de la cara, pero todo su traje estaba ensangrentado.

—Vamos a entrar en el *Théâtre Impérial de l'Opéra* y a asistir a su función, con la cabeza bien alta —le dijo.

La emperatriz no dijo nada. Conocía de sobra a su esposo y sabía que ya lo había decidido. Se levantó del suelo. Ambos, de la mano, se dirigieron hacia la destrozada marquesina de la *Salle Le Peletier*.

Por supuesto, en el interior del edificio de la ópera también habían sentido las potentes explosiones. Sin saber qué estaba ocurriendo en el exterior, se asomaron a los balcones, que daban a la calle. Cuando vieron descender del carruaje al emperador y a la emperatriz, cubiertos de sangre, y con absoluta dignidad, dirigirse hacia la entrada, prorrumpieron en un sonoro aplauso. La gente que aún quedaba en los alrededores se unió.

—Nadie podrá con el pueblo de Francia —Napoleón respondió a los vítores, henchido de orgullo.

El emperador estaba disfrutando de su momento de gloria, pero el prefecto de policía estaba atacado de los nervios. La situación no estaba controlada y no podía permitirse un segundo ataque.

—No quiero que nadie se mueva de su posición. Aunque estéis heridos, haced un esfuerzo —gritó a todos sus hombres e incluso a la guardia personal del emperador, mientras él mismo marchaba detrás de Napoleón.

Nada más cruzar la destrozada marquesina, el prefecto observó a una persona que apenas se aguantaba en pie, intentando formar parte del cordón de seguridad del emperador. Tenía una herida en el estómago y, con una mano, parecía querer mantener los intestinos en el interior de su cuerpo. Justo cuando pasaba por su lado, se desplomó delante de él. Se detuvo un instante para ayudarle. Le dio la vuelta y su rostro quedó al descubierto.

Pierre Marie Pietri, prefecto de París, no pudo evitar un grito ahogado. Se trataba de *Monsieur* Riquier, jefe de gabinete del mismísimo príncipe Napoleón-Jérôme Bonaparte. Sabía que el propio emperador le tenía un aprecio especial, ya que también colaboraba con él. Era un Bonaparte más. Además, también un buen amigo de Pietri.

—¡Un médico aquí! —gritó el prefecto, impresionado.

De inmediato se presentaron dos. Le tomaron el pulso, observaron su herida en el abdomen e hicieron un gesto negativo con la cabeza. No se podía hacer nada por él. Estaba muerto.

Pietri se quitó su sombrero en gesto de respeto. A pesar de estar mortalmente herido, había permanecido en pie hasta el paso del emperador, para protegerlo. No en vano, además de ser secretario del príncipe, era un bravo militar de una orden religiosa.

—Ha fallecido un auténtico caballero y un gran cristiano —dijo, afectado—. Quiero que se lleven su cuerpo al Palacio Imperial. Ahora se lo comunicaré a Su Alteza.

Por este incidente, Pietri se había alejado un tanto de la comitiva. Para su sorpresa, cuando entro en la *Salle Le Peletier* se estaba produciendo una ovación atronadora. El público presente había reaccionado con auténtica admiración ante su emperador, que demostraba un gran valor no suspendiendo la función y mandando un claro mensaje, tanto a sus amigos como a sus enemigos.

No podréis conmigo.

—Señor, si me lo permite, creo que su lugar no está aquí.

El prefecto se giró de inmediato. Se trataba del inspector Hebert, de la *Sûreté*.

—Está usted herido. Debería verle un médico —le dijo Pietri.

—Eso puede esperar —le respondió Hebert.

El inspector le informó de la extraña detención que había efectuado un instante antes del ataque. No tenía ni idea si Pieri podría estar involucrado en el *complot*, pero algo no le cuadraba.

—Cuando me lo encontré de frente, estaba alejado de la calle, en actitud tranquila y nada sospechosa, pero ¿qué sentido tiene su presencia en el lugar más vigilado de todo París? Es un zorro viejo. Tenía que saber que habría miembros de la *Sûreté* que lo podrían reconocer, como así ha terminado ocurriendo. Aunque no ha formado parte del ataque, no creo en las casualidades. Creía que lo debía de saber. No sé si tendrá importancia, pero...

—¿Dónde se encuentra? —le interrumpió de inmediato Pietri.

—En la Prefectura, justo aquí al lado.

—Escuche bien, quédese en el interior del teatro, vigile el palco del emperador y, por favor, que le vea un médico —dijo, mientras salía corriendo. En apenas tres minutos estaba entrando en el edificio de la Prefectura de París y, en uno más, sentado enfrente de Giuseppe Pieri.

—Supongo que sabrá lo que acaba de ocurrir hace un momento.

—¿Cómo podría? Ya estaba bajo su custodia cuando, sentado en esta misma silla, he escuchado unas explosiones. Supongo que será el gas de París que...

El prefecto pegó un fuerte puñetazo encima de la mesa. Giuseppe, instintivamente, no pudo evitar mirar la bomba, que estaba depositada en el otro extremo de la misma mesa. Cualquier sacudida fuerte podía hacer que estallara. Al prefecto no se le pasó inadvertido ese singular gesto.

—¿Qué es ese extraño objeto que parece preocuparle?

Giuseppe observó la cara descompuesta del prefecto, que llevaba su ropa llena de sangre ajena. Pensó que la misión ya estaba cumplida y sus compañeros a salvo. Ya había ganado el suficiente tiempo para ellos.

—Tenga mucho cuidado —dijo, mientras se quitaba el sombrero y extraía con parsimonia el segundo artefacto. Lo depositó encima de la mesa, al lado del otro—. Son dos bombas como las que han estallado en la calle. Por favor, no de más golpes en la mesa. Podrían explotar y el edificio se vendría abajo.

—¡Hebert tenía razón! —exclamó—. Usted estaba involucrado en el atentado. Sepa que no tengo ni tiempo ni paciencia. Está claro que usted no ha podido detonar ninguna de sus dos bombas. Eso significa que formaba parte de un equipo más amplio. ¿Cuántos y dónde se encuentran ocultos?

—No sé de qué me habla. Soy un mercenario y me pagaron por llevar esas dos bombas, no por detonarlas. Ya sabrá que no me encontraba cerca de la calle cuando me detuvieron y no opuse ninguna resistencia. No tienen nada contra mí.

El prefecto pegó otro puñetazo encima de la mesa. Las dos bombas se movieron de su posición.

—¿Recuerda que no tengo ni tiempo ni paciencia?

En ese momento, entró en el edificio de la Prefectura el inspector Alessandri junto con un detenido. Pieri no pudo evitar sorprenderse. Una vez más, su gesto no pasó desapercibido para el prefecto.

—Alessandri, haga el favor de venir aquí —le dijo.

Ahora, el gesto de Giuseppe ya no era de sorpresa, sino de pánico. Algo no iba bien.

El prefecto hizo sentarse al detenido en la misma mesa. Se quedó observándolos un instante. Le quedó claro que se conocían.

—Alessandri, ¿por qué ha traído a este individuo a la Prefectura?

—Deambulaba de una forma que me ha parecido sospechosa. Al registrarlo, en uno de sus bolsillos he hallado un revólver —respondió, mientras se lo entregaba a su superior.

El prefecto ni lo miró. Estaba pendiente de las reacciones de aquellas dos personas. También había advertido sorpresa en el rostro del recién apresado.

—¿Quién es usted? —le preguntó.

—Sepa que esto es un atropello. Soy ciudadano británico. Su esbirro me ha quitado mi pasaporte y... —de repente, se quedó en silencio, justo cuando advirtió la presencia de las dos bombas. Su rostro se trasmutó.

—Está claro que conoce a Giuseppe Pieri y que también ha reconocido las bombas —dijo el prefecto, al mismo tiempo que, con un rápido movimiento, tomaba el revólver y se lo introducía en la boca del recién llegado—. Como observará, me importa una mierda de dónde sea ciudadano. O habla o le salto los sesos ahora mismo.

Carlo Di Rudio estaba pálido. Como pudo, hizo un gesto afirmativo con la cabeza. El prefecto le extrajo el revólver de la boca.

—Tranquilo, nosotros no hemos hecho nada, pero tenemos información de los autores de las explosiones. Los veinte están escondidos en los bajos del número 3 de la *rue Saint-Honoré.*

—¿Veinte? —ahora, el que se mostraba sorprendido era el prefecto.

—Y no unos veinte cualquiera. Tengan mucho cuidado. Están tratando con gente muy peligrosa —continuó Di Rudio—. Poseen varios artefactos como esos. Ya han visto su poder explosivo. Si me permite el comentario, si ven policías a su alrededor, no dudarán en volar una manzana entera de la ciudad. No se deben sentir acorralados.

Pietri valoró las palabras y la amenaza que suponían. Se giró hacia el inspector Alessandri.

—Llame de inmediato a Hector Collet e infórmele de lo que acaba de escuchar. Es una operación para ellos. Nosotros nos encargaremos de coordinar el desastre del *Théâtre Impérial de l'Opéra* y proteger al emperador —dijo, mientras se levantaba de la mesa.

Collet era el director de la *Sûreté*, que actuaba de incógnito. Desde luego, eran los más adecuados para una intervención de esas características.

El inspector Alessandri abandonó también la estancia, dejando solos a Pieri y Di Rudio.

—Buena jugada —le dijo Giuseppe—. Ahora asaltarán la vivienda en la que se supone que deberíamos estar nosotros ocultos. Encontrarán provisiones y una caja con cinco revólveres idénticos al tuyo. No dudarán de la veracidad de tu información, pero, al hallarse vacía la casa, pensarán que toda la banda ha escapado.

—Eso era lo que pretendía —sonrió Carlo.

Parecía una idea fantástica, pero no contaban con una cosa.

Mejor dicho, con una persona.

47 LONDRES, JULIO Y AGOSTO DE 1858

—¡Venga! Enséñeme la respuesta al segundo cable, que anoche no se atrevió.

—¿Cómo puede saber eso? —pregunto Mr. Edge, sorprendido.

—Porque ayer, en mi habitación, llevaba dos papeles en su mano y tan solo me mostró uno de ellos. ¿Le vale esa respuesta?

Mr. Edge se sintió avergonzado, no obstante, deseaba dejar las cosas muy claras con Paul.

—Antes de eso, permítame una pregunta. ¿Es cierto lo que ponía en el cable que rompió ayer? ¿Es verdad que una de las condiciones de su viaje a Europa era que no aceptaría dinero por jugar al ajedrez ni tampoco pondría en peligro su patrimonio? ¿Es verdad que, en caso de que faltara a su palabra, su familia enviaría a alguien para obligarle a retornar a Estados Unidos y que usted debía aceptarlo?

—Sí. Todo eso es cierto.

—Entonces, no comprendo nada. Su familia conocía las apuestas que se habían cruzado el Club de Ajedrez de Nueva Orleans y Mr. Staunton. Cinco mil dólares. No pusieron ningún impedimento a que se celebrara ese *match.* Al llegar a Londres, esa cifra se redujo a quinientas libras cada uno. Lo sabía todo el mundo ya que Daniel Fiske lo publicó en el *Chess Monthly* de Nueva York. Su familia no podía ignorarlo.

—No lo hacía, era perfectamente conocedora del tema, pero los cinco mil dólares los ponía el club, no yo. Las quinientas libras del enfrentamiento con Staunton también, pero las cien libras contra Lowenthal, en teoría, las pongo yo. Esa es la diferencia que, en realidad, no lo es.

—Lo siento, señor, pero no le comprendo.

—Yo me comprometí a no aceptar dinero por jugar ni a arriesgar el mío. No he hecho ni lo uno ni lo otro. Volveré a ganar a Lowenthal y no aceptaré su dinero. Le haré un regalo equivalente. No pienso faltar a mi palabra, no ganaré ni un centavo jugando. Mi familia no tenía motivos para reaccionar así, por eso me enfadé tanto ayer. Creía que me conocían mejor.

La confianza de Morphy en sí mismo era infinita. Frederick comprendió que hablaba completamente en serio. Ni por un momento dudaba que iba a volver a vencer al maestro húngaro.

—Ahora, ¿me enseña el segundo cable? —insistió Paul.

Mr. Edge le entregó el papel. Apenas eran dos líneas. Paul, en cambio, esta vez no se enfadó, incluso se permitió una pequeña sonrisa.

—Así que Charles Maurian me informa de que viene a reunirse conmigo en Europa. Claro, mi tío Ernest se habrá negado, mi abuelo ya está mayor para semejante viaje y mi tío Charles no se ha atrevido. Así que mandan a mi mejor amigo para que me haga entrar en razón y consiga que vuelva a casa. ¡Qué chasco se va a llevar! Por lo menos podré verle y hablar con él. Un amigo siempre es bienvenido. Algo es algo.

—Señor Morphy —intervino un apurado Mr. Edge—. Entienda mi delicada posición. Yo fui contratado por su familia para cuidarle. Me debo a ellos.

—No, Frederick. Sé que está haciendo un gran esfuerzo acompañándome en esta aventura. Lleva un mes sin ver a su esposa y a sus hijos, exclusivamente por cuidarme. No fue mi familia quien lo eligió, ni siquiera quien le paga sus generosos emolumentos. En realidad, fui yo, aunque dejé que ellos pensaran lo contrario, así se sentirían más seguros. Lo investigué y lo elegí personalmente, por su franqueza y porque es un jugador decente de ajedrez. No creo haberme equivocado.

—No sabía nada de todo eso.

—¡Pues claro! De hecho, no lo debía de saber nadie, pero, dadas las circunstancias, creo que no se lo puedo ocultar. Ahora, debo hacerle una pregunta muy importante. ¿Puedo confiar en usted?

Mr. Edge no respondió de inmediato. Demasiada información nueva que procesar. Al cabo de unos quince o veinte segundos, tomó su decisión.

—Sí, señor Morphy. Lo cuidaré hasta el final de su viaje por Europa.

Paul le dio un abrazo a Frederick. Después de un mes juntos, era la primera vez que lo hacía. Mr. Edge parecía un tanto incómodo con semejante muestra de cariño, como buen caballero británico, aunque lo aceptó de buen grado.

—Me alegro mucho de su decisión. Es una buena persona. Lo necesitaré a mi lado, no le quepa ninguna duda. Por otra parte, hoy tenemos el día libre, ya que hasta mañana no comienzo mi primera partida con *Herr* Lowenthal. ¿Por qué no nos olvidamos del ajedrez y nos damos un paseo por Londres?

—Como usted desee, señor Morphy —no perdía la compostura ni en los momentos más delicados.

Así lo hicieron durante todo el día.

—La verdad es que Londres es una ciudad monumental, pero al mismo tiempo con maravillosos parques. Si no fuera por su clima y por el carácter de sus habitantes, no me importaría vivir aquí.

—¡Oiga! ¿Qué le pasa a nuestro carácter?

—Veo que tiene sangre. No se enfade, lo he dicho adrede para que reaccionara, aunque quizá un poco de humildad les vendría bien. Me da la impresión de que son un tanto altivos.

—Lo dice una persona que vive en un Estado donde la vida de los negros no vale nada y son esclavizados en las plantaciones de algodón, para hacer señoritos muy ricos como usted que, además, se permiten venir a Londres a criticar nuestra civilización y nuestra manera de vivir.

Para sorpresa de Mr. Edge, Paul se rio.

—¡Caramba con Frederick! Tiene carácter pero también razón. Los sureños americanos no somos los más indicados para dar lecciones de moral a nadie.

—¿Acaso no está a favor de...?

—¡Por supuesto que no! —lo interrumpió Paul—. ¡Por Dios! Son personas como nosotros. Siento una profunda vergüenza hacia algunos de mis compatriotas, pero pronto habrá una guerra en mi país, es algo que se respira en el ambiente. Norte contra sur. Lo peor es que me veré obligado a combatir del lado sureño, sin creer en sus ideales.

—Pues no lo haga.

—Me fusilarían, pero ya tengo mis ideas al respecto. No se lo diga a nadie, pero si la guerra es inevitable, desde luego ayudaré al norte.

—¿Se refiere a que se convertirá en una especie de espía?

—Bueno, no sé cómo llamarlo ya que ni siquiera sé que es lo que haré exactamente, pero, anda, cambiemos de tema. Estamos especulando sobre algo que no ha sucedido y que no sé si finalmente acabará ocurriendo. Hagamos algo más mundano. Ahora estamos en Londres, que también es conocida por sus extraordinarios *pubs*. Es una herejía que lleve un mes aquí y que no me haya llevado a visitar ninguno.

—Yo no acostumbro a frecuentarlos —respondió muy serio Mr. Edge.

—Pero seguro que conoce algunos, ¿no? Aunque sea por cuestiones históricas.

—Claro. Ahora que lo dice, podíamos acercarnos a *The George Inn*. No es el más antiguo de la ciudad, pero tiene una curiosa historia. William Shakespeare era uno de sus clientes. Data de mitad del siglo XVI. También *The Red Lion*, que al estar situado muy cercano al número 10 de Downing Street, residencia del primer ministro, ha sido testigo de numerosas reuniones trascendentales para nuestra historia. Si le gusta Charles Dickens, frecuentaba *The Lamb & Flag*. También es muy antiguo, data del siglo XVII. Hay algunos más con una historia muy interesante también.

—Pues para no gustarle frecuentar los *pubs*, parece que sabe bastante de ellos.

—Por su historia —se defendió Mr. Edge—. Todos los londinenses los conocemos.

—Pues vayamos a visitarlos por motivos ajenos a su historia, como la mayoría de sus clientes.

—¿A cuál le gustaría ir?

—¡A todos! —le respondió Paul.

Al principio, Mr. Edge pensó que se trataba de una simple broma de Paul, pero cuando llegaron al cuarto *pub*, comprendió que no lo era. Creyó que era momento de intervenir.

—Señor, ya se ha tomado cuatro pintas de cerveza. Reconozco que nos lo hemos pasado muy bien y nos hemos relajado, cosa que quizá necesitáramos los dos, pero mañana por la mañana tiene la primera partida con *Herr* Lowenthal. Deberíamos retirarnos al hotel.

—Pero ¿qué dice? Ahora empieza lo bueno. Si usted quiere, vuelva al hotel. Me parece que yo me quedaré un par de horas más.

—Pero, señor…

—Mañana por la mañana nos vemos en el salón de desayunos del *Lowe's Hotel*. No se preocupe por mí, tan solo quiero despejar mi mente, que, como decía, me hace falta. La falta de apoyo de mi familia me ha afectado más de lo que creía.

—Como usted desee, señor Morphy —dijo, mientras abandonaba el *pub*.

«No me ha afectado una mierda», pensó Paul, que tan solo deseaba quitarse de encima a Frederick.

A la mañana siguiente, tal y como habían convenido, a las nueve de la mañana se encontraron en el salón de desayunos.

—¡Señor! —exclamó escandalizado Mr. Edge—. ¡Está usted borracho!

—Técnicamente no. Es cierto que lo estaba hace un rato, lo que ahora tengo es una resaca de mil demonios.

—Anda, suba a la habitación y dese otra ducha. Ordenaré que nos sirvan el desayuno en su habitación. Con semejante aspecto, no se puede presentar en el *St. George Chess Club*.

Así lo hicieron. Con la ayuda de Frederick Edge, Paul se aseó todo lo que su lamentable aspecto le permitió. Salieron en dirección al club. Lowenthal ya los estaba esperando junto al tablero.

—No tienes buen aspecto —lo saludó.

—He pasado una mala noche.

—¿Dejamos la partida para mañana? No supone ningún problema.

—Ni hablar. Empecemos ya —le respondió con seguridad Morphy.

Para desgracia de Paul, estaba claro que Lowenthal había estudiado sus partidas contra Paulsen en Nueva York. No habían establecido ningún tiempo máximo por jugada, así que el húngaro se tomaba sus movimientos con una lentitud exasperante. A las seis horas, aplazaron la partida para comer. Paul no tenía el cuerpo para ingerir ningún alimento sólido, ya que temía vomitar sobre el tablero, pero se bebió dos litros de agua. La partida se reanudó y, después de dos horas más, acordaron tablas.

El juego de Paul había sido poco consistente, pero teniendo en cuenta que no había dormido, unas tablas contra Lowenthal se podían calificar como un moderado éxito. Por lo menos así se lo hizo ver Mr. Edge a Morphy, que lo desdeñó.

—Hasta resacoso debí ganarle. Eso no es excusa.

—Pues lo tiene muy sencillo. Lleve una vida ordenada como hasta ahora había hecho. Alcohol y ajedrez no casan.

—Le pienso ganar haciendo lo que me dé la gana —respondió, para preocupación de Mr. Edge.

La segunda partida, jugada al día siguiente en el *London Chess Club*, fue vencida por Paul, al igual que la tercera. Se hacían interminables con las demoras en las jugadas de Lowenthal. La tercera fue una de las más largas que Morphy había disputado en toda su vida. Más de ochenta movimientos para terminar doblegando al húngaro, cuando todos apostaban por unas tablas.

—No debería imitar a Paulsen —le dijo al finalizarla, a modo de advertencia—. Ya sabe cómo acabó aquel enfrentamiento. Si actúa igual, no espere un final diferente. Tan solo consigue enojarme y le aseguro que eso no es bueno.

—Paulsen es un «don nadie». No necesito fijarme en sus tácticas. Simplemente has tenido suerte. Mañana será otro día.

Paul le iba a contestar que la suerte no existía en el ajedrez. Que lo que uno sembraba era lo que recogía, pero le pareció poco apropiado, teniendo en cuenta que llevaba unos días «sembrando» cebada, en forma de pintas de cerveza, en su cuerpo.

—Desde luego. Acuérdese de lo que le digo, Johann. Mañana lo venceré en treinta movimientos —dijo, mientras abandonaba el club.

Por una vez, Paul se equivocó.

Lowenthal acabó abandonando en el movimiento treinta y uno, después de una magistral exhibición de Morphy. Todos los presentes convinieron que había sido la mejor partida que habían visto jugar en años.

Hasta ese momento, el resultado era tres partidas ganadas por Paul, ninguna por Lowenthal y las primeras tablas. El húngaro pidió dos días libres, que Paul concedió gustoso. Necesitaba descansar, aunque no pensaba hacerlo.

La reanudación fue bastante diferente. Lowenthal se había dedicado a prepararse técnicamente y Paul se había empleado a fondo en emborracharse.

Las dos siguientes partidas fueron ganadas por el húngaro. El *match* se volvía a poner interesante. Tres a dos.

—¡Por Dios, señor! Debe dejar de volver al hotel a la hora que yo me despierto. Lowenthal es uno de los mejores jugadores del mundo. Si sigue así, acabará perdiendo por culpa de la bebida —Mr. Edge parecía muy preocupado.

Paul se limitó a sonreír.

—Parece mentira que no me conozca. El alcohol no ha tenido nada que ver con estas dos derrotas.

—Lo siento, pero no lo puedo creer. Nadie puede concentrarse en un juego tan complejo en su estado, y menos contra el diablo húngaro.

—Voy a hacer de adivino. Jugaremos una serie de cuatro partidas más y venceré en todas. Al acabar la cuarta, con un marcador de siete a dos, Lowenthal alegará que se encuentra enfermo y pedirá un prolongado receso.

—¿Cómo puede saber eso? Creo que el alcohol le ha afectado.

—Ya debería haber aprendido de mi enfrentamiento con el reverendo Owen. Esto ya lo ha visto antes y entonces no había cerveza de por medio.

Mr. Edge comprendió lo que Paul quería insinuarle. Su rostro reflejaba una clara incredulidad.

—No puedo creer que se haya dejado ganar.

—No, no lo he hecho, pero digamos que tampoco he puesto demasiado interés por vencer, por decirlo suave.

Frederick, esta vez, no le creyó, pero para su absoluto asombro, todo se desarrolló según había previsto Paul. El día 6 de agosto, el resultado era exactamente el predicho por Morphy.

—Me parece que me encuentro enfermo, señor Morphy. ¿Le importaría si me tomara una semana de descanso? Ya sé que no estaba previsto en las normas, pero creo que...

—No necesita explicarse, *Herr* Lowenthal. Quiero jugar contra usted en igualdad de condiciones. Por supuesto que le concedo el tiempo que necesite para recuperarse.

Sobra decir que Staunton y Owen seguían de cerca los progresos de Morphy. El primero se mostraba muy preocupado.

—No te fijes en lo que ves. Está claro que Morphy le tiene tomada la medida a Lowenthal desde hace ocho años. Este *match* no es significativo de la fuerza de su juego —le decía John Owen.

Paul, sin pretenderlo, había escuchado el comentario. La sala del *London Chess Club* estaba abarrotada y no se habían percatado de la proximidad del joven. Morphy se dirigió hacia ellos. No quería reconocerlo, pero le había enojado el comentario del reverendo.

—Dispongo de, al menos, una semana libre. A ti —dijo, dirigiéndose a Staunton— ni te lo propongo porque ya sé que te vas a negar, pero sí al reverendo. Sé que pensáis que soy un joven de vida disoluta que juega al ajedrez de forma errática, pero que no dispone de vuestros conocimientos teóricos, aunque, aun así, suele ganar por su intuición. Pensáis que sois superiores a él porque, en algún momento, perderé esta intuición y saldrá a la luz lo mediocre que es.

—Ya hablas hasta en tercera persona de ti mismo. Está claro que estás endiosado y el abuso de alcohol tan solo hace que se incremente esa sensación —le respondió de inmediato el reverendo—. Pero decías que tenías una propuesta que hacerme. Adelante, te escucho.

—Si soy un jugador tan pobre técnicamente, te ofrezco lo siguiente. Mientras se reanuda mi enfrentamiento con Lowenthal, te ofrezco un *match*, pero con unas reglas peculiares. En la primera partida te doy una ventaja de un peón y un movimiento. Si me derrotas, la siguiente la jugaremos sin ventajas; pero si la venzo yo, la próxima partida aumentaré la ventaja a peón y dos movimientos. Así sucesivamente. El que gane cinco partidas será declarado vencedor.

—¡La cerveza te ha hecho perder la razón! —exclamó Owen, que aparecía enfadado—. ¿Sabes que entreno con Howard y me da esa misma ventaja, peón y movimiento? Tan solo me vence una de cada diez partidas que jugamos. Eres todo un arrogante. Por supuesto que acepto el reto e incluso, si mi condición de reverendo no me lo impidiera, me apostaría mil libras a que te derrotaba, con esas ventajas tan absurdas. Nadie me ha vencido así.

—Yo no soy «nadie».

—En eso tienes razón. Tu soberbia te perderá.

—No me conoces, tampoco soy soberbio. Tan solo soy mejor que tú en este juego. Ya está.

—Con semejantes ventajas, permíteme que lo dude.

En ese momento, ya se había formado un corrillo alrededor de los ajedrecistas, que escuchaban con atención el reto que Morphy le había propuesto a «Alter». Paul podía escuchar cuchicheos del tipo «Morphy se ha vuelto loco» o «Alter lo va a barrer». Sin embargo, Paul estaba sonriendo.

—Entonces, ¿lo comprobamos? No deseo quitarle mil libras a un reverendo, pero me apetecería disponer de un juego de ajedrez con las piezas de Staunton, especialmente dedicado por él, en caso de vencer. Si caigo derrotado, te ofrezco cien libras para obras de caridad. ¿Le parece un trato adecuado?

—Me parece una locura, pero es tu dinero —le respondió altivamente.

—Y lo seguirá siendo. ¿Comenzamos ya?

La opinión generalizada en el club es que a Morphy «se le había ido la mano con las ventajas» y que no tenía opción contra Owen, por eso el asombro fue mayúsculo cuando Paul derrotó a «Alter», en la primera partida, en tan solo dieciocho movimientos y poco más de una hora. Inmediatamente comenzaron la segunda, con ventaja de peón y dos movimientos. Nadie había jugado jamás contra el reverendo con semejante ventaja de inicio. Después de seis horas de juego, acordaron tablas. Ya era tarde, así que convinieron jugar las tres restantes al día siguiente, en el *St. George Chess Club.*

Esa noche Paul no salió por los *pubs* de Londres. Se quedó descansando en su habitación. Parecía que se había tomado más interés por humillar a «Alter» que en su enfrentamiento con *Herr* Lowenthal.

—Al menos lo veo más centrado —le dijo Mr. Edge—. Aunque tengo que confesarle que creo que, a pesar de llevar una partida ganada, no conseguirá doblegar a «Alter». No lo conoce tan bien como yo. La ventaja que le ha dado es excesiva para un jugador de su nivel.

—No me hace falta conocerlo, lo importante es saber mis límites. No me importa en absoluto mi rival, el resultado no va a cambiar —le respondió, haciendo gala de una inmensa confianza en sí mismo.

Mr. Edge hizo un gesto con la cabeza, insinuando que no creía a Morphy.

—¿Hacemos una cosa? —le preguntó Paul, ante la evidente incredulidad de Frederick—. Ya que piensa que voy a perder el *match*, le propongo una apuesta particular. Si yo venzo el enfrentamiento invicto, no me dirá nada más acerca de mis salidas nocturnas por Londres. En caso contrario, aunque gane al *match*, si pierdo una sola partida, me comprometo a no beber y quedarme todas las noches en mi habitación del hotel.

—No se lo tome como una falta de confianza, pero por supuesto que acepto —respondió Mr. Edge.

—No me ofendo, todo lo contrario. Aunque no lo crea, no escuchar sus reproches todas las mañanas vale más que humillar a ese idiota de Owen, y que Dios me perdone, pero voy a machacar a su reverendo.

Al día siguiente, Paul dio toda una exhibición de juego como no se había visto jamás en Londres. Le ganó tres partidas consecutivas al reverendo sin apenas despeinarse. El público presente en el club coincidió en darle más importancia a esta demostración de Morphy frente a Owen que a su enfrentamiento con Lowenthal. El resultado era cuatro partidas vencidas por Paul, ninguna por Owen y unas tablas. La puntilla llegó al día siguiente. Paul cedió unas tablas en su sexta partida, pero arrolló a «Alter» en la séptima de una manera humillante. Así quería terminar.

Tal y como Morphy había pronosticado, no cedió más que dos tablas y ninguna derrota.

Howard Staunton estaba verdaderamente impresionado, pero tenía preparado su juego de ajedrez para entregárselo a Paul por su incontestable victoria, lo que quería decir que ya se imaginaba el desenlace del enfrentamiento. A partir de este momento, su actitud hacia Morphy cambió por completo. Ya no parecía ese jovial colega ajedrecista de semanas atrás. Ahora lo trataba con distancia y frialdad, manteniendo la educación a lo mínimo imprescindible para que no se le notara demasiado. Quizá el público no lo percibiera, pero Paul sí que lo hizo.

«Me parece que me he hecho un flaco favor», pensó Morphy. «Hasta ahora no dudaba de su victoria frente a mí. Ahora ya no lo tiene tan claro».

El encuentro contra Lowenthal se reanudaría al día siguiente. A pesar de que esa noche Paul no salió de cervezas para celebrar su gran victoria contra el reverendo, no fue por falta de ganas. El enorme esfuerzo mental que había hecho le había pasado factura. Se encontraba muy cansado, ya que se había empleado a fondo con Owen. Sin embargo, su rival se había dedicado a descansar y prepararse. En consecuencia, Morphy cayó derrotado en la undécima partida, después de seis horas de duro juego.

—Todo pasa factura —le dijo Mr. Edge, ya en el hotel—. No ha sido capaz de ganar a *Herr* Lowenthal, a pesar de que ayer por la noche se portó bien. ¿No se da cuenta?

—Quedamos en no más reproches por salir de cervezas y, ahora me los hace por lo contrario —le respondió—. ¿Sabe qué le digo? Que esta noche pienso darme una vuelta por algunos *pubs* y que, aun así, Lowenthal no me vencerá ni una sola partida más. Las dos próximas lo pienso derrotar en pocos movimientos.

—No tiene usted solución, Mr. Morphy.

—Es posible que mi vida no la tenga, pero delante de un tablero jamás apueste contra mí.

Al día siguiente jugó dos partidas consecutivas con Lowenthal.

¿Adivinan el resultado del *match*? Morphy nueve, Lowenthal tres y otras dos tablas. Todo un repaso del joven americano.

El húngaro le hizo entrega de las cien libras acordadas y Paul, al mismo tiempo, le regaló unos muebles para el apartamento que se acababa de comprar, valorados en ciento veinte libras.

—Eres único, como persona y como ajedrecista —le dijo Lowenthal—, pero no te hagas ilusiones con Staunton. Ahora está impresionado con tu juego. En Birmingham veremos.

Lo que ambos no sabían es que no verían nada.

48 PARÍS, MADRUGADA DEL JUEVES 14 AL VIERNES 15 DE ENERO DE 1858

—No parece haber nadie.

—¿Esperaba que nos recibieran con una fiesta?

El grupo de hombres de la *Sûreté* estaba apostado enfrente de la vivienda sita en los bajos del número 3 de la *rue Saint-Honoré.* No parecía una casa al uso, sino más bien un almacén. El edificio, de cinco alturas, parecía casi en ruinas. No se veía luz en ningún piso. Habían ordenado apagar las farolas de gas de la calle un minuto antes, por lo que la oscuridad era casi total en toda la calle, tan solo tenuemente iluminada por la luna.

—Sargento Roberts —dijo el inspector al cargo de la misión—. Acérquese a la ventana de forma sigilosa. Si oye cualquier ruido, vuélvase. No se arriesgue. Ya sabemos lo armados y lo peligrosos que son.

—A sus órdenes.

Así lo hizo. El grupo de treinta agentes se quedó agazapados, fuera de la vista de la casa. Tan solo el inspector al mando permaneció oculto tras unas plantas y tenía visión directa sobre el sargento.

Veía cómo se aproximaba con extrema precaución. Nada sucedía. Observó cómo llegaba hasta una de las ventanas. Permaneció como treinta segundos y, con el mismo sigilo con el que se había ido, se volvió.

—Nada, señor. Está oscuro y es imposible vislumbrar su interior. Tampoco he escuchado ningún sonido.

—Se supone que es cómo se deben de comportar. Los dos detenidos nos han informado del ataque. Estaba muy bien planificado y coordinado por los veinte asesinos, situados en posiciones estratégicas. Está claro que son profesionales, probablemente con formación militar. No esperemos facilidades. Esto no va a ser sencillo.

—¿Por qué lo recalca tanto? Somos más que ellos y contamos con el factor sorpresa —le respondió el sargento—. Deben de estar durmiendo.

—Que somos un equipo más numeroso es evidente, ahora, dudo que dispongamos del factor sorpresa. Con suerte, habrán supuesto que sus dos compañeros que no han vuelto a su refugio han fallecido durante las explosiones, pero me temo que no sea así. No sería profesional por su parte. Siempre debes ponerte en el peor de los escenarios. En cuanto a que se encuentren dormidos, lo dudo.

—Entonces, ¿cómo procedemos?

—No tenemos otra opción que asaltar la casa. Vayamos a reunirnos con el resto del equipo.

El inspector les explicó su plan. Disponían de un plano del edificio y del bajo. Indicó a cada uno de sus hombres la posición que debían ocupar. No todos asaltarían la vivienda. Un grupo de ocho agentes se quedaría en el exterior, por si alguno lograba zafarse y escapar. Tenían un importante factor a su favor. El bajo tan solo disponía de una puerta de entrada y dos ventanas que daban a la calle. Si procedían de forma coordinada, no les darían opción.

—A mi primera señal, todos a sus posiciones. A mi segunda señal, el primer equipo por la puerta y el segundo por la ventana. Recordad, son peligrosos y están muy armados. Disparad a matar, sin contemplaciones. Es fundamental la rapidez en la ejecución. No olvidemos que poseen esas bombas tan mortíferas.

Bajó su brazo y todos sus hombres se desplegaron. No se escuchaba ni un solo sonido en la calle. Eran las cuatro de la madrugada y, salvo ellos, no había nadie más. Después de un minuto, volvió a bajar el brazo.

El primer equipo entró en la vivienda. El segundo esperaba sus instrucciones para romper la ventana. La tensión era máxima. Esperaban escuchar disparos.

Nada.

—El inspector jefe se dirigió a la puerta con cinco hombres más. Cuando entraron, comprendieron la ausencia de disparos.

En aquella casa no había nadie.

—Mire, señor —le dijo el sargento señalando una esquina—. Se han debido de marchar. Aquí hay pertrechos suficientes; además, observe el interior de esa caja. Hay cinco revólveres idénticos al que portaba uno de los arrestados.

—No hay ni rastro de más bombas y sabemos que las tienen. No pueden haber huido de París, ya que la ciudad está cerrada, pero tampoco pueden haberse marchado muy lejos. Hay controles y no se arriesgarían. Probablemente tenían prevista la contingencia de que alguno de ellos fuera hecho prisionero y dispondrán de otra vivienda de emergencia. Salgamos al exterior con el mismo sigilo con el que hemos venido y volvamos a nuestra posición.

Una vez los treinta reunidos, el inspector dividió el grupo en cinco. El primero registraría todo el edificio y preguntaría a los vecinos. El segundo mantendría la posición en el exterior, como apoyo al primero. El tercero echaría un vistazo al resto de bajos de la *rue Saint-Honoré,* por si el número no fuera el 3.

—¿Y el cuarto y el quinto?

—Un plan tan elaborado no se improvisa. Deben de llevar algún tiempo en París. Alguien tiene que haber observado algo extraño. Vamos a recorrer todos los hoteles y pensiones en un radio de trescientos metros. El cuarto equipo, que vaya en dirección contraria al Jardín de las Tullerías y el quinto, junto conmigo, hacía el jardín. Preguntad a todos los conserjes y trabajadores si han observado algún movimiento fuera de lo común. Cualquier cosa nos vale, desde un grupo de huéspedes extranjeros hasta movimientos de gente inusuales. No sé, cualquier detalle. Sobre todo a los conserjes. No olvidéis que pasan gran parte de su tiempo en la calle. En una hora exacta nos reuniremos todos los equipos aquí mismo.

Cada grupo partió de inmediato. No les sobraba el tiempo.

—¿Por dónde empezamos, jefe? —preguntó el sargento.

—Por los más lujosos, ya que disponen de más conserjes y la posibilidad de que alguno de ellos viera algo aumenta. Va a amanecer y me gustaría apresarlos antes de que salga el sol. El *Hotel Le Meurice* es el más lujoso y cercano. Vamos a empezar por ahí. Si no obtenemos ninguna información, iremos bajando de categoría.

En apenas cinco minutos llegaron al hotel. El inspector se identificó, aunque el responsable de la recepción lo reconoció de inmediato. Le enseñó el libro de registro de huéspedes. No había nada raro, ningún nombre les llamó la atención. Tampoco se había alojado ningún grupo en la última semana. Preguntaron también por extranjeros. Nada. Todo había sido normal. Le dieron las gracias y salieron.

—¡Inspector! —escucharon a sus espaldas. Se giraron. Era uno de los conserjes.

—Dígame.

—No creo que tenga importancia, pero cuando ha dicho si habíamos observado algo fuera de lo común y ha nombrado la palabra «extranjero», algo me ha venido a la cabeza, aunque no creo que tenga ninguna importancia. Desde hace unas tres semanas, un caballero inglés suele pasear con su caballo blanco por los alrededores.

—¿Eso le parece extraño? Por París pasea multitud de gente en caballo —contestó el sargento—. Si tuviéramos que interrogar a todos los que poseen un caballo blanco, nos llevaría más de un mes.

—Sí, pero este caballero era algo peculiar. Para empezar, me dijo que era un *lord* británico, no me acuerdo de su nombre, lo siento. Lo que sí recuerdo perfectamente es lo que pensé en ese preciso instante. Me resultó muy curioso.

El sargento se dispuso a protestar de nuevo, pero el inspector le hizo un gesto con la mano, indicándole que lo dejara a él.

—A ver si lo deduzco. No le pareció británico.

—Así es. ¿Cómo lo ha sabido?

—Porque usted sí que lo es. No nació en Francia, ¿verdad?

—No, señor. Soy de Brighton, pero llevo más de veinte años trabajando en esta ciudad y nunca he tenido...

—Tranquilo —le interrumpió—. No nos importa su vida personal. Supongo que hablarían en su lengua materna, le notaría algún acento y no se creyó su nacionalidad.

—Exacto —respondió algo más aliviado el conserje—. Hablaba un inglés muy bueno, pero tenía un leve acento italiano. Quizá un francés no lo hubiera advertido, pero yo sí.

—¡Italiano! —saltó el sargento—. ¡Igual que los dos presos!

—¿Le dijo dónde residía? —continuó el inspector jefe, cuyo rostro no reflejaba ninguna emoción.

—No, pero su casa no debía de estar muy alejada de aquí. Siempre venía desde esa dirección —le respondió, señalándole la *rue de Castiglione*—. Luego se acercaba a los jardines.

—Muchas gracias por su ayuda —se despidió el inspector, mientras ordenaba a sus hombres que lo siguieran—. Quiero que permanezcáis alerta. Cada casa que veáis con un caballo blanco en su puerta, avisad.

Salieron de la *rue de Rivoli*, y giraron hacia el principio de la *rue de Castiglione.* No vieron nada. Alcanzaron la confluencia con la *rue du Mont Thabor.*

—¿Derecha o izquierda? —preguntó el sargento.

El inspector jefe se quedó un momento en silencio. Hacia la izquierda se alejarían aún más del primer piso de la *rue Saint-Honoré.* Saldrían de su perímetro imaginario de los trescientos metros. Debía de tomar una difícil decisión, así que apostó por la derecha. Le parecía lo más lógico, aunque no tenía ninguna garantía de acertar.

Nada más girar en esa dirección, apenas un minuto después, uno de los agentes levantó la mano, en señal de parada. Señaló un edificio.

Efectivamente, en la puerta había un caballo blanco.

—¡Lo hemos encontrado! —exclamó el sargento—. ¿Quiere que vaya a buscar a los demás grupos?

—No —le respondió el inspector—. Primero, no estamos completamente seguros de que esta pista sea la definitiva. Podría no tratarse de los terroristas. Por otra parte, como ya os he dicho, se nos acaba el tiempo.

—¿Quiere decir que...?

—Quiero decir que nos ocuparemos nosotros seis.

—¿Contra veinte individuos armados? —el sargento insistía, escandalizado.

—Lo dudo mucho. Observad este edificio. Suponiendo que también estén ocultos en la planta baja, su espacio es bastante más reducido que el de la anterior. Ahí no caben veinte personas. Parece un pequeño apartamento, apto para cinco o seis, como mucho. Además, ahora sí que disponemos del factor sorpresa. Si la pista es buena, no se esperarán que los hayamos encontrado en su escondite de seguridad.

Todos se miraron entre sí. Aunque el razonamiento de su superior fuera impecable, no podían ocultar su nerviosismo.

—Antes de entrar, debemos cerciorarnos de que se trata de los que buscamos. No quiero más muertes inocentes por hoy. Y ahora se plantea el segundo problema: el caballo. Si nos acercamos, relinchará y podría poner sobre aviso a nuestro objetivo. No queremos que ocurra, ¿verdad?

—Yo puedo ayudar con eso —dijo uno de los agentes—. Me crié entre caballos. Mis padres son granjeros. Creo que podría desatarlo y alejarlo de la casa, sin causar ningún ruido.

El inspector asintió.

—Escuchadme bien. Permaneceremos en esta posición. El agente intentará alejar el caballo. Tanto si relincha como si no lo hace, no nos moveremos. Si lo consigue, me acercaré personalmente a la ventana. Estad atentos. Si veis que me retiro, no os mováis. Eso significará que no es el objetivo y que debemos de seguir buscando, pero si levanto la mano, mucha atención. Os acercaréis sigilosamente a la puerta. El sargento y yo nos quedaremos en la ventana. Esta vez no entraremos a tiros. Es muy posible que, ahora sí, estén dormidos. Se creen seguros. Intentaremos capturarlos con vida. ¿Alguna pregunta?

Todos negaron con la cabeza, pero sus ojos mostraban el temor que sentían.

El inspector se separó del grupo y se dirigió al granjero, en susurros, para que sus órdenes no fueran escuchadas por los demás miembros del grupo.

—Agente, cuando haya alejado el caballo lo suficiente, mátelo. No quiero que se ponga a relinchar en medio de nuestra acción.

—Pero...

—Ya sé, ya sé. A mí también me gustan mucho los caballos, pero lo siento por él. Nuestras vidas son más importantes.

El agente asintió con la cabeza.

El inspector volvió con su equipo.

—Estamos entrenados para estas situaciones, no debéis dudar de nuestras posibilidades. No es la primera vez que hacemos algo parecido —el inspector había advertido sus miradas temerosas y pretendía tranquilizarlos—. Ahora, agente, sé que conseguirá mover el caballo sin que relinche. ¡A por él!

El agente se acercó con una exagerada lentitud. No se dirigió directamente hacia el caballo. Tomó un poco de hierba entre sus manos y, con las palmas abiertas, se la ofreció. El caballo pareció aceptarla. Mientras estaba comiendo, deshizo el nudo. Esperó a que terminara de comer y, poniéndose delante de él, empezó a conducirlo con la cuerda, alejándolo de la casa. Lo perdieron de vista. A los pocos minutos regresó, con una expresión de tristeza en su rostro y sus ojos húmedos.

El inspector supo que lo había conseguido.

Ahora, el inspector, sin mediar palabra, se aproximó a la ventana de la vivienda. Tenía las cortinas echadas y su interior estaba en completa oscuridad. Buscó un resquicio entre algún pliegue de las cortinas. Encontró uno, pero era demasiado pequeño para poder observar nada. De repente, algo llamó su atención. Había un objeto apoyado sobre el cristal, aunque la falta de luz le impedía distinguirlo con claridad. Esperó un minuto a que sus ojos se habituaran a la penumbra. Cuando eso sucedió, lo pudo distinguir con claridad.

Levantó la mano. Era la señal.

Los cuatro guardias se dirigieron hacia la puerta y el sargento a la ventana. El inspector seguía con la mano en alto. Cuando la bajara, prorrumpirían en la vivienda de forma coordinada.

—No se ve nada —susurró el sargento—. ¿Cómo está seguro de que es nuestro objetivo?

—Mire —le respondió—. Aunque apenas se distinga, eso de ahí es un paño manchado con sangre. El preso italiano que participó en el ataque también estaba herido. Ya sé que no es una pista definitiva, pero es nuestra mejor oportunidad.

El sargento alzó los hombros. Desde luego quizá fuera su mejor oportunidad, pero no sabían qué se iban a encontrar en su interior.

Bajó su brazo.

En ese instante, la puerta de la vivienda fue derribada y la ventana hecha añicos. Aunque oscuro, pudieron observar dos personas, que se disponían a levantarse.

—¡Quietos! —gritó el inspector—. ¡Ni un solo movimiento!

—¿Quiénes son ustedes?

—Eso es lo que les iba a preguntar yo. Nosotros somos de la *Sûreté*.

—Pues yo soy sir Thomas Allsop, caballero británico. El que está en el otro camastro es mi sirviente. Este incidente es de lo más desagradable. Si me lo permite, le mostraré nuestros pasaportes —le respondió en un tono muy altivo, mientras le extendía los dos documentos.

El inspector mandó encender alguna luz. Observó los pasaportes de cerca. Desde luego parecían auténticos y disponían de los sellos de entrada en Francia, pero algo le llamó la atención.

—Si este señor es su sirviente, como usted manifiesta, ¿por qué no viajaron a Francia juntos? Usted entró por Calais hace casi un mes, pero él lleva más tiempo en el país.

—Es obvio. Vino antes para preparar mi estancia. Iba a ser prolongada, pero con semejante recibimiento, me temo que abandonaré su país de inmediato y pondré el asunto en conocimiento del embajador británico, que es íntimo amigo mío. Esto no va a quedar así.

«¿Era posible que se hubieran confundido?», pensó el inspector. Desde luego las pistas que le habían llevado hasta la vivienda no eran concluyentes.

De repente, se acordó del paño ensangrentado. Fue a buscarlo entre los restos de la ventana rota.

—¿Serían tan amables de levantarse? ¿A quién pertenece esta sangre?

—No tengo por qué darle explicaciones a un agente que ha violado la intimidad de mi casa de esta manera y…

—¡Levántense ya o les descerrajamos un tiro! —gritó, con todas sus fuerzas. Ahora se giró hacia sus subordinados—. Si no lo hacen en tres segundos, mátenlos.

La violenta reacción del inspector causó el efecto deseado. Los dos se levantaron. Sus heridas quedaron expuestas, sobre todo la de Orsini en la cabeza.

Se acercó a verlas de cerca.

—Heridas en cabeza y brazos. Parecen producidas por una explosión —dijo, mientras levantaba la mirada y la fijaba en el *lord* inglés.

Ahora, palideció.

—¡Usted es Orsini! —gritó el inspector—. ¡Al suelo los dos!

Felice obedeció de inmediato. Sabía que matar al emperador de Francia implicaba la pena capital, pero, aun así, se permitió una pequeña sonrisa.

Lo que no sabía es que no lo había hecho.

49 LONDRES Y BIRMINGHAM, AGOSTO DE 1858

—¡Esas partidas no se celebrarán jamás!

—¡Pero si ya tienen fecha!

—Eso no es cierto. Tan solo son promesas que no se cumplirán.

—¿Cómo lo puedes saber tú?

—Porque Howard Staunton es mi padre.

Todos los presentes prorrumpieron en sonoras carcajadas, excepto uno de ellos, que estaba sentado, en solitario, en un extremo del *pub*.

—Tú lo que eres es una puta. Ni siquiera conoces al ajedrecista ese.

—Quizá me guste salir a tomar unas pintas de vez en cuando, pero ni soy una puta ni miento. Y tú eres un *mierda*.

En ese momento, Paul Morphy se levantó de su mesa y se acercó hacia la muchedumbre.

—¿Cómo te llamas? —le preguntó a la joven.

—¿Y a ti qué te importa? Yo la he visto primero —le respondió de malas formas uno de los presentes. Se levantó de la silla en actitud desafiante.

—Tan solo pretendía hacerle un par de preguntas, nada más —se excusó Paul, ante la inesperada agresividad de aquel malcarado tipo.

—Tranquilo, James —intervino otro cliente del *pub*—. Es el *paliducho* que siempre se sienta en la misma mesa. Se emborracha a solas y nunca se mete en problemas.

—¿Y qué quieres de mi chica?

—¡Yo no soy tu chica, idiota! ¡Si nos acabamos de conocer y me pareces un mamarracho!

—Disculpe, tan solo se la robaré un minuto. Luego volveré a mi mesa a continuar con lo mío y les dejaré que sigan con su conversación.

—Ya soy mayorcita para decidir con quién quiero hablar y con quién no. Mi nombre es Frances Nethersole.

De repente, Paul pareció salir de la bruma del alcohol. Su rostro cambió por completo.

—¡Mentirosa! ¡Tú misma te has delatado! —dijo el mismo malcarado agresivo—. ¿Cómo vas a ser la hija de Staunton si ni siquiera llevas su apellido?

En ese momento, sin que nadie se lo esperara, se abalanzó sobre ella. Paul, que ahora parecía sobrio y estaba atento, le puso la zancadilla, cayéndose de forma aparatosa contra una de las mesas. Cuando se levantó, miró con furia a Morphy y tomó un palo de madera, que se encontraba junto a la chimenea. Sus intenciones estaban muy claras.

—Será mejor que dejes eso donde lo has encontrado. Tan solo deseo hacerle un par de preguntas a la señorita y luego volveré a mi mesa, en paz —le dijo Paul, con una tranquilidad insólita, dada la apurada situación.

—¿A la señorita? —le respondió el tal James, riéndose y blandiendo el palo sobre sí mismo—. Me parece que eso lo tenías que haber pensado antes de atacarme. Ahora, ¡prepárate a recibir una buena *tunda*!

—Te aseguro que no es una buena idea —Paul seguía inmóvil y su rostro no reflejaba ninguna emoción. Daba la impresión que no era consciente de la situación de inminente peligro contra su persona.

—Pero ¿tú de dónde has salido con ese lenguaje tan redicho? Desde luego, no eres de por aquí. Con ese acento, debes de ser americano. ¡Pues ahora te vas a enterar!

Paul tomó otro palo del mismo lugar. A la primera embestida de James, ya lo había desarmado. En dos segundos más lo mandó al suelo.

—Te dije que no era buena idea. Ahora, si no quieres recibir una paliza, ¡lárgate de este *pub* ahora mismo! —el rostro de Paul ya no reflejaba la indiferencia de hacía un momento. Parecía furioso.

James estaba aturdido. Era un pendenciero profesional y no se esperaba que aquel enclenque joven, que parecía un colegial enfermo, lo mandara al suelo en apenas unos segundos.

Mientras tanto, Paul contenía el aliento. Aún recordaba las lecciones de esgrima que su familia le obligó a tomar de niño. Hizo servir el palo a modo de sable, pero como aquel tipo se levantara del suelo, lo iba a machacar, así que debía parecer firme.

—Vale, vale. Esta puta no merece una pelea, toda para ti —le respondió, aún sorprendido, mientras abandonaba el *pub*.

—¡Vaya con el *rostro pálido*! —exclamó uno de los presentes—. Ponle otra pinta que la pago yo. No se ve todos los días salir a James trasquilado.

Paul agradeció el gesto y le pidió permiso a la muchacha para sentarse con ella.

—Claro, pero no te confundas. Si vas buscando sexo, yo no soy ninguna puta.

—Te creo.

—¡Menos mal! ¡Uno que me cree decente!

—No, no. Lo de puta ya lo daba por descartado, no lo pareces. Me refería a que te he creído cuando has dicho que eras la hija de Howard Staunton.

Frances se le quedó mirando con atención.

—Estoy en un *pub* de mala fama bebiendo como una borracha cualquiera. Lo más normal es que sea una mentirosa fanfarrona. ¿Por qué me crees?

—Porque sé que Staunton se casó con una viuda que ya tenía ocho hijos e hijas de un matrimonio anterior. Curiosamente, el nombre de su esposa es como tú dices llamarte. Además, la conozco personalmente y guarda un asombroso parecido contigo. Mírame y dime a la cara, ¿es todo casualidad?

Frances bajó la cabeza.

—Soy una bocazas, ¿verdad? Tan solo pretendía presumir y, si no llegas a estar tú aquí, a saber qué me hubiera pasado.

—Ahora me toca presumir a mí —dijo Paul, esbozando una tímida sonrisa. Pretendía relajar un tanto el ambiente—. ¿Sabes quién soy?

—Ni idea —respondió de inmediato Frances—. Debes de ser algún *lord* conocido, ya que has manejado ese palo de madera como si fuera un sable de esgrima y ese es un deporte de caballeros de la alta sociedad. A pesar de ser hija de quien soy, no acostumbro a codearme con vosotros.

La sonrisa de Paul ya no era tan tímida.

—No, no soy ningún *lord* ni nada de eso. Tan solo comparto alguna afición con tu padre.

Ahora, la que se rió abiertamente fue Frances.

—¡Pues claro, americano y *paliducho*! ¿Cómo no he caído antes? ¡Debes ser ese tal Morphy!

—Paul para ti —le respondió, riéndose también.

—¿Cómo es que conoces a mi madre?

—Estuve residiendo en Streatham unas semanas, sin embargo, no te vi ni un solo día por allí.

—Digamos que no soporto al pomposo y mentiroso de mi padrastro. Intento evitarlo. Tan solo visito a mi madre cuando él no está presente.

—¿Mentiroso?

—¿Acaso te crees que tiene alguna intención de jugar esas partidas de ajedrez contra ti? No lo hará jamás. ¿A que te está dando largas y elude fijar una fecha?

—Bueno, yo salgo mañana para Birmingham, al torneo. Allí se ha comprometido públicamente y por escrito, en su columna periodística, a fijar una fecha definitiva.

—No lo hará, ya lo verás. Te dirá que no se apuntará al torneo, pero se inscribirá a última hora. Lo conozco perfectamente, son casi diez años soportándolo.

—¿Y qué consigue con eso? —Paul no seguía el razonamiento de Frances.

—Diciéndote que no participará, lo que intenta es que tú tampoco lo hagas. Si eso ocurre, como él sí se inscribirá a última hora, tendrá la excusa perfecta. Le habrás rehuido. Por otra parte, si, al final, tú participas, también le habrás dado un fantástico pretexto. El torneo servirá como enfrentamiento entre vosotros. No hará falta otro. ¿Para qué?

Paul se quedó pensativo un instante. Frances podría tener razón. Staunton llevaba dándole largas bastante tiempo y lo que decía aquella muchacha tenía sentido.

—Pero el torneo no puede sustituir nuestro enfrentamiento particular. A mí jamás me ha interesado Birmingham. He venido a Londres a jugar contra tu padre. Y, aunque ganara ese torneo, considero que no representaría mi verdadera fortaleza como ajedrecista. La única manera de saber quién es más fuerte entre dos es un enfrentamiento entre ambos, no un torneo ni nada por el estilo. Si quiero saber si soy mejor que Lowenthal, Owen o quienquiera que sea, no organizo un torneo. Me limito a jugar contra ellos. Así medimos nuestras fuerzas.

—Sí, sí, tú di lo que quieras, pero ya verás como yo tengo razón.

Paul se quedó mirando a Frances. Estaba claro que conocía mejor a Staunton que él.

—Entones ¿qué me aconsejas que haga? —le preguntó.

—Los defectos más grandes que tiene mi padrastro son la soberbia y la vanidad. Bueno, supongo que eso les pasa a todos los ajedrecistas, pero en el caso de Howard ello le lleva a tener pavor por no estar a la altura de lo que se espera de él. Teme perder su reputación, ya que su ego es inmenso. Ponlo en una situación así e igual le arrancas algún compromiso, aunque sigo pensando que jamás jugará contra ti.

Paul permaneció en silencio durante un instante. Su mente volaba. Al cabo de un instante, pareció despertar. Curiosamente, tenía una extraña sonrisa en sus labios.

—Ha sido un placer conocerte, Frances. Aunque no lo creas, me has abierto los ojos. Muchas gracias. Es hora de volver a mi hotel.

—¡Pero si acabas de llegar al *pub*! ¿No te acabas ni la pinta?

—Tengo cuestiones urgentes que resolver.

—¿A estas horas?

—Como ya te he dicho, ha sido un placer. Cuídate mucho —dijo Paul, mientras se levantaba de la mesa y salía del *pub* a toda prisa.

En apenas diez minutos ya había llegado al *Lowe's Hotel*. Llamó a la puerta de la habitación de Mr. Edge. Esperó casi un minuto.

—¡Señor! ¿Qué hace aquí a estas horas?

—¿Se refiere a que es pronto o tarde? Supongo que para usted es tarde, pero para mí es pronto. Hoy he terminado la noche casi antes de empezarla, ya que debemos hacer un cambio urgente para mañana.

—¿Qué le ocurre? Parece un poco nervioso y atolondrado en sus explicaciones —preguntó Frederick, preocupado.

—¿Sabe si Staunton está inscrito en el torneo?

—No, no lo está, pero dispone de tiempo hasta una hora antes de su comienzo, así que supongo que lo terminará haciendo. De hecho, ya se encuentra allí. Partió ayer.

—Entonces, debe retrasar nuestro tren a Birmingham.

Ahora, Mr. Edge pareció reaccionar. Aquella noticia no se la esperaba.

—¡Pero, si hacemos eso, llegará tarde al inicio del torneo!

—Eso es precisamente lo que pretendo.

—Disculpe, pero no lo comprendo. Le darán por perdida su partida con Mr. Smith y quedará eliminado.

—Entonces es perfecto.

La cara de estupefacción de Mr. Edge era antológica. Se quedó mirando a Paul, esperando ver la cara de un borracho diciendo tonterías, pero no fue así. Estaba sereno y parecía cabal. No supo cómo continuar.

—¡Venga! No se sorprenda tanto. Ya le dije que el motivo de mi visita a Europa no era disputar ese estúpido torneo, aunque asistiremos como espectadores.

—Pero...

—No hay peros. Lo único que debe hacer es dejar una nota en la recepción del hotel para mi amigo Charles Maurian. Aunque se imaginará que estaré en Birmingham, la dirección que le consta ahora mismo es la de este hotel y aquí vendrá primero. Me apetece verlo y quiero que me localice.

Con esta última frase cerró la puerta de la habitación de su secretario, que se quedó inmóvil durante unos segundos, sin reaccionar. Mr. Edge no entendía a Paul, pero estaba obligado a obedecerlo, así que anuló las reservas del expreso matutino y las cambió por el vespertino. Al mismo tiempo, mandó un cable a Fiske, en Nueva York, con la sorprendente noticia.

Al día siguiente partieron hacia Birmingham. Como estaba previsto, llegó tarde para poder asistir a su primera partida, aunque, en realidad, jamás había formalizado su inscripción. A pesar de ello, el presidente del *Birmingham Chess Club,* Thomas Avery, suponiendo que lo haría a última hora, como Staunton, lo había incluido en el sorteo y en el cuadro del torneo. Por eso Paul quería llegar tarde a propósito. Sabía que, si llegaba por la mañana, recibiría enormes presiones para que se inscribiera y no deseaba discutir con nadie. Llegando tarde, se ahorraba todo eso.

A pesar de ello, fue recibido en la estación por el propio Avery, que se encargó de que llevaran el equipaje hasta el hotel y los acompañó hasta el club. Fue acogido con mucho cariño y eso que no participaba.

—Aunque no juegue el torneo, como sabría que esta tarde estaría ocioso, me he permitido organizarle unas partidas con James Kipping, secretario del *Manchester Chess Club* y uno de nuestros ajedrecistas destacados —le dijo Avery. Se notaba que deseaba agasajar al joven prodigio americano.

Paul ni lo dudó. Se sentó frente al tablero en apenas un segundo. Kipping le ofreció el Gambito Evans a Morphy, que lo aceptó y venció la partida de forma rápida. A continuación, disputaron otra. Esta vez fue Paul el que le ofreció el Gambito Evans a Kipping, que también lo aceptó. El resultado de la partida fue idéntico. Morphy lo volvió a derrotar con facilidad.

Para entonces, la primera ronda de partidas del torneo ya había concluido. Tanto Staunton como Lowenthal, Saint-Amant y Falkbeer habían ganado sus respectivos enfrentamientos. Todos se acercaron a saludar a Morphy.

Paul tomó la palabra.

—Les estoy muy agradecido, Mr. Avery y colegas, por todas las atenciones que me están deparando, aunque haya declinado participar en el torneo. Para compensarles, les propongo algo que no se ha visto jamás en Europa. En presencia de tan destacado elenco de ajedrecistas, les reto a todos a una partida simultánea a ciegas, mañana mismo. En total, propongo jugar contra ocho de ustedes a la vez. Un hecho de estas características tan solo ha ocurrido una vez en la historia, en Nueva Orleans, pero jamás ha sucedido en Europa. Les aseguro que fue un acontecimiento muy popular, incluso se tuvo que ampliar la capacidad de las salas para que cupiera todo el público que deseaba asistir.

—¡Eso es extraordinario! —exclamó entusiasmado Avery. Un acontecimiento así le brindaría las portadas de toda la prensa británica—. Suspendemos la jornada de mañana para ser testigos de semejante proeza.

Para sorpresa de Avery, su entusiasmo no fue compartido por la mayoría de jugadores del torneo, que declinaron el ofrecimiento de Paul. Todos conocían su pericia con las partidas a ciegas y no querían arriesgar su reputación. Al final, sus oponentes fueron el propio Mr. Avery, Mr. Kipping, lord Lyttenton, presidente de la Asociación Británica de Ajedrez, el reverendo Salmon, el mejor jugador de Irlanda, el Dr. Freeman, Mr. Carr, secretario del *Lexington Club* y Mr. Wills, presidente honorario de la Asociación Británica. Todos eran extraordinarios jugadores, pero Paul no consiguió que ninguno de los que participaban en el torneo se atreviera.

Como estaba previsto, fue un gran acontecimiento. Todos los grandes ajedrecistas no se lo quisieron perder. Para sorpresa general, el reto de Paul apenas duró cinco horas. Ganó seis partidas, perdió una contra Mr. Avery e hizo tablas contra Mr. Kipping. Toda la prensa de Europa lo recogió como un grandísimo logro, tan solo al alcance de un verdadero genio como Morphy. Salvo Louis Paulsen en Estados Unidos, nadie lo había intentado, pero Paulsen jugaba esas simultáneas a ciegas con ajedrecistas de un nivel muy inferior a los de Morphy.

Pero la intención de Paul era otra. Con todos los miembros de la Asociación Británica del Ajedrez presentes en la sala, se levantó y tomó la palabra.

—He venido a Europa con el único propósito de enfrentarme a Howard Staunton. Llegué el 22 de junio y hoy es 28 de agosto. Llevo más de dos meses en su isla y, a pesar de que ya había aceptado mi reto antes de mi llegada, aún no ha fijado una fecha fija concreta para nuestro enfrentamiento —Paul hizo una pequeña pausa para llamar la atención—. Mr. Staunton, en presencia de todos los miembros de su asociación, ¿quiere darme una fecha?

Staunton no vio venir la encerrona.

—Ya le dije que necesitaba preparación.

—Es cierto, lo dijo incluso antes de mi llegada. Le concedí el tiempo que fuera necesario, pero, aun así, me rehúye. Me da igual el mes, septiembre, octubre o noviembre, pero, delante de todos estos caballeros, proponga una fecha definitiva ya. En caso contrario, parecerá que no se atreve a enfrentarse a mí. Y empleo el verbo «parecer» por ser educado.

Staunton estaba acorralado. Comprendió la jugada de Morphy. Ahora no tenía más remedio que fijar una fecha, si no, quedaría como un cobarde.

—El *match* comenzará a principios de noviembre. Veintiuna partidas con una apuesta de quinientas libras cada uno. Sin límite de tiempo por jugada. Actuará de árbitro lord Lyttenton, presidente de la Asociación Británica de Ajedrez y tendrá lugar en mi club, el *St. George's Chess Club* de Londres —anunció con voz firme Staunton—. Está decidido.

Todos los presentes prorrumpieron en un sonoro aplauso. Paul, sin embargo, no lo hacía, pero lucía una enigmática sonrisa. «Al final, Frances Nethersole tenía razón. Ha costado, pero lo he conseguido», pensó, muy contento. «Después del anuncio que acaba de hacer, delante de toda la Asociación, ya no tiene vuelta atrás. Si lo hiciera, perdería todo su prestigio, que es lo que más teme».

—¿No me diga que todo este plan se le ocurrió hace dos días bebiendo cerveza en un *pub*? —preguntó un asombrado Mr. Edge, que, hasta ahora, no había comprendido a Paul.

—Pues sí. Ya ve que no todo lo que ocurre allí adentro es malo —le respondió, ocultándole su encuentro con Frances.

—Mañana será noticia en todo el mundo. ¿Qué le piensa decir a Charles Maurian cuando llegue? Por muy amigos que sean, acude en representación de su familia para prohibirle ese enfrentamiento.

—¿Y si nos vamos a París? Queda mucho tiempo hasta noviembre y ya no tengo nada más que hacer en este país.

—¿Qué? —preguntó Mr. Edge, sorprendido por el repentino cambio de tema de Paul. Estaba claro que no estaba preocupado por la actitud de su familia, contraria a las apuestas y a los viajes.

—No —rio, interpretando la cara de asombro de Frederick—. No es para huir de Charles Maurian ni de mi familia. Ya le he dicho que me apetece verlo. Mande de inmediato una nota al *Lowe's Hotel* de Londres indicando nuestros nuevos planes. Deje constancia de que, en París, nos alojaremos en el *Hotel Le Meurice*. También envíe un cable a Fiske con las nuevas noticias. Quiero que sean de público conocimiento. No pretendo ocultarme, todo lo contrario.

Frederick Edge no comprendía nada, pero obedeció a Paul.

Así, en la mañana del día 31 de agosto, ambos partieron hacia Dover en tren, desde donde tomaron un vapor hasta Calais, cruzando el canal de la Mancha. Hicieron noche en la ciudad francesa y aprovecharon el primer expreso matutino en dirección a París.

—¿Me imagino que ya sabe el primer lugar que visitaremos en la capital francesa? —preguntó Paul.

—Desde la gran revolución tiene fama de libertinaje, sede de bohemios y románticos rebeldes. No me espere en ninguna de esas tabernas.

Paul no pudo evitar reírse.

—Iremos derechos al *Café de la Régence.*

—No pienso poner un pie en...

—En su día, cuando aún vivían, asistieron Robespierre, Voltaire, Napoleón Bonaparte o Diderot, por poner un ejemplo. También era frecuentado por Philidor, su maestro, e incluso con su gran amigo y compatriota mío, el americano Benjamin Franklin. Supongo que le sonarán esos nombres.

—¡Pues claro! Pero ¿qué atractivo puede tener para usted semejante local? No le interesa la historia, que yo sepa.

—Siempre fue, y todavía lo es, el templo francés del ajedrez. Ya le he dicho que, en su día, eran asiduos Philidor y su maestro, Kermur Sire de Légal, pero, hoy en día, lo son Daniel Harrwitz, Adolf Anderssen, Charles Saint-Amant o incluso nuestro viejo conocido Johann Lowenthal, al margen de numerosos ajedrecistas de gran calidad. ¿No me negará que es muy difícil reunir tanto talento, ni siquiera en Londres?

Mr. Edge se quedó mirando fijamente a Morphy.

—Su objetivo al venir a Europa nunca fue ni Birmingham ni Londres, ni siquiera Howard Staunton, por mucho que desee jugar contra él, ¿verdad? Siempre ocultó la verdadera naturaleza de su viaje. Sabía que su periplo se prolongaría bastantes meses, incluso antes de salir de Nueva Orleans. Lo de París ya lo tenía previsto, hasta el hotel. Engañó a todo el mundo.

Ahora fue Paul el sorprendido, aunque no pudo evitar sonreír.

—Veo que me va conociendo, aunque todo lo sabrá a su debido tiempo.

—¿Y cuándo será «ese debido tiempo»?

—Me temo que no tengo respuesta a su pregunta, pero siento que no falta demasiado. Nos estamos acercando. Ahora, solo falta causar un gran revuelo en la ciudad, y eso se me da bastante bien.

—Me está asustando. ¿Estamos hablando de ajedrez?

—¿De qué si no?

Mr. Edge, mirándolo a los ojos, no lo creyó.

50 PARÍS, 25 Y 26 DE FEBRERO DE 1858

—Soy culpable.

Se hizo un profundo silencio en la Audiencia del Sena, el tribunal que estaba juzgando a Orsini, Pieri, Di Rudio y Gómez, presidida por el juez *Monsieur* Delangle.

—¿Quiere explicarle a este tribunal de qué se declara culpable exactamente?

—De intentar asesinar al emperador de Francia, Napoleón III.

En la sala se pudo escuchar un murmullo de indignación.

—¿Por qué intentó semejante atrocidad?

Felice estaba siendo interrogado por el fiscal general Chaix d'Est-Ange, que había sido sorprendido por las palabras de Orsini. Esperaba que aquello fuera más complicado.

—Estaba seguro de que el modo más rápido y menos doloroso de iniciar una revolución en Italia era incitarla en Francia. Era la vida de una sola persona contra millones. Yo mismo cargué las bombas en mi vivienda de la *rue du Mont Thabor.* Tuve que secar la pólvora, reloj y termómetro en mano, y luego rellenar los cilindros metálicos, vigilando que no entrara en contacto con el fulminato de mercurio. Cualquier chispa, o simplemente un descuido, podría haber hecho saltar por los aires todo el edificio.

Era evidente que Felice intentaba proteger a sus aliados británicos, sobre todo al armero Joseph Taylor y a sir Thomas Allsop. Era consciente de que él ya estaba muerto, por eso cargaba con todas las culpas, intentando que la policía francesa no recordara aquel aviso de sus homólogos británicos, advirtiéndoles de la inusual compra de sustancias para fabricar el fulminato de mercurio.

Ante semejante declaración, el presidente del tribunal no pudo evitar intervenir.

—En caso de que hubiera tenido éxito vuestro abominable atentado, ¿con qué ayuda contabais en París?

—Pensaba firmemente que matando al emperador, conseguiría derribar el sistema absolutista en Francia. Confiaba en el pueblo francés, esa era toda mi ayuda. A continuación, esperaba un levantamiento en mi país.

—¿Y guiado por la vana esperanza de un levantamiento y para devolver a Italia la libertad de 1849 os habéis convertido en asesino en Francia?

—Quería dar a Italia la independencia, porque sin ella no hay libertad posible. Siempre me ha guiado la palabra «libertad». Puedo haber cometido muchos errores a lo largo de mi vida, pero siempre con ella por bandera.

—Curiosa expresión en la boca de un asesino confeso. Siéntese. Me temo que no tiene ninguna credibilidad. Confunde libertad con muerte. Es de locos.

Posteriormente se tomó declaración a Pieri, Di Rudio y Gómez.

Giuseppe Pieri no dijo ni una sola palabra cabal. Estaba claro que sabía que, dijera lo que dijera, le esperaba la guillotina, por lo que ni siquiera se dignó a prestar atención al fiscal y al presidente del tribunal.

Di Rudio, sin embargo, mantuvo otra actitud. Se disculpó.

—No pensaba que llegaríamos tan lejos. Me arrepiento de mi participación en el intento de asesinato de nuestro emperador. No estaba en una buena posición económica, a pesar de mi apariencia. Orsini me ofreció dinero y mi desgracia fue aceptarlo.

El presidente volvió a intervenir.

—Pertenecéis a una familia muy distinguida que ha ocupado muy buena posición social. Salisteis voluntariamente de la escuela de cadetes de Milán, sin dar explicaciones. Habéis huido de trabajar, os habéis comprometido en los movimientos revolucionarios y, de escalón en escalón, os habéis convertido en asesino, y no uno cualquiera. Usted no es un criminal idealista como Orsini sino un asesino mercenario, por trescientos francos y doce chelines mensuales que le habían prometido a su mujer.

Di Rudio estaba abochornado, pero el presidente tenía razón.

La defensa de Antonio Gómez ante las acusaciones fue muy simple.

—Estoy profundamente arrepentido de mi participación, aunque debo recordar a este tribunal que yo no lancé ni una sola bomba y podía haberlo hecho. Por ello, suplico clemencia. Yo era el simple criado de Orsini y me limité a seguir sus órdenes, sin pensarlas.

Estaba claro que estaba intentando evitar la pena capital.

Después de tomar declaración a los cuatro acusados, el presidente suspendió la audiencia hasta el día siguiente.

El fiscal general estaba algo descolocado. Tenía en el banquillo a unos locos asesinos y extremistas políticos. Esperaba una defensa de sus valores con más vehemencia. La primera jornada había sido decepcionante para él, así que decidió comenzar la segunda con algo de pasión, por lo menos por su parte.

—Francia y el mundo se han salvado milagrosamente. La Providencia ha protegido al emperador, cuyo valor y confianza no han desarmado el brazo de los asesinos. En el teatro mismo del atentado, en medio de la carnicería, cuando las víctimas estaban en el suelo, la muchedumbre prorrumpió en un grito unánime. En poco tiempo fue cundiendo esta gran aclamación colectiva, que aún resuena, así como las campanadas de los *Te Deum* vibran en nuestros oídos. No hay nadie que no haya comprendido que el mundo estaba salvado.

Hizo una pequeña pausa para beber un poco de agua.

—Pues no, me equivoco y pido perdón por mis anteriores palabras.

El público presente en la audiencia se quedó sorprendido por aquello. Era lo que pretendía el fiscal, despertar a la gente. Continuó con su singular alegato.

—No, los esfuerzos de los asesinos habrían sido impotentes. Es cierto que la Providencia protege al emperador, pero, aunque lo hubieran tenido a sus pies, no habrían matado con él ni el orden y ni las instituciones que ha fundado. Las instituciones sobreviven a las personas. La Francia desolada se habría levantado como un solo hombre en nombre del heredero del trono. El emperador puede morir, pero su raza y su nombre no perecerán jamás.

El público parecía emocionado. Ese era el sentimiento que le interesaba despertar al fiscal.

Ahora, el turno de palabra le correspondía al abogado de la defensa, Julio Favre.

—Sin duda, mi colega el fiscal general ha sabido tocar su fibra sensible. Es un gran orador —dijo, mirando al jurado—, pero no olviden una cuestión. El día de la verdadera justicia es aquel que los acusados comparecen ante vosotros. Ese día pronuncian sus últimas palabras, sus justificaciones y la defensa de sus actos —hizo una pequeña pausa algo teatral—. Con el permiso del presidente, me gustaría leer el testamento vital de Felice Orsini. Se trata de una carta dirigida a nuestro emperador, que les confirmo que la ha leído. Ahora, quiero que la escuchéis vosotros también.

Se formó otro revuelo en la sala. Aquello no se lo esperaba nadie.

—Disculpe, señor Favre —intervino el presidente—. No está permitido revelar en esta sala el contenido de cartas dirigidas a nuestro emperador sin su consentimiento expreso. No puedo autorizarle a que prosiga ya que...

—Discúlpeme ahora a mí, señor presidente. Si me permite que me acerque al estrado, le mostraré otra carta —dijo, mientras se aproximaba al juez y le entregaba un sobre.

El murmullo en la sala se convirtió ahora en un auténtico estruendo. La primera sesión había sido aburrida, pero esta segunda estaba llena de sorpresas.

Tras un breve instante, después de leer al menos dos veces la misiva que le había entregado el abogado, el presidente volvió a tomar la palabra.

—El señor Favre puede proceder. En esta carta, el emperador Napoleón autoriza a revelar el contenido del testamento de Orsini —afirmó, sin poder ocultar su sorpresa.

El fiscal también estaba atónito. Aquello era de inciertas consecuencias. A todos les resultaba insólito que el emperador hubiera otorgado tal gracia al cerebro de su intento de asesinato.

—A Napoleón III, emperador de los franceses —comenzó a leer el abogado—. Las declaraciones que he dado contra mí mismo bastan para enviarme a la muerte y la sufriré sin pedir perdón, tanto porque no me humillaré jamás ante el que ha matado la libertad naciente de mi desgraciada patria, cuanto porque, en la situación en la que me hallo, la muerte es para mí un beneficio. Próximo al fin de mi carrera, quiero, sin embargo, intentar un postrer esfuerzo para acudir en defensa de Italia, por cuya independencia he arrostrado hasta hoy todos los peligros y buscado todos los sacrificios. Ella es el objeto de todo mis afectos, y este pensamiento es el que quiero condensar en las palabras que dirijo a Vuestra Alteza. Para mantener el equilibrio actual de Europa es preciso hacer a Italia independiente, o remachar las cadenas con las cuales Austria la tiene reducida a la esclavitud. ¿Pido yo para su libertad que los italianos derramen la sangre de los franceses? No, no llego hasta ese extremo. Italia pide a Francia que no intervenga contra ella, pide que Francia no permita a Alemania apoyar a Austria en las luchas que probablemente se trabarán en breve. Pues bien, esto es lo que Vuestra Alteza puede hacer, si quiere. De esa voluntad depende el bienestar o los males de mi patria, la vida o la muerte de una nación a la que Europa es, en gran parte, deudora de su civilización.

Julio Favre hizo una pequeña pausa para beber algo de agua. Prosiguió de inmediato.

—Tal es el ruego que desde mi calabozo me atrevo a dirigir a Vuestra Majestad, no desesperando de que desoiga mi débil voz. Le suplico que devuelva a mi patria la independencia que sus hijos perdieron en 1849, precisamente por culpa de los franceses. Recuerde que los italianos, entre los que se encontraba mi padre, carbonero, derramaron gustosos su sangre por Napoleón el Grande, dondequiera que quiso conducirlos. Recuerde que le fueron fieles hasta el momento de su caída. Recuerde que mientras Italia no recupere su libertad e independencia, la tranquilidad de Europa y la de Vuestra Alteza será una quimera. No desoiga el ruego supremo que le dirige un patriota desde las gradas del patíbulo: dé la libertad a mi patria y las bendiciones de veinticinco millones de ciudadanos le seguirán en la posteridad. Cárcel de Mazás, a 11 de febrero de 1858. Firmado, Felice Orsini.

Ahora, no se escuchaba ni el aleteo de una mariposa.

—Para finalizar el alegato de la defensa —continuó Favre, dirigiéndose al jurado—, tan solo destacar que Orsini se ha inclinado ante Dios, por haber comprendido que sus acciones lo condenaban. Desde el borde de su tumba se dirige a aquel contra el cual no le anima ningún sentimiento de odio. Se encomienda a aquel que puede ser el salvador de su patria y le dice: *Salisteis de las entrañas del pueblo, del sufragio universal. Pues bien, adoptad las ideas de vuestro glorioso predecesor. No deis oídos a los aduladores, sed grande y magnánimo y seréis invulnerable.*

—Vaya terminando su alegato —le advirtió el presidente.

—En definitiva, señores jurados, no tenéis la necesidad de las excitaciones del señor fiscal general. Estoy seguro de que cumpliréis vuestro deber sin pasión y sin debilidad. Pero no olvidéis que Dios está sobre nosotros, ese mismo Dios que le concederá un perdón que los jueces de la tierra habrían creído imposible.

El fiscal tuvo que rendirse ante el impecable alegato del defensor de Orsini. Le había logrado dar la vuelta a su discurso. Para su espanto, pudo observar gestos de duda entre los miembros del jurado. Jamás se lo hubiera imaginado al inicio del juicio, pero la carta leída, con la bendición del propio emperador, había causado un efecto inesperado. Nadie hubiera permitido su lectura si no albergara sentimientos de perdón hacia sus presuntos asesinos.

Y en este caso no era un cualquiera.

Era el propio Napoleón.

Mientras tanto, Felice sonreía desde el banquillo de los acusados. Había desarrollado sus piezas hasta el final. La partida aún no se había terminado.

51 PARIS, DE SEPTIEMBRE A OCTUBRE DE 1858

—Era un enfrentamiento a veintiuna partidas, perdía nueve a dos. Todo el mundo lo daba por muerto.

—¿Qué tiene eso de extraordinario?

—Que Daniel Harrwitz, desde esa misma silla donde está usted sentado, le dio la vuelta al *match*, imponiéndose a Lowenthal por once a diez. Fue algo épico. Harrwitz tenía treinta años cuando logró esa gesta, tan solo nueve más que yo.

Mr. Edge no pudo evitar sentirse impresionado.

—¿Es cierto o me toma el pelo? —preguntó, mientras miraba la silla con cierta expresión de reverencia.

—Por supuesto que no. Quiero jugar contra Harrwitz. Ese es el motivo de que estemos en el *Café de la Régence*.

—¿Por qué? Usted ya ha derrotado a Lowenthal con mucha más facilidad que ese ajedrecista de apellido extraño. La lógica indica que lo vencerá.

—¡Claro que pienso ganarle! Pero eso no es lo interesante. Daniel Harrwitz, que es polaco de nacimiento, de ahí su apellido, no es un jugador *amateur* cualquiera como los que vemos a nuestro alrededor. Es un ajedrecista profesional que vive de su juego. Domina la técnica a la perfección.

—Como Lowenthal.

—Sí, pero hay algo más. Es de los pocos en Europa que se ha atrevido a jugar partidas a ciegas, con notable éxito.

—Como usted.

—Exacto. Ya hemos llegado donde quería. Usted mismo se ha respondido a su pregunta. Harrwitz combina lo mejor de ambos mundos, la teoría y la intuición, acompañado de una memoria prodigiosa. Todo un reto irresistible para mí.

—Entonces, si tanto desea jugar contra él, ¿qué hacemos aquí sentados de incógnito? ¿No sería más productivo presentarse y preguntar quién de los presentes es el tal Harrwitz o como se llame?

—No está en el café, lo conozco por fotografías.

—¿Y no piensa hacer nada más que esperar a que se digne a aparecer?

—Me temo que no lo haremos por mucho tiempo. Por las fotografías.

—Disculpe, pero ahora no lo entiendo —le respondió Mr. Edge, intrigado.

De repente, dos personas se aproximaron a su mesa.

—Perdonen la intromisión —dijo uno de ellos—, pero guarda usted un parecido asombroso con Paul Morphy. Lo vi en las fotografías en la prensa durante la exhibición de partidas a ciegas en Birmingham. Ya sé que no puede ser usted, porque Morphy se encuentra en Gran Bretaña, pero resulta muy curioso. De nuevo, disculpen las molestias.

Paul sonrió y se levantó de la mesa.

—No hay nada que perdonar. Es un placer saludarles, señores Lécrivain y Journoud.

—¡Es usted! ¡Y nos conoce! ¿Pero cómo se le ocurre venir aquí y no presentarse? —ahora, uno de ellos se giró, dirigiéndose a todos los presentes en el café, casi histérico—. ¡Señores, tenemos con nosotros al mismísimo Paul Morphy!

De repente, se formó un gran revuelo en el local.

—¿Se da cuenta cómo no hacía falta presentarse? Era cuestión de esperar —le susurró Paul a Frederick, mientras eran rodeados por decenas de personas—. Es mejor así.

—Supongo que habrá venido a jugar a ajedrez —dijo Lécrivain—. ¿Qué hace ahí sentado tomándose un café?

—Esperaba ver a Daniel Harrwitz.

—Hasta el sábado no llegará. Está volviendo de su casa familiar en Breslau.

—Vaya, pues me temo que tendré que esperar, aunque, pensándolo mejor, quizá me encuentre en el mejor lugar para pasar un par de días distraído.

—¡Unos tableros ya! —gritó Journoud.

Paul se pasó los dos siguientes días jugando sin parar. Lo hizo dando importantes ventajas y aun así, excepto unas tablas que cedió con Rivière, las demás partidas las ganó.

Mr. Edge estaba contento. Paul no había trasnochado ni un solo día y parecía centrado en su objetivo de enfrentarse a Harrwitz. Eso era bueno para todos.

Hasta que llegó Harrwitz.

Tal y como estaba previsto, se presentó el sábado por la mañana en el *Café de la Régence.* Inmediatamente, Paul acudió a su encuentro. Se saludaron afectuosamente, hasta que Paul le propuso jugar una simple partida. En ese momento, se produjo en el polaco un significativo cambio de actitud.

—No quiere jugar contra usted, está más que claro —le susurró Mr. Edge a Paul—. Simplemente observando la mueca de su cara...

—Déjemelo a mí —le interrumpió Morphy, con confianza.

—Llegué ayer mismo de viaje y estoy bastante cansado —alegaba Harrwitz.

—Nada serio —le replicó Paul—. Una partida rápida, además le dejo que elija mi apertura. Las domina mucho mejor que yo.

El polaco se lo pensó. Sabía que a Morphy se le atragantaba el Gambito de Rey, así que decidió aceptar, con esa condición.

Para sorpresa general, Harrwitz dominó la partida desde el mismo principio, llegando con notable ventaja al medio juego. Paul no estaba nada cómodo y se le notaba. Al cabo de veintinueve movimientos, tumbó a su rey.

—Veo que es cierto lo que cuentan de usted —le dijo Morphy—. Y no será porque no venía avisado. Lowenthal ya me lo advirtió en Londres.

—¿Qué le dijo? —Daniel estaba intrigado y emocionado a partes iguales.

—Que me ganaría, cosa que ha terminado sucediendo, aunque, si le soy sincero, pensaba que le opondría más resistencia.

—Me sorprende. Desde aquella sonada derrota, no mantengo ninguna relación con Johann. Creía que seguía enojado conmigo.

—Quizá lo esté exteriormente, pero, desde luego, lo admira en privado. Sabía que, si había un jugador en Europa que me podía poner en aprietos, ese era usted. A la vista está que tenía razón.

La muchedumbre parecía también emocionada, como Harrwitz. Todos querían más.

—¿Y si repiten aquel mítico enfrentamiento? —propuso Lécrivain—. Fue de lo más emocionante que se vivió aquí. Aún lo recordamos. Sería todo un acontecimiento.

Ahora, el público presente en el café prorrumpió en una sonora y prolongada ovación. Harrwitz se vio obligado a levantarse y saludar. En ese momento, los aplausos se redoblaron. No en vano, aunque polaco, era considerado un jugador local, ya que desde 1853 residía en París y visitaba el café casi a diario.

—Ya le he dicho a Morphy que estoy cansado del viaje. No creo que soportara jugar un *match* a veintiuna partidas —exclamó, en voz alta.

—El primero que gane siete, vence —le respondió de inmediato Paul— y, como la que acabamos de terminar, usted elige la apertura de mi primera partida.

La emoción en el *Café de la Régence* estaba a flor de piel. Todos conocían los continuos retrasos en el enfrentamiento de Morphy con Staunton, además, consideraban que Harrwitz era superior al británico.

Aquel duelo prometía y todos lo sabían.

—Está bien, acepto esas partidas —terminó cediendo Harrwitz. Por otra parte, no le quedaba otra opción, ya que no se habría entendido que lo hubiera rechazado. El café era su segunda casa. No podía defraudar a sus seguidores. Rivière sería el juez del torneo.

Se estableció que la primera partida se celebraría mañana mismo, que era domingo, a las once, lo que aseguraba una gran presencia de público. Una partida por día y cada jugador tendría derecho a solicitar un único descanso. Paul no deseaba jugar por dinero, pero las apuestas eran inevitables en este tipo de enfrentamientos. Al final, se vio forzado a aceptar 295 francos, que aportó de su propio patrimonio. Harrwitz, en cambio, para reunir esa cantidad necesitó buscar el respaldo de amigos del café, que, después de lo visto, confiaban en él.

Morphy y Mr. Edge abandonaron el café en dirección a su hotel.

—¿Sabe? A veces me asusta. Es usted un verdadero diablo. Lowenthal jamás le comentó nada acerca de Harrwitz, ¿verdad?

—No, pero quizá lo pensó —le respondió Paul, sonriendo.

—Desde el principio sabía que el polaco no iba a aceptar este *match*, así que decidió montar este pequeño *teatrillo* para obligarle a aceptar. No era lo mismo que se lo propusiera usted que todos sus seguidores. No le dio opción. Además, seguro que se dejó ganar esa partida del Gambito de Rey.

—Quizá tuviera un par de despistes «involuntarios», no lo niego —continuaba sonriente—. Pero lo que me alegra es que veo que, aunque le está costando más de la cuenta, me empieza a conocer —dijo, mientras se separaba de Frederick.

—¿Adónde va?

—A celebrarlo —le respondió—. Llevo conteniéndome muchos días y creo que me lo he ganado.

—¡Pero si mañana empieza su enfrentamiento!

Mr. Edge tan solo pudo observar cómo, desde la distancia, Paul levantaba sus hombros, en señal de clara indiferencia, hasta que desapareció de su vista.

Paul regresó al hotel a la misma hora que se levantaba Frederick.

—¡Por Dios!, señor ¡Son las siete de la mañana y está borracho!

—Pero a las once no lo estaré, mire el lado positivo. Entonces tan solo tendré una tremenda resaca. Me voy a dar un buen baño y a preparar la partida de hoy.

Si no fuera por lo dramático de la situación, Mr. Edge se hubiera reído. «¿Qué demonios va a preparar en semejante estado?», pensó. «Tendré que estar atento para que no se duerma dentro de la bañera y se ahogue».

Paul, como no podía ser de otra manera, tenía un espantoso aspecto cuando entró en el *Café de la Régence*.

—Ya lo sé, no hace falta que comente nada. No he dormido bien.

—No iba a decir nada —respondió Harrwitz, que conocía los problemas de su adversario con el alcohol—. ¿Comenzamos? Como acordamos, deseo que vuelva a jugar el Gambito de Rey aceptado.

—Como quiera —le respondió.

Morphy volvió a caer derrotado sin paliativos, bordeando la insolencia. La partida fue muy breve. De nuevo se escuchó una gran ovación en un abarrotado café. Daniel Harrwitz se permitió subirse encima de la mesa, con los brazos en alto. Paul, en cambio, permanecía inmóvil, sentado en su silla. Cuando Daniel se bajó, tomó su muñeca.

—¡Asombroso! Su pulso no late más rápido que si hubiera ganado la partida.

Estaba claro que se estaba pavoneando, aunque Paul aguantaba estoicamente todas esas demostraciones fuera de lugar. Mr. Edge, que conocía el motivo, lo tomó por su mano y se lo llevó al hotel.

—No estaremos más tiempo aquí —le dijo.

—¿En París? Si aún me queda mucho por hacer.

—No, en este hotel. Está demasiado cerca del vicio. Nos trasladamos al *Hotel Breteuil.*

—Si cree que así va a lograr que no disfrute de la noche parisina, se equivoca. Por cierto, no olvide dejar en la recepción una nota para Charles Maurian, que aún no ha llegado. Le está costando demasiado seguir nuestra pista. Si no fuera por las notas que le vamos dejando, seguro que mi amigo pensaría que intentamos despistarlo.

El día siguiente no fue diferente al anterior. Paul disputó su segunda partida con una resaca de escándalo. El resultado fue el esperado, volvió a caer derrotado. Harrwitz, de nuevo, se volvió a subir a la mesa para saludar a la masa enardecida. Esta vez no tomó de la mano a Paul, aunque se atrevió a atacarle.

—Parece que me cuesta muy poco batir a este paliducho americano. Morphy es un corderito camino del matadero.

Rivière se acercó a Mr. Edge.

—¿Se encuentra bien su protegido? Su aspecto no parece muy saludable. Esta partida no ha sido como la anterior. Morphy la podía haber ganado, pero, de forma incomprensible, la ha tirado. Debería plantearse pedir su descanso por motivos médicos. Está claro que no se encuentra bien de salud.

Frederick ni se inmutó.

—Le agradezco su preocupación, *Monsieur* Rivière, pero le aseguro una cosa; en los próximos días, el que parecerá un corderito camino del matadero será Harrwitz.

Rivière prefirió no seguir con la conversación. No entendía a Mr. Edge, así que se retiró. A pesar de ser amigo de Daniel Harrwitz, no le gustaba ver a Morphy caer derrotado de esa manera tan rotunda e incomprensible a sus ojos.

Cuando se quedaron solos, Mr. Edge interpeló a Morphy.

—¿Me va a contar su plan? Creo que merezco saberlo.

—¿De qué plan me habla? —respondió Paul. Haciéndose el sorprendido.

—Hasta ahora no me había dado cuenta, pero hoy ha sido definitivo. Incluso borracho debía de haber ganado esta partida. ¿Qué es lo que pretende dejándose ganar de esta manera?

Paul cambió por completo de semblante. Ahora ya no parecía ni siquiera resacoso. Sus ojos violetas parecían haber recobrado la vida.

—Interés, tan solo eso.

—¿Interés? ¿Por qué? No lo comprendo.

—Mañana se publicará en toda la prensa europea que el gran genio americano está cayendo derrotado sin paliativos frente a Daniel Harrwitz. Espero que la noticia atraiga a mucha más gente a París.

—¿Más todavía? ¡Si el café estaba abarrotado!

—Quizá una expresión más precisa sería que deseo que venga a París la gente adecuada. Calidad más que cantidad.

Mr. Edge renunció a intentar entender esa enigmática expresión.

—¿Cuándo piensa dejar de perder?

—No lo sé, igual mañana. Esta noche, entre copa y copa, lo decidiré.

Frederick, esta vez, no hizo nada por impedir la senda de autodestrucción que parecía que arrastraba a Paul. «¿Lo voy comprendiendo?», llegó a pensar. «Si es así, mañana lo veré».

Al día siguiente, Paul se presentó en el *Café de la Régence* en idéntico estado a los dos días anteriores. Saludó a Harrwitz, se sentó en su silla y guiñó un ojo a Mr. Edge.

El aspecto de Morphy podía ser el mismo, pero, desde luego, su juego no lo era. Para sorpresa de Harrwitz, Paul planteó el Gambito de Rey, pero, en esta ocasión, en apenas veintiocho movimientos, apabulló a su adversario, para la absoluta sorpresa del polaco. Lo mismo ocurrió al día siguiente, pero esta vez la victoria fue todavía más aplastante. Su ataque fue tan implacable y arrollador que su adversario ni siquiera llegó a calentar la silla con sus posaderas. La actitud de Harrwitz cambió por completo. De hecho, le solicitó a Paul reanudar el *match* pasado mañana, sin que le contara como su reglamentaria pausa. Paul aceptó sin vacilar.

No le iba a servir de nada.

El 13 de septiembre jugaron su quinta partida. Paul seguía con su mala vida nocturna, pero, ahora, el que parecía tener peor aspecto era Harrwitz, que volvió a caer derrotado de manera fulminante. Ahora ya no se subía encima de la mesa ni se pavoneaba. Se dirigió a Morphy.

—No termino de comprender lo que está sucediendo. O me estoy enfrentando al mejor ajedrecista que he visto en mi vida, o, por lo que sea, no estoy rindiendo a mi nivel habitual. Quizá esté notando, en estos momentos, los efectos del viaje y no me encuentre bien de salud. Ahora sí, le solicito el descanso reglamentario.

—Por supuesto, no hay ningún problema. Descanse unos días.

—Diez.

—¿Diez? —preguntó Paul, haciéndose el sorprendido—. Eso no era lo acordado, es demasiado tiempo. No obstante, no deseo discutir con un caballero como usted. Se lo concedo.

Harrwitz abandonó el café, sin intercambiar palabra con nadie. Estaba claro que el protagonista había cambiado. Todos los presentes querían saludar a Paul y comentar la última partida.

Ahora, el enfrentamiento entre Morphy y Harrwitz ya copaba las portadas de toda la prensa, no solo de Europa, sino también de Estados Unidos. La expectación era máxima.

—Ya ha conseguido lo que pretendía. Tiene la atención de todo el mundo —le dijo Mr. Edge a Paul, volviendo al hotel—. ¿Le ha compensado destrozarse su salud?

—No, y no me refiero a la salud. Aún no he conseguido la atención suficiente.

—Suficiente, ¿para qué?

Paul no le respondió a la pregunta. Se limitó a cambiar de tema.

—Tengo que poner en marcha otra cuestión. En cuanto a mi salud, puede estar tranquilo. Estos diez días libres los voy a dedicar a este nuevo asunto, no a emborracharme.

—Supongo que, si le pregunto qué va a hacer, me responderá que «todo a su debido tiempo».

—Sin duda está haciendo progresos asombrosos conmigo —le respondió un sonriente Morphy.

Como ya se imaginaban tanto Paul como Frederick, Daniel Harrwitz no se encontraba enfermo. No dejó de ir ni un solo día al *Café de la Régence.* Mr. Edge observaba cómo se entrenaba como un poseso, jugando decenas de partidas. También observaba a Paul. No sabía cuál de las dos actitudes le sorprendía más. Morphy no se acercó a un tablero en todos los días y tampoco salió de noche, sin embargo, sí lo vio hablando con otros ajedrecistas, en animada conversación. Edge no fue invitado a participar en ninguna de ellas.

Aquello no era nada normal, pero ¿qué era normal con Morphy? Lo que estaba claro es que algo se estaba fraguando. Decidió intentar salir de dudas.

—Señor Morphy, mañana es el día señalado para la reanudación de su encuentro con Harrwitz.

—Ya sé lo que me va a decir, que mi rival se ha entrenado a conciencia y que yo no he hecho nada. Pero se equivoca. Pronto lo descubrirá.

—¿No me lo puede adelantar? —Mr. Edge tenía una tremenda curiosidad.

Paul sonrió.

—Bueno, algo sí le puedo decir. A pesar de que Harrwitz habrá jugado más de cien partidas estos días y ha recuperado su confianza, mañana volverá a perder contra mí de un plumazo. Eso lo deprimirá porque pensaba que ya había alcanzado su nivel habitual. Me pedirá otro aplazamiento de varios días, que yo le concederé muy gustoso, aunque, exteriormente, intentaré poner cara de gruñón, para que no parezca que ya lo sabía.

—¿Cómo puede conocer todo eso?

—Tan solo tiene que esperar a mañana. Debe ser una sorpresa para todos. Recuerde, necesito un punto de interés extra —le respondió Paul, mientras accedía a su habitación del hotel. Esta noche tampoco pensaba salir.

Al día siguiente las cosas se desarrollaron tal y como Morphy había previsto. Paul pareció legítimamente contrariado cuando Harrwitz le solicitó unos días, después de caer derrotado de nuevo.

De repente, para sorpresa general, ahora fue Morphy el que se subió a la mesa.

—Señores, dado que mi adversario no se ha terminado de reponer del cansancio de su viaje y, para evitar estar ociosos unos cuantos días más, les propongo un reto que jamás se ha visto en la Europa continental. Dentro de cuatro días, es decir, el día 27, jugaré unas partidas simultáneas a ciegas contra ocho ajedrecistas, como hice en Birmingham el mes pasado. Mis rivales serán grandes ajedrecistas conocidos por todos ustedes: los distinguidos *Messieurs* Guibert, Lequesne, Prèti, Potier, Seguin, Baucher, Borneman y Bierwith. Además, aceptaré que cualquier jugador presente en la sala pueda asistir y asesorar a mis ocho rivales, incluido, por supuesto, a Daniel Harrwitz. Sin duda, será una gran fiesta del ajedrez. De alguna manera, todos podrán participar.

De inmediato se formó un grandísimo revuelo en el café. Aquello era insólito. Realmente no iban a ser ocho contra un Paul a ciegas, sino decenas de jugadores de primer nivel. Además, los ajedrecistas seleccionados por Paul le podían poner en serios apuros en una partida de estas características por sí mismos, ya que eran de mediana edad, muy experimentados y de gran prestigio en Europa. Todos los presentes comprendieron que se encontraban a las puertas de un acontecimiento histórico.

Como no podía ser de otra manera, la noticia corrió por todo el mundo. La prensa tituló «Morphy a ciegas contra toda Francia en el *Café de la Régence*». Se cursaron cables a todos los aficionados al ajedrez de Europa. Ninguno se quería perder semejante demostración de fuerza o de arrogancia de Paul, aún no lo sabían, pero, en cualquier caso, sería todo un espectáculo de alcance mundial.

Parecía que Morphy había logrado ese «punto de interés extra» que necesitaba, ya que grandes personalidades de toda Europa anunciaron su intención de acudir al magno acontecimiento. Entre ellos, el gran poeta Méry, el conde Isouard y el mismísimo duque de Brunswick, entre otras figuras notables.

—¿Ya ha conseguido su preciado interés?

—Ahora creo que sí, Mr. Edge.

—¿Cree? ¡Si solo falta confirmar su asistencia el emperador Napoleón!

—No puedo negarle que la cosa promete.

—¿Por qué me da la impresión que no le importa en absoluto el impresionante reto que acaba de lanzar? Está más interesado en la asistencia que en el propio juego.

Paul no pudo evitar sonreír.

—Lo está consiguiendo, Mr. Edge. Siga así —le respondió, Paul mientras se volvía a retirar a sus aposentos, dejando a Frederick con una cara de idiota impresionante. No tenía ni idea de qué es lo que tramaba Morphy, pero debía de ser muy importante para situarlo por delante del propio ajedrez.

Por fin llegó el día 27. El *Café de la Régence* lucía sus mejores galas. Por primera vez en su historia, debido a la histeria desatada, tuvo que restringirse su aforo. Las partidas, que estaba previsto que se iniciaran a las once de la mañana, para dar tiempo a acabarlas antes de medianoche, se retrasaron. Había que acomodar a todas las personalidades y aficionados. No fue una tarea sencilla.

Por fin, a las doce y media se comenzó. Los tableros de los oponentes de Morphy fueron numerados del 1 al 8. El café disponía de dos grandes salones. En el primero fueron situados los ocho, junto con los ajedrecistas que les iban a ayudar. En una posición privilegiada se sentó media nobleza de Europa. El otro salón, que tenía en medio dos mesas de billar, fue dividida en dos partes separadas por un cordón. En una de ellas se sentó Paul Morphy en solitario, como era su costumbre, mirando a la pared y dando la espalda a la gente que se agolpaba al otro lado de la cuerda.

Paul empezó todas sus partidas de idéntica manera, adelantando dos casillas su peón de rey. Las partidas se desarrollaban en francés, idioma que Morphy dominaba, para facilitar al público entender las jugadas. Journoud fue elegido juez principal y Arnaud de Rivière el encargado de trasladar las jugadas entre Paul y sus adversarios.

A las siete de la tarde, Paul anunció mate en cuatro en el tablero número 7. Una hora después, el jugador número 6 abandonó. Su posición era desesperada. Mr. Lequesne, el número 5, media hora más tarde consiguió su objetivo. No había jugado para ganar, sino para forzar unas tablas, que consiguió. En la hora siguiente, los tableros 1, 2 y 3 fueron derrotados. A las diez y media, el tablero 4 le arrancó unas tablas. Ya eran las diez y media y *Monsieur* Seguin era el único que aún resistía. Las once era la hora acordada para la finalización de las simultáneas.

—No va a poder terminar la partida —expresó sus pensamientos el juez Journoud a Mr. Edge—. Paul no solo está jugando con Seguin, sino con medio club.

—No se apure. La terminará —le respondió con una firmeza más propia del deseo que de la razón.

No había terminado de pronunciar su frase, cuando Morphy anunció mate en cinco.

En unos minutos, el *Café de la Régence* pareció implosionar. Morphy había vencido seis partidas y cedido dos tablas, sin ninguna derrota. Aquella hazaña parecía increíble a los ojos de todos los presentes, teniendo en cuenta que Paul no había jugado a ciegas tan solo contra ocho ajedrecistas experimentados, sino con más de cincuenta que ayudaban a los seleccionados, entre ellos un muy activo Harrwitz. Además, lo había hecho con una entereza y tranquilidad que no parecía de este mundo. No se levantó de su sillón ni una sola vez, no ingirió alimento ni bebida alguna durante las diez horas que duró el reto y, además, consumió el mismo tiempo de juego que todos sus rivales juntos.

El público, enloquecido, saltó el cordón para abrazar y saludar a Morphy. Más de trescientas personas rodearon al paliducho americano, que acababa de concluir una gesta jamás vista. Paul no parecía cansado e intentó, como el caballero que era a pesar de sus veintiún años, corresponder con todas las muestras de cariño.

Mr. Edge se asustó. Pidió ayuda a Journoud. De inmediato reunió a cuatro personas de aspecto fornido y, casi en formación de fútbol americano, consiguieron, con gran dificultar, sacar a Morphy del café.

Ahora sí, Paul necesitaba alimentarse, así que se marchó, junto con Mr. Edge y Rivière al *Palais Royal*, en concreto al primer piso, a una sala privada del *Restaurante Foy*. Después de la exhibición, este último los invitó a cenar.

—Ha sido extraordinario —comentó Rivière—, pero no puede hacer semejantes esfuerzos sin que su frágil salud se resienta. Ahora, Harrwitz pretenderá reanudar su enfrentamiento, sabiendo que está débil.

—Me lo acaba de decir. Mañana jugaremos nuestra séptima partida.

—¡Ese bastardo! —no pudo reprimirse el siempre educado Mr. Edge—. Pues ahora debía responderle usted que no. Harrwitz se ha saltado las normas del torneo con sus días de descanso. Ahora, hágalo usted.

—De eso nada. Ya saben que deseo jugar contra él. Es cierto que estoy algo cansado, pero nada que París no pueda solucionar —respondió Paul, ya terminando de cenar.

—¿No estará insinuando que piensa salir esta noche? —preguntó un escandalizado Mr. Edge.

—No lo insinúo, lo afirmo. Aunque les pueda parecer extraño, me atempera cambiar de ambiente y divertirme. No teman, mañana estaré en condiciones de darle una patada en el trasero a Harrwitz —dijo Paul, mientras se levantaba de la mesa y se despedía con cortesía de sus acompañantes.

Al día siguiente, Paul se presentó en el café con aspecto enfermizo. La mayoría de nobles y jugadores venidos de todos los rincones de Europa decidieron quedarse para ver el final del enfrentamiento entre ambos. El ambiente era de gala, al igual que lo había sido ayer.

Paul comenzó su partida con Harrwitz y, allá por el movimiento cuarenta, parecía tener el juego controlado. No obstante, para sorpresa de todos los presentes, cometió un error de principiante que le costó una torre. Ahora, las tornas habían cambiado. Si Harrwitz forzaba un rápido intercambio de piezas, podría ganar con facilidad en el final.

Rivière se quedó mirando a Mr. Edge.

—No se lo eche en cara. Es el primer gran error que comete en este *match*. Teniendo en cuenta su proeza de ayer, creo que es perdonable —le susurró—. Aunque pierda esta partida, aún llevará ventaja.

—Lo siento —dijo Harrwitz, cuya expresión delataba que estaba mintiendo—. No me gusta ganar así. Supongo que ha sido un error jugar hoy, después de lo de ayer. Abandona, ¿no?

—No —le respondió Paul con determinación—. No me va a ganar esta partida.

—Pero...

—Haga el favor de hacer su jugada.

Paul volvió a ser Paul, si es que alguna vez lo había dejado de ser. Cuando llegaron al movimiento setenta, Harrwitz levantó la cabeza de nuevo.

—No sé cómo lo hace, pero lo ha conseguido. Reconozco que es una clara posición de tablas.

—Ya se lo dije —afirmó Morphy, sin inmutarse, mientras se levantaba—. Mañana nos vemos para jugar nuestra octava partida.

—¿No va a hacer uso de su descanso reglamentario?

—No lo necesito —dijo Paul, cuyos ojos demostraban fuerza, pero que su cuerpo lo desmentía.

Cuando llegaron al hotel, Mr. Edge se puso muy serio.

—Señor, no puedo permitirle que siga con esta vida disoluta. Está enfermo, pero ahora de verdad. Tiene fiebre. Ya sabe que, entre mis obligaciones, está velar por su salud.

—No me detendrá. ¿Aún no ha comprendido para qué deseaba generar tanta expectación?

—No, pero eso ya lo ha conseguido. La flor y nata de la nobleza y el ajedrez europeo está en París y se quedarán, al menos hasta el final de su *match* con Harrwitz. Copa todos los titulares de prensa en el mundo. ¿Qué más quiere?

—La expectación no era el objetivo en sí mismo, sino algo necesario para culminar mi plan. Ahora, no me detenga —le respondió, mientras abandonaba el hotel.

Al día siguiente jugó su octava partida contra Harrwitz. Esta vez no cometió ningún error y en apenas treinta movimientos, el polaco abandonó. El resultado del *match* era cinco partidas ganadas por Morphy, dos por Harrwitz y unas tablas.

—Me temo que debo pedirle otro aplazamiento —le dijo a Paul—. No me encuentro bien de salud.

Ahora, la actitud de Morphy cambió por completo.

—Escuche, Daniel. Aquí el único que está cansado y enfermo de fiebres soy yo y, a pesar de ello, no he solicitado ningún aplazamiento. Según las reglas que acordamos, teníamos derecho a un periodo de descanso cada uno. He sido caballeroso y le he permitido varios, pero se acabó. Ya no habrá más. Terminemos de una vez este enfrentamiento. Mañana me presentaré a jugar —le respondió Paul, mostrando un gesto de claro enfado.

Efectivamente, Morphy se presentó al día siguiente en el *Café de la Régence*, pero su adversario no lo hizo. En su lugar, un sirviente le entregó una nota. Paul la abrió.

Harrwitz abandonaba el torneo. Reconocía la superioridad de Morphy y decía que no se encontraba en condiciones de continuar. Paul comunicó a todos los presentes la noticia, produciéndose un gran enfado en el café. El torneo estaba previsto que lo ganara el primero que venciera siete partidas y eso no se había producido todavía. Paul tan solo se había impuesto en cinco.

—Yo no deseo ganar así. Harrwitz se comprometió con unas reglas muy claras —afirmó Morphy, que estaba visiblemente enojado.

También lo estaban todos sus amigos que lo habían apoyado económicamente, para poder alcanzar la apuesta de 295 francos. Veían cómo se iba a esfumar su dinero sin que se llegara a su final.

—Lo siento, Morphy, pero el abandono de Harrwitz es legítimo —dijo el juez Rivière—. Queda usted proclamado campeón del enfrentamiento. Tiene derecho a reclamar el premio, 295 francos.

—Lo siento, *Monsieur* Rivière, pero no puedo aceptar el dinero en estas condiciones. Si me obliga a hacerlo, se lo entregaré a *Monsieur* Delannoy que, como sabe, es el propietario del *Café de la Régence*. Si él me lo permite, que se encargue de devolver esos francos a quien apoyó económicamente a Harrwitz. Con el reglamento en la mano, podré haber ganado el torneo, pero, desde luego, no pienso cobrar nada por ello.

Morphy estaba enfadado como pocas veces lo había estado en su vida, pero tal gesto de deportividad y altruismo no pasó desapercibido. Los asistentes prorrumpieron en una gran ovación, tanto reconociendo los méritos ajedrecísticos de Morphy como su gran carácter.

Entre un puñado de personas, levantaron a Paul en volandas. Estaba claro que Europa tenía un nuevo rey y así lo recogió toda la prensa mundial. Los logros de Morphy eran incontestables. Su enfrentamiento con Staunton ya había pasado al olvido de casi todos, menos del propio Paul, que, a pesar de que ya lo reconocían como el ajedrecista más fuerte del mundo, seguía queriendo enfrentarse a él. Suponía que Staunton, después del despliegue en París de Paul, estaría más acobardado, pero era un caballero británico. Se había comprometido en público.

—¿Sabe qué le digo, *Monsieur* Rivière? Que no merece la pena enfadarse por un cobarde como Harrwitz. Pienso salir a celebrarlo.

—Me alegro de su cambio de actitud —le respondió, con educación—. Usted no es el villano, es el héroe.

Paul ni se molestó en volver al hotel con Mr. Edge. Esa misma noche salió de juerga y quería que fuera una de las memorables.

¡Y vaya si lo fue!

Perdió la cuenta del número de pintas de cerveza que se tomó. Estaba en un rincón del salón, no sabía si sentado o tumbado por la falta de equilibrio. Su visión era muy borrosa y apenas distinguía lo que tenía enfrente. Los excesos de sus juergas nocturnas, no solo de la presente, parece que le estaban pasando factura todas de golpe, además, ahora mismo se sentía muy enfermo. Estaba seguro de que tenía fiebre.

«¿Será mi final? ¿Me estaré muriendo?», recuerda que estaba pensando, cuando alguien se le acercó. No acertaba a distinguir con nitidez su rostro, pero estaba claro que se dirigía a él.

—Por fin te he encontrado y mira que me ha costado lo suyo.

Paul Morphy intentaba enfocar su mirada. Haciendo un gran esfuerzo, al final lo consiguió. Recuperó la lucidez justa para ser capaz de responder.

—Te equivocas. El que te ha encontrado he sido yo y mira que me ha costado lo suyo —repitió la frase.

Después, oscuridad.

52 PARÍS, 13 DE MARZO DE 1858

—Lo hemos conseguido —dijo Orsini a sus tres compañeros.

—¿Tú crees? —Pieri despertó de su apatía.

—El único que verdaderamente lo ha logrado ha sido Simon Bernard, que ni siquiera ha tenido que pasar por el proceso judicial ni ha sido apresado. No sospechan ni de su existencia —comentó Di Rudio.

—¡Pero si nos han condenado! —exclamó Gómez, incrédulo ante las palabras de Felice.

—La vida no importa —le respondió Orsini—. Italia, su libertad y la república de ciudadanos libres e iguales sí. Quiero que sepáis que escribí una segunda carta a Napoleón, hace cuatro días. Aquí tenéis una copia.

La tomó Carlo Di Rudio y la leyó.

—Los sentimientos de simpatía de Vuestra Majestad hacia Italia son un consuelo que hace más llevadera la muerte. Antes de exhalar el postrer aliento, declaro que el asesinato, sea cualquiera el pretexto con el que se encubra, no entra en mis principios, aun cuando, por una fatal aberración, haya organizado el atentado del 14 de enero. Pero el asesinato no fue jamás mi sistema y lo he combatido, con riesgo de mi vida, en mis escritos y en los actos de mi vida política. Sepan mis paisanos, en boca de un patriota próximo a morir, que, en lugar de apelar al asesinato, únicamente su desinterés, su abnegación, su unión y su virtud podrán asegurar la independencia de Italia, hacerla libre y digna de gloria de sus antepasados. Voy a morir tranquilo y no quiero que ninguna mancha mancille mi memoria. En cuanto a las víctimas del 14 de enero, les ofrezco mi sangre en sacrificio y ruego a los italianos que, cuando recobren su independencia, indemnicen a cuantos hayan padecido. Permítame Vuestra Majestad, al terminar, pedirle la gracia de la vida, no para mí, sino para mis cómplices que han sido sentenciados a muerte.

—Vaya sarta de tonterías —dijo Pieri—. Pura basura. El tirano tan solo se merece la muerte. Si el asesinato es un medio para conseguirla, yo no renuncio a él.

—Opino lo mismo —confirmó Di Rudio—. A pesar de lo que dije durante la audiencia, si pudiera, lo volvería a intentar.

Antonio Gómez, sin embargo, permaneció callado. No en vano, era el único de los cuatro que no había sido condenado a morir en la guillotina, sino a trabajos forzados de por vida. El jurado acabó valorando su arrepentimiento y el hecho de que, disponiendo de dos bombas y teniendo al emperador delante, no se las arrojara.

Felice mostraba una pequeña sonrisa en su rostro.

—Bueno, por lo menos la carta ha servido para que aplacen tu ejecución hasta la semana que viene —le dijo a Carlo.

—Sí, viviré una semana más que vosotros. ¡Qué ilusión me hace! —le respondió, en tono sarcástico.

—En una semana pueden pasar muchas cosas. Tú también mostraste algo de arrepentimiento durante el proceso —le replicó Orsini—. ¿Y si te escapas de la pena capital?

Felice Orsini y Giuseppe Pieri iban a ser guillotinados en apenas dos horas. Les acababan de notificar que su recurso de casación había sido rechazado. La sentencia era firme y ya no cabía más apelaciones.

—Escuchad, con la muerte no acaba nada. Aunque ahora no lo entendáis, es la única verdad.

—Con la muerte termina la vida —Di Rudio seguía firme. Pensaba que Felice los intentaba reconfortar, pero con él no lo estaba consiguiendo—. Esas frases estúpidas parecen sacadas de algún libro religioso. Cuéntaselas a los capellanes, que no creo que tarden en venir.

—De nuevo, estoy de acuerdo con Carlo —dijo Pieri—. ¿No te gusta tanto el ajedrez? Decías que jugarías unas partidas con Napoleón. Pues bien, al final tan solo han caído peones por ambas partes. Bueno, también mataron a tu caballo blanco y nosotros hicimos lo propio con un caballero que parece que pertenecía a una orden religiosa, *Monsieur* Riquier, jefe de gabinete del príncipe Napoleón-Jérôme Bonaparte. Eso les debió doler, pero no era nuestro objetivo. Esas son todas las piezas cobradas. Ni siquiera nos acercamos al rey negro. Resulta irónico.

Felice volvió a sonreír. Ninguno de los tres aparentaba comprender su actitud. Iba a morir y no parecía afectado.

Casi no había terminado Pieri su frase cuando llamaron a la puerta de su celda. Entraron dos personas de inconfundible aspecto.

—Somos los padres Hugón y Rottelet —dijo uno de ellos—. Falta hora y media para vuestra ejecución. ¿Queréis hacer las paces con Dios?

—¿Su ayuda me servirá para seguir con vida? —les preguntó Pieri—. Como supongo que no, yo hace mucho tiempo que estoy en paz conmigo mismo. No me arrepiento de nada de lo que he hecho.

Orsini, sin embargo, sí que estuvo conversando con ambos durante un buen rato.

Hasta que llegó su hora.

Los capellanes abandonaron la celda y entró otra persona. Se identificó como *Monsieur* Maxime du Camp y les dijo que iba a actuar como testigo de la ejecución. Les informó que iban a ser ajusticiados como los parricidas. Eso significaba que debían subir al cadalso en camisa blanca, descalzos y con la cabeza tapada por un velo negro.

—Vaya, si lo llego a saber me lavo los pies —dijo Pieri, a quien aún le quedaba algo de humor.

Los cuatro se fundieron en un prolongado abrazo. Nadie advirtió la maniobra de Felice.

Salieron de su celda y se encaminaron al cadalso instalado en la plaza de La Roquette. Había congregado bastante público para asistir a su ejecución. Habitualmente, la gente escupía e increpaba a los condenados, sin embargo, esta vez reinaba un silencio atronador. A pesar de haber intentado asesinar a su emperador, parecía que los respetaban.

—Sabía que no se lo iba a perder —dijo Orsini, ya subido en el cadalso.

—¿Cómo lo iba a hacer?

Orsini estaba manteniendo esta breve conversación con el inspector de la *Sûreté*, la persona que había conseguido apresarlos.

El inspector se sorprendió, pero no quiso rechazar un último deseo de un condenado a muerte.

—Quiero que sepa que no le guardo ningún rencor. Usted hizo su trabajo mejor que yo el mío —dijo, mientras le daba un pequeño abrazo.

Primero ejecutaron a Giuseppe Pieri, que no había dicho ni una sola palabra. Parecía que era consciente de su destino desde el mismo momento de su arresto, hacía dos meses. No tenía nada más que añadir.

Sin embargo, Orsini se giró hacia el público y gritó con toda sus fuerzas.

—¡Viva Italia! ¡Viva Francia!

El verdugo le colocó el velo negro, puso su cabeza sobre la madera. Lo último que recordó Felice fue el sonido inconfundible que se producía al caer la guillotina. Ya lo había escuchado en Mantua.

Giuseppe Pieri y Felice Orsini fueron ajusticiados, en la plaza de la Roquette, el sábado 13 de marzo de 1858, a las siete en punto de la mañana, en completo silencio.

El inspector de la *Sûreté* respiró tranquilo. Por fin había terminado todo. Se dispuso a bajar los escalones del cadalso cuando notó algo en uno de sus bolsillos. Metió la mano y sacó un papel arrugado.

Era una carta de Orsini. Supuso que se la habría metido en el bolsillo mientras lo abrazaba.

Abrió la carta y la leyó.

No pudo evitar estremecerse. Era otra carta dirigida a Napoleón, pero su contenido era sorprendente.

El inspector jefe no comprendió nada. Acababa de asistir a la ejecución de Orsini, así que lo tomó como la última bravuconada de un demente. Rompió la carta y arrojó sus pedazos al suelo, allí mismo.

Mientras se dirigía a su casa, no pudo evitar pensar en ello. «Orsini jamás amenaza en vano. ¿Y si no se ha terminado todo?»

LIBRO TERCERO

EL FINAL

«Después de una mala apertura hay esperanza en el medio juego. Pero, una vez que estás en el final, el momento de la verdad ha llegado»

Edmar Mednis (Riga, 1937 – Nueva York, 2002), Gran Maestro. Fue el primer jugador que ganó a Bobby Fischer en un campeonato en los Estados Unidos.

53 PARÍS, DOMINGO 10 DE OCTUBRE DE 1858

—¡Caramba, qué sorpresa! ¿Qué haces aquí?

—Yo también me alegro de verte. Te recuerdo que soy francés y vivo aquí, en París. ¿Qué tiene de extraño?

—¡Todo! Tú eres el parisino menos parisino que conozco. Siempre te he considerado un ciudadano de Europa.

—¡Vaya tontería! —exclamó, mientras ambos amigos se fundían en un prolongado abrazo. Después de casi un minuto, se separaron, entraron en la residencia y se dirigieron al salón.

—Vaya, veo que has progresado. Has cambiado la decoración de toda la casa. ¡Qué diferencia con la anterior!

—Es cosa de mi esposa. Te confieso que a mí me gustaba como estaba, pero, según ella, los tiempos cambian y la estética debe hacerlo también.

Fue nombrarla y aparecer por el pasillo.

—¡Cuánto tiempo! ¿Cómo estás, Charles? —dijo, estampándole unos besos en la mejilla.

—No tan bella como tú, Pascale. Ya me acerco a los sesenta y te aseguro que se nota. Estaba comentándole a tu esposo lo de la nueva decoración. Me encanta. Sin duda, se nota tu «toque».

—Me alegro, no sabes lo que me costó convencer a Michel.

—No le hagas caso —le respondió Charles—. Ya conoces que mezclar en la misma frase «policía» y «decoración» es una herejía. Tan solo tienes que ver dónde trabajan. Ni adrede se pueden construir unas oficinas tan feas e impersonales.

—¡Oye! —se quejó Michel—. Nuestras dependencias son funcionales. Sirven para trabajar y atrapar a los malos, no pretenden ser un museo de arte.

—Bueno, os dejo con vuestra conversación —comentó Pascale, mientras se retiraba del salón—. Después de tanto tiempo, seguro que tenéis muchas cosas de que hablar. Me alegro de verte, Charles.

Ambos amigos se sentaron en los mullidos sillones del salón.

—Ya me contarás qué me he perdido en mi ausencia. Es evidente que vuestra posición social ha mejorado. A la vista está, no como yo, que sigo a lo mío.

—Es que hace tiempo que no nos visitas y tengo novedades que contarte. Dejé la policía municipal. Ya sabes que no soportaba a mi jefe, Nicolás Bruzelin, que era un idiota soberbio. Pedí el traslado y me lo concedieron. Ahora soy lo que se llama un *officier de paix.*

—¿Oficial de paz? ¿Eso qué es? Ya sabes que no entiendo gran cosa de vuestra jerga.

—¡Parece mentira! ¡Y luego dirás que eres parisino! Los oficiales de paz existen desde finales del siglo pasado, aunque ahora tienen otras funciones. En concreto, llevo asignado un tiempo a la *Direction Générale de la Sûreté Publique.*

—¿Eres un espía de Napoleón? —preguntó Charles, sorprendido. Desde luego, no se lo esperaba de su amigo.

Michel no pudo evitar reírse.

—Dicho así suena muy mal. No, no soy ningún espía, sigo siendo policía, eso sí, con otras responsabilidades. Ahora ya no hago funciones de vigilancia municipal. Digamos que soy un investigador de crímenes, para que lo entiendas en tu lenguaje.

—Tampoco me hagas un ignorante. Sé perfectamente que la *Direction Générale de la Sûreté Publique* la fundó Napoleón III hará unos cinco años y que es su policía secreta y política. De todas maneras, parece un salto importante en tu carrera.

—Lo ha sido, sobre todo después de su intento de asesinato del 14 de enero, en la ópera. Supuso toda una revolución en los cuerpos de seguridad franceses. Los jefes de las policías municipales y el propio prefecto de París fueron sustituidos. En aquel momento ya ostentaba el rango de inspector, pero, con todo el revuelo que se formó, me ascendieron a inspector jefe. Ahora soy el número dos de la *Sûreté,* responsable de las operaciones. Mi director, Henry Collet, cumple funciones más protocolarias y administrativas, así que se puede decir que estoy al cargo del día a día.

—¡Eso sí que es un salto de importancia! Me alegro por ti, Michel, te lo mereces de verdad y te doy mi más sincera enhorabuena.

—Bueno, yo también debería de hacerlo, ¿no?

—¿Por qué? Yo no he ascendido de nada, salvo de edad, y eso no merece ser felicitado.

—¡No seas modesto! —exclamó Charles, luciendo una pequeña sonrisa en sus labios—. Leo los periódicos y estoy al tanto de todo lo que ocurre en el mundo. Ahora es parte de mi trabajo. ¿No te parece suficiente mérito quedar tercero en el Torneo de Birmingham? Competían los mejores ajedrecistas de Europa, campeones en sus respectivos países. Fue todo un logro y un orgullo para Francia.

—De eso nada, jamás debí perder contra Falkbeer. Me sentí fatal y es una prueba de que la edad pasa factura en la mente. Hace unos diez años lo hubiera vencido con facilidad, como hice con Staunton en su propio club de Londres, aunque luego me derrotara en la revancha.

—Ahora que lo nombras, tengo entendido que el juego de Staunton tampoco fue especialmente brillante en el torneo.

—Es una manera de decirlo —respondió Charles, sonriendo—. Está distraído, supongo que pensando en otras cosas. Fue humillado en la primera ronda por Lowenthal. No fue capaz ni siquiera de arrancarle unas míseras tablas en su enfrentamiento particular contra el húngaro. Pareció hasta deshonroso. Considerarse el mejor ajedrecista del mundo y caer derrotado de esa manera tan rotunda, además en su propio país y frente a su público, debió ser muy duro para él.

—No lo hagas de menos. Al fin y al cabo, Staunton perdió con el que acabó ganando el torneo.

—Pero Lowenthal no es ni siquiera el mejor jugador de Europa. Anderssen o Harrwitz, ahora mismo, están a un nivel superior al suyo. Ya sabrás que ambos no asistieron al Torneo de Birmingham.

Mientras hablaban los dos amigos, entró en el salón la esposa de Michel, portando dos copas de *cognac*. También se acercó a una estantería y tomó un objeto entre sus manos.

—Supongo que querréis echar una partida, como siempre hacéis —dijo Pascale—. Seguro que Michel estaba a punto de buscarlo y, con la redecoración de la casa, no lo iba a encontrar.

—Muchas gracias, estás en todo —le respondió su marido, dándole un cariñoso beso en la mejilla.

Charles Saint-Amant y Michel Lagrange pusieron el tablero de ajedrez encima de la mesa, se sentaron en sus respectivas sillas y distribuyeron las piezas.

—Aunque me apabulles como siempre, ya lo echaba de menos. Hace tiempo que no jugaba —dijo Michel— Ahora, apenas dispongo de tiempo libre.

—No te preocupes por eso. Ya que yo vengo bastante entrenado de Birmingham, jugaré sin mi torre de dama. Antes de que me digas nada, ya sé que la ventaja usual era un alfil, pero así la partida estará más interesante. Incluso tendrás opciones de ganarme.

—Eso lo dudo mucho —dijo Michel, mientras avanzaba su peón de rey—. ¿No lo he hecho nunca y lo voy a hacer precisamente hoy?

Después de la apertura, la posición estaba equilibrada, aunque Michel sabía que iba a ser machacado en el medio juego, como siempre sucedía.

Para sorpresa de Lagrange, esta vez no fue así.

A Saint-Amant le estaba costando más de lo previsto imponer su juego. Michel era un simple aficionado, un jugador de club sin ninguna pretensión más que la diversión. Sin embargo, Charles era el campeón francés. Es cierto que eran partidas informales, sin control de tiempo ni nada de eso. Además, acostumbraban a charlar mientras jugaban, pero eso lo hacían siempre. No servía de pretexto para esta ocasión.

Después de veinticinco movimientos, Lagrange no se pudo aguantar.

—No te creas que no me doy cuenta. Casi nunca llego a estas alturas de la partida sin haber tumbado a mi rey. ¿Me piensas contar para qué has venido a verme? Es más que evidente que algo te preocupa y, a juzgar por tu juego, debe ser importante. Estás muy distraído.

Charles Saint-Amant se quedó mirando a su amigo. No podía olvidar que era policía y, ahora, uno de los jefes de la *Sûreté*. Se suponía que sabía leer las expresiones en los rostros ajenos.

—¿Por qué dices eso? —preguntó Charles, simplemente para ganar algo de tiempo.

—Se trata de Paul Morphy, ¿verdad?

Ahora, Charles sí que puso cara de sorpresa. Casi como un gesto reflejo, se levantó de su silla.

—¿Cómo puedes saber eso? —preguntó, con una actitud claramente nerviosa—. No te he dicho nada. Ni siquiera recuerdo haberlo nombrado.

—Precisamente por eso. Llevamos jugando al ajedrez más de una hora. Me has narrado el Torneo de Birmingham con pelos y señales, pero te has guardado de contarme lo más significativo. Nada más terminarlo, veo que has acudido a París. ¿Coincidencia? No lo creo. Has venido siguiendo la estela de Morphy.

Saint-Amant seguía en pie, mirando a su amigo. Parecía que estuviera buscando las palabras adecuadas, pero no le salía ni una sola de su boca, así que continuó Michel.

—Ese genio americano del ajedrez venció en Londres, con una suficiencia insultante, a Lowenthal, que terminó ganando el Torneo de Birmingham, poco después. ¿No te parece algo relevante para contarme? Por otra parte, está su exhibición de ocho simultáneas a ciegas en suelo británico. Tampoco has considerado contármelo y sé que estabas allí, viéndolas. Después, acudes a París para ser testigo de su enfrentamiento con Harrwitz, donde Morphy se vuelve a imponer, machacando psicológicamente a su adversario, que termina abandonando antes de la conclusión de las partidas acordadas. Y ya, como colofón, el gran espectáculo mundial del 27 del mes pasado. Sus ocho simultáneas, también a ciegas. Media nobleza europea se dio cita en el *Café de la Régence.* Lo sé bien porque en la *Sûreté* tuvimos trabajo extra para vigilar a tantas personalidades juntas. Desde la coronación del emperador no se había visto nada igual en la ciudad. El resultado de aquel prodigio, seis victorias y dos tablas, fue portada de toda la prensa mundial. Tampoco has considerado contarme ni una sola palabra de aquello. Ahora mismo, en todo el mundo, la palabra ajedrez quiere decir Morphy, menos para ti. ¿Me tengo que preocupar?

Charles seguía nervioso, pero consideró que debía explicarse.

—Tienes razón.

—¿En qué exactamente?

—En que no lo he nombrado a propósito y en que tienes que preocuparte.

—Charles, ¿qué es lo que ocurre? —ahora, Michel Lagrange se levantó también de su silla y anduvo hacia su amigo, tomándolo por un hombro. Se conocían desde hace más de veinte años y jamás lo había visto en este estado. Estaba visiblemente alterado.

—Todo lo que has contado es cierto. Lo vi jugar por primera vez en Londres. Entonces, ya me impresionó. También vi sus simultáneas de Birmingham y no pude evitar seguirlo hasta París. Como tú bien has dicho, fui testigo de todas sus partidas con Harrwitz y, por supuesto, de lo que tú llamas espectáculo mundial de las partidas a ciegas.

Charles no acababa de comprender la actitud de su amigo.

—Parece que lo admires. Si quieres no me contestes, ya sé de vuestra legendaria vanidad, pero ¿nunca has jugado contra él? ¿Ni siquiera una partida privada?

—Jamás y te aseguro que no te miento. En Londres no tuve ocasión y en Birmingham disputó muy pocas partidas, precisamente por eso lo seguí hasta París. Quería enfrentarme a él, pero lejos del bullicio del *Café de la Régence*.

—Tengo entendido que a Morphy no le importa jugar con cualquier ajedrecista que se lo proponga. De hecho, ha disputado infinidad de partidas contra jugadores de club. Estoy seguro de que, si se lo pidieras, estaría más que encantado de medirse a ti. No olvides que eres el actual campeón de Francia.

—Ese es el problema.

—¿Cuál? ¿Acaso ha declinado tu oferta?

—No —respondió Charles, que ahora estaba muy serio.

—No te entiendo. Entonces, ¿dónde está el problema?

—El problema es que no he podido hablar con él.

—Pues hazlo. Seguro que, ahora mismo, estará en el *Café de la Régence* jugando al ajedrez, como lo lleva haciendo las últimas cuatro semanas sin parar.

—Te equivocas. Nadie lo ha visto por el café desde que Harrwitz dio por finalizado su enfrentamiento. Eso fue el martes 5 de octubre. Hoy es domingo 10.

—Bueno, pues ya volverá. Morphy no puede pasar mucho tiempo sin jugar al...

Charles lo interrumpió, lanzando la bomba.

—Estoy seguro de que han secuestrado a Paul Morphy.

54 PARÍS, DOMINGO 10 Y LUNES 11 DE OCTUBRE DE 1858

—¿Qué tontería es esa?

—Te aseguro que no lo es.

—Anda, dejemos la partida de ajedrez y sentémonos en los sillones de nuevo —dijo Lagrange, viendo la cara descompuesta de su amigo—. Primero, quiero que te tranquilices. Apura tu copa de *cognac*, te sentará bien. Luego, con tranquilidad, me lo cuentas todo.

Charles Saint-Amant obedeció a su amigo.

—Como tú bien decías —empezó a explicarse—, Paul Morphy acudía casi a diario al *Café de la Régence*. Nada más terminar su exhibición a ciegas, intenté hablar con él, pero lo sacaron del café en volandas. Luego esperé a que concluyera su enfrentamiento con Harrwitz. Supuse que no querría distracciones hasta terminarlo. El día que su rival abandonó sin concluir las partidas acordadas, Morphy parecía muy enfadado. Estaba claro que no quería vencer de esa manera. Es extremadamente educado y nunca lo había visto tan enojado, así que no me pareció el momento más apropiado para abordarlo. La verdad es que no me preocupé, ya que sabía dónde encontrarlo al día siguiente. Pero no fue así. Como te decía, desde entonces, nadie lo ha vuelto a ver.

—Bueno, desde que llegó a Europa hace tres meses, ha mostrado una actividad frenética. Supongo que se habrá tomado un merecido descanso, después de lo de Harrwitz.

—Te equivocas. Si algo caracteriza a Morphy es que no descansa. ¿Conoces un detalle muy curioso acerca de él? En todos sus enfrentamientos en Europa, que han sido muchos, jamás ha pedido ni un aplazamiento, ni un solo día de receso y eso que, en más de una ocasión, era evidente que lo necesitaba. Ni siquiera cuando tenía fiebres y estaba enfermo. Siempre jugaba sin quejarse. Lo he llegado a ver sentado en la misma silla durante más de doce horas sin beber ni un solo vaso de agua. Te aseguro que la palabra «descanso» no figura en su diccionario particular.

—Siempre tiene que haber una primera vez, ¿no? Por otra parte, si alguien hubiera denunciado el secuestro o la simple desaparición de un ciudadano extranjero en París, yo sería el primero en enterarme. Te puedo confirmar que nada de eso ha sucedido.

—Eso ya me lo imaginaba. Hubiera sido noticia de portada en todos los periódicos y no he leído nada.

—¿Y si simplemente ha regresado a Londres? ¿No te lo has planteado? Tengo entendido que tiene un enfrentamiento pendiente con Howard Staunton. Quizá ya haya terminado en París todo lo que pretendía hacer, que no ha sido poco.

—No, estoy seguro de que sigue en la ciudad. Eso es lo que más me preocupa. Paul Morphy viaja con un secretario particular, un tal Frederick Edge. Lo contrató su familia americana para cuidarlo durante su estancia fuera de los Estados Unidos. Es británico y tiene mujer e hijos allí, a los que dejó temporalmente para seguir a Morphy.

—¿Y qué me quieres decir con eso?

—Que Frederick Edge no se ha marchado de París, sigue alojado en el *Hotel Breteuil.* Si permanece aquí, es obvio que Morphy también. Ayer me acerqué para intentar hablar con él. No me quiso ni atender. Su actitud hacia mí me pareció muy extraña, ya que sabe perfectamente quién soy. Estaba claro que algo no marchaba bien, así que me atreví a preguntar a los camareros del hotel. Me confirmaron que, desde hacía cinco días, justo cuando Harrwitz no se presentó a su partida en el café, el señor Morphy no había sido visto por el restaurante ni se le había servido comida alguna en su habitación. En definitiva, nadie sabía nada de él. Literalmente, ha desaparecido.

—Pero eso no tiene ningún sentido. Si le hubiera ocurrido algo a Morphy, ese secretario particular se hubiese puesto en contacto con la policía. ¿No lo contrató su familia americana precisamente para cuidarlo y protegerlo?

Charles se permitió una ligera sonrisa, por primera vez desde que llegara a casa de su amigo.

—Eres policía. ¿En qué casos se actúa precisamente así?

Ahora, Michel Lagrange comprendió el razonamiento de su amigo. Intentó mantener la calma, con una persona nerviosa en el salón ya era suficiente, aunque estaba claro que tan solo había una respuesta posible a esa pregunta.

En un secuestro.

Lo primero que exigían los delincuentes era completa discreción y, sobre todo, no avisar a la policía. En este caso, Lagrange conocía que la familia de Paul Morphy tenía un patrimonio considerable y estarían dispuestos a pagar un posible rescate.

—Escucha, Charles —le respondió, intentando tranquilizar a su amigo—. Aunque tu razonamiento pudiera ser correcto, también existen otras posibles explicaciones. Quiero que te vayas a tu casa y me dejes actuar a mí. Lo primero que haré es ponerme en contacto con la policía de aduanas. En unas horas sabré si Morphy ha abandonado Francia. En el caso de que aún permanezca aquí, te prometo que le haré una visita al tal Frederick Edge, a primera hora de la mañana. Te aseguro que a mí no me podrá rehuir como a ti. Si te parece, mañana a las doce comemos juntos en el *Café de la Régence* y te informo de todo lo que haya averiguado. Quién sabe, hasta es posible que nos encontremos con Morphy jugando al ajedrez.

Michel era consciente de lo falsa que había sonado su última frase, pero intentaba tranquilizar a su amigo, aunque veía que no lo había conseguido.

Por su parte, Saint-Amant se limitó a asentir con la cabeza. Debía reconocer que la propuesta de Lagrange era la más sensata. Le agradeció el interés que se había tomado en el asunto y se marchó de su casa, confiando en tener buenas noticias al día siguiente.

Una vez Lagrange se quedó solo, tomó una gabardina del perchero y también salió de su residencia. Se dirigió hacía sus oficinas en la *Sûreté*. Era domingo y nadie esperaba verlo por allí. De inmediato, hizo llamar al inspector de guardia y le encomendó la primera tarea. Quería respuestas en un par de horas, por ello decidió esperar en su despacho.

En apenas un momento, el inspector le confirmó lo que Charles Saint-Amant había deducido, mostrándole las respuestas de todos los jefes de aduanas. Estaba claro que Paul Morphy no había abandonado Francia por ningún puesto fronterizo.

—¿Ocurre algo, señor? —le preguntó el inspector, viendo el gesto de preocupación de su superior.

—Aún no estoy seguro —le respondió Lagrange—, pero no quiero que trascienda nada de todo esto, ni siquiera al director. No quiero preocuparle hasta no disponer de más información.

El inspector hizo un gesto afirmativo con la cabeza y abandonó el despacho. Lagrange se quedó un momento en la soledad de su impersonal oficina, con la mirada perdida al frente. Al final, Saint-Amant le había contagiado su inquietud. Era plenamente consciente de las repercusiones internacionales que podría suponer un secuestro de estas características en suelo francés. Se trataba, nada más y nada menos, de Paul Morphy.

Al final, después de treinta minutos, abandonó también el edificio de la *Sûreté*, rumbo a su casa, sabiendo que iba a dormir poco.

Premonitorio.

Al día siguiente, Michel Lagrange se despertó con unas pronunciadas ojeras. Se vistió y abandonó su casa antes de lo habitual. Su intención era pasarse por el *Hotel Breteuil* a la hora del desayuno y abordar a Mr. Edge en ese momento. Le parecía más informal charlar mientras tomaban un café con leche y unos *croissants*. Aunque no sabía cuál era el aspecto físico del secretario personal de Paul Morphy, supuso que lo reconocería.

Así fue.

Nada más entrar en el gran salón de desayunos del hotel, pudo ver a un individuo de mediana estatura, con la ropa típica de un oficinista inglés. Era el mejor candidato, ya que todos los demás le parecieron franceses. Decidió abordarlo.

—Sí, yo soy Frederick Edge —le respondió—. ¿Qué puedo hacer por usted?

—Soy Michel Lagrange, policía —evitó nombrar su rango y al cuerpo al que pertenecía. Era consciente que la palabra *Sûreté* generaba inmediatos recelos. Tampoco pretendía asustar a su interlocutor—. ¿Me permitiría sentarme con usted?

—Por supuesto que no —le contestó contundentemente, pero con educación—. Me dispongo a desayunar. ¿Hay algún problema que justifique su insólita petición?

—De eso se trata. No lo sé, por eso estoy aquí. Me gustaría hablar con su protegido, Paul Morphy.

—Me temo que no será posible, señor Lagrange. Paul se encuentra con un fuerte proceso gripal, en cama desde hace cinco días. Está muy débil y, por indicaciones de su médico, tiene desaconsejadas las visitas. No obstante, si se trata de algo oficial y le puedo ayudar yo mismo, no dude en...

—Disculpe, Mr. Edge. No quiero parecer descortés, pero me temo que debo insistir. No molestaría a su protegido, tan solo serían un par de minutos.

Lagrange notó el evidente nerviosismo en el secretario de Morphy. Era consciente de que estaba eligiendo las palabras adecuadas para rechazar de nuevo su petición. Se lo veía en esos ojos marrones asustados. Decidió no darle la opción de una nueva negativa, ya que, entonces, se vería obligado a identificarse como uno de los jefes de la *Sûreté*. Deseaba la colaboración del inglés de forma amistosa y no amedrentarlo.

—Escuche —se anticipó—. Soy un amigo de Paul. Sé que tienen problemas. Le aseguro que tan solo pretendo ayudarles, de manera informal, ¿me entiende? Nada de lo que me cuente tiene por qué trascender. ¿Me puedo sentar ya?

Ahora, Mr. Edge, viendo los ojos de aquel policía, cambió de actitud.

Asintió.

Lagrange observó que su mirada ya no parecía asustada como antes. Sabía, por su experiencia, que estaba a punto de hablar. Veía el alivio en los ojos del secretario.

—Lo cierto es que el último día que vi a Paul Morphy fue el martes pasado, señor Lagrange.

—¿Y por qué no dijo nada? No lo comprendo. ¿Por qué no comunicó a la policía su desaparición?

—Porque no creo que lo sea.

—Pero ¿no me acaba de decir que no sabe dónde está?

—No le he dicho exactamente eso. Le he dicho que no lo veo desde el martes.

—Entonces ¿sabe dónde se encuentra?

Frederick permaneció en silencio, apartando la mirada de su interlocutor. Aquello parecía un diálogo de idiotas. Lagrange no comprendía las evasivas de aquella persona, así que decidió dejarse de rodeos.

—Mr. Edge, ¿ha sido Paul Morphy secuestrado?

—¡No, por Dios! —exclamó, muy sorprendido—. ¿Cómo se le ha podido pasar por la cabeza semejante ocurrencia?

—¿Porque nadie lo ha visto en cinco días? ¿Le parece una respuesta adecuada? Estoy intentando ayudarles, de verdad, pero no me lo está poniendo nada fácil.

—Le aseguro que el señor Morphy no ha sido secuestrado. El hecho de que no sepa dónde se encuentra no demuestra eso.

Lagrange analizó a Mr. Edge. No le pareció que le estuviese mintiendo y, desde luego, aquello le sorprendió. No sabía dónde se hallaba su protegido, pero descartaba el secuestro de forma rotunda y tampoco pensaba que estuviera desaparecido. Todo un misterio para Lagrange. Se le pasó por la cabeza que quizá Morphy estuviera envuelto en algún asunto turbio que pudiera dañar su reputación personal. En ese caso, un caballero británico como Mr. Edge jamás lo revelaría. Preferiría guardar un pudoroso silencio, para salvaguardar el buen nombre de su protegido. Estaba claro que tenía que cambiar de enfoque en su charla con aquella persona.

—Volvamos a empezar la conversación, Mr. Edge. Soy Michel Lagrange, inspector jefe de la *Sûreté*. Hemos recibido una denuncia anónima acerca de Paul Morphy y estoy obligado a investigarla. Podemos hacerlo de una forma discreta para todos o bien llevarle a nuestras dependencias para aclararlo allí. ¿Me comprende ahora mejor?

Lagrange se quedó en silencio, esperando que sus palabras calaran en Mr. Edge. Si sus sospechas se confirmaban, ahora comenzaría a hablar.

—Está bien, inspector. No deseo que nada de lo que le voy a contar se haga público ni aparezca en los periódicos. ¿Puedo confiar en su palabra?

Lagrange permaneció en silencio. Sin saber qué iba a escuchar, no podía garantizar nada.

A pesar de ello, Mr. Edge comenzó su relato.

—Paul Morphy es una persona muy frágil de salud. Lo ha sido desde bien niño, no le estoy contando nada nuevo, pero, desde hace unos años, su estado se ha agravado a consecuencia de determinados hábitos poco recomendables —Mr. Edge hizo una pequeña pausa, como pensando cómo continuar con su explicación—. No se puede imaginar los excesos que ha cometido con su cuerpo. Antes de cada partida importante, se emborrachaba. Después de disputarla, fuera cual fuese el resultado, volvía a emborracharse. Esa era su rutina. Había entrado en un bucle de autodestrucción personal y no sabía cómo salir de él. De hecho, creo que ni siquiera lo deseaba. Mantuve con él innumerables conversaciones, intentando que abandonase ese dañino vicio, pero jamás conseguí nada. Como era mi obligación, mantuve informada a su familia del preocupante estado de Paul. Hace más de un mes, me comunicaron que su mejor amigo, Charles Maurian, se trasladaría hasta Europa para intentar solucionar el problema. Siempre fue una buena influencia para Paul y confiaban el uno en el otro.

—¿Por qué emplea el pasado al referirse a la mala vida de Paul?

—Cuando Harrwitz abandonó el torneo sin hacer honor a su palabra, Paul se enfadó mucho. Nunca lo había visto así, parecía fuera de sus casillas. A pesar de todas sus adicciones, Paul es una persona amable y tranquila. Mirando a sus ojos, no era complicado deducir que esa noche iba a salir a emborracharse de nuevo, pero esta vez estaba enojado y esa era una nueva variable. Supuse que buscaría sus límites. Afortunadamente, la providencia se acordó de nosotros.

—¿La providencia? —repitió Lagrange, extrañado—. ¿Qué tiene que ver en este asunto?

—La providencia fue Charles Maurian, su amigo de Estados Unidos. Por fin nos localizó en París. Piense en nuestro periplo. Primero, se suponía que Paul iba a estar en Birmingham, disputando el torneo y a su finalización, de vuelta a América. Nada más llegar, nos enteramos de que lo habían aplazado al mes de agosto, así que nos marchamos a Londres. Después de dos meses allí, de vuelta a Birmingham, para acabar recalando aquí, en París. Íbamos dejando notas en cada hotel para que Maurian pudiera seguirnos la pista y nos localizara.

—Entonces, ¿acabó encontrándolos?

—Nada más llegar a París nos alojamos en el *Hotel Le Meurice* —prosiguió Mr. Edge—. Posteriormente, decidí que nos debíamos mudar a este, para intentar alejar a Paul del vicio. El mismo martes día 5, Charles Maurian recogió la nota que le habíamos dejado en *Le Meurice* y vino hasta aquí.

—¿Qué le dijo?

—Llegó cuando aún estábamos en el *Café de la Régence,* pero ya conocía lo suficiente al señor Morphy, así que me anticipé a esa posibilidad. Le dejé una nota a Maurian, indicando dónde creía que lo podía encontrar esa misma noche.

—¿Y qué se supone que debía de hacer Charles Maurian con Paul Morphy, una vez lo encontrara? ¿Soltarle un sermón y que viera la luz? Por lo que me cuenta, los malos hábitos de Paul ya venían de lejos.

—Nada de eso. Tenía instrucciones precisas de la familia. Debía llevárselo con él de vuelta a los Estados Unidos, por las buenas o por las malas, para que se recuperara de sus adicciones junto a los suyos. El mismo miércoles día 6 mandé un cable a su tío Charles Le Carpentier, que hacía las funciones de su tutor en Estados Unidos, informándole de que Paul regresaba a su país. Me contestó al día siguiente, ordenándome que yo permaneciera en París hasta que el trasatlántico de Maurian y Morphy arribara a América. Y aquí estoy, esperando noticias.

Los nervios habían cambiado de bando. Ahora, al haber hablado del tema que le preocupaba, Mr. Edge parecía haberse quitado un peso de encima, pero se lo había traspasado a Lagrange, que estaba visiblemente alterado.

—Entonces, ¿no vio en ningún momento ni habló con Charles Maurian?

—No, ¿para qué? Como le acabo de contar, él ya sabía lo que tenía que hacer.

—¡Insensato! —le gritó Lagrange—. ¡Paul Morphy no está camino de ningún sitio! Ni siquiera ha salido de Francia.

—¿Cómo puede saber eso si...? —empezó a preguntar Mr. Edge.

—¿Cree que no sé hacer mi trabajo? Antes de venir a verle ya disponía de esa información. Tengo en mi poder cables de todos los puestos fronterizos, incluyendo los puertos. Morphy está en París, pero resulta que ni usted ni yo sabemos dónde se encuentra. ¡Idiota! ¡Hemos perdido cinco valiosos días! ¿Es consciente del alcance de su imprudencia?

Frederick Edge pareció derrumbarse.

—Lo siento mucho, agente —respondió de forma atolondrada—. Jamás me pude imaginar otra posibilidad, pero ahora que lo pienso, puede ser que...

—¿Qué? —le espetó un enfadado Lagrange, que no estaba para bromas.

Mr. Edge se lo contó.

El inspector abrió los ojos como platos. Desde luego, aquello no se lo esperaba.

—¡Ni palabra de esta conversación, ni siquiera a la familia de Morphy! —exclamó, casi gritando—. Este asunto, ahora, se ha convertido en una cuestión policial secreta. ¿Lo ha entendido?

Mr. Edge bajó la mirada. Estaba claramente sobrepasado por las circunstancias.

55 PARÍS, LUNES 11 DE OCTUBRE DE 1858

«¿Dónde estoy?», pensó.

Intentó mirar a su alrededor.

Inútil.

No era capaz de distinguir nada, más allá de sus propias manos. «¡Mis manos!», exclamó en sus pensamientos. Le costaba moverlas.

«¿Estoy atado?»

Trató de centrar todos sus esfuerzos. No, no estaba atado, pero sí que tenía algo alrededor de sus manos que ni siquiera le permitía distinguir sus propios dedos. Aquello era muy extraño.

El hecho es que no podía moverse. Desconocía si era porque estaba retenido físicamente o por el estado en que se encontraba. Le daba la sensación de estar soñando o quizá bajo la influencia de algún narcótico. No era capaz de distinguir la diferencia.

«¿Cómo he llegado hasta aquí?»

No se acordaba de gran cosa. Sí, se había emborrachado, quizá algo más de lo habitual, ya que lo que sí recordaba es que no se encontraba nada bien en aquel momento y no solo por sus excesos con la bebida. Se sentía bastante enfermo.

Después, oscuridad.

Su situación le empezó a generar un evidente estado de ansiedad.

«¿Y si estoy muerto?», pensó, rememorando su lamentable estado en el salón. Tenía claro que no había sido una borrachera cualquiera. Tenía fiebre y eso no lo provocaba el alcohol.

Cerró los ojos durante un instante, intentando buscar algo de paz. Consiguió el efecto contrario, ponerse más nervioso todavía. Abrió los ojos de inmediato. Después de sus manos, el universo parecía no existir. No veía nada.

Sin saber por qué, en estos instantes tan angustiosos, le vino a la mente su madre, Thelcide. Siempre había intentado protegerlo. Era como si ya conociera el triste destino que le esperaba, desde el mismo momento de su nacimiento. Esa idea le inquietó. Ahora, pasó del nerviosismo a una profunda melancolía. El simple pensamiento de que jamás volvería a verla, le provocaba una punzada de dolor en su corazón, casi insoportable.

«¡Cuánta razón tenías, madre!»

A Paul, en su delirio, le pareció verla delante de él, cantando aquel romance de origen español que tanto le gustaba. Thelcide le había puesto música y hasta le daba la sensación de estar escuchando las notas del piano, muy tristes pero a la vez de una belleza indescriptible.

Desde luego, estaba en el cielo.

«Un sueño soñaba anoche
soñito del alma mía,
soñaba con mis amores
que en mis brazos los tenía.
Vi entrar señora tan blanca
muy más que la nieve fría.
-¿Por dónde has entrado, amor?
¿Cómo has entrado, mi vida?
Las puertas están cerradas,
ventanas y celosías.
-No soy el amor, amante;
la Muerte que Dios te envía.
-¡Ay, Muerte tan rigurosa,
déjame vivir un día!
-Un día no puede ser,
una hora tienes de vida.
Muy deprisa se calzaba,
más deprisa se vestía;
ya se va para la calle,

en donde su amor vivía.
-¡Ábreme la puerta, blanca,
ábreme la puerta, niña!
-¿Cómo te podré yo abrir
si la ocasión no es venida?
Mi padre no fue al palacio,
mi madre no está dormida.
-Si no me abres esta noche,
ya no me abrirás, querida;
la Muerte me está buscando,
junto a ti vida sería.
-Vete bajo la ventana
donde labraba y cosía,
te echaré cordón de seda
para que subas arriba,
y si el cordón no alcanzare
mis trenzas añadiría.
La fina seda se rompe;
la Muerte que allí venía:
-Vamos, el enamorado,
que la hora ya está cumplida».

Le pareció que unas lágrimas brotaban de sus ojos. Después, de nuevo la oscuridad.

56 PARÍS, LUNES 11 DE OCTUBRE DE 1858

—Tenías razón.

—¿En qué exactamente?

—El tema de Paul Morphy es algo misterioso. Es verdad que nadie lo ha visto en cinco días, pero eso no es lo más sorprendente. Lo que más me llama la atención es que nadie, aparte de ti, parece echarlo de menos. Ni siquiera Frederick Edge estaba preocupado por su ausencia. Nadie ha denunciado su desaparición. Cuanto menos, este asunto me resulta muy extraño.

—¡Está secuestrado! ¡Se confirma que tenía razón!

—No, no lo creo.

—Entonces, ¿qué explicación le encuentras? Supongo que, a estas alturas, ya sabrás si ha salido del país o no y supongo, por tu evidente preocupación, que no lo ha hecho. Si sigue en Francia, el secuestro sigue siendo la opción más razonable.

Michel Lagrange había acudido a su cita con Charles Saint-Amant, en el *Café de la Régence*. Era mediodía y el lugar estaba bastante concurrido, por lo que hablaban casi en susurros. No querían ser escuchados.

—No lo creo porque nadie se ha puesto en contacto ni con su familia en Estados Unidos ni con su secretario en París para pedir ningún rescate. Han pasado cinco días sin noticias. Son demasiados. Los secuestradores suelen contactar mucho antes.

—¿Eso es lo que te ha dicho Mr. Edge? ¿Crees que si lo hubieran hecho te lo hubiese dicho? ¿Le das credibilidad?

—Al principio de la conversación su actitud era de incredulidad y no parecía dispuesto a contestar a mis preguntas y menos a colaborar conmigo. Creía que un amigo americano de Paul, un tal Charles Maurian, se lo había llevado de regreso a los Estados Unidos. Sin embargo, cuando le informé que Morphy no había abandonado el país, su actitud cambió por completo. Por momentos parecía que se iba a derrumbar. O es un fantástico actor, cosa que dudo mucho, o estaba diciendo la verdad.

—Entonces, si no es un secuestro y ha desaparecido... —de repente, el rostro de Saint-Amant se tornó blanco—, espera, espera. ¿No creerás que está muerto?

—Desde luego es otra de las posibilidades, pero tampoco la creo.

—¿Y qué opciones quedan? ¿Puede estar enfermo o malherido en cualquier hospital de París?

—Esa opción ya la he descartado. Antes de venir a esta reunión he mandado comprobarlo. No hay nadie con ese nombre, ni siquiera ningún desconocido, que haya ingresado en los últimos cinco días en cualquiera de los hospitales de la ciudad. Y no, tampoco está en la morgue. En lo que tenías razón es en que ha desaparecido sin dejar ningún rastro. Por eso calificaba la situación de Morphy de misteriosa.

—¿Misteriosa? ¡Es mucho más que eso!

—Hay una opción que no hemos barajado. ¿No se te ha ocurrido pensar que su desaparición pueda ser voluntaria? No hay ningún indicio de la comisión de delito alguno relacionado con Morphy. Cuando has descartado todas las posibilidades, la que queda, por extraña que nos pueda parecer, quizá sea la correcta.

—¿Y qué sentido tendría eso?

—Mr. Edge me ha expuesto una hipótesis que podría encajar con los hechos que conocemos. Ya te he dicho que la familia americana había mandado a un amigo de Paul para que lo devolviera a casa. Pues bien, Frederick me ha informado que Charles Maurian no es un amigo cualquiera, es el mejor amigo de Morphy. Se conocen desde la infancia. Edge cree que podría estar ayudándolo a ocultarse en París, en lugar de devolverlo a los Estados Unidos.

—¿Con qué finalidad? No lo comprendo.

—Si Paul no desea regresar a su casa, todo podría tener sentido. Piensa que aún tiene pendiente su enfrentamiento con Howard Staunton. Quizá fuera el motivo principal de su viaje a Gran Bretaña, ya que, como sabes, no participó en el Torneo de Birmingham por voluntad propia. Ese era el pretexto para su venida, evidentemente falso. No me puedes negar que es una hipótesis razonable.

Charles se quedó pensativo. La verdad es que no se le había ocurrido esa posibilidad, pero Lagrange tenía razón. Entraba dentro de lo razonable.

—Y, si crees que ha desaparecido de forma voluntaria, ¿qué piensas hacer? —le preguntó.

—Es muy complicado, desde un punto de vista policial. No hay denuncia y tampoco pruebas de nada. Si abro una investigación oficial acerca de la supuesta desaparición de Paul Morphy, sabes que será portada en los principales periódicos, de Francia y del resto del mundo. Si luego resulta que aparece de forma voluntaria, no solo haré el más espantoso de los ridículos, también pondré a la *Sûreté* en apuros y mi cabeza estaría en peligro. Me ha costado mucho alcanzar este puesto. Comprende lo delicado de la situación.

Charles se quedó mirando a su amigo. Se conocían desde hacía mucho tiempo y sabía que había algo más. Se lo veía en su rostro.

—¿Me lo piensas contar? —le espetó.

Michel Lagrange no pudo evitar sonreír.

—Son muchos años, ¿verdad? Supongo que me conoces demasiado bien. Te he dicho que todo este asunto es misterioso. Ya sabes que soy muy curioso por naturaleza, precisamente por eso ocupo el puesto que ocupo.

—Es tu instinto, ¿verdad?

—Si te digo la verdad, no lo sé. Es la peculiaridad de este asunto lo que hace que no pueda desentenderme del todo. Aunque la explicación de la desaparición voluntaria sea la más plausible, no deja de ser una anormalidad en sí misma.

—Entonces, vuelvo a la pregunta anterior. ¿Qué piensas hacer?

—Si has escuchado con atención mi explicación, deberías de saberlo ya —sonrió de nuevo Lagrange.

Saint-Amant se quedó pensativo de nuevo. Escrutó el sonriente rostro de su amigo, pero no descubrió nada.

—Esta vez me has ganado. No tengo ni idea de qué pretendes hacer.

—Es muy sencillo. He dicho que no puedo abrir una investigación oficial. Oficial quizá no, pero nada me impide echar mano de mis recursos y contactos para, de un modo discreto, intentar averiguar algo. Tengo un pasado, al margen de todos los años que llevo en la policía en París. Conozco a mucha gente que me debe favores. Quizá haya llegado el momento de cobrarse alguno de ellos.

—¿Lo harías por mí? —ahora Saint-Amant parecía más animado.

—No, lo voy a hacer por mí —le respondió—. Como ya te he comentado, es un misterio irresistible para mi curiosidad natural.

—¿Me permitirás participar? Te podría ser de ayuda.

—Lo siento, Charles, pero no puedo ir preguntando por los bajos fondos contigo al lado. Nadie hablaría. No es personal, pero entiende que no conseguiríamos nada. Debo hacerlo en solitario.

Ahora, Saint-Amant parecía decepcionado.

—Lo comprendo, Michel, aunque sigo pensando que te podría haber ayudado.

—Quizá lo puedas hacer de otra manera.

—¿Cómo?

—Todos conocemos cuál es la debilidad de Morphy, además, por lo visto, del alcohol. Sin duda el ajedrez y sus retos. Anuncia en prensa que le propones un enfrentamiento e insinúa que lo piensas vencer. Si está escondido de forma voluntaria, no creo que se resista a ponerse en contacto contigo y aceptarlo, aunque se disputara de una forma discreta y no abierta al público. Mataríamos dos pájaros de un tiro —Michel le guiñó un ojo a su amigo—. Resolveríamos el misterio y tú conseguirías tus partidas con Morphy.

—¿Sabes? Ahora me explico cómo has ascendido en la policía —dijo Saint-Amant, sonriendo.

—Bueno, también existe la estrategia fuera del ajedrez —le respondió Lagrange.

Ambos sabían que se estaban mintiendo.

Saint-Amant tenía claro que Lagrange lo quería lejos de la investigación por otros motivos, aunque los desconociera.

A su vez, Lagrange tampoco le había contado toda la verdad a su amigo acerca del asunto Morphy.

57 PARÍS, MARTES 12 DE OCTUBRE DE 1858

Michel Lagrange conocía muy bien los bajos fondos de París. No en vano, antes de ser policía, había sido un activo miembro de ellos. Desde luego, viéndolo ahora, nadie lo diría. Antes de su actual empleo como uno de los jefes de la policía secreta de Napoleón III, había participado en sociedades contrarias a la monarquía y al imperio. Comenzó por la *Société des droits de l'homme*, más conocida por sus siglas SDH. Era una organización republicana de tendencia claramente jacobina. Llegó a disponer de más de 4.000 hombres antes de ser disuelta en 1834, cuando Lagrange contaba con tan solo veintiún años de edad. Continuó frecuentando ambientes republicanos y participando en otras organizaciones subversivas y secretas, como la *Société des familles* y la *Société des saisons*. Apenas dos años después de iniciarse en estas actividades, un hecho marcó el resto de su juventud. En 1836, Louis Alibaud intentó asesinar, sin éxito, al rey Louis-Phillipe.

Entonces, todo cambió para el joven Michel Lagrange.

El rey ordenó una auténtica «caza de brujas» entre todos los miembros de cualquier tipo de sociedad secreta, que acabó con Lagrange en la *Prisión de la Force*. Aunque fue liberado a los pocos días, pronto se volvió a ver envuelto en otro turbio asunto, siendo condenado a cinco meses de cárcel, en marzo de 1837, con veinticuatro años de edad. Aunque tan solo sirvió la mitad de su condena, por la amnistía que se produjo tras el matrimonio del duque de Orleans, decidió que debía cambiar el rumbo de su vida. Estaba claro que así no podía continuar. Su oficio, fuera de los círculos republicanos, era mecánico. No estaba satisfecho, así que decidió intentar enrolarse en la policía de París, aprovechando sus conocimientos de los enemigos de la monarquía. En 1842 fue aceptado y entró en la brigada de investigación. A pesar de ello, mantuvo sus antiguas amistades. En consecuencia, pronto alcanzó notables éxitos en su trabajo, ascendiendo hasta su actual puesto, *officier de paix*, adscrito a la *Sûrete* e incluso, en 1857, fue nombrado caballero de la Legión de Honor, una de las más altas distinciones de Francia, por hechos que, dada su naturaleza, jamás fueron hechos públicos.

«¿Quién lo iba a decir?», pensaba divertido Lagrange. «Un convencido republicano en la corte del emperador Napoleón III». Aunque debía reconocer que pertenecer a ambos mundos tenía sus indudables ventajas, como ahora se disponía a aprovechar. Todo París, tanto las clases nobles como el pueblo llano, lo conocían perfectamente y sabían que era conveniente mantener buenas relaciones con él. Una simple palabra suya bastaba para mandar a las mazmorras a cualquiera, pero también era capaz de lo contrario. Si colaborabas con él, te garantizabas cierto tipo de protección que, en los tiempos convulsos que se estaban viviendo en Francia, podía significar mucho. Napoleón controlaba, con mano de hierro, todos los estamentos de la sociedad y Lagrange era uno de los encargados de velar por el cumplimiento de este objetivo.

Nada más y nada menos.

Iba Lagrange pensando en todo ello mientras abandonaba el término municipal de París y entraba en Montmartre, subido en su carruaje. Aunque unida a la ciudad, la colina que se levantaba a la orilla derecha del río Sena daba nombre a un municipio todavía independiente de la capital. Era una zona de trigales, viñedos, pastos y algún que otro molino. Precisamente en busca de uno de ellos andaba Michel, y no precisamente interesado por sus actividades agrícolas.

El Moulin de la Galette.

Lagrange conocía bien la historia de aquel lugar. El molino, que, en origen, eran dos, fue comprado en el siglo XVII por la familia Debray. En 1814, el hermano menor fue despedazado por las propias aspas del molino, según la familia, intentando defenderse heroicamente de los cosacos. Michel conocía la verdad y no fue así, sino un accidente fruto de su afición por los buenos vinos. En honor de su padre fallecido, su hijo, Nicolas-Charles Debray, lo convirtió en sala de fiestas. Eran los primeros alientos de lo que luego se conocería como la *Belle Époque* parisina y el esplendor bohemio de Montmartre.

Ese molino fue el precursor de los cabarés, *ateliers* y cafés que poblaron la zona, junto con artistas de la talla de Van Gogh, Toulouse-Lautrec o Renoir.

Nicolas-Charles Debray era un viejo conocido de Michel Lagrange. En su juventud, habían coincidido en algunos círculos revolucionarios. Aunque hacía algunos años que no se veían, el policía estaba seguro de que su antiguo amigo no lo habría olvidado.

Así fue.

A pesar de los recelos por su visita, Nicolás le dio un abrazo a su antiguo camarada.

—Te confieso que eres la última persona que pensaba ver en mi salón. De todas maneras, ya sabes que eres bienvenido.

—En realidad no he venido a eso, tan solo quiero hablar contigo.

—¿Ha ocurrido algo? —el tono de Nicolás cambió. Sabía que Michel era miembro de la *Sûreté*. Si no acudía a su local por los placeres del vino, sería por sus deberes como policía. Aquello lo puso en guardia.

—Tranquilo —respondió Michel, viendo el evidente azoramiento de su amigo—. Es cierto que vengo a hablar contigo, pero no en calidad de inspector de la *Sûreté*. Nada debes temer.

Nicolás pareció relajarse un tanto, aunque no comprendía la presencia de Lagrange en su salón.

—Entonces, será mejor que me acompañes a mi pequeño despacho. Si no buscas diversión, es un lugar más discreto para mantener una conversación. Aquí hay demasiado bullicio.

Subieron por unas estrechas escaleras de madera, que terminaban frente a una desvencijada puerta. Nicolás sacó una llave y la abrió. Por un momento, Michel pensó que se vendría abajo, del tremendo crujido que escuchó. Parecía más un triste lamento. El despacho era un fiel reflejo de su exterior. Muebles viejos de madera y sillas llenas de polvo.

—Ya sé qué no será como tu despacho en la *Sûreté,* pero apenas lo utilizo para archivar los documentos del negocio —dijo Debray, observando la expresión en el rostro de su amigo.

—No te creas que mi despacho es mucho mejor —le respondió, sonriendo—. A mí me da igual, pero seguro que mi mujer preferiría el tuyo. Tiene más personalidad. En cuanto al desorden de los papeles... algún día deberías hacerme una visita.

Después de unas breves frases de cortesía acerca de sus respectivas familias, Lagrange consideró que había llegado el momento de entrar en el tema que le había conducido hasta allí.

—Supongo que conoces a un tal Paul Morphy.

—No. ¿Debería?

—Es un joven ajedrecista muy famoso que lleva unas semanas en París. Su foto ha salido en todos los periódicos.

—No acostumbro a leer la prensa y menos a jugar al ajedrez. No comprendo sus reglas.

Lagrange metió la mano en su abrigo y sacó una página arrancada de un periódico local, donde aparecía el rostro de Morphy en primer plano. La dejó encima de la mesa. Debray se quedó observándola.

—¡Claro! —exclamó—. Desconocía que era famoso. Aquí lo conocemos como el «paliducho». Creo que jamás ha pronunciado su nombre. Es cliente habitual. Suele terminar sus juergas en mi salón. Es callado, se limita a beber y no suele causar problemas.

—¿Suele?

—Bueno, acostumbra a venir tarde. Se sienta siempre en la misma mesa, una de las más alejadas de la zona de baile. Como te decía, tan solo viene a beber, no parece buscar ni problemas ni compañía de mujeres. Pero la última noche que acudió, sucedió algo fuera de lo normal.

—¿Qué ocurrió? —preguntó ansioso Lagrange.

—Bebe bastante, pero siempre había sido capaz de salir por su propio pie del molino, sin precisar ninguna ayuda. Sin embargo, como te estaba contando, la última noche no fue así. Su aspecto enfermizo era habitual, pero aquella noche iba un paso más allá y no parecía deberse tan solo a la bebida. Sudaba en exceso y eso que no hacía nada de calor. Me dio la impresión de que estaba a punto de desmayarse, así que me dispuse a acercarme a él, simplemente para preguntarle si necesitaba ayuda. En ese justo instante, todo sucedió.

—¿Qué? —volvió a preguntar Lagrange, cada vez más ansioso.

—Ya te había dicho que era un solitario y que jamás entablaba conversación con nadie. Bueno, pues hasta ese día. Antes de que yo llegara a su altura, se le acercó una persona e intercambiaron unas palabras. Estaba lo suficientemente cerca como para escucharles. Era evidente que se conocían. Aquello me pareció insólito. El ajedrecista paliducho estaba a punto de perder el conocimiento y lo único que se le ocurrió fue decirle a su acompañante algo así como «por fin te he encontrado». ¿Encontrado? ¿A quién podía esperar? Venía casi a diario y no hacía nada más que beber. Jamás preguntó ni se interesó por nadie, ni siquiera levantaba la vista de su mesa. No sé, en otra persona aficionada a la bebida me hubiera parecido normal, pero, desde luego, en el «paliducho» me llamó la atención.

—¿Qué ocurrió a continuación?

—El desconocido lo tomó de un hombro y lo sacó del salón, casi inconsciente. En el fondo, me hicieron un favor, ya que si no llega a aparecer esa persona, lo hubiera tenido que hacer yo mismo.

—Y eso ocurrió justo hace una semana, el martes pasado, ¿verdad?

—¿Cómo puedes saber eso? —le preguntó sorprendido Nicolás—. No recuerdo haberte dicho desde cuándo no aparece por aquí.

—Porque nadie lo ha vuelto a ver desde aquel día. ¿Te dio la impresión de que se marchaba de tu salón en contra de su voluntad?

—Desde luego que no. Ya te he dicho que ambos se conocían. De hecho, en su rostro desencajado pude observar una ligera sonrisa de alivio. Estaba lo suficientemente cerca y te aseguro que no me equivoco. Si toda esta conversación viene porque albergas alguna sospecha de que pudo tratarse de un secuestro, quítatelo de la cabeza. Y no lo afirmo por cuidar la reputación del *Moulin de la Galette*, ya lo sabes.

—No te preocupes, Nicolás; te creo. Una vez en el exterior, ¿viste cómo se marcharon?

—Sí. La situación me pareció tan curiosa que me asomé al exterior del molino y, entonces, me llevé la segunda sorpresa. Aquel desconocido viajaba en un carruaje muy elegante y lujoso. No es que sea extraño que eso ocurra en mi salón. Ya sabes que es frecuentado por todas las clases sociales, pero jamás hubiera asociado a aquel muchacho con semejante carruaje. Recuerdo que pensé que estaba fuera de lugar.

—¿Podrías describirme ese carruaje?

—Claro, es algo que no he olvidado —dijo, mientras tomaba una pluma y un papel—, pero voy a hacer algo mejor. Te lo voy a dibujar. No creo que haya muchos en París con esas características tan elegantes.

Lagrange esperó pacientemente que su amigo concluyera el dibujo. Al fin y al cabo, aquello era una ayuda que no se esperaba. No tuvo que aguardar demasiado. Debray era un buen dibujante y, en apenas cinco minutos, le entregó un bosquejo del carruaje.

—Muchas gracias, Nicolás. Me has sido de gran ayuda —dijo Michel, tomando el papel y levantándose de la silla—. Te prometo que, en mi próxima visita, te aceptaré una jarra de vino, pero ahora tengo que volver al trabajo.

—Eso espero —dijo Debray, mientras bajaban por las escaleras.

—Por cierto, otra cosa, Nicolás —dijo Lagrange, girándose y mirando a los ojos a su amigo—. Esta conversación jamás ha tenido lugar. No se trata de ninguna investigación oficial ni nada de eso. Mi visita ha sido de cortesía y la conversación que hemos mantenido, una simple charla entre dos viejos amigos, ¿lo comprendes?

—Sí, claro —asintió, aunque, en realidad, no entendía nada de lo que acababa de suceder.

«De todas maneras, con la *Sûrete*, mejor no preguntar», se dijo.

58 PARÍS, MARTES 12 DE OCTUBRE DE 1858

—¡Jefe, llevo todo el día buscándolo!

Michel Lagrange acababa de entrar en el edificio principal de la *Sûrete*. Ni siquiera le había dado tiempo de alcanzar su despacho. Se quedó mirando el rostro de su subordinado y, de inmediato, supo que algo extraordinario ocurría.

—Sea lo que sea, podrá esperar unos minutos. Por favor, localice al sargento Giraud. Que deje todo lo que esté haciendo y que se presente en mi despacho con la máxima urgencia posible.

Al inspector Hebert le sorprendió la actitud de su superior, pero ya lo conocía lo suficiente y cumplió sus instrucciones sin rechistar.

Apenas habían trascurrido tres minutos cuando Lagrange oyó cómo llamaban a la puerta de su despacho. Era el sargento. Con un gesto de su mano le hizo entrar.

—Supongo que ya se habrá enterado de que... —empezó a decir Giraud.

—Disculpe, sargento, no le he llamado por eso —le cortó Lagrange, que se empezaba a arrepentir de no haber escuchado lo que el inspector Hebert quería contarle. Debía ser importante de verdad.

—Ah, ¿no? —se extrañó el sargento.

—Antes que nada, quiero que sepa por qué le he ordenado que acuda con tanta rapidez. Para empezar, nada de lo que va a escuchar es oficial y así debe permanecer, al menos, de momento.

—Por supuesto.

—Mire este dibujo y dígame lo que opina de él —dijo Lagrange, mientras le mostraba el bosquejo del carruaje de su amigo Nicolas Debray.

El sargento lo tomó entre sus manos. Lagrange supo que algo no iba bien. El rostro de su subordinado, habitualmente inexpresivo, reflejaba una inusual sorpresa.

—¿Le puedo preguntar de dónde ha sacado este dibujo?

—No, pero le puedo decir que fue visto circulando por París hace justo una semana.

—Eso no puede ser —contestó con rotundidad el sargento.

—¿Por qué?

—Sabe que soy experto en identificación de carruajes y supongo que por eso me ha hecho llamar. Pues bien, el dibujo que tengo entre mis manos es imposible.

—¿Imposible? —repitió Lagrange—. ¿Le importaría explicarse mejor?

—Sin duda es un *Landau*, inspector. Debe su nombre a la ciudad alemana que lo vio nacer, hará unos cuarenta años. Se trata de un modelo de lujo, cerrado en invierno y descubierto en verano. En concreto, el del dibujo, es utilizado, sobre todo, es utilizado por las casas reales europeas, que se pueden permitir su elevado coste. De esta unidad hay muy pocos construidos, diría que seis o siete a lo sumo. Germánicos y británicos.

—¿Y qué tiene eso de imposible? Si el carruaje existe...

—Que no hay ningún *Landau* de estas características en Francia, señor —le interrumpió el sargento—. Nuestro emperador utiliza otros carruajes construidos a medida en nuestro país y, como bien sabe, blindados. Este es un modelo muy lujoso y, al mismo tiempo, ligero. Si le digo la verdad, lo reconozco por su estilismo inconfundible, pero jamás he visto uno de estos en persona. Sí, le reconozco que es cierto que algunos nobles franceses disponen de modelos parecidos, pero como el del dibujo, le aseguro que, en Francia, desde luego que no. Lo sabría.

—¿Y si le insistiera en que este *Landau* ha sido visto circulando por nuestra ciudad?

—Pues le respondería que tiene ante usted un buen misterio.

«Otro más», pensó Lagrange, mientras despedía al sargento y le rogaba de nuevo absoluta discreción.

Se quedó, durante un pequeño instante, mirando fijamente el dibujo. No alcanzaba a comprender la relación que pudiera tener Paul Morphy con aquello. Era un americano sin conexión con ninguna casa real, británica o germánica, por lo menos que él supiera. Decidió investigar esa línea más adelante. Ahora, debía averiguar qué es lo que sucedía en la *Sûrete*. Todo el mundo parecía muy alterado.

—¡Inspector Hebert, a mi despacho! —gritó, a través de la puerta.

En menos de un minuto estaban ambos sentados en el despacho de Michel Lagrange.

—Disculpe que no le haya atendido de inmediato —se disculpó el inspector jefe—, pero tenía una cuestión entre manos que no podía demorar.

—No se preocupe, señor, aunque cuando le informe de las últimas novedades, seguro que ese asunto, sea el que sea, palidecerá.

—Adelante, pues.

—Ya sabe de los intentos de asesinato contra nuestro emperador. A pesar de nuestras recomendaciones de seguridad, también conoce que no le gusta esconderse, todo lo contrario. Sus paseos a caballo por la ciudad, sin previo aviso, sabemos que llevan de cabeza a nuestros compañeros de la Prefectura de París, que no saben cómo protegerlo con seguridad.

—Lo sé. Ya conoce que soy íntimo amigo de «Symphor» desde hace mucho tiempo y me tiene al corriente. Incluso en ocasiones me ha pedido ayuda, sobre todo cuando han llegado noticias preocupantes desde el extranjero. En la Prefectura están atacados de los nervios, pero, claro, nada pueden hacer contra la voluntad del emperador. Ante las advertencias, siempre les dice que unos cuantos maleantes no pueden coartar su libertad de exhibirse ante su amado pueblo y que la función de la Prefectura es protegerlo. Incluso me consta que tuvieron una tensa reunión recientemente sobre este tema. Desde luego no me gustaría estar en su pellejo.

«Symphor» era el diminutivo por el que todo el mundo conocía a Symphorien Boittelle, prefecto de la policía de París desde marzo, en sustitución del destituido Pierre Marie Pietri, a causa del atentado de la ópera de enero contra Napoleón. Fallido en lo que respecta al emperador, desde luego, pero murieron oficialmente ocho ciudadanos franceses y más de ciento cincuenta resultaron heridos de diversa consideración, entre ellos su propia esposa, la emperatriz Eugenia de Montijo. Supuso un auténtico terremoto en las fuerzas de seguridad francesas, que remodelaron la práctica totalidad de sus estructuras y sus cúpulas directivas.

—Dice que no le gustaría estar en su pellejo —le respondió Hebert—, pero me temo que después de escucharme lo va a estar.

—¿Qué ha ocurrido? ¡No me asuste, Hebert, que no llevo un buen día!

—Qué ha ocurrido no, qué va a ocurrir. El emperador se ha envalentonado y ha anunciado que piensa acudir de nuevo a la ópera de París. Ya sabe que desde enero no lo hace. Será su «triunfal reaparición», según sus propias palabras, en el mismo lugar donde intentaron asesinarlo este mismo año.

—¡Insensato! —se le escapó a Lagrange.

—Señor...

—Disculpe, inspector. Me he dejado llevar por la noticia. No me la esperaba. Pensaba que ese tema ya lo había acordado Symphor con el emperador. No más ópera. Demasiada exposición a las masas, sin contar que es un lugar difícil de proteger. ¿Tiene más datos?

—Sí, claro. El evento se celebrará la noche del próximo 21 de octubre. Además, ha elegido a conciencia la fecha. Se estrena otra ópera de Rossini, como en la anterior ocasión. Esta vez será *El barbero de Sevilla.*

Lagrange se levantó de la mesa. Aunque la seguridad de la ciudad de París estuviera a cargo de la Prefectura, dadas las circunstancias estaba seguro de que iban a requerir de los servicios de la *Direction Générale de la Sûreté Publique.*

—¿Ha preguntado por mí alguien? —pregunto el inspector jefe.

—La pregunta correcta sería quién no lo ha hecho. ¡Pues claro, señor! Debe de ponerse en contacto urgentemente con el prefecto. Es el que más ha insistido. Por supuesto, también con nuestro director Collet.

—Gracias, Hebert. Puede abandonar mi despacho.

Así lo hizo el inspector. Ahora, Lagrange, en la soledad de aquella impersonal estancia, se quedó pensativo. Muy a su pesar, debería postergar su investigación discreta acerca de la desaparición de Paul Morphy. Toda su atención tenía que centrase en dar apoyo a su compañero y amigo Symphorien Boittelle. Se imaginaba la situación que habría liada en la Prefectura. Todos estarían muy nerviosos. Pero primero debía de comenzar por su propia casa. Hector Collet-Meygret era el director general de la *Sûreté* y su jefe directo. Tenía el despacho en la última planta del edificio, para estar más tranquilo, al contrario que Lagrange, que le gustaba permanecer en contacto con sus agentes, a pie de calle.

Subió las escaleras y llamó a la puerta de su superior. Escuchó un «adelante» y entró. Se saludaron con un abrazo. A pesar de ser el jefe supremo de la *Sûreté,* Michel y Hector no se veían con frecuencia. Este último tenía otras ocupaciones, al margen de la *Sûreté.* Sus cargos como *Receveur général des finances*, responsable de la recaudación de impuestos en L'Orne y Jura, le ocupaban la mayoría de su tiempo. Confiaba plenamente en Lagrange, así que le había cedido de hecho el control operativo de la *Sûreté.*

—¡Menuda ha liado el emperador! —comenzó la conversación *Hector.*

—Bueno, siempre hemos sido sinceros el uno con el otro y, en esta ocasión, no quiero que sea diferente. Los dos conocemos a Napoleón. Su inmenso ego le impide ver que tiene poderosos enemigos, hasta en su propio país, que quieren acabar con su vida. Me consta que Symphorien ha mantenido numerosas reuniones con él para organizar su seguridad en sus paseos a caballo por París, pero parecía que se había olvidado de la ópera. A la vista está que no comprende que es un escenario mucho más peligroso para su seguridad. Al fin y al cabo, sus salidas en caballo no son anunciadas con antelación y nadie sabe cuándo se van a producir, sin embargo, lo de la ópera es diferente. Todo el mundo sabrá dónde estará la noche del día 21. En la ratonera de *Le Peletier.*

—Tienes toda la razón —reconoció Hector—, pero, afortunadamente para nosotros, el peso del operativo de vigilancia correrá a cargo de la Prefectura de París. A nosotros tan solo nos piden información y apoyo. ¿Existe alguna amenaza vigente contra el emperador desde el exterior?

—No hemos recibido ninguna información de nuestros colegas europeos, pero este nuevo escenario cambia las cosas. Nada más terminemos esta reunión hablaré con Symphorien para ver qué precisa de nosotros en concreto. También mandaré cables a todos nuestros corresponsales en Europa.

—Adelante, ponte en marcha. Presumo que te esperan unos días frenéticos.

Lagrange se levantó de su silla, pero antes de salir del despacho de su superior, le hizo una última pregunta.

—Por cierto, ¿conoce a Paul Morphy?

El director se sorprendió visiblemente por aquella inesperada cuestión.

—¿Y quién no? Su cara ha sido portada de toda la prensa parisina. Se trata de ese joven jugador de ajedrez americano. Nunca he hablado con él, pero asistí a su prodigiosa exhibición de simultáneas a ciegas. ¿Ocurre algo con él?

—No, nada, era simple curiosidad. Sé que es aficionado al ajedrez, como yo. Por eso preguntaba, por si sabía dónde encontrarlo. Me gustaría jugar contra él.

—Bueno, eso es sencillo. Tengo entendido que frecuenta en *Café de la Régence.*

Lagrange asintió con la cabeza. Estaba claro que el director tampoco sabía nada de Morphy. Abandonó el despacho con el joven americano en la cabeza, en lugar de su emperador, que era lo que le tenía que preocupar ahora mismo. Descendió por las escaleras en dirección a su despacho. Pensaba tomar la gabardina y hacerle una visita a su amigo Symphor en la Prefectura.

Mientras salía del edificio de la *Sûreté,* no podía quitarse de la cabeza una inquietante idea.

No sabía por qué, pero tenía la sensación de que el asunto de la misteriosa desaparición de Paul Morphy se iba a cruzar con la asistencia del emperador a la ópera de París.

Tenía que reconocer que era una idea descabellada, sin ninguna base.

«Aunque quizá no tanto», pensó, andando por la calle.

59 PARÍS, MARTES 12 DE OCTUBRE DE 1858

—¡Es peor todavía!

—¿Cómo puede ser peor? No logro imaginarlo.

–Créeme, todo es susceptible de empeorar y la prueba la tenemos delante de nuestras narices.

Michel Lagrange estaba manteniendo esta conversación en el despacho de Symphorien Boittelle, prefecto de París. Estaba observando un plano de la *rue Le Peletier*. Pudo ver que se encontraba repleto de pequeñas piezas cuadradas de madera, de diferentes colores.

–¿Este es el operativo de vigilancia que has previsto? Supongo que el color rojo significará las zonas más vulnerables y de riesgo, el verde los agentes uniformados y el negro los camuflados. ¡Menudo despliegue!

–Pues no vale para nada –le respondió el prefecto–. Por eso te decía que todo es susceptible de empeorar.

–¿Por qué? –Lagrange no entendía nada.

–El emperador no quiere una vigilancia policial excesiva. Dice que, a los ojos de sus ciudadanos, parecería que tiene miedo a que se repita el atentado de enero. A los ojos de sus ciudadanos quizá, pero a los ojos de sus enemigos será un regalo envuelto con un lacito.

–¿Te lo ha dicho expresamente? Siempre puedes reducir la presencia de agentes uniformados y recurrir a tus hombres de incógnito. Sería más discreto.

–Tampoco me lo permite. Dice que la gente se daría cuenta de igual manera, por su comportamiento.

–¿Me estás diciendo que Napoleón pretende acudir a la ópera sin protección?

—No, tampoco es eso. Llegará en su carruaje con sus caballeros lanceros habituales, ni uno más ni uno menos. Los dos sabemos que, en caso de atentado, esos lanceros son inútiles, como ya se demostró en enero.

—¿No me digas que no va a permitir agentes en la calle y en el interior del teatro? Eso es una auténtica imprudencia propia de un loco, y perdona por la expresión. Intento analizarlo desde un punto de vista puramente profesional.

—No te falta razón, pero su supuesta valentía no llega hasta tal extremo. Permitirá un número limitado de agentes en el exterior y otro en el interior, pero, salvo los que vigilen la entrada de su palco, todos deberán ir de incógnito.

—Cuando dices que permitirá un número limitado, ¿de cuántos policías estamos hablando?

—Veinte en el exterior y diez en el interior. Ni uno más.

Lagrange cada vez parecía más escandalizado.

—Pero con veinte ni siquiera podrás cubrir el momento más delicado, que es su salida del carruaje y el breve trayecto hasta la entrada del *Théâtre Impérial de l'Opéra,* bajo la marquesina.

—Ya se lo he dicho y me ha mandado callar. Sabes que, en ese preciso punto, siempre formamos un cordón de seguridad, pero el emperador, en esta ocasión, no lo quiere. Desea poder acercarse al público sin que nadie se lo impida.

—¡Dios mío! —exclamó Lagrange—. Estarás completamente vendido en ese momento, por no hablar del interior del teatro. Diez agentes son una cifra ridícula.

—Lo sé. El operativo interior estará formado por mis dos mejores inspectores, siete agentes y yo mismo. Es decir, los diez que exige el emperador. Teniendo en cuenta que en la puerta de su palco tengo que situar, al menos, a dos uniformados, me quedo con tan solo cinco agentes y dos inspectores para cubrir toda la *Salle Le Peletier.*

—¡Pero eso es imposible! No puedes garantizar su seguridad con tan pocos efectivos.

—También lo sé. Por eso, en un caso tan extraordinario, debo echar mano de mis recursos y... de mis amigos —la última parte de la frase la dijo de un modo deliberadamente lenta.

Lagrange la pilló al vuelo.

—¿No pretenderás que yo asista de incógnito? El emperador me conoce perfectamente.

Por primera vez en toda la conversación, el prefecto se permitió una pequeña sonrisa.

—Nadie ha dicho eso. Te pienso mandar dos entradas para que asistas como público invitado, en compañía de tu mujer. No estarás trabajando, tan solo disfrutando de una noche en la ópera. Si nada ocurre, ni te molestaré y asistirás a una magnífica velada en compañía de Pascale. ¿Cuánto tiempo hace que no la invitas a la ópera, además en un evento tan magno, con la presencia del emperador?

Lagrange siempre minusvaloraba la capacidad de persuasión de Symphorien, aunque aquello le pareciera más una burda manipulación. Sabía que no le podía negar la ayuda a su amigo, ya que la podría necesitar. Además, tenía razón. Su trabajo lo absorbía demasiado y hacía tiempo que no salía con su mujer. Les vendría bien a todos.

—Aún en el caso de que aceptara, tan solo ganarías un posible efectivo más. Seguiría siendo insuficiente.

—Supongo que te imaginarás que tengo más amigos, aparte de ti —prosiguió, en un tono burlón—. ¿No creerás que has sido al único al que le he pedido un pequeño favor?

Lagrange se rio.

—¿Piensas llenar el teatro de la ópera de policías amigos tuyos sin que el emperador se entere? Napoleón puede ser un insensato, pero desde luego no es un tonto. Se dará cuenta de inmediato, desde la posición privilegiada de su palco.

—Eso ya lo sé.

—Entonces, ¿qué me quieres decir?

—Ya sabes que, después del atentado de enero, nuestras relaciones con los británicos se tensaron bastante, sobre todo cuando tu investigación demostró que el plan se fraguó en Birmingham. Para tratar de restablecer las relaciones de colaboración entre las policías, que, hasta ese momento, habían sido muy cordiales, un inspector nuestro está en Londres colaborando con ellos y, en reciprocidad, uno de los suyos está en París.

—¿No me digas que lo piensas colar en el teatro también?

—¡Pues claro! Es el candidato perfecto. Se trata de un *chief inspector* del *Metropolitan Police Service* de Londres, que Napoleón no conoce. Lo pienso situar en el palco adyacente, en comunicación visual permanente conmigo, que estaré, como tú, sentado en el patio de butacas. Nadie sabrá de su existencia, tan solo nosotros.

Lagrange no pudo más que admirar la capacidad de organización de su compañero, en unas circunstancias excepcionales. Le iba a colar a un inspector jefe de *Scotland Yard* justo al lado del emperador, sin que pudiera advertir su presencia, ya que no lo podría ver desde su palco. Sin embargo, sería los ojos, desde su privilegiada atalaya, para el prefecto Symphorien Boittelle. Una jugada maestra.

—Bueno —le respondió—. Al final dispondrás de doce piezas sobre el tablero, eso sí, siete peones, los agentes, y cinco de mayor calidad. Ahora te falta disputar la partida, pero algo es algo. Casi has obtenido oro de una mina de carbón.

—He hecho todo lo que está en mis manos. No puedo arriesgarme a contravenir una orden directa del emperador, pero sí que puedo situar mis piezas, como tú las llamas, de una manera conveniente. Y sacarme dos de la manga, como si fuera un buen mago.

—Desde luego —volvió a reír Michel, mientras tomaba a su amigo por el hombro y lo invitaba a su despacho, en la *Sûreté.* No podían hacer nada más sobre el tablero de juego de la ópera de París, pero la partida también se podía jugar fuera de ella. Lagrange había enviado cables a todos sus corresponsales extranjeros y a sus colegas de los servicios de inteligencia europeos. Tenían que asegurarse de que no se produjera una entrada de terroristas a través de sus fronteras, como había sucedido en el atentado de enero. Y ese era precisamente el trabajo de la *Direction Générale de la Sûreté Publique.*

—Inspector jefe, tiene una visita esperándolo —dijo el sargento de guardia, al ver llegar a Lagrange junto al prefecto de París.

—Que espere un momento —le respondió—. Ahora quiero que localice al inspector Hebert y que se persone en mi despacho. Es urgente.

No había pasado ni un minuto cuando el inspector llamó a la puerta. Se reunieron los tres alrededor de una mesa llena de papeles. A Lagrange siempre le gustaba decir que era una persona organizada, y realmente lo era, pero tan solo de cabeza hacia dentro, porque hacia afuera... Su despacho no parecía tal, sino más bien el archivo del sótano después de haber pasado un tornado. Para poder utilizar la mesa de reuniones, cada uno tuvo que hacerse su propio hueco entre la maraña de documentos y carpetas.

—¿Realmente encuentras algo cuando lo buscas? —le preguntó en tono burlón Symphorien.

—Siempre, porque no está en esta mesa, sino en el interior de mi cabeza. Esto de los papeles es un mal necesario que debo sufrir. Llegará un día en que no existan, ya lo verás.

El inspector Hebert se limitó a sonreír y no hizo ningún comentario. Ya conocía de sobra a su jefe. Además, debía reconocer que tenía razón.

—Bueno, Hebert, ¿ha hecho los deberes que le mandé? —le preguntó Lagrange.

—Sí, señor inspector. Todos los puestos fronterizos del país están en estado de alerta desde esta mañana. Hemos restablecido, de forma temporal, la necesidad de visado para entrar en todo nuestro territorio. Así, por lo menos, cualquier persona que pretenda acceder a Francia, previamente habrá tenido que justificar su desplazamiento ante nuestro personal diplomático, en las embajadas y consulados, con veinticuatro horas de antelación. Me he asegurado de que todos dispongan de la «lista negra» actualizada.

—Estupendo. ¿Hemos recibido alguna respuesta a nuestros cables?

—De nuestros corresponsales sí, aunque aún falta algún servicio de información por contestar. Piensen que apenas han trascurrido unas horas desde la petición —dijo, mientras les mostraba una carpeta—. En su interior encontrarán sus respuestas. Se lo puedo resumir, no se aprecia ninguna actividad sospechosa entre los movimientos subversivos en Europa. Todo parece en calma. De todas maneras, nuestros corresponsales tienen instrucciones de formular informes diarios. Si algo se despierta, lo sabremos de inmediato.

—Bien, inspector Hebert —dijo el prefecto—. Este será su cometido, vigilar las fronteras y... algo más.

—¿Algo más, señor? —repitió el inspector, Giró su mirada hacia su superior directo, Lagrange, que, por la expresión en su rostro, parecía que tampoco sabía nada.

—Sí, así es. Les voy a pedir un esfuerzo adicional. Vamos a intentar sellar París, como si se tratara de un país independiente. Desde la Prefectura no lo podemos hacer ya que necesitamos discreción. Tenemos que tratar de que no se note demasiado. Ahí tienen más experiencia que nosotros.

—Pero eso es casi imposible —respondió de inmediato Lagrange—. El tráfico comercial no se puede interrumpir ya que dejaríamos la ciudad desabastecida. Si fuera por tan solo uno o dos días, aún se podría intentar, pero hoy es día 12. La ópera se celebrará el día 21. Faltan nueve días.

—Hagan lo que puedan, no se trata de una orden ni nada por el estilo. Es más bien una petición de ayuda para controlar los accesos a la ciudad. Nuestro cuerpo conoce a los delincuentes habituales de París y los podemos controlar, pero de puertas hacia afuera, no sabemos nada.

Lagrange y Hebert asintieron con la cabeza. Comprendían lo que les estaba pidiendo el prefecto.

Establecieron un protocolo de comunicación entre la Prefectura y la *Sûreté,* para asegurar la coordinación y dieron por concluida la reunión.

Lagrange se quedó solo en su despacho. Miró su reloj. La tarde ya se encontraba muy avanzada y ni siquiera había hecho una pausa para comer. Lo peor es que no tenía nada de hambre. Había sido uno de los días más estresantes de los últimos años. Luego estaba la cuestión en la que no quería pensar, pero su cerebro no opinaba igual que él.

Paul Morphy.

Estaba intentando quitárselo de la cabeza, cuando llamaron a su puerta. Era el sargento de guardia.

—Señor, ¿se acuerda que tiene una visita esperándolo?

Estaba claro que no se acordaba. El sargento, viendo la cara de cansancio de su superior, le intentó echar un cable.

—No se preocupe. Le digo que está reunido y que acuda en otro momento.

—No, no —le respondió Lagrange—. Haz que pase, a ver si un soplo de aire fresco logra despejar mi mente, que lo necesito de verdad.

Cuando el inspector vio quién entraba por la puerta, casi le da un vuelco el corazón.

—¡Caramba, menuda sorpresa! Y, para variar, agradable en un día bien negro —no pudo evitar exclamar.

—No sé a qué se refiere, señor.

—No me hagas caso. Casi estaba decidido a abrir una investigación oficial, pero ahora ya no será necesario. Me has alegrado la tarde.

—¿Cómo sabe quién soy, si aún no me he presentado? —el visitante seguía sin comprender nada.

—Ni falta que hace.

60 PARÍS, MARTES 12 DE OCTUBRE DE 1858

—Supongo que tendrás muchas cosas que contarme, ¿no?

—No sé a qué se refiere exactamente, señor.

—Voy a empezar con una pregunta muy sencilla. Si no sabes a qué me refiero y no tienes nada que contarme, ¿por qué has venido a visitarme a la *Sûreté*?

—Esa respuesta sí que la conozco. Porque sé que me estaba buscando y, por lo tanto, he decidido presentarme ante usted de forma voluntaria.

—O sea, que si no te he entendido mal, lo que me quieres decir es que sabes que te buscaba, pero desconoces el motivo.

—Eso es.

Lagrange no pudo evitar reírse muy a gusto. Esta situación sí que no se la esperaba jamás.

—Lo siento —se disculpó, mientras se secaba las lágrimas con su pañuelo—, pero la situación me ha parecido muy cómica. ¿Me permites otra pregunta? ¿Cómo demonios sabes que te estaba buscando? Creía que había sido muy discreto en mis pesquisas.

—Esa respuesta también la conozco. Por el *Moulin de la Galette.*

—¡Ese maldito Nicolas Debray! —exclamó Lagrange—. La próxima vez que lo vea le dejaré más claro el significado de la palabra «discreción».

—No sé quién es esa persona. ¿Debería?

—Bueno, quizá no la conozcas por ese nombre, pero es el propietario del molino. Es inconfundible, de mediana estatura y con una abundante melena morena que, habitualmente, se recoge en una coleta. Además, le gusta vestir de forma, digamos, algo estrafalaria, con colores que nadie osaría combinar. Es todo un personaje y siempre está en el molino. De hecho, no me extrañaría que viviera allí.

—¡Ah! Entonces estoy seguro de que no sé quién es. No he visto jamás a una persona con esas características.

—¿Perdona? —ahora, Lagrange había pasado de las risas a la confusión en apenas un segundo.

—Que no lo conozco. Que no sé quién es. ¿No me comprende?

—Ahora mismo, la verdad es que no. Es la única persona del *Moulin de la Galette* con la que comenté este asunto. Si no es por él, ¿quién te dijo que te estaba buscando?

De repente, Michel Lagrange cayó en la cuenta. Debray no era el único que sabía que iba tras sus pasos. Sin dejar contestar al muchacho, le señaló con su dedo en toda su cara.

—¡Claro! ¡Saint-Amant! Él era la otra persona que sabía de este asunto. Si no te lo ha contado Debray, tan solo nos queda él.

—¿Se refiere a Charles Saint-Amant? ¿El campeón francés?

—Sí, claro. Somos amigos desde hace muchos años.

—Sé quién es Saint-Amant, pero ¿qué tiene que ver en este asunto? No he hablado jamás con él. Le acabo de decir que sé que me buscaba por el *Moulin de la Galette*. ¿Acaso no me cree?

Lagrange ya no sabía que pensar de aquella extraña situación.

—¿Te importaría explicarme las cosas desde el principio?

—Claro, pero si quiere escuchar la historia desde el mismo principio, el relato va a ser largo. Supongo que estamos buscando a la misma persona, a mi amigo Paul Morphy. También supongo que, a estas alturas, ya sabrá que me mandó su familia americana por sus problemas de salud. Mi misión era devolverlo a su casa para que se recuperara. Sin embargo, las cosas no fueron tan sencillas como aparentaban. De Nueva Orleans a Nueva York. De allí, travesía trasatlántica hasta el puerto de Liverpool. Una vez en suelo británico, de Birmingham a Londres y de nuevo de vuelta a Birmingham. El día que creía que ya lo había encontrado, después de más de un mes, me entero de que se acababa de marchar a París. Aquello era algo de lo más extraño. Me quedé en Birmingham unos días, esperando noticias de América. Lo de Francia no estaba previsto. Se suponía que mi misión iba a ser mucho más sencilla y yo también tengo familia en América a la que echo de menos. Me estaba cansando. Mandé un cable a Charles Le Carpentier con mis objeciones y esperé su respuesta. Me contestó, diciendo que había hablado con la familia e incluso con mis padres y que estaban de acuerdo en que me desplazara a París, con idénticas instrucciones, traer de vuelta a Paul. Así lo hice. Me presenté en el *Hotel Le Meurice*, pero tampoco se encontraba allí. Se habían mudado al *Breteuil*, según la nota que me había dejado. Cuando llegué allí tampoco estaba. Al parecer, se encontraba en el *Café de la Régence*, terminando su *match* con Harrwitz. En ese momento no sabía si esperar a que regresara al hotel o acercarme hasta el café. Decidí lo último. Para mi desgracia, una vez más, llegué tarde. A pesar de ello, conseguí hablar con el juez del *match*, un tal Rivière, creo recordar. Me dijo que había hablado con Paul y que no iba a volver al hotel esa noche, ya que pensaba marcharse a celebrar su victoria. Desconocía el lugar, así que decidí alojarme también en el *Hotel Breteuil*, a la espera de que Paul regresara. No volvió ni esa noche, ni la siguiente, ni la otra... ya estaba empezando a perder la paciencia cuando un empleado del hotel cayó en la cuenta de quién era yo y...

—Espera, espera —le interrumpió Lagrange—. ¿Por qué su secretario, Frederick Edge, que también estaba alojado en tu mismo hotel, no me dijo nada de todo esto?

—Porque no sabía nada. Traté de evitarlo y creo que lo conseguí. Antes de hablar con él, quería escuchar la versión de Paul de todo lo ocurrido. Edge es extremadamente británico, no sé si me comprende. Tiende a ocultar ciertos detalles que yo necesitaba conocer.

—¿Y cómo encaja toda esta historia que me has largado con el hecho de que sepas que te buscaba a ti y a Paul?

—Como le estaba diciendo, esperé con mucha paciencia el retorno de Paul. Justo ha interrumpido mi explicación cuando estaba a punto de contarle que un empleado del hotel reconoció mi nombre y me entregó, ayer mismo, una nota de Mr. Edge, que, al parecer, había dejado a mi nombre unos días atrás. En ella me indicaba el lugar donde Paul solía terminar sus juergas. Me enfadé bastante, ya que había perdido cuatro preciosos días. Así que, hoy mismo, me he pasado por allí, por el *Moulin de la Galette*. Por unos pocos francos, una de las camareras me informó de lo ocurrido el día que desapareció mi amigo. Un desconocido lo sacó de aquel antro, aunque supongo que todo eso ya lo sabe, ya que también me contó que, hacía apenas unas horas, usted había acudido al mismo lugar donde yo me encontraba. Lo reconoció de inmediato. Desde luego, debe ser una persona conocida en París. Además, por lo que he podido observar de su actitud hacia mí, hice las suposiciones acertadas. Usted cree que fui yo la persona que sacó a Paul del salón y, en consecuencia, también me debía de estar buscando a mí.

—¿Y lo hiciste?

—No, desde luego que no.

Lagrange se levantó de su silla. Ahora había recuperado el aplomo.

—Mira, chaval. ¿Y si te dijera que no te creo? La última parte de tu relato no tiene ningún sentido. Supongo que desconoces un detalle muy curioso. Resulta que la persona que se llevó a Morphy del molino lo conocía personalmente. Ahora, ¿me podrías decir cuántos amigos de verdad tiene Paul en esta ciudad? No me contestes, era una simple pregunta retórica, ya te respondo yo. Tú y solo tú —dijo, mientras le volvía a señalar con su dedo.

Para sorpresa de Michel Lagrange, Charles Maurian sonrió por primera vez en toda la reunión. Desde luego no parecía asustado. De hecho, el inspector tuvo la sensación de que no le había contado todo lo que sabía.

—En ese caso, —prosiguió Maurian—, ¿me podría contestar dos simples preguntas? Si lo que afirma fuera cierto, ¿por qué no he seguido oculto con Paul? ¿Qué sentido podría tener presentarme ante usted y poner en peligro nuestro supuesto plan?

—Eso no lo sé, pero lo que tengo muy claro es que este asunto es muy turbio. ¿Por qué tengo la sensación de que me ocultas algo?

—Porque no es una sensación, es la realidad.

Lagrange se sorprendió con la sinceridad de Charles Maurian. Su respuesta había sonado totalmente natural.

—¿Te importaría explicarte de nuevo?

—Supongo que conoce como yo los detalles de la salida de Paul del molino. En ese caso, ¿dónde cree que guardo ese lujoso carruaje, tan solo al alcance de las familias reales más poderosas de Europa? ¿Acaso me imagina con uno de esos?

—No, no lo hago —respondió Lagrange, también con sinceridad.

—Entonces, ¿le importa que volvamos unas cuantas preguntas atrás? En concreto, a la que no me ha permitido contestar.

—¿Cuál? —ahora el inspector parecía confundido.

—¿Tiene Paul Morphy amigos en París, aparte de mí? La respuesta, ahora, parece evidente, ¿verdad? Está claro que los debe de tener, al menos, uno. Y, si me lo permite, debe ser muy poderoso para disponer de un carruaje con semejantes características.

Lagrange se resistía a soltar la presa.

—Y ahora me dirás que conoces la identidad de ese amigo secreto —se aventuró.

—Quizá tenga una ligera idea —respondió Maurian, sonriendo.

—¡Oye, niñato! Sigues siendo el principal sospechoso de la desaparición de Morphy. Que te haya permitido explicar tu versión de los hechos no significa una mierda. No intentes tomarme el pelo.

—Le aseguro que no lo hago, pero, como comprenderá, conozco a Paul desde que nació y usted ni siquiera lo ha visto en su vida. Alguna ventaja tengo sobre usted, ¿no le parece?

—Tampoco intentes jugar conmigo, mamarracho.

—No lo hago, lo único que pretendía era resaltar que usted desconoce a quién está buscando. Paul no es un ajedrecista al uso. Le aseguro que, a pesar de lo que pueda parecer, no es un apasionado del ajedrez. Para él, es tan solo un juego al que le gusta ganar. Nada más. Atípico, ¿verdad? Está desprovisto de todo el ego que suele envolver a los ajedrecistas. En realidad, me atrevería a afirmar que le importa una mierda, usando sus propias expresiones. De hecho, me parece que soy el único que conoce el verdadero motivo que ha tenido Paul para venir a Europa.

—No sea estúpido. Morphy ha venido a jugar al ajedrez. Hasta su desaparición no había hecho otra cosa.

—Se equivoca por completo. Le voy a regalar dos confesiones. La primera es que Paul no ha venido a Europa a jugar al ajedrez. Su verdadero motivo era llamar la atención, primero en Gran Bretaña y ahora en Francia. ¿No le resulta cuanto menos curioso que haya seguido el mismo patrón en ambos países? Primero, un gran enfrentamiento contra un ídolo local para concluir con unas simultáneas a ciegas. ¿No me negará que consiguió atraer la atención a lo grande? La segunda confesión es que estoy absolutamente seguro de que Paul no ha abandonado París.

—¿Cómo puedes ser tan rotundo en tus afirmaciones? —preguntó Lagrange, intentando parecer incrédulo, aunque en el fondo estaba reflexionando acerca de lo que acababa de escuchar.

—Porque, para Paul, desde hace muchos años, el ajedrez ha dejado de ser un fin en sí mismo y se ha convertido en un simple medio para alcanzar su verdadero objetivo, y me da la sensación de que lo ha logrado. Si ha conseguido que toda Europa se concentre en París para ser testigos de sus simultáneas a ciegas, ¿por qué iba a abandonar la ciudad precisamente él, con todo el empeño que había puesto en lo contrario? Primero lo intentó en Gran Bretaña, en falso, pero está claro que a la segunda ha acertado de pleno.

—No entiendo una mierda lo que me quieres decir y me empiezo a enfadar.

—Es muy sencillo. Como resumen, Paul tiene un nuevo amigo en París y usted tiene la llave para encontrarlo.

—¿Qué llave ni qué...? —Lagrange estaba empezando a perder la poca paciencia que le quedaba.

—Siga lo que desentona en toda esta historia y encontrará a Paul.

—Quien desentona eres tú.

—No, lo que desentona es el carruaje. Ahora, como no me puede detener bajo ningún cargo, me vuelvo a mi hotel. Ha sido un verdadero placer, señor inspector. Si desea algo más de mí, ya sabe dónde encontrarme. Y tranquilo, no tengo la menor intención de abandonar la ciudad.

—Hasta que localices a Paul, ¿no?

—Pues hágalo usted antes.

61 PARÍS, MIÉRCOLES 13 DE OCTUBRE DE 1858

—No estoy muerto —dijo, en voz alta.

Paul Morphy se había vuelto a despertar, pero ahora se encontraba en mejor estado que la última vez que recobró el conocimiento. No sabía cuánto tiempo había trascurrido desde entonces. De hecho, ahora que lo pensaba, tampoco sabía cuánto tiempo llevaba confinado.

Seguía sin ser capaz de observar el fondo de la estancia donde permanecía encerrado, pero sí que podía ver de cerca. Se encontraba postrado en una cama, y no una cualquiera. Se notaba que era de excelente calidad, incluso mejor que la suya propia cuando vivía en Nueva Orleans. Por primera vez, giró su cabeza hacia arriba. Era extraño, ya que aquello no podía ser el techo.

«¡Claro, es un dosel!», pensó, asombrado por su descubrimiento. En América no era habitual encontrarse con ese estilo de camas, sin embargo, en Europa tenía entendido que las utilizaban con frecuencia los reyes y los nobles, al margen de las clases pudientes.

«¿Qué hago yo aquí?». Paul intentaba estrujarse la mente para recordar cómo había llegado hasta aquella especie de jaula dorada.

Nada.

A pesar de que se encontraba notablemente mejor, supuso que habría vivido alguna experiencia traumática que le estaba bloqueando su memoria. Se veía a sí mismo, borracho, en su rincón habitual del *Moulin de la Galette,* pero aquello no justificaba por sí mismo su bloqueo mental. Había estado en ese mismo lugar y en ese mismo estado en numerosas ocasiones anteriores y, al día siguiente, era capaz de jugar al ajedrez en el *Café de la Régence* y vencer sus partidas con pasmosa facilidad, cuestión que, ahora mismo, ni siquiera se planteaba.

«Todo cuerpo debe tener un límite de aguante y quizá yo haya alcanzado el mío», pensaba. «Desde luego, me he aplicado a fondo».

De repente, algo pareció acudir a su mente, como un fugaz recuerdo.

«¡Charles Maurian!», gritó en su mente.

Intentó esforzarse en esa idea. «Sí, me estaba buscando para devolverme a América con mi familia y me encontró», recordó. Sin embargo, había algo que no terminaba de encajar con ese pensamiento. Tenía la impresión de no haber hecho ningún viaje largo y menos en un trasatlántico, así que suponía que debía de permanecer en París o, al menos, en sus alrededores. Eso le parecía incompatible con la idea de Charles Maurian. Lo pensó un poco más. «Salvo que, por cuestiones obvias de salud, no esté en condiciones de hacer ese viaje y simplemente me esté recuperando», se dijo, cada vez pensando de forma más racional.

Ahora, a medida que pasaba el tiempo, otra idea invadió su mente. Cuando se recuperara, conocía cuál iba a ser su destino, América, y no deseaba abandonar París. En consecuencia, debía idear un plan para escapar de aquel desconocido lugar.

Se recreó en ese pensamiento. Ahora tenía claro que su condición física no era la causa de su sopor permanente. Sabía que, en el momento de ser rescatado del molino, tenía fiebre. Eso lo recordaba bien, pero, ahora mismo, su temperatura corporal era normal. En consecuencia, le debían de estar administrando algún tipo de narcótico para mantenerlo en ese estado de permanente aturdimiento.

Se miró el brazo y confirmó su teoría. Tenía visibles marcas de pinchazos. También tenía las manos vendadas. Pensó en desprenderse de los incómodos vendajes, pero descartó la idea. Si lo hacía, Charles o cualquiera al que hubiera confiado su confinamiento, se daría cuenta de inmediato que estaba recuperando sus facultades mentales. Eso, ahora mismo, era lo último que le convenía.

Aunque cada vez pensaba con más lucidez, su cuerpo era otra cosa. Seguía sin poder moverse y eso que ahora podía observar que no estaba sujeto con ninguna cadena ni cuerda.

Era una cuestión de pura debilidad física. Quería pensar que era a consecuencia del uso de narcóticos, pero tampoco podía estar completamente seguro. Por otra parte, aunque estuviera despierto cuando se presentara la persona para administrarle la siguiente dosis, no sabía cómo podría oponerse a ella, dada su condición física.

En definitiva, estaba hecho un lío.

«Tan solo me queda rezar para que entre en la habitación sea el propio Charles Maurian», pensaba. «Supongo que lo será. No me imagino delegando estas labores en otra persona. Quizá no pueda moverme, pero sí hablar. Debo intentar convencerle para que me permita quedarme en Europa. Si se ha tomado tantas molestias, no creo que sea sencillo, pero por probar tampoco pierdo nada, todo lo contrario, gano».

Pensaba que todo lo que fuera ganar tiempo le parecía una buena idea. Aunque no lograra persuadirlo, al menos intentaría alargar todo lo posible su estancia en París, aunque tuviera que mentir acerca de su verdadero estado de salud. Maurian sabía lo mal que le sentaban las travesías marítimas. Recordaba que, a su llegada a Liverpool desde Nueva York, le había enviado una misiva y se lo detallaba. Tardó en recuperarse casi dos semanas.

Sumido en sus pensamientos, no escuchó los pasos que parecían aproximarse a su habitación. Así, el primer aviso de que alguien se disponía a entrar en la habitación fue el sonido inconfundible del pomo de la puerta.

De inmediato, entornó sus ojos. No quería que su captor lo viera despierto, pero también quería conocer quién era.

Los nervios le salían por los poros de su piel. Ahora, secretamente, agradeció su inmovilidad.

Escuchó claramente como la puerta se abría. A esa distancia no era capaz de vislumbrar nada. Debía esperarse a que esa persona se acercara a su cama.

Los pasos se aproximaban.

Todo era bruma. Si seguía con los ojos semicerrados, se arriesgaba a no ser capaz de ver quién había entrado en su habitación. Decidió arriesgarse y abrirlos, aunque fuera de forma parcial. Todo ello lo decidió en apenas dos segundos. No podía permitir que le volviera a inyectar más narcótico.

Así lo hizo.

—¡No me pinches! —gritó.

Ahora, no pudo evitar abrir los ojos en su totalidad.

Aquello no se lo esperaba. No tenía ni idea quién era la persona que estaba delante de él. Jamás la había visto.

«¿Seguro?», pensó, durante un brevísimo instante.

62 PARÍS, MIÉRCOLES 13 DE OCTUBRE DE 1858

—¿Te ocurre algo? Llevas un par de días con muy mala cara.

—Nada, cariño. Es el puñetero trabajo, que no me deja vivir.

—Llevas muchos años en diferentes cuerpos de policía, pero jamás te había visto así de estresado. Sé que no duermes bien por las noches, me doy perfecta cuenta.

Lagrange nunca comentaba los asuntos oficiales con su esposa. No quería llevarse los problemas del trabajo a su hogar, pero decidió, en este caso, hacer una excepción. Pascale lo conocía demasiado bien y, además, ahora la debía involucrar en un asunto «semioficial». No podía olvidar que, en algún momento, le tendría que decir que debía acompañarlo al *Théâtre Impérial de l'Opéra* de París. Entre ellos no cabían las mentiras, pero ahora se disponía a contarle una de ellas, aunque fuera a medias.

—Tienes razón, como siempre. Ayer me enteré de que Napoleón y la emperatriz piensan asistir a la ópera de París el próximo día 21. Aunque su protección correrá a cargo de la Prefectura y no de la *Sûreté,* como comprenderás nos han ordenado que extrememos la seguridad en los puestos fronterizos y que estemos atentos a cualquier intento de complot originado fuera de nuestras fronteras, como sucedió el mes de enero pasado. Todos en la *Sûreté* estamos un poco más nerviosos de lo habitual.

—Vaya, no sabía nada.

—Hoy sale publicado en toda la prensa de París. Va a ser un gran acontecimiento social. Imagínate, tan solo con el rumor de su asistencia, ya se han agotado todas las entradas para la ópera.

—¡Ya lo creo! —exclamó Pascale—. Piensa que es su reaparición. Además, la emperatriz salió herida de aquel atentado. Demuestra también mucho valor. Ya me imagino el revuelo que se habrá montado y también el morbo, por qué no decirlo. Todos los nobles y los *peces gordos* de la ciudad querrán asistir. Ni con dos *Salle Le Peletier* hubieran tenido suficiente aforo para acomodar todas las peticiones de asistencia, seguro.

—¿Te apetece acudir? —se lanzó Michel, que vio la oportunidad.

—¿Bromeas? Si me acabas de decir que no quedan entradas...

—Y es cierto, pero resulta que el inspector jefe de la *Sûreté* también es considerado un *pez gordo* en París, como tú dices. Symphor me ha obsequiado con dos entradas, una para ti y otra para mí. No se trata de trabajo, sino de placer. Creo que nos vendrá bien. Hace tiempo que ando muy ocupado y no paso contigo el tiempo que debiera. No creas que no me doy cuenta de que el trabajo me absorbe demasiado.

Pascale no pudo evitar sorprenderse. No era habitual en su marido esa clase de detalles.

—Ya sabes que me gusta mucho la ópera, pero simplemente como melómana. Lo que aborrezco son los actos sociales rimbombantes y me temo que este será uno de ellos.

—No te lo voy a negar, seguro que se convierte más en un acto social que puramente musical, como debería ser. Piensa que la flor y nata de París se dará cita en la ópera, pero para una vez que puedo asistir a un evento de estas características sin trabajar y disfrutarlo...

—Bueno, si a ti te apetece, a mí también —dijo Pascale, dándole un cariñoso beso en la mejilla—, aunque me hubiera gustado que me invitaras cualquier otro día.

Michel se relajó. No sabía cómo plantearle el tema a su esposa, pero había surgido la conversación de una forma natural.

—Pues decidido —le respondió con otro beso—. Ahora me marcho al trabajo. No me quiero ni imaginar lo que me espera allí, no precisamente actos sociales.

No, no se lo podía imaginar, y eso que no le había contado toda la verdad a Pascale.

El inspector entró en el edificio de la *Direction Générale de la Sûreté Publique,* intentando aparentar que era un día más, aunque fuera consciente de que, con toda probabilidad, no fuese a ser así. Se dirigió a su despacho. Antes de abrir la puerta, ordenó llamar al sargento Giraud. A los pocos minutos ya lo tenía sentado enfrente de su mesa.

—Escuche, sargento —comenzó Lagrange—. Supongo que ya se imaginará el motivo de que le haya hecho llamar, y no es precisamente por la asistencia de Napoleón a la ópera.

—Sí, señor, ya me lo imagino —le respondió con cortesía.

—Ya sé que estamos todos saturados con el tema del emperador, pero lo que le voy a pedir también es importante. Necesito rapidez, pero, sobre todo, absoluta discreción.

—Por supuesto, inspector, lo que usted ordene.

—Ayer me informó de que existían muy pocos carruajes *Landau,* coincidentes con el modelo del dibujo que le enseñé, ¿no es así?

—Sí, señor.

—Pues ahora le pido que vaya un paso más allá. Necesito para hoy mismo un listado de todos ellos, con los nombres de todos sus propietarios y en el país dónde están registrados. ¿Podrá conseguirlo?

—Supongo que sí —contestó dubitativo el sargento—, pero es una labor que me llevaría todo el día. Mucha información que solicitar y muchos datos que cruzar. Debería, de alguna manera, hablar con mi inspector e insinuarle que me exima de mi trabajo habitual. Ambas cosas son imposibles que las pueda compaginar.

—¿Quién es su jefe directo?

—El inspector Hebert.

«Vaya, no podía ser otro», pensó Lagrange. No es que se llevara mal con él, todo lo contrario, pero era un perro viejo y sabía que debía hilar muy fino con su pretexto para liberar al sargento de su tarea diaria. No iba a colar uno cualquiera.

—No se preocupe por Hebert —le respondió—. Ahora mismo hablaré con él. Usted haga su trabajo y cuando lo tenga terminado, acérquese por mi despacho sin demorarse ni un minuto. No espere a que le llame. Recuerde que es un asunto prioritario para mí. Se lo encargo a usted personalmente, con ello quiero decir que no pida colaboración a otros agentes. ¿Me ha comprendido?

—Perfectamente, señor.

—¡Pues manos a la obra! —le ordenó, mientras ambos se levantaban y salían del despacho de Lagrange.

El inspector jefe localizó a Hebert y le indicó que hoy debería prescindir de la ayuda de Giraud. Lo necesitaba para la comprobación de unas identidades de unos carruajes sospechosos en una investigación, sin facilitarle más detalles. Pensó que, si por el motivo que fuera, veía a su subordinado trabajar en ello, no le sorprendería.

A continuación, subió por las escaleras, hasta llegar al despacho de Hector Collet, director de la *Sûreté*. Después de los saludos oportunos, Lagrange fue directamente al grano.

—Director, nos enfrentamos a un problema grave.

—Ya lo supongo, Michel. Este tema de la ópera nos va a acabar implicando más de lo que suponíamos, ¿no es así?

—Pues sí. No sé si sabrá que el emperador no quiere protección. Ha ordenado a la Prefectura que disponga de veinte hombres en el exterior de la ópera y tan solo diez en el interior. Dada la gran afluencia de público que se espera, ya sabe que es el equivalente a nada. En caso de que suceda cualquier imprevisto, por insignificante que sea, estarán vendidos. Ya sé que esa labor le corresponde a Symphorien y a sus hombres de la Prefectura, pero nosotros somos la *Sûreté*. No puedo olvidar que somos el servicio secreto que el propio emperador creó para velar por su seguridad. Se lo confieso, tengo un dilema moral. Si recibo una orden que sé que es inadecuada y que puede poner en riesgo la vida de Napoleón, ¿qué debo hacer?

—Sin duda, obedecer la orden —le contestó el director, sin inmutarse.

Lagrange sabía que Hector Collet era una persona de notable reputación en Francia, pero, aunque también fuera un funcionario del Estado, con su correspondiente mente cuadriculada, jamás habría podido esperar esa respuesta tan escueta y contundente por su parte.

«¡Por Dios, es el director general de la *Sûreté*!», pensó, escandalizado.

Collet vio la mirada de su subordinado. No le dejó expresar lo que sentía.

—Sé perfectamente lo que estás pensando, Michel, pero hay alguien que se te ha anticipado. Parece que te conoce mejor de lo que tú te crees.

—¿Ha hablado con el prefecto?

—No, he hablado con el emperador.

Lagrange se quedó de una pieza, sin saber cómo continuar la conversación. Aquello aún se lo esperaba menos.

—Resulta que nuestro amado Napoleón me ha llamado a capítulo esta misma mañana, a primera hora. Me ha dicho exactamente lo mismo que tú y me ha ordenado que no te haga caso. Es curioso, sabía que vendrías a visitarme para proponerme un operativo secreto. Pues no lo desea. Dice que no quiere ver ni a un solo miembro de la *Sûreté* en la ópera, salvo que sea por puro placer.

«Hasta parece conocer que Symphor me ha invitado a asistir junto a mi mujer», pensó, asustado.

—Me ha dejado abrumado —le confesó—. No tengo palabras.

—No te creas, a mí también, pero es su deseo personal y su orden directa. Quiero pensar que tendrá sus motivos. En resumen, lo siento Michel, no podemos hacer nada.

—Bueno, supongo que, por lo menos, nos permitirá conocer los planes de la Prefectura —le respondió, resignado.

—De eso no me ha dicho nada, así que supongo que no hay problema. Symphorien y tú podéis colaborar, pero siempre bajo su mando.

Lagrange asintió con la cabeza, se despidió de su superior y bajó las escaleras. En lugar de dirigirse a su despacho, salió del edificio. Se encaminó a la Prefectura, que estaba a apenas quinientos metros. Estuvo reunido con Symphor hasta el mediodía, repasando los planes de seguridad, tanto en el exterior como en el interior. La verdad es que eran brillantes, a pesar de la escasez de agentes.

—Has trabajado con rapidez y pericia, pero me preocupa una parte del plan que veo sin resolver. Tus inspectores y agentes trabajan en París y no conocen más que a los delincuentes habituales de la ciudad. Nosotros, en cambio, como servicio secreto, tenemos acceso a mucha más información.

—¿Adónde quieres llegar? —le preguntó con curiosidad el prefecto.

—Te propongo que prescindas de uno de tus inspectores y te ofrezco a uno de los míos. Y no se trata de uno cualquiera, casi se podría decir que fue el responsable principal de desbaratar el anterior atentando contra Napoleón, ya que reconoció a un asesino internacional entre la muchedumbre. Portaba dos bombas que no pudo detonar.

—¡Hebert! —exclamó Symphor.

—Exacto. Creo que es la guinda que le falta a tu plan. Es un gran fisonomista. Si observa, tanto en el interior como en el exterior de la ópera, a cualquier agente subversivo que tengamos fichado, lo reconocerá de inmediato.

—No hace falta que lo justifiques tanto. Conozco la competencia del inspector Hebert. Estaré encantado de poder contar con él, amigo Michel. Te agradezco tu gesto.

—Créeme, he intentado ayudarte de otra manera más contundente, pero nuestro emperador se me ha adelantado.

Lagrange le contó la conversación que acababa de mantener en el despacho de Hector Collet.

—¡Increíble! —exclamó el prefecto—. A veces, da la sensación de que sus planes, por descabellados que nos puedan parecer, tienen una finalidad que no está a nuestro alcance.

—Eso será —le respondió Lagrange, con poca convicción—. Anda, vamos a comer, te invito.

Después de un frugal almuerzo, ambos volvieron a sus respectivos trabajos.

Nada más entrar el inspector en el edificio de la *Sûreté,* el sargento de guardia le informó que tenía una visita aguardándolo en su despacho. Le preguntó que cómo había autorizado a esa persona a esperarlo en el interior de su despacho sin estar él presente. Tenía documentos confidenciales y, además, para algo disponían de una sala de espera para visitantes. Aquello era algo completamente improcedente. El sargento se limitó a encogerse de hombros. Por un instante, Lagrange pensó que se podría tratar del mismísimo emperador. Atemorizado por esa absurda idea, se acercó a la puerta de su despacho y entró.

No, desde luego que no era Napoleón.

Para su alivio, se trataba del sargento Giraud.

—¿Acaso esperaba a otra persona? —le preguntó, al ver el rostro desencajado del inspector.

—No, lo que espero son buenas noticias. ¿Ha podido concluir el trabajo que le mandé?

—Por supuesto, por eso estoy aquí. Me ha costado lo suyo, ya que, como sabe, se trata de un modelo muy particular, pero he conseguido todos los datos que me pidió. Esas son las buenas noticias. La mala es que me temo que no le van a servir de gran ayuda.

—¿Por qué me dice eso? —dijo Lagrange, mientras tomaba el listado entre sus manos.

—Porque como ya le había adelantado, no hay ningún carruaje *Landau*, de ese modelo concreto, en la ciudad de París. Cuatro pertenecen a británicos y los tres restantes son de caballeros germánicos. Tan solo se han fabricado siete unidades, todas ellas por encargo. Me adelanto a su pregunta, siete es el número exacto. Me han asegurado que no existen más unidades que las que aparecen en la lista.

Lagrange comenzó a leer los nombres y sus registros.

«Caramba, tan solo la casa real británica dispone de cuatro», se dijo. Siguió leyendo, uno por uno, los nombres de los propietarios de aquellas piezas de museo. Efectivamente, no había ninguno registrado en París.

«Aquí no puede terminar la pista del carruaje, en un callejón sin salida», pensó. «Algo fundamental debo de estar pasando por alto».

Volvió a repasar el listado.

Nada.

—Escuche, sargento. Si una persona asegura que ha visto uno de estos carruajes circulando por París hace tan solo una semana, y suponiendo que no se haya confundido, dada su extraordinaria memoria y su detallado dibujo, ¿qué posible solución le encuentra a este entuerto?

El sargento se quedó mirando a la cara de su superior con una expresión de no saber qué contestarle. Después de un instante, se aventuró.

—Bueno, ya le dije que no tenía sentido. Pero, como usted afirma, suponiendo que esa persona no se haya equivocado y que uno de estos se encuentre en la ciudad, lo primero que haría sería formar dos grupos.

—¿Qué? —Lagrange no había comprendido la respuesta de su subordinado.

—Los cuatro británicos los descartaría. Si hubiera algún miembro de su familia real en París, ¿no cree que lo sabríamos? Nos habrían encomendado su seguridad y protección.

—Desde luego, tiene razón.

—Pues ya solo nos quedan los otros tres, los continentales. Pertenecen a casas nobiliarias muy conocidas y sus propietarios también lo son. ¿No hay ningún nombre de esos tres que pudiera estar en París, por algún motivo no oficial que desconozcamos?

Lagrange no apartaba su mirada del listado. De repente, su rostro se trasmutó y se levantó de la silla con tanta violencia que la arrojó hasta la otra parte de la estancia.

—¡Pues claro! ¡Qué idiota y estúpido he sido! ¡Lo tenía enfrente de mis narices y no he sabido verlo!

—¿Cuál de los tres es? —el sargento se había contagiado por el entusiasmo del inspector.

—¡El ajedrez! ¡Siempre ha sido el ajedrez!

—¿Qué quiere decir con eso?

—Que quiero que se desplace personalmente hasta la residencia de Charles Saint-Amant —le ordenó al sargento, mientras garabateaba en una nota su dirección y se la entregaba—. Una vez allí, quiero que le diga que lo espero, ahora mismo, en mi despacho. No admita un «no» por respuesta. ¿Lo ha comprendido?

63 PARÍS, MIÉRCOLES 13 DE OCTUBRE DE 1858

Paul Morphy seguía postrado en la cama, pero estaba mirando fijamente a los ojos de su captor, o bien a su salvador, según lo considerara. Aún estaba aturdido, pero aquellos ojos...

—No sé qué hago aquí ni lo que me ha pasado —al final, se decidió a hablar—. Tengo la mente confusa, pero ¿por qué tengo la sensación de que nos hemos visto antes?

Aquella persona permanecía en silencio. Se limitaba a devolverle la mirada.

—Está bien, ya veo que no quieres hablar. Al menos, dime dónde estoy y qué me ocurre.

En ese momento, la persona que estaba observando a Paul se acercó hasta el borde de su cama. Ambos estaban a menos de un metro del otro. Continuaban mirándose a los ojos.

De repente, Paul lo comprendió todo.

El mundo entero, en ese preciso momento, pareció detenerse. Para su sorpresa, sin poder remediarlo, se puso a llorar. Era consciente de lo ridículo de la situación, pero no era capaz de controlarse.

—No conviene que te alteres, aún estás muy débil.

—¿Cómo quieres que no lo haga? —le respondió Paul, sin embargo, intentaba dejar de llorar frente a aquella persona.

—Me preguntabas dónde estabas y qué te ocurría. El dónde es sencillo, en París, y el porqué, me parece que no hace falta que te lo diga, ¿verdad?

—No, no hace falta —respondió Paul como un autómata, que seguía con la emoción a flor de piel.

—El camino a la destrucción es muy fácil iniciarlo, pero también es muy difícil detenerlo. Si no llego a intervenir, quizá ahora estuvieras muerto. Creo que lo sabes perfectamente, comenzaste algo que no sabías cómo parar.

—Tienes tan solo parte de razón. Es cierto que estuve al borde del precipicio, pero sabía en todo momento adónde me asomaba y te aseguro que no pensaba caerme. La prueba es que hoy estoy aquí —A Paul le costaba hablar. Las lágrimas habían dado paso a un nudo en la garganta.

—¿La prueba de qué?

—¿Aún no lo comprendes?

—Creo que deliras. Quizá me haya precipitado. Volveré mañana e iniciaremos de nuevo la conversación. Ahora debes de continuar descansando, no hay ninguna prisa.

De repente, Paul asió el brazo de aquella persona.

—No te vayas, por favor.

—¿Por qué? —le respondió, con evidente sorpresa ante su inesperada reacción.

—Quiero que me cuentes todo y no deseo esperar a mañana. Créeme, estoy bastante mejor de lo que debo aparentar. Me ha costado mucho llegar hasta aquí como para demorarlo más.

—¿Te ha costado mucho llegar hasta aquí? ¿No me digas que lo has hecho a propósito?

—Mentiría si te dijera que no. No inicié ninguna senda hacia la autodestrucción personal, más bien todo lo contrario.

—Lo siento, no te puedo creer...

—Pues hazlo —dijo, mientras seguía observando a aquella persona con detenimiento. De hecho, no había apartado la mirada de sus ojos.

Para sorpresa de Paul, se sentó en un borde de la cama, justo a su lado. Ya no estaba a un metro, sino a centímetros.

—¿Qué es lo que has hecho? —le preguntó.

—Tú primero —le respondió Paul, mientras le soltaba del brazo y tomaba su mano—. Ya te he dicho que quiero saberlo todo.

Ya no pudieron evitarlo más. De forma espontánea, se abrazaron. Ahora estaban llorando los dos. Permanecieron, al menos, durante tres minutos más, sin ser capaces de decirse nada el uno al otro. La emoción inundaba aquella estancia y, desde luego, no era para menos.

—Has cambiado mucho físicamente desde la última vez que te vi —continuó Paul—, pero tus ojos siguen siendo el reflejo de tu alma.

—Pues lamento no poder decir lo mismo de ti. No has cambiado tanto, sigues siendo un paliducho enfermizo, cuyos ojos, hasta hace un momento, reflejaban una dura derrota.

Paul, por primera vez, se permitió una tímida sonrisa.

—Te equivocas. He vencido en la partida más importante de mi vida y te aseguro que no ha sido nada sencillo. Anda, no lo demores más. Ya te he dicho que quiero saberlo todo.

—Me va a costar mucho —le respondió—. Para mí tampoco fue nada fácil.

—Ya me lo imagino —dijo Paul, apretándole la mano con cariño.

—Aunque para una joven sureña de trece años, parece que, al final, no me han ido tan mal las cosas, ¿no?

—Eso ya lo daba por descontado. Ya apuntabas maneras desde bien niña.

—Tú también apuntabas maneras... de abogado o juez, como tu padre, tu tío y tu abuelo. ¿Qué haces tan lejos de tu hogar y de tu familia? Te confieso que jamás me imaginé que fueras capaz de abandonar Nueva Orleans. Toda tu vida estaba planificada de antemano. ¡La gran estirpe de los Morphy-Le Carpentier! ¡Casi nada!

—¿No te lo imaginas? ¿Por qué crees que vine a Europa? ¿Acaso para jugar al ajedrez?

—¡Pues claro! ¿Por qué si no? Te has convertido en toda una celebridad mundial. Después de tus hazañas en Europa, no pocos afirman que te has convertido, con tan solo veintiún años, en el mejor ajedrecista del mundo. Es para estar muy orgulloso.

—Sí, desde luego que me lo paso muy bien y es algo que me entusiasma, no lo voy a negar, pero ese jamás fue el motivo principal de mi viaje a Europa. Recuerda lo que siempre decía, que el ajedrez es un simple juego. ¿Me divierte? Mucho, pero no hubiera justificado jamás este largo desplazamiento. ¿Crees que me importa que me consideren el mejor jugador del mundo? —preguntó, mientras sonreía—. Pensaba que me conocías mejor.

—¿Entonces?

—Este viaje lo hice únicamente por ti. En lo más profundo de mi corazón, sabía que te acabaría encontrando. ¿Querías un motivo? Pues ahí lo tienes, la pura realidad.

Durante un instante se quedaron en silencio, tan solo mirándose. De inmediato, Paul y Amélie se volvieron a fundir en un abrazo. Habían pasado muchos años, pero parecía que fue ayer cuando jugaban al ajedrez todos los sábados, sentados en el parque, enfrente de su casa.

—Ocho años —dijo Amélie.

—En realidad, siete años, diez meses y unos cuantos días —le contestó con evidente emoción—. Fue el 30 de noviembre de 1850 cuando me contaste lo de tu boda concertada. Fue la última vez que nos vimos, hasta hoy. Esa fecha la tengo grabada con fuego en mi corazón. Jamás la olvidé.

—¿Cómo podías saber qué me encontrarías aquí?

—En realidad, no lo sabía, tan solo era una suposición que se ha acabado confirmando. Si lo piensas bien, ¿qué futuro le podía deparar a una fugitiva sureña de trece años en los Estados Unidos? ¿Esclavitud? ¿Prostitución? Tu mentalidad siempre ha sido más europea que americana. En el viejo continente, una chica, con tu buena educación y presencia, siempre tendría muchas más posibilidades de prosperar.

Amélie se rio.

—Pues no te creas, aún estuve dos años viviendo en América y tampoco se puede decir que me fuera tan mal. Eso sí, no era la clase de vida que deseaba. Sin tú saberlo, me diste la herramienta que me permitió comer. El ajedrez.

—¿Qué tiene que ver el ajedrez con tu vida?

—Absolutamente todo. En los primeros meses de fuga, solía colarme en tabernas donde eran frecuentes las apuestas. No había quién se resistiera a jugar una partida de ajedrez con una mocosa como yo, a un dólar la apuesta. Los ingenuos pensaban que era dinero fácil. Vencía casi siempre y esos pequeños ingresos que obtenía por las apuestas me permitían buscar un lugar donde pasar la noche y una comida diaria. Para mí, entonces, era suficiente. Entiende que mi único objetivo era sobrevivir. Pero a los dos años me cansé de ir de ciudad en ciudad. Ya tenía quince años y debía pensar en mi futuro, más allá de las sucias tabernas. Fui consciente de que no podía llevar ese tipo de vida eternamente. Así que, un día, decidí probar fortuna en Europa, como bien has deducido. Al principio, me establecí en Londres, pero no me gustó ni el clima ni su comida. Además, allí la gente me pareció muy estirada y poco receptiva a mis talentos, por decirlo de alguna manera. Entonces, alguien me habló de París y decidí cambiar de aires. Aunque viajo con cierta frecuencia, ya llevo cinco años viviendo en París.

—¿Con quién te has casado? No creas que no me he dado cuenta, esta no es una casa cualquiera. Es evidente que debo de estar alojado en algún palacio, viendo los lujos de esta habitación.

Amélie se volvió a reír.

—¿Quién te ha dicho que me he casado?

—Bueno, ahora tienes veintiún años y no creo que, simplemente jugando al ajedrez por las tabernas, hayas podido amasar semejante fortuna.

—Ya hace años que no juego al ajedrez por las tabernas y tampoco tengo ninguna fortuna.

Ahora fue Paul el que se rio.

—Entonces, mi principal sospecha se ha acabado confirmando. Eres una cortesana de alguna casa real o de algún poderoso noble.

Amélie lo miró con cariño. Así recordaba a Paul, a pesar de ello, le pareció una locura que hubiera podido ni siquiera intuirlo.

—Sí, algo así, pero no te creo. Es imposible que, por mucho que me conozcas, pudieras haber adivinado eso.

—No adiviné nada. ¿Por qué te crees que monté el *match* en Londres contra Lowenthal y luego, en Birmingham, mis ocho partidas simultáneas a ciegas? Era algo que jamás se había visto en las islas. Lo único que deseaba era crear una gran expectación y que acudieran aquellos nobles interesados en el ajedrez, porque suponía que trabajarías para alguno de ellos. Mi primer intento fue un completo fracaso. Llamé la atención todo lo que pude, con borracheras incluidas, pero tú no apareciste. Así que me vine a París e hice exactamente lo mismo que en Londres. Monté un buen revuelo en el *Café de la Régence* con Harrwitz y aquellas simultáneas a ciegas. En este caso, sí que conseguí que se concentrara en París la flor y nata de toda la nobleza europea. Supuse que tú formarías parte de algún séquito real o nobiliario, así que seguí con mi vida disoluta, que era otra forma de continuar llamando la atención.

Amélie estaba asombrada y no lo disimulaba.

—¿Y si no hubiera aparecido aquella noche en el *Moulin de la Galette?* Estabas delirando y tenías fiebres. Si quieres que te diga la verdad, no sabía si ibas a salir con vida. Parecías agonizante.

—Siempre he confiado en ti. Es cierto que no sabía cuándo me encontrarías, pero tenía muy claro que lo acabarías haciendo. En cuanto a mí, era el precio que debía de pagar. Ya me conoces, mi aspecto exterior siempre ha sido mucho peor que el interior. No me pensaba morir hasta encontrarte.

—¿Pretendes que me crea que te emborrachabas por mí?

—Bueno, y por mí también, si te soy sincero —sonrió—. Pero lo cierto es que buscaba llamar tu atención. Como comprenderás, no podía poner un anuncio en la prensa diciendo «se busca fugitiva americana de veintiún años al servicio de algún noble» o algo así.

—¡Idiota! —exclamó Amélie, dándole un pequeño empujón—. Me asustaste mucho. Hubo un momento en que los médicos no tenían nada claro si te volverías a recuperar. Aunque te creas indestructible, estás hecho una auténtica piltrafa humana.

—Es cierto que aquel día, en el *Moulin de la Galette,* quizá crucé alguna línea roja, pero estaba muy enojado con Harrwitz. Fue el único momento en que, quizá, perdí el control un poco sobre mí mismo en años. ¡Menos mal que apareciste!

—Hubieras muerto y fin de la historia.

—No discutamos acerca de eso. No ocurrió y ya está. Continúa narrándome tu aventura.

—Bueno, parece que ya la has deducido tú. Cuando llegué a París desde Londres, continué intentando ganarme la vida de igual manera. Jugaba cada noche en un antro diferente, hasta que me pillaron.

—¿La policía?

—No —rio Amélie—. A diferencia de América, donde la alta sociedad jamás se atrevería a poner un solo pie en determinadas tabernas, en París la cosa es muy diferente. No hace falta que te lo cuente, supongo que ya lo habrás vivido por ti mismo. Se respira un ambiente mucho más bohemio y libertino, y eso es algo que une a las diferentes clases sociales. A mí me venía de maravilla, ya que podía identificar a mis objetivos con mucha más facilidad, es decir, a las personas más adineradas. Era a ellas a las que ofrecía apuestas al ajedrez, pensando que podría obtener un mayor beneficio. Pero lo que desconocía era que esas mismas personas eran las peores perdedoras. Es curioso, los que nada tienen, nada temen perder, pero los que más tienen, se molestan cuando les levantas unos pocos francos. El mundo al revés.

—¿Y eso te sorprendió?

—Piensa que, en América, estaba acostumbrada a jugar con gente de baja estopa. Un dólar era tan solo dinero. Sin embargo, en Francia, un franco era algo más que eso, era también un ego herido.

—¿Así que tuviste problemas con algún noble al que intentaste timar?

—¡Oye! ¡Yo jamás he estafado a nadie! Si ellos no me tomaban en serio por mi sexo o por mi edad, era su problema. Yo los vencía sin hacer trampas, aunque es cierto que su amor propio les llevaba a acusarme en alguna ocasión. Pero, en contestación a tu pregunta, no, no tuve problemas de importancia con ninguno de ellos. Apenas seis meses después de llegar a París, ya tenía cierta fama en los círculos ajedrecísticos. Un conde muy aficionado quiso conocerme. Dijo que no sería capaz de vencerlo y apostamos una cantidad de francos que yo no tenía. En consecuencia, debía de ganarle sí o sí.

—Y no fuiste capaz...

—¡Claro! ¡En apenas diecinueve movimientos! —lo interrumpió, indignada—. Curiosamente, no solo no se enojó conmigo y me pagó la apuesta sin rechistar, sino que dijo que tenía que conocer a un amigo suyo. Por lo visto, se trataba de un amante del ajedrez y un gran jugador. Y aquí comenzó todo.

—¿Cómo?

En ese momento, oyeron unos toques en la puerta de acceso a la habitación. Estaba claro que alguien estaba pidiendo permiso para entrar.

—¡Adelante! —respondió Amélie

—¡Oye! ¿Quién es? —le susurró, asustado.

La puerta se abrió.

Paul, a pesar de no haber recuperado la visión a cierta distancia, no le hizo falta. Conocía perfectamente a aquella persona.

Su sorpresa fue mayúscula.

64 PARÍS, MIÉRCOLES 13 DE OCTUBRE DE 1858

—Supongo que te debo alguna explicación.

—¿Tú qué crees? Me he llevado una gran sorpresa, por no emplear otra palabra. Eso no se le hace a un amigo.

—No, no lo creo, pero era necesario.

—¿Exactamente para qué?

—Con esa mente prodigiosa que posees, ya lo deberías suponer o, al menos, intuir.

—Pues te juro que no tengo ni la más remota idea. Para empezar, ¿qué hago aquí? Y no me contestes con obviedades, que te conozco...

—Si estamos juntos es precisamente por todo lo contrario. Lo que busco son respuestas.

—¿De mí?

—¿Cuántas personas ves en la habitación?

Charles Saint-Amant estaba, aún de pie, en la puerta del despacho de su amigo, el inspector Michel Lagrange. Evidentemente, se encontraban los dos solos en aquella estancia.

—Creo que he sido un tanto descortés —continuó hablando el inspector—. Anda, pasa y siéntate en una de las sillas.

—¿Un tanto descortés? No se me ocurre una expresión más desafortunada. Aunque seamos amigos, la presencia de un sargento de la *Sûreté* en la puerta de mi casa, invitándome amablemente a que le acompañara, jamás la calificaría de «descortés», más bien de «atemorizante».

—Lo siento de verdad —se disculpó Michel de nuevo—. No pretendía trasmitirte esa sensación, pero acababa de descubrir algo muy relevante y necesitaba que lo conocieras de inmediato.

Ahora, Saint-Amant pareció caer en la cuenta.

—¿No me digas que has hecho progresos con el caso de Paul Morphy?

—Más que eso. Sé exactamente dónde se encuentra. Por eso ya no es necesario que lo retes a unas partidas de ajedrez, a no ser que quieras jugarlas en serio.

Ahora, Michel sí que consiguió captar la atención de su amigo Charles. Y su asombro también.

—Si sabes dónde está, ¿por qué no lo liberas de inmediato? —preguntó, desconcertado.

—Ese es el problema. Por eso estás tú aquí. Desconozco el motivo por el que Paul se encuentra en esa ubicación en concreto y me preocupa mucho.

—¿Desde cuándo hace falta un motivo para rescatar a una persona retenida?

—De verdad, Charles, necesito tu ayuda —insistió el inspector.

Saint-Amant observó con más detenimiento a su amigo. Aquello no parecía una petición de ayuda al uso, más bien aparentaba que la estaba implorando.

—¿Yo? ¿En qué te puedo ayudar en esto? Supongo que tendrás tus equipos de gente joven preparada para estas intervenciones. ¿De qué te sirve un anciano de sesenta años?

—Veo que no me entiendes.

En realidad, no se comprendían mutuamente. Saint-Amant cada vez estaba más confuso con toda la situación.

—Vamos a ver, Michel. ¿Acaso importa el motivo? Ni su secretario personal en París ni su familia en América conocen el paradero de Paul Morphy. ¿No te basta con eso?

—No es tan sencillo. Hay dos cuestiones que no conoces. La primera está contenida en este expediente que ahora te mostraré —dijo, mientras le señalaba una carpeta—. La segunda es que aunque Morphy se encuentre en París, realmente no lo está.

—¿Has perdido el sentido? ¿Qué tontería es esa? ¿Quieres dejarte de frases enigmáticas e ir de una vez al grano? —Charles empezaba a perder la paciencia, a pesar de que era consciente de la gran presión a la que debía de estar sometido el inspector. Esta misma mañana se había enterado, por la prensa, de la asistencia del emperador a la ópera el próximo día 21. Podía comprender la tremenda tensión. Además, él le había añadido la presión de localizar a Paul Morphy. Se arrepintió de haber sido tan seco durante la conversación. Se decidió a pronunciar unas palabras de ánimo a su amigo, pero el inspector se le adelantó.

—Tienes razón, Charles —le respondió, mientras le acercaba una carpeta—. Mira esta lista de nombres y dime qué te parece.

Saint-Amant tomó la relación entre sus manos. Eran los propietarios de un determinado modelo de carruaje *Landau*. No comprendía nada.

—¿Qué quieres que te diga? ¿Cómo te puedo ayudar?

—¿Conoces a alguno de esa lista?

—Claro. A todos. Y tú también.

—No me refiero a eso. ¡Pues claro que todo el mundo sabe quiénes son los nombres de esa lista! Lo que quería decirte es que si conocías a alguno personalmente. Yo, por ejemplo, no he tenido el placer.

Charles volvió a mira la lista y le respondió.

—Yo sí. Tan solo a uno.

—¿Sabes si se encuentra actualmente en París?

—Es muy probable que así sea. Asistió a las partidas simultáneas a ciegas de Paul en el *Café de la Régence*, incluso llegué a saludarle y mantuvimos una pequeña conversación de cortesía.

—Entones, ¿confirmas que le gusta el ajedrez?

—Mucho más que eso. Le entusiasma y le obsesiona. En ocasiones me ha invitado a su palacio a disputar alguna partida. Para ser un simple *amateur* sin pretensiones, su juego no está nada mal, pero claro, no soporta la comparación con cualquier ajedrecista de calidad de un buen club. Aunque una cosa es cierta, la última partida que disputé contra él, hará más o menos un año, jugó de una manera muy apasionada. Recuerdo que pensé que debía de haber estado practicando bastante porque, desde luego, su juego había mejorado notablemente.

—No me importa en absoluto su nivel de juego. Tan solo quería confirmar que era un apasionado del ajedrez y lo acabas de hacer.

—Desde luego que lo es, pero sigo sin comprender adónde quieres llegar.

—Es muy sencillo. Paul Morphy fue rescatado del *Moulin de la Galette* por un carruaje perteneciente precisamente a esta persona, ya que es el único que podría estar en París. Los otros seis existentes los hemos descartado. Además, conoces su palacio de la ciudad. No hace falta ser un lince para deducir que Paul, con absoluta seguridad, se encuentra en su interior.

Charles se quedó mudo. Ahora comprendió el azoramiento de Michel Lagrange y todas sus aparentes vaguedades, que, en realidad, no eran tales.

—Parece que tenemos un serio problema, ¿verdad? —dijo, al fin.

—Desde luego y lo peor no es eso. Te reconozco que no sé cómo abordarlo —le confesó el inspector.

—Pues de frente, amigo, y cuanto antes mejor.

65 PARÍS, MIÉRCOLES 13 DE OCTUBRE DE 1858

—Hola, Charles.

La sorpresa fue mayúscula. Durante un instante parecía que no reaccionaba. Al fin, pareció hacerlo, no sin ciertas dudas acerca de lo que estaba observando.

—¿Eres Amélie? ¡No lo puedo creer!

—Pues hazlo. Anda, puedes pasar. Te estaba esperando.

—¿Cómo sabías que iba a venir?

—Porque supuse que harías las deducciones adecuadas. Tampoco era tan difícil.

Esta conversación la estaban manteniendo Charles Maurian, que aún no había entrado en la habitación, y Amélie, sentada junto a Paul, que permanecía acostado en su elegante cama.

—Hola, amigo Charles. Esto parece una reunión de antiguos alumnos de la *Jefferson Academy* —apuntó un sonriente Morphy.

—¿Qué quieres que te diga? A mí me parece otra cosa. ¡Por Dios, estamos en París y en el interior de un palacio! —le respondió Charles, al que se le notaba que aún estaba impresionado—. Esto no es normal, digáis lo que digáis.

—¡Por supuesto que lo es! —exclamó Amélie—. ¿Te vas a quedar ahí plantado o vas a venir a darnos un abrazo?

Por fin, Charles Maurian pareció vencer su asombro inicial. Se acercó a sus amigos. Abrazó a Amélie y tomó la mano de Paul entre las suyas.

—Me han dicho que estuviste al borde de la muerte.

—Pues te han informado mal.

—No le hagas caso —entró al trapo Amélie—. Mira su estado después de más de una semana de cuidados. Te podrás imaginar cómo se encontraba cuando lo rescaté del *Moulin de la Galette.*

—¡Bah! —exclamó Paul—. Tan solo había bebido algo más de la cuenta. Nada que no hubiera hecho con anterioridad.

—Ese es el problema, Paul —le replicó Charles, muy serio.

—¿La bebida? Nos llevamos peleando algunos años y aún no ha podido conmigo.

—No. El problema es que ni siquiera reconoces que tienes un problema. Así no lo vas a resolver jamás.

—Llegas tarde —le respondió—. Ya lo he hecho.

—¿Qué?

—Llevo ocho días sin probar ni una sola gota de alcohol. Sí, ya sé que me diréis que no es mérito mío, ya que he estado postrado en esta cama como un vegetal. Pero eso no es lo sustancial. Lo importante es que comprendáis que así seguirá siendo cuando salga de aquí. No niego que me lo he pasado muy bien, pero mi objetivo era este. Estamos los tres juntos en París.

—¿No me digas que...? —empezó a preguntar un incrédulo Maurian.

—No le hagas caso. A mí también me ha intentado convencer de semejante tontería —intervino Amélie.

—¿Sabes para quién trabaja nuestra amiga? —le preguntó Paul a Charles—. ¿No me negarás que no ha prosperado en la vida?

—¿Cómo sabes para quién trabajo? —intervino Amélie—. No creo habértelo dicho.

—Es que no hace falta que lo hagas. Cuando tan solo hay un candidato, no es difícil deducirlo —le respondió—, aunque pretendía ser tan solo una pregunta retórica. Por supuesto que Charles lo sabe también. No te olvides que ha venido solito hasta aquí.

—¿Sabes que la policía de París te está buscando? —le dijo Charles.

—¿A mí? ¿Por qué? Os juro que no he hecho nada malo más que beber como un sargento de carabineros.

Amélie se rio.

—No hagas caso a Charles —respondió con una evidente despreocupación—. No te busca la policía. Te busca el inspector jefe de la *Sûreté.*

—¿Y qué diferencia hay? —preguntó Charles.

—Una muy importante. La policía metropolitana de París no te hubiera localizado jamás, sin embargo, esa persona te acabará encontrando, si es que no lo ha hecho ya.

—¿Y lo dices tan tranquila? —Maurian no comprendía la actitud indolente de Amélie.

—Aquí estamos a salvo hasta de la temible *Sûreté.*

—¿Estás chiflada? —Charles seguía pasmado—. Tengo entendido que La *Sûreté* es la policía secreta del emperador. Todo lo puede.

—Casi todo, no te lo niego, pero hasta ellos tienen sus límites, aunque no lo creas. En breve lo comprenderéis. Todo tiene su explicación racional.

Amélie no había terminado su frase cuando escucharon que alguien llamaba a la puerta.

—¿Ahora quién es? —Paul volvió a sobresaltarse, girándose hacia su amiga.

—Creo que se trata de vuestra explicación racional —dijo con una ligera sonrisa en sus labios, mientras se levantaba de la cama y acudía a abrir la puerta.

Entró en la habitación una persona muy peculiar. Se movía como si flotara y su porte era majestuoso. Era de mediana estatura y parecía demasiado delgado, pero desprendía un halo de elegancia y distinción fuera de lo corriente. Amélie inclinó levemente la cabeza cuando pasó frente a ella. Los dos amigos permanecieron inmóviles, no sabían qué hacer.

—Vaya —dijo el desconocido, dirigiéndose a Paul—, veo que es cierto lo que decían. Has recuperado la lucidez.

—La consciencia desde luego, señor, pero me temo que para recuperar la lucidez aún me queda algo de tiempo.

—Te aseguro que es un paso muy grande, ya se te ve mucho mejor. Te he visitado todos los días y no tenía nada claro que consiguiera salvarte, ni con la ayuda de todos los galenos de mi séquito.

—¿Por qué ha hecho todo esto por mí? —le preguntó Paul—. No me interprete mal. Le agradezco en el alma su ayuda, pero una persona de la realeza no se suele juntar con gente como yo.

—¿De la realeza? —sonrió el desconocido—. Es gracioso, pero veo que me has reconocido.

—¿Y quién no lo haría, señor?

Charles Maurian se había alejado de la cama de Paul y permanecía junto a Amélie, sin atreverse a pronunciar palabra alguna.

—Supongo que tienes razón. Para mi desgracia, no suelo pasar desapercibido.

Aquella persona era, nada más y nada menos, que Karl II, duque de Brunswick. El Principado de Brunswick-Wolfenbüttel era una simple provincia situada en el noroeste de los territorios alemanes. Sin embargo, tras la disolución del Sacro Imperio Romano Germánico, el congreso de Viena creó un estado independiente llamado el Ducado de Brunswick, regido por un duque con categoría de Alteza Real.

Aquella persona siguió hablando.

—¿De verdad no sabes por qué te he ayudado?

—Se lo aseguro. No me lo puedo ni imaginar.

El duque se aproximó a Amélie y la tomó gentilmente por el brazo.

—Supongo que no habrás tenido tiempo de contarle toda tu historia hasta terminar aquí.

—No, señor. Apenas hemos podido hablar quince minutos. Me he quedado en la parte en el que le narraba mis desventuras por los salones de París.

—Pues permíteme que yo culmine tan bella historia —dijo el duque, con una voz un tanto empalagosa.

Les contó cómo llegó a sus oídos la existencia de Amélie. Un amigo suyo, el conde Isouard, amante de los salones de fiesta parisinos, le habló de una joven prodigiosa que parecía hacer magia. Magia con el ajedrez. No aparentaba tener ni siquiera quince años de edad, sin embargo, su juego era de una belleza indescriptible. Arrojaba sus piezas contra sus rivales y, cuando se querían dar cuenta, ya no tenían ninguna opción de victoria. La estuvo observando durante varias noches, intentando pasar desapercibido. No comprendía cómo podía vencer esas partidas tan alocadas y absurdas. Cuando parecía muerta, de repente, se sacaba una combinación de cuatro o cinco movimientos y daba mate a su rival, ante el asombro general de todos los presentes, que no lo habían visto venir. A pesar de que el conde disfrutaba admirando su juego, por fin, se decidió a retarla. Pero quería algo más y la puso a prueba. Aquella muchacha solía jugar apostando unos pocos francos, sin embargo, el conde le propuso una apuesta que sabía que no debía aceptar, ya que estaba seguro de que no disponía de semejante cantidad de dinero. Quería ver hasta dónde estaba dispuesta a llegar y hasta donde alcanzaba la confianza en sí misma. La miró a los ojos y no le cupo ninguna duda de que iba a aceptar el reto. Según contaba el propio conde, vio la mirada del tigre reflejada en sus pupilas. Isouard no era como los jugadores contra los que solía jugar aquella mocosa. Tenía una sólida formación teórica y era un reputado ajedrecista *amateur* francés.

Amélie estaba escuchando el relato del duque, como sus dos amigos. Se le notaba algo azorada, a diferencia de Paul, que no podía evitar una pequeña sonrisa en su rostro.

—¿Y sabéis lo mejor de todo? —les preguntó Karl—. Que no se limitó a vencerlo. Lo apabulló y lo arrastró hasta humillarlo. El conde aún recuerda aquella partida, movimiento por movimiento. Dice que la considera la más hermosa que ha jugado jamás, a pesar de caer derrotado con gran estrépito.

—Es cierto que no comprendí su sonrisa cuando le anuncié el mate —intervino Amélie—. Todos se solían enfadar conmigo cuando los vencía, pero el conde parecía contento.

—¡Porque lo estaba! —exclamó el duque—. Como yo mismo, somos amantes de la belleza en todas sus expresiones y sabemos reconocerla en cuanto la vemos. Le faltó tiempo para mandarme un cable, citándome en París.

—¿No me diga que vino desde su ducado hasta aquí para jugar una partida contra Amélie? —le preguntó Paul, haciéndose el asombrado, mientras pensaba que él también hubiera hecho lo mismo.

—¡Por supuesto! ¿Qué otra cosa mejor tenía que hacer? Aunque conservo el título de duque de Brunswick, desde hace bastantes años es mi hermano el que se ocupa de los asuntos del ducado. Así que, en apenas tres días, estaba en mi palacio de París. No teníamos manera de localizar a aquella muchacha, ya que, según me contó el conde, solía cambiar de posada con frecuencia. Así que la única manera de poder encontrarla era frecuentando los salones parisinos y esperando que apareciera. La verdad es que no nos costó demasiado. Al tercer día coincidimos con ella, precisamente en el *Moulin de la Galette,* en Montmartre. No la abordamos de inmediato. Estaba jugando una partida con un individuo malcarado al que acabó derrotando. Parece que no se tomó demasiado bien aquella ofensa y la retó con un bastón. La situación parecía que se iba a poner fea. Yo siempre salgo armado con una pistola cargada, así que me levanté para intentar alejar a aquel desgraciado. Para mi absoluta sorpresa, Amélie no solo sabía defenderse en el ajedrez. En apenas un segundo, tomó una estaca de la chimenea y le enganchó por una de sus piernas. Acabó estampado contra el suelo, con un fuerte golpe en la cabeza. Cuando se levantó, parece que su ánimo pendenciero se atenuó y acabó por marcharse del local. Amablemente, me ofrecí a ayudarla.

—Un momento muy oportuno —intervino Paul—. La cogió con las defensas bajas.

Para su sorpresa, tanto el duque como Amélie se echaron a reír.

—¿Defensas bajas? —preguntó Karl, como pudo—. Esas palabras son desconocidas para Amélie. Me apuntó con la estaca que aún conservaba en su mano y me dijo que desapareciera de su vista.

Ahora, Paul también se unió a las risas, no así Charles, que continuaba intimidado.

—Le he pedido perdón mil veces por aquel acto inconsciente, pero claro, no sabía quién era usted —intentó disculparse de nuevo.

El duque continuó su relato, ignorando el comentario de Amélie.

—Mi interés por aquella muchacha se multiplicó por mil. Tengo que reconocer que yo también actué de forma un tanto insensata. Me puse enfrente de su estaca y le dije que me atacara. La estaba mirando a los ojos y veía con claridad que se avecinaba un buen golpe, así que...

—¡Salió huyendo! —se aventuró Paul.

—¿Cómo lo sabes? ¿No decías que Amélie no te había contado nada?

—Y no lo ha hecho, pero la conozco desde nuestra infancia. Esa es una reacción habitual en ella. Una cosa debe tener muy clara, jamás la rete si no está dispuesto a mantener el pulso.

—¿Y si nos saltamos toda esta parte? —preguntó Amélie—. No siempre fue así. El duque de Brunswick no cejó en su empeñó hasta que consiguió que aceptara jugar una partida contra él, pero no quería que fuera en ningún salón de fiestas. Deseaba celebrarla en la intimidad de su casa. Ahora, con el paso de los años, lo recuerdo con cariño, pero tengo que reconocer que, en aquel momento, me pareció una proposición indecente. Tenía tan solo quince años y no era la primera vez que había escuchado cosas parecidas de otros hombres. Aun así, vi algo en los ojos del duque que me tranquilizó. No tenía el aspecto de uno de aquellos depravados que frecuentaban las noches parisinas. Así que acepté. Tengo que reconocer que la suma económica que me ofreció desempeñó un papel importante en mi decisión. Con ella podría vivir todo un mes en París en mejores pensiones que los antros que me podía permitir. Es muy curioso —Amélie pronunció de un modo muy peculiar esta última frase, luciendo una enigmática sonrisa en su rostro.

—¿Por qué dices que es curioso? —Paul no se resistió a preguntar.

—Porque desde esa noche no volví a dormir en ninguna pensión. El duque y yo no nos acostamos en toda la noche. Jugaríamos más de veinte partidas. Terminábamos una e inmediatamente comenzábamos otra. A las nueve de la mañana me ofreció un empleo en su servicio doméstico, que acepté sin pensarlo. Hasta hoy.

—Menuda historia —dijo Paul—, y yo que creía que había vivido la vida loca...

En ese preciso momento, una sirvienta entró en la habitación y murmuró algo al oído del duque.

—Vaya, parece que esta habitación está muy solicitada esta tarde —comentó, mientras se dirigía a la puerta—. Esperadme y no os mováis de aquí.

—¿Ocurre algo? —preguntó Paul, viendo la cara de preocupación en el duque.

—Tenemos problemas.

66 PARÍS, MIÉRCOLES 13 DE OCTUBRE DE 1858

—¡Definitivamente estás loco!

—Depende de cómo lo mires. El factor sorpresa está de tu parte. Eso seguro.

—Lo único seguro es que estaré infringiendo una docena de normas, por lo menos.

—¿Pero a cambio de qué? Serías el primero en resolver un caso antes de abrirlo. No me digas que no tiene su gracia...

—Ni pizca.

—¿Y cuál es la alternativa?

—¿No hacer nada? No tenemos ninguna prueba de que Morphy está retenido en contra de su voluntad. Ya es mayor de edad y el hecho de que su familia no sepa nada no importa. A lo mejor, eso es precisamente lo que desea.

Esta acalorada conversación la estaban manteniendo el inspector Lagrange con su amigo, el ajedrecista Saint-Amant.

—¿Es esa tu decisión? ¿No hacer nada? Perdona, Michel, no te reconozco. La acción es una de tus características. Estoy seguro de que ocupas tu importante puesto actual dentro de la *Sûreté* gracias a ello y lo sabes.

Michel Lagrange se quedó pensativo. Debía reconocer que su amigo tenía razón. No era un pusilánime y había conseguido grandes logros profesionales, precisamente actuando sin vacilar y con celeridad, siguiendo su instinto.

—Escucha, esto sobrepasa todo lo que haya podido hacer anteriormente —el inspector se resistía, a pesar de que su voz ya denotaba una ligera vacilación.

—¿Por qué?

—Porque me estás pidiendo que invada un país soberano.

—¿Qué tontería dices?

—La residencia oficial del duque de Brunswick en París, en realidad, no está en París. De hecho, ni siquiera es territorio francés, de acuerdo con los tratados internacionales. Se considera que pertenece al Ducado de Brunswick, como si se tratara de una embajada o un consulado extranjero. Es inviolable, no podemos entrar en él.

Ahora, Saint-Amant pareció comprender a su amigo.

—Algo se te ocurrirá —terminó diciendo, aunque ahora el que vacilaba era él.

—Está vigilado por soldados de la guardia del ducado. Allí, mi identificación como inspector jefe de la *Direction Générale de la Sûreté Publique* vale lo mismo que tu carné como miembro del Club de Ajedrez de París.

—¿Me estás queriendo decir que ese duque podría haber secuestrado a una celebridad mundial en París y que la policía de la ciudad no puede hacer nada?

—Veo que lo has comprendido.

Se produjo un incómodo silencio. Parecía que habían hecho sus deberes, pero a pesar de haber resuelto el problema, se encontraban en un callejón sin salida.

—¿Y si entramos por la fuerza? —preguntó al fin Saint-Amant.

—¿Te has vuelto loco? —Lagrange parecía escandalizado.

—No me refiero pegando tiros y todo eso. Seguro que es un palacio muy grande. Podríamos encontrar algún recoveco para entrar a hurtadillas.

—¿No lo entiendes? Aunque lo lográramos, ¿qué haríamos a continuación? ¿Identificarnos y preguntar por Paul Morphy? Recuerda que ya no estaríamos en Francia. El duque tiene poder dentro de su palacio para detenernos.

—¡Pero tú eres Michel Lagrange! Eres el inspector jefe de la policía secreta y personal del emperador. No se atrevería.

—Quizá no, pero, desde luego, se organizaría un buen conflicto diplomático. Nuestras actuales relaciones con el Ducado de Brunswick son buenas, pero no siempre ha sido así. Es un tema muy delicado.

—¿Por qué?

—Hay una cosa que desconoces. Karl II, duque de Brunswick, no gobierna en su ducado desde 1830. En la actualidad lo hace su hermano, Wilhelm. ¿Sabes cómo perdió su poder? No me contestes, era una pregunta retórica. Fue a consecuencia de la Revolución de 1830, también conocida por la Revolución de Julio. Comenzaron con las *Trois Glorieuses* jornadas revolucionarias de París que encumbraron al trono de Francia a Louis-Philippe I, hasta entonces duque de Orleans. Fue la mecha que prendió la revolución en gran parte de Europa. Por ejemplo, Bélgica obtuvo su independencia de los Países Bajos ese mismo año. También tuvo consecuencias en el Ducado de Brunswick. Karl II tuvo que abdicar y el Palacio de Brunswick fue asaltado y arrasado en su totalidad. Karl tuvo que huir apresuradamente de su propio país. Poco después, en septiembre, Wilhelm, el hermano de Karl, llegó a Brunswick para apaciguar los ánimos. El pueblo lo recibió con grandes celebraciones. En un principio, acudía en funciones de regente de su hermano, pero al año siguiente se autoproclamó duque reinante y asumió el poder. Karl no se lo tomó demasiado bien, de hecho, intentó recuperar el ducado en varias ocasiones, sin ningún éxito.

—Vaya, no sabía que Karl perdió su poder a consecuencia de la Revolución de Julio.

—Pues ahora comprenderás que no guarde buen recuerdo de todo aquello, que comenzó precisamente aquí, en París.

—Entonces, ¿por qué reside en la ciudad?

—No lo hace de forma permanente. Viaja bastante. Para dar por concluido el conflicto sucesorio en Brunswick, alcanzó un acuerdo amistoso con su hermano Wilhelm. A cambio de que Karl renunciara definitivamente a sus derechos sobre el ducado, Wilhelm le permitió conservar su fortuna y varios palacios alrededor de Europa. El de París es uno de ellos.

—O sea, que me estás diciendo que presumes que Paul Morphy se encuentra en París, pero, a efectos prácticos, es como si no lo estuviera. Ni siquiera la todopoderosa *Sûreté* puede hacer nada por liberarlo.

Michel Lagrange no contestó. Su rostro reflejaba preocupación, pero, para sorpresa de Charles Saint-Amant, también una ligera sonrisa. Aquello le pareció fuera de lugar y no dudó en comentarlo.

—¿Qué es lo que te hace tanta gracia? Yo no se la veo.

Michel se tomó unos segundos para responder a su confundido amigo. Ahora su expresión parecía otra.

—Quizá sí que haya una manera de entrar en el palacio y no por la fuerza.

—¡Esa es una magnífica noticia! —exclamó un emocionado Charles—. ¿Cómo lo hacemos?

—Lo siento, pero no me puedes acompañar. Es demasiado arriesgado y tan solo podría funcionar si lo intento yo solo.

67 PARÍS, MIÉRCOLES 13 DE OCTUBRE DE 1858

—¿Qué es lo que ocurre? –le pregunto Paul a Amélie, visiblemente preocupado. Le sorprendió observar cómo abandonaba la estancia el duque, de modo precipitado y con semblante intranquilo.

—No lo puedo saber con seguridad, pero me temo que tiene que ver con lo que había comentado antes.

—¿A qué te refieres? –preguntó ahora Charles Maurian.

—A que es posible que el inspector jefe de la *Sûreté* haya localizado el paradero de Paul. Ya sé que os había dicho que aquí, en el interior del palacio, no corríamos ningún peligro, pero no hay que menospreciar a esa persona. Os aseguro que es temible.

No había concluido su respuesta, cuando se abrió la puerta de la habitación. Entraron dos personas, una de ellas era el duque y la otra un desconocido, por lo menos para Paul. Por su expresión, observó que Amélie y Charles lo habían reconocido. Se trataba de un individuo de mediana estatura con una gabardina y un sombrero en la mano. No le costó mucho deducir que, con total seguridad, se trataba de ese policía secreto del que estaban hablando hacía un instante.

Tomó la palabra el duque de Brunswick.

—Tengo el placer de presentaros al inspector jefe de la *Sûreté*. En este palacio siempre son bienvenidos los miembros de los cuerpos de seguridad de mi apreciado Napoleón.

—Encantado –respondió el inspector, que había comprendido que la única manera de acceder al palacio era solicitar el permiso al propio duque. Si se hubiera negado, nada más podría haber hecho, pero pensó que no costaba nada intentarlo. Además, el duque guardaba muy buenas relaciones con el emperador. Lagrange esperaba que si Morphy se encontraba en su palacio, como todo parecía indicar, no tendría motivos para oponerse a que lo viera. Por supuesto, todo de una manera extraoficial y amistosa, ya que no deseaba abrir una investigación, estando el duque de Brunswick de por medio.

—Como verá, Paul Morphy se encuentra recuperándose de su frágil salud, al cuidado de mis mejores galenos. Hasta hoy mismo no ha recobrado el conocimiento. Cuando me hice cargo de él, su estado era lamentable.

El inspector se limitó a mirar alrededor de la estancia.

—Como verá —continuó el duque—, está recibiendo los mejores cuidados y no se encuentra retenido en contra de su voluntad, ¿no es cierto Paul?

—No, por supuesto que no —acertó a contestar.

—Que quede muy claro que jamás me he planteado esa posibilidad, Su Alteza —mintió Lagrange—. Como ya le he explicado, yo también soy aficionado al ajedrez, como usted. Estaba preocupado por su repentina desaparición. Solía acudir al *Café de la Régence* para observar sus partidas, pero hace días que no lo veía —continuó mintiendo.

Paul se dio cuenta de inmediato de que no estaba siendo sincero. Jamás había visto aquella cara. Era cierto que, cuando jugaba al ajedrez, rara vez apartaba su mirada del tablero, pero eso no significaba que no advirtiera lo que ocurría a su alrededor. Tenía muy claro que la persona que tenía enfrente de él no había estado nunca en el *Café de la Régence*. Desconocía el motivo de aquella mentira, así que decidió no comentar nada y esperar. Igual le encontraba alguna explicación más adelante.

—No podía ver cómo este prodigio del ajedrez se consumía con semejantes excesos. No lo debía permitir y decidí intervenir —continuó el duque.

—Si me permite la pregunta, Su Alteza, ¿por qué? ¿Por su afición al ajedrez?

—Desde luego que algo tiene que ver, inspector, se lo reconozco —respondió el duque, con una ligera sonrisa en sus labios.

Paul se sorprendió. Hasta ahora pensaba que era cuestión de Amélie que siguiera con vida, pero, con lo que terminaba de escuchar en boca del duque, ya no lo tenía tan claro. Se quedó mirando a su amiga, que, para su asombro, también estaba sonriendo. Charles, sin embargo, tenía una expresión de espanto en su rostro. «¿Qué está sucediendo aquí?», pensó, algo preocupado.

—Admiro su intervención, sobre todo viniendo de una persona de su elevada posición —continuó Lagrange—. Poner todos sus medios para salvar la vida de Morphy de forma altruista es algo encomiable y digno de alabar.

—No hace falta que me halague de esa manera, señor inspector. En realidad, no ha sido altruista del todo.

—No le comprendo, Su Alteza.

El duque dio la espalda al inspector y se quedó mirando a Paul.

—Bueno, es cierto que no podía ver cómo te autodestruías de esa manera. Mi sirvienta Amélie me lo comentó y le ordené que te vigilara de forma discreta. A pesar de su refinada educación y buena apariencia, te sorprendería lo bien que se maneja por los bajos fondos.

—No me sorprende en absoluto. Ya me lo ha contado —le respondió Paul.

—Pues entonces lo comprenderás mejor. Llegó un día, después del abandono de Harrwitz en el *Café de la Régence*, que parecía que te morías en el *Moulin de la Galette*. Ahí intervine. Hasta aquí la parte altruista. Ahora viene la parte interesada. Quiero jugar una partida de ajedrez contra ti.

Paul se quedó mirando al duque. A pesar de que se encontraba mejor, no tenía fuerzas ni para mover una pieza de ajedrez.

—Señor, por supuesto que estaré encantado de jugar contra usted, pero, como verá, mi estado de salud no creo que me lo permita. No tengo fuerzas ni para incorporarme de la cama.

—Tranquilo —le respondió el duque, sonriendo de nuevo—. No pretendo que juegues ahora. Tendrás tiempo de recuperarte en mi palacio. Además, si lo deseas, en cuanto estés listo, podrás practicar contra Amélie, antes de enfrentarte a mí.

—¿Contra su sirvienta? —preguntó asombrado Lagrange.

—Esa a la que llama mi sirvienta derrotó de forma apabullante a un gran amigo mío, el conde de Isouard, y eso sucedió cuando tenía apenas quince años. Fue entonces cuando llamó mi atención y le ofrecí un puesto en mi servicio. Han pasado seis años desde aquello y no me molesta reconocer que he aprendido mucho de ella. Le sorprendería, señor inspector. Ha dicho que es aficionado al ajedrez, ¿verdad? Pues debería medirse a Amélie, no creo que fuera capaz de vencerla.

Lagrange estaba pasmado. No conocía a ninguna mujer que jugara al ajedrez y menos que fuera capaz de derrotar a *amateurs* reputados. Era algo insólito. Porque era el propio duque el que lo afirmaba, si no, desde luego que no lo creería.

Paul notó la cara de desconcierto del inspector. Aquello pareció divertirle.

—No me gusta enseñar a jugar al ajedrez —intervino—, ya que a mí tampoco me enseñó nadie. Para aprender, lo mejor es observar muchas partidas. Los libros de teoría están repletos de errores, incluido el famoso de Howard Staunton. Sin embargo, hice dos excepciones y, curiosamente, ambas están en esta habitación. Enseñé a Charles Maurian durante un periodo en el que estuvimos en la enfermería del *Spring Hill College* en Estados Unidos. Pero, sin que se enfade mi amigo Charles, que se ha convertido en un gran jugador *amateur* muy respetado en América, de la que estoy verdaderamente orgulloso es de Amélie. Éramos apenas unos niños y tan solo podíamos jugar un día a la semana, los sábados. Le aseguro que tiene una mente privilegiada. Conozco los absurdos prejuicios sociales que existen en contra de las mujeres que, según la gran mayoría de los hombres, tienen una mente incapaz de comprender las complejidades del juego del ajedrez y otras tonterías semejantes. Si quiere que desaparezcan sus prejuicios de un plumazo, siéntese frente a un tablero con ella. Apuesto a que lo vence en menos de treinta movimientos. Le aseguro que se sorprenderá.

—Si no quiere verse herido en su amor propio, le recomiendo que no lo haga —sonrió el duque, que también parecía divertido con el azoramiento de Lagrange.

El inspector no tenía la menor intención de medirse a aquella muchacha. Tan solo viendo la mirada de Morphy, se convenció de ello y no quiso seguir por ese camino. Prefirió permanecer callado y no hacer más observaciones. Tenía la molesta sensación de que saldría trasquilado de aquello.

El duque tomó de nuevo la palabra, dirigiéndose a Paul.

—Además, te voy a hacer una oferta que no podrás rechazar. Voy a unir lo mejor de tus dos mundos.

Paul no tenía ni idea a qué se refería el duque.

—Ya veo que no me comprendes —continuó—. Sé que tu madre es una gran aficionada a la música. Amélie me ha contado que incluso es compositora y que lo está intentando con una ópera. Es algo extraordinario, al alcance de muy pocas.

—Sí, así es. Toca el piano y el arpa con virtuosismo, además de cantar como una diosa. De pequeño nunca me cansaba de escucharla. Sin saberlo, me inculcó mi amor por la música, además de incentivar mi mente para el ajedrez. No se puede ni imaginar cómo van unidas ambas disciplinas, porque el ajedrez también es arte y pura armonía —ahora, Paul sintió una punzada de melancolía, pensando en Thelcide.

—Me lo imagino perfectamente —le respondió el duque— y no te entristezcas por la lejanía de tu madre. Desgraciadamente, no puedo hacer que esté aquí, en París, pero sí que puedo trasladarte hasta lo que ella ama, una buena ópera. Dispongo de un palco privado en el *Théâtre Impérial de l'Opéra* de París. Te propongo celebrar nuestra partida allí mismo, al ritmo de la ópera. Música y ajedrez unidos, como tú bien dices.

Paul no pudo evitar rememorar a su familia. En sus primeros años solía escuchar música y asistir a la ópera en Nueva Orleans con cierta frecuencia, pero desde que se marchara de América, había abandonado por completo ese placer. En Europa había estado demasiado ocupado con otras cuestiones. Desde luego, la oferta del duque era muy tentadora. Además, Paul nunca había estado en la *Salle Le Peletier*. Decían que era de una belleza indescriptible. Por otro lado, jamás había visto una representación musical desde un palco de honor. Seguro que el duque disponía de un emplazamiento privilegiado en el teatro.

—¿Asistirá Amélie? —le preguntó.

—Si lo deseas, por supuesto, pero ella no participará en la partida. Si no te importa, mi amigo, el conde de Isouard y yo jugaremos juntos contra ti. Espero que, de esa manera, el enfrentamiento esté más equilibrado, porque no pensamos aceptar ventajas de inicio.

—Como usted desee —respondió Paul—, pero quiero que sepa que no supone ningún deshonor aceptar dichas ventajas. Hacen las partidas más divertidas y de eso se trata el juego.

—Amélie ya me advirtió que me las propondrías, pero no las deseamos. Queremos medir nuestras fuerzas de igual a igual.

Somos dos contra uno. Si lo piensas bien, eso ya supone una ventaja.

Paul lo dudaba mucho. Miró a sus amigos y notó idéntica expresión en sus rostros.

—¿Cuándo pretende que disputemos esa partida? Se lo pregunto porque, como usted me ha propuesto, me gustaría practicar jugando contra Amélie. Hace muchos años que no lo hacemos.

—No te preocupes por eso. Vas a tener ocho días libres para ello.

Cuando el inspector escuchó lo de los ocho días, no pudo evitar intervenir de forma atropellada.

—¿Ha dicho ocho días?

El duque se giró hacia él, sorprendido por su reacción.

—Sí, ocho días. ¿Ocurre algo?

—Hoy es día 13. Eso supone que la partida se celebrará el 21. Precisamente ese día se estrena *El barbero de Sevilla*, de Rossini, en la *Salle Le Peletier*.

—¡Caramba, inspector! No sabía que fuera aficionado a la ópera. Pensaba que los policías dedicaban su tiempo libre a otras cosas.

—Me gusta la ópera, Su Alteza, pero disculpe mi atolondrada pregunta. No era por eso. Ya conocerá que ese día piensa asistir el emperador Napoleón y su esposa a tan magno evento. Supone su reaparición después del intento de asesinato de enero. Existe una gran expectación en todo París.

—Precisamente por eso he elegido ese día. Veremos una espléndida ópera en el escenario, al emperador y a la emperatriz entre el público y, mientras tanto, en mi palco, una extraordinaria partida de ajedrez con el mismísimo Paul Morphy. ¿Se le ocurre algo más grandioso? Sin duda, será un día memorable.

—Será un día estresante.

Ahora, el duque reparó en la cuestión.

—¡Claro! —exclamó—. Supongo que usted, como inspector jefe de la *Sûreté,* deberá asistir también, pero por trabajo, formando parte de la seguridad del emperador. No creo que sea un día para disfrutar, disculpe mi falta de tacto.

—Asistiré, Su Alteza, pero no por trabajo. Acudiré con mi esposa por puro placer —le respondió, con una verdad a medias.

—¡Estupendo! Supongo que ya tendrán sus butacas reservadas, pero, como aficionado al ajedrez, si lo desea, podrá seguir mi partida con el señor Morphy. Le permitiré que acceda a mi palco, en el descanso de la ópera.

—Se lo agradezco, Su Alteza —respondió el inspector de inmediato, pensando que el palco del emperador y el del duque eran contiguos. Ello le daría un pretexto para poder darse una vuelta por la parte superior del teatro sin despertar sospechas, en caso de necesidad.

—Tan solo tendrá que identificarse ante mi escolta, en la puerta de acceso al palco, por su nombre, inspector Michel Lagrange de la *Sûreté*. Ya les daré las órdenes para que le franqueen el acceso sin problemas.

De repente, Paul se incorporó de la cama. Causó verdadera sorpresa entre todos los presentes, ya que con su aspecto de debilidad, en absoluto parecía capaz de esa reacción tan fulminante. Pero, sin duda, lo que más les llamó la atención fue el rostro de Paul. No sabían si estaba asustado o sorprendido, quizá hasta otra cosa.

—¿Su nombre es Michel Lagrange? —le preguntó, dirigiéndose al inspector.

—Sí, así es. ¿Ocurre algo?

—No lo sé —le respondió Paul, que ahora parecía confuso—. Me parece que tengo algo para usted.

—¿Para mí? —ahora el sorprendido era Lagrange—. ¡Pero si nos acabamos de conocer ahora mismo!

—Eso es lo que me extrañó a mí también —comenzó a decir Paul. De inmediato, se giró hacia Amélie—. Por favor, ¿me podrías acercar los ropajes que llevaba puestos el día que me recogiste en el molino?

—¿Para qué los quieres? —la sorpresa iba cambiando de bando—. Su estado es lamentable. No sé si aún los conservamos, quizá estén en el armario.

—¿Te importaría mirar?

Amélie se dirigió a la enorme y lujosa pieza de madera y acero forjado que hacía las veces de armario. Miró en su interior.

—Aquí están. La verdad es que no sé por qué. Su sitio debería ser la basura —dijo, mientras se los entregaba a su amigo.

Paul rebuscó entre sus bolsillos. Al cabo de un instante, sacó un pequeño sobre, sucio y arrugado.

—Es un recuerdo que conservo entre brumas, pero el nombre de Michel Lagrange me ha despejado la mente. Un momento antes de aparecer Amélie en el *Moulin de la Galette*, un desconocido se acercó hasta mí. Me dijo que guardara este sobre y que se lo entregara a Michel Lagrange en persona. Le iba a contestar que no tenía ni idea quién era ese individuo, pero me lo pensé mejor. Lo tomé por otro borracho más como yo que se había confundido de persona. Como no me apetecía entablar conversación con nadie, tomé el sobre y me lo guardé en un bolsillo. El desconocido se marchó por donde había venido, sin pronunciar ni una sola palabra más. Hasta ahora, que he escuchado su nombre, ni siquiera recordaba este detalle.

Paul estaba como hipnotizado mientras daba la explicación, con el sobre en la mano.

—¿Te importa si lo veo? —le preguntó Lagrange, cuyo asombro había ido en aumento con el relato de Morphy.

—No, claro. Se supone que es para usted —le respondió, mientras se lo entregaba.

Lagrange lo tomó en sus manos y se quedó observándolo. De repente, pareció que se mareaba. De hecho, tuvo que sujetarse a una de las paredes de la habitación. El sobre estaba casi deshecho y aún desprendía un terrible olor a alcohol, pero no fue eso lo que aterrorizó a Lagrange.

En su exterior, estaba garabateado:

A la atención de Michel Lagrange, inspector jefe de la Sûreté

A pesar de su lamentable estado, reconoció perfectamente la caligrafía.

Era inconfundible.

Y lo peor no era eso.

Era también imposible.

68 PARÍS, VIERNES 15 DE OCTUBRE DE 1858

—¡Oye! Has mejorado mucho.

—¡Pero si me acabas de ganar en veintitrés movimientos! Menos mal que he mejorado, si no lo llego a hacer, casi ni comienzo la partida.

—Muy pocos ajedrecistas aficionados pasan de los veinte movimientos sin que les dé importantes ventajas de inicio. Has jugado una gran partida. No me extraña que tengas encandilado a tu duque.

—¿Mi duque? —sonrió, picarona—. ¿No me digas que estás un poco celoso?

—¿Celoso yo? —le respondió Paul a la defensiva, sin poder evitar que Amélie le tirara una almohada a la cabeza y se echara a reír.

—¿Ni siquiera un poquito? ¡Venga! —Amélie seguía burlándose de su amigo.

Paul estaba colorado como un tomate maduro. Últimamente, su mundo se había ceñido al estudio en la universidad y a las sesenta y cuatro casillas de los tableros de ajedrez. No sabía cómo tratar a las mujeres y eso era en lo que se había convertido Amélie. Desde luego ya no era aquella niña de Nueva Orleans con la que jugaba al ajedrez en el parque de enfrente de su casa. Como le solía ocurrir, delante de un tablero se encontraba muy cómodo, pero hablando de determinados temas, no tanto, y menos con mujeres.

—Te estoy tomando el pelo, idiota —le respondió Amélie, al ver el azoramiento reflejado en el rostro de su amigo. Tampoco pretendía que se sintiera incómodo con ella.

Paul intentó salir del paso.

—Desconozco exactamente cuál es el estado de una persona celosa. Mi vida ha sido muy monótona, aunque, por los periódicos y las revistas, haya parecido lo contrario. Estudio, ajedrez y, de vez en cuando, algo de bebida. Intento extraer la máxima diversión de esos tres mundos, pero eso es todo. Salvo Charles Maurian y tú misma, no tengo amigos.

—Una respuesta perfectamente «Morphy» —estaba claro que Amélie se estaba divirtiendo a costa de Paul—. Eres todo un caballero de la élite de Louisiana, además hijo de las familias Morphy y Le Carpentier, apellidos muy reconocidos socialmente en Nueva Orleans. Si no tienes amigos es simplemente porque no quieres. ¿No me digas que no te has prometido en matrimonio ni nada parecido? Las mujeres se te rifarían. La verdad es que me cuesta mucho creer lo que me cuentas.

—Pues hazlo. Yo no he tenido una vida tan intensa como la tuya.

—Pues con esa vida tan intensa que insinúas, ni me he casado ni he tenido ninguna pareja estable. Por si no lo habías notado, no pertenezco a tu misma clase social —ahora, Amélie parecía ofendida de verdad. Paul lo había tenido todo en la vida, pero lo poco que ella disponía se lo había ganado a pulso, nadie se lo había regalado—. El hecho de vivir en Europa tampoco me convierte en una *debutante* de esas fiestas *cursis* tan del gusto de los británicos. Me refiero a las *puestas de largo* de sus jóvenes, fiestas que el mismísimo Lord Byron calificó acertadamente de *marriage marts*, es decir, de mercados matrimoniales. Yo más bien los llamaría mercados de carne.

Paul intentó intervenir, pero el huracán de Amélie no se lo permitió.

—Claro, una joven sureña americana de veintiún años huida a Europa a causa de una vergüenza familiar, según tus parámetros mentales, o está casada, o está prometida o es una golfa, y no necesariamente por ese orden.

—Perdona, no quería insinuar nada de eso ni mucho menos ofenderte… —comenzó una torpe disculpa Paul.

Amélie se volvió a reír.

—Definitivamente, eres idiota. Te estaba tomando el pelo otra vez. Está claro que delante de un tablero de ajedrez eres un león, pero delante de una mujer eres una gallina y, además, medio atontada.

—Tienes toda la razón —reconoció Paul, sonriendo y deseando cambiar el tema de conversación—. ¿Jugamos otra partida? No me gustan las plumas y me apetece volver a ser un león. Si quieres, esta vez te doy alguna ventaja.

—Y si quieres, esta vez te ahogo con la almohada.

Ambos se rieron. Amélie podría haberse convertido en toda una mujer, pero conservaba su carácter. Colocaron las piezas de ajedrez en el tablero y empezaron a jugar. Esta vez Paul conducía las piezas blancas. Comenzó su apertura por su movimiento más habitual en sus partidas, avanzando dos casillas su peón de rey. La respuesta de Amélie le sorprendió.

—No recuerdo haberte enseñado la Defensa holandesa —le dijo.

—No lo hiciste, pero me he estudiado todas las partidas tuyas que se han publicado. ¿Te vas a atrever a responderme con el Gambito Staunton, como solías hacer?

Estaba claro que Amélie seguía riéndose de Paul, pero ahora frente al tablero. Había avanzado dos casillas su peón de alfil de dama, retándolo a continuar con el movimiento de su peón de reina, apertura popularizada por Staunton y que llevaba su nombre. Amélie conocía que sus relaciones con el ajedrecista británico no pasaban por su mejor momento, ya que había rehuido enfrentarse a él durante su estancia en Londres.

Aquello era toda una provocación. Sin embargo, Paul se limitó a sonreír y respondió jugando su caballo de dama.

—¿Te parece bien este movimiento? Me parece más sólido que el gambito de ese pavo real. ¿Te he sorprendido?

—Lo que veo es que eres una gallina no solo delante de las mujeres, sino también delante de un tablero. No te atreves con mi planteamiento de ataque con las negras y has hecho un movimiento táctico más defensivo. No es propio de ti. ¿Acaso me temes?

—Por supuesto que no —respondió Paul de inmediato.

—¿Y te gusto?

Ahora, Paul se dio perfecta cuenta de la encerrona que le había preparado su amiga, pero ya era tarde. Esa era la pregunta que Amélie le quería formular desde el principio y se había valido del ajedrez para ello. No pudo evitar que su rostro retornara al color rojo tomate de hacía un rato. «¿Soy un león o una gallina?», pensó, en apenas un segundo.

—Pues sí, me gustas. Siempre lo has hecho, creo que no es ningún secreto —se escuchó decir Paul, para su absoluta vergüenza.

—Vaya, ya ha salido el león. Ha necesitado un tablero de por medio —se rio de nuevo Amélie.

—Ahora que ya lo he dicho, ¿podemos continuar? —le preguntó, señalándole el tablero. No quería que la conversación continuara por ese camino.

Amélie sabía que Paul odiaba hablar durante sus partidas. Se concentraba mirando las piezas y ni siquiera levantaba la vista, por eso se había aprovechado de esa circunstancia para arrancarle la respuesta que quería.

—Claro, claro —le contestó, haciendo verdaderos esfuerzos por detener su risa.

La partida se prolongó hasta los treinta movimientos. Amélie, con las piezas negras, había osado lanzarse al ataque contra el mismísimo Paul Morphy. Porque estaban jugando en la soledad de la habitación de Paul en el palacio del duque, sin público presente, si no, todas las miradas se habrían dirigido hacia Amélie.

—Te has divertido, ¿verdad? —le preguntó Paul, levantando su mirada del tablero por primera vez en dos horas.

—¿Y tú? —le respondió Amélie con otra pregunta.

—Como hacía tiempo que no lo hacía. Estos últimos años, todos mis rivales han seguido los libros de estilo y aperturas. Al final, parecían autómatas. Tú, sin embargo, has jugado como yo lo habría hecho.

—Es decir, que he jugado como nunca y he perdido como siempre.

—¡He tenido que esforzarme de verdad! Era como jugar contra mí mismo. Has abierto las diagonales, lanzando tus peones contra los míos y has situado tus caballos de forma magistral en el centro del tablero. Has desarrollado tus piezas con más rapidez que yo las mías. ¡Y jugando con negras! Debes de estar muy orgullosa.

—Menos halagos, que, cuando te ha interesado, has abierto mi flanco de rey como has querido, con tu dama y torre. Habrías podido anunciar el mate hace cinco movimientos, pero te lo has callado.

—¡No lo puedo creer! ¿Lo habías visto? —Paul estaba verdaderamente sorprendido.

—¡Pues claro, tonto!

—Perdona que te haga esta pregunta y si te incomoda no la respondas. ¿El duque de Brunswick te gana?

—Casi siempre.

Paul pareció preocuparse.

—Entonces, no es un ajedrecista cualquiera. Jamás había escuchado su nombre hasta hace dos días. Pensaba que era otro noble mediocre y adinerado queriendo jugar contra mí. Supongo que le ganaré, pero, en mi actual estado de salud, me costará más de lo previsto. Además, tendrá la ayuda de ese amigo suyo, el conde de *nosequé*.

—No seas demasiado cruel con ellos. Dudo que, los dos juntos, te aguanten mucho más de quince movimientos, ni siquiera con ese estado de salud que dices. Delante de un tablero no lo pareces.

Paul se quedó mirando a Amélie, sin comprender su comentario.

—Pero… —empezó a decir.

—Vamos a ver, Paul, que ahora ya no pareces una gallina, sino un polluelo recién salido del huevo —le interrumpió Amélie—. Mi misión es entretener al duque jugando al ajedrez, no ganarle todas las partidas, ¿me entiendes?

—¿Me estás intentando decir que te dejas perder? —Paul iba de sorpresa en sorpresa.

—No exactamente. Trato de enseñarle algunas cosas y me aseguro de que, cuando le recomiendo alguna línea de juego, tenga éxito. ¿De qué serviría si termino ganándole la partida? Pensaría que le he tomado el pelo. Quiero que mejore su juego y que se divierta, no humillarle. Este es un buen trabajo y el duque me trata con mucho respeto, ¿lo comprendes mejor ahora?

—Creía que ya nada me sorprendería de ti, sin embargo, no paro de hacerlo.

—Pues aún no lo has visto todo, gallina —le respondió Amélie, acercándose a Paul y dándole un prolongado beso en la boca.

No, no lo había visto todo.

69 PARÍS, SÁBADO 16 DE OCTUBRE DE 1858

«Con todos los días que tiene el año, tenía que haber escogido precisamente este», se decía el inspector Lagrange. A pesar de ello, sabía que no tenía alternativa.

—¿Piensas abrir la puerta de casa o vas de dejar que la derriben? —escuchó de fondo a su esposa, Pascale.

—¿Y si hacemos cómo que no estamos?

—¿Sabes, Michel? Llevas unos días de lo más extraño. Anda, siéntate en el salón y ya abro yo.

«Tenía que intentarlo», pensó Lagrange.

—¿Cómo estás? —preguntó Pascale a su invitado, después de franquearle el paso—. Durante una larga temporada no apareciste por casa y, de repente, para nuestra satisfacción, no hay semana que no nos visites.

—Ya sabes lo que dice tu marido de mí, que soy un ciudadano del mundo. Bueno, pues ahora mi mundo está en París. Por cierto, ¿dónde se encuentra?

—Supongo que en el salón. Espero que consigas relajarlo un poco. Está insufrible. A ver si con vuestras partidas de ajedrez se tranquiliza.

Charles Saint-Amant ya suponía el motivo del nerviosismo de su amigo. Debía de haber sido toda una aventura su entrada en el palacio del duque de Brunswick. Lo que Pascale no sabía es que hoy no habían quedado para jugar al ajedrez. Charles aceptó que su amigo entrara en solitario en el palacio, a cambio de que el sábado próximo, o sea, hoy, le informara con pelos y señales de todo lo sucedido. Y había acudido puntual a su cita.

—Os dejo vuestras dos copas de *cognac* habituales y el tablero de ajedrez —dijo Pascale, mientras entraba en el salón acompañado de su invitado, dejándolos solos y cerrando la puerta tras ella.

Charles y Michel se abrazaron. Cuando se separaron, Saint-Amant advirtió el rostro claramente desmejorado de su amigo. Tenía pronunciadas ojeras y los ojos rojos, síntoma de dormir poco y mal.

—Sí, ya sé lo que me vas a decir, lo mismo que Pascale.

—No sé lo que te habrá dicho tu esposa, pero, desde luego, tu aspecto es manifiestamente mejorable, por no utilizar otra expresión.

—Pues no lo hagas. Con una voz martilleándome el oído ya tengo suficiente. Anda, siéntate.

—¿Quieres que juguemos una partida de ajedrez? —preguntó Charles. A pesar de que estaba deseando que Michel le contara todos los detalles de su incursión del miércoles pasado, se sintió en la obligación de proponérselo. Sabía que le relajaba y, desde luego, era evidente que le hacía mucha falta.

—Gracias por la oferta, pero hoy no me apetece.

—Entonces, ¿prefieres comenzar contándome la historia de tu entrada en la residencia del duque? —Saint-Amant, al contrario de su amigo, parecía entusiasmado.

—Bueno, tampoco es para tanto, no te emociones. Como resumen, el duque de Brunswick se mostró muy amable y permitió que entrara en su palacio. Tal y como había deducido, tiene a Paul Morphy en su poder, pero, antes de que me lo digas, no está secuestrado ni nada de eso. Lo rescató del *Moulin de la Galette* y ahora lo están cuidando sus médicos.

—¿Y ya está? ¿Eso es todo? —Charles parecía decepcionado.

—Me permitió que lo viera. Se encuentra en una lujosa habitación de su palacio, acompañado por Charles Maurian y una sirvienta del duque.

—¿Maurian lo encontró antes que tú?

—Supongo que sí, pero eso ahora no importa. El hecho es que pude hablar con él. Aún estaba muy débil por el efecto de las sangrías que provocan las sanguijuelas, pero ya había recobrado el conocimiento. Al parecer, desde el mismo día de su desaparición había permanecido inconsciente.

—¿Y para qué se ha tomado tantas molestias el duque por una persona como Paul Morphy? No pertenecen al mismo círculo social, ni mucho menos.

—¿En serio no te lo imaginas? ¿Para qué va a ser? ¡Pues para poder jugar una partida al ajedrez contra él! Muerto no le servía. Como verás, no existe ningún misterio ni en su desaparición ni en su reaparición. Hemos dejado volar nuestra imaginación en exceso. Viéndolo desde la distancia, lo del secuestro siempre fue algo que no se sostenía y los dos lo sabíamos, aunque nos dejamos llevar, porque nos parecía un misterio interesante.

Charles se quedó observando de nuevo el rostro de su amigo.

—Sí, claro, y porque no hay nada extraño en toda la historia, tienes el aspecto de un cadáver. Todo muy normal. ¡Venga, Michel, que ya nos conocemos muchos años!

Lagrange no le respondió de inmediato. Se acercó a la mesa y tomó un generoso sorbo de *cognac.*

—Tienes razón, nos conocemos muchos años. Siempre hemos sido sinceros el uno con el otro. Por ello te diré que hoy no me pillas en uno de mis mejores días. Te confieso que, si de mí hubiera dependido, no te habría abierto la puerta. Ha sido cosa de la puñetera refinada educación de Pascale.

—¿Qué es lo que te ha pasado esta mañana? —Saint-Amant, ahora, se empezaba a preocupar de verdad.

—He estado en el Palacio Imperial.

—¿Napoleón te ha hecho llamar? —preguntó un sorprendido Charles. No era nada habitual que eso sucediera y casi nunca significaba buenas noticias.

—No, al contrario. He sido yo el que le he hecho llamar.

Saint-Amant no pudo reprimir una sonora carcajada. Al fin y al cabo, parecía que a Lagrange aún le quedaba una pizca de ese sentido del humor suyo tan característico. Sin embargo, a los dos segundos escasos, advirtió que se estaba riendo solo y que el rostro de su amigo continuaba tan serio como al principio.

—¡Venga, no me fastidies! Eso no ocurre.

—En circunstancias normales, desde luego que no.

—¿Qué me quieres decir con esa frase? ¿Qué es lo que está pasando, Michel?

Lagrange se quedó pensativo, como decidiendo si continuar la conversación. Saint-Amant le leyó la mente y se anticipó a las respuestas de su amigo.

—Oye, entiendo que tus conversaciones con el emperador no sean cosa mía. El motivo de mi visita era saber de Paul Morphy y ya me lo has explicado. Se encuentra sano y salvo y no está retenido en contra de su voluntad. Supongo que, en cuanto se recupere por completo, volverá al *Café de la Régence*. Entiendo que tu estado de ánimo no tiene nada que ver con ese asunto y, en consecuencia, no es de mi incumbencia. Por mi parte, tema cerrado. Si lo deseas, damos por concluida la reunión y te dejo descansar, que falta te hace. Ya seguiremos otro día.

Para sorpresa de Charles, Michel lo asió por el brazo y no permitió que se levantara del sillón.

—Ese es el problema, que no sé si el tema está cerrado, entre otras cosas porque no sé cuál es el papel de Morphy en todo este asunto.

—¿De qué asunto me hablas? —ahora, el rostro de Charles reflejaba una profunda sorpresa. Que él supiera, ya no existía ningún «asunto Morphy». Todo había sido aclarado.

—¡Al diablo! —exclamó Lagrange, mientras se levantaba de forma súbita de su sillón.

Saint-Amant no reaccionó. Permaneció inmóvil, observando el extraño comportamiento de su amigo. Aquello le pareció excesivo. Michel parecía paranoico. Por un momento, pensó en llamar a Pascale. Hizo ademán de levantarse del sillón, mirando hacia la puerta del salón.

—Ni se te ocurra —le dijo Michel—. Solo falta que me vea en este estado.

—Pues lo pienso hacer al menos que me expliques qué es lo que te sucede. Pareces al borde de un ataque de nervios.

—Al borde no, en pleno ataque. No debería de hablar de estas cuestiones contigo, pero necesito hacerlo con alguien que no sea policía.

Charles Saint-Amant no tenía ni la más remota idea de qué iba todo aquello, así que permaneció en silencio, esperando que su amigo se explicara, como así ocurrió.

—Ya sabes que Napoleón va a asistir a la representación del *Barbero de Sevilla* en el *Théâtre Impérial de l'Opéra,* el próximo jueves. Lo que me quita el sueño es que no quiere ser protegido, ya que pretende mandar un mensaje a sus enemigos, internos y externos, de que no les teme, de que no podrán con él. No hay manera de hacerle entrar en razón. No entiende que ya es difícil que suceda un milagro en la vida, como fue que saliera ileso del atentado de enero, pero dos milagros seguidos ya serían demasiado. Ha encargado su protección a la Prefectura de París, con apenas veinte hombres en el exterior y tan solo diez en el interior. No quiere más.

—Entonces, ¿qué te preocupa? El que debería estar atacado de los nervios es el prefecto Boittelle.

—El no dispone de la información que manejo yo.

—¿A qué te refieres?

—Al «caso Morphy».

Charles se sobresaltó al escuchar por segunda vez esa misma expresión.

—¿Qué tiene que ver lo que tu llamas el «caso Morphy» con la asistencia de Napoleón a la ópera? Por otra parte, tengo entendido que el emperador se pasea en caballo por París, intentando recoger el cariño de sus súbditos y con una mínima protección. No parece importarle demasiado su seguridad personal. ¿Qué hace diferente esos actos con su asistencia a la ópera, también con poca seguridad?

—Te lo acabo de decir, la diferencia es el «caso Morphy». Ya te he contado que el duque de Brunswick está cuidando a Paul para poder jugar una partida de ajedrez contra él. Pues bien, esa partida tendrá lugar el jueves en la ópera de París.

—¿El mismo día que acudirá Napoleón y la emperatriz? ¿Y qué? ¿Qué importancia tiene eso para su seguridad? ¿Cómo enlazas ambos acontecimientos? —cada vez que avanzaba la conversación, Charles se mostraba más confuso.

—¿Crees en las casualidades? —Michel continuaba con las preguntas aparentemente incoherentes.

—¿Qué casualidad? Quizá Pascale tenga razón y necesites un descanso. Me parece que ves fantasmas dónde no los hay.

—Hablando de fantasmas, mira esta misiva —dijo Michel, mientras extraía una carta de su bolsillo y se la entregaba a Charles.

A la atención de Michel Lagrange, inspector jefe de la Sûreté

Saint-Amant leyó el exterior del sobre, no sin cierto asco. Aquello no parecía una carta, sino pura basura.

—Veo la expresión en tu rostro —continuó Michel—, fue la misma sensación que me invadió a mí, hasta que reconocí la caligrafía. Antes de que me lo preguntes, me la entregó el mismísimo Paul Morphy el día que lo vi en el palacio del duque. Me dijo que un desconocido se la entregó, momentos antes de ser rescatado por el duque, en el *Moulin de la Galette.*

Ahora, el interés de Charles creció exponencialmente. Abrió con presteza el sobre. En su interior había una simple cuartilla, con unas pocas líneas escritas. Su estado de conservación era el mismo que el exterior, pero se entendía perfectamente.

«Te dije que me faltaba por concluir mi última partida simultánea. Muy pronto la terminaré y, esta vez, pienso ganarla. Firmado, Felice Orsini».

Charles no comprendía nada.

—¿Orsini? ¿Ese no fue el chalado que intentó asesinar a Napoleón? Tengo entendido que fue guillotinado hace meses.

—Así fue. Yo mismo fui testigo de aquello. Vi su cabeza cortada caer al cesto, el pasado 13 de marzo, junto a su compañero de complot, Giuseppe Pieri. Bueno, no solo lo vi yo, sino también unos cientos de franceses que se agolpaban en la plaza de la Roquette.

—Entonces, es evidente que esa carta es una broma pesada sin ninguna gracia.

—No lo es —le respondió muy serio Lagrange.

Charles se quedó observando con detenimiento a su amigo. Michel Lagrange era una de las personas más racionales que había conocido en su vida. Ahora no lo reconocía.

—¿No me digas que crees en fantasmas? —preguntó, pasmado.

—¡Por supuesto que no!

—Entonces, ¿por qué pareces creer que esa carta es auténtica? Eso es lo que me dicen tus ojos.

Lagrange no respondió de inmediato. Daba la sensación que estaba buscando las palabras apropiadas.

—Sabes que, como inspector de la *Sûreté,* me hice cargo de la investigación posterior al intento de asesinato de Orsini contra el emperador. Lo capturé al día siguiente. En consecuencia, tengo un profundo conocimiento de su causa y de su personalidad. Durante casi dos meses tuve que montar la acusación contra él, que le llevó a la guillotina.

—¿Qué me quieres decir con eso?

—Que esa es su caligrafía, es inconfundible. Escribió cartas a Napoleón con el mismo estilo y letra.

Charles se quedó mirando la misiva, pensativo. Su mente estaba buscando una explicación racional a todo aquello.

—Pues tan solo quedan dos posibilidades. La primera es que se trate de un imitador, para causar pánico en la policía y en el propio emperador. La segunda, si estás seguro de que no es una falsificación, es que Orsini la escribiera antes de morir, a no ser que creas que los fantasmas existen y escriben cartas —Charles no pudo evitar mostrarse un tanto irónico. No sabía cómo encarar este tema. Le parecía absurdo que su amigo se preocupara por semejante tontería.

Ahora, se hizo el silencio entre ambos. Tan solo se miraban.

—Espera, espera... —reaccionó Charles—. La carta habla de una partida de ajedrez inconclusa y te la dio el propio Paul Morphy. ¿No verás una conexión entre el americano y el loco italiano? ¿Acaso se conocían?

—Lo dudo mucho. Morphy llegó a París cuando Orsini ya había sido ejecutado. Ese no es el motivo de mi preocupación.

—¿Y cuál es, si se puede saber?

—Hay una cosa que todo el mundo desconoce. Es un incidente que no hice constar en ningún informe policial ni lo comenté con nadie, ya que me pareció una bravuconada de una persona camino de su muerte. La última conversación que mantuvo Orsini antes de morir fue conmigo. Me dijo que no me guardaba ningún rencor y que había hecho bien mi trabajo. Para mi sorpresa, me dio un pequeño abrazo y continuó subiendo las escaleras del cadalso. A continuación, ejecutaron a Pieri y luego al propio Orsini. Como te decía, me aseguré bien, viendo sus cabezas cortadas. La sorpresa vino después. Una vez me disponía a abandonar la plaza de la Roquette, me di cuenta de que, supongo que aprovechando el pequeño abrazo que me había dado, me introdujo una carta en el bolsillo de mi gabardina. Iba dirigida al emperador, pero consideré que debía leerla primero. Lo hice y me pareció una solemne estupidez, así que la rompí en mil pedazos y los arrojé al suelo. Como te decía, jamás informé de ello. Nadie ha conocido su existencia.

—¿Y qué es lo que decía esa carta? —ahora Michel había logrado atraer toda la atención de Charles.

—Como te decía, la rompí, pero la recuerdo palabra por palabra. Con la misma caligrafía que la carta actual, escribió lo siguiente: «*A Napoleón III, rey de los franceses. Lo único cierto que había en mis misivas era el amor por mi patria. Por ello he entregado mi vida, pero recuerde una cosa. Juré jugar tres partidas simultáneas de ajedrez contra usted. Las dos primeras las he perdido, lo reconozco, pero aún falta por terminar la tercera. Volveré de entre los muertos y nos veremos frente al tablero. Firmado, Felice Orsini*».

Charles casi se cae del sillón.

—¡Pero Orsini está muerto! —acertó a exclamar.

—Nadie más que él y yo conocíamos el contenido de esa carta. ¿Cómo lo explicas, viendo la misiva actual? Es evidente que están claramente relacionadas la una con la otra.

—Bueno, así sin pensar demasiado, quizá Orsini supusiera que Napoleón terminaría volviendo a acudir a la ópera. Tampoco era una deducción muy difícil, conociendo su tremendo ego. Quizá también escribiera esa carta antes de ser ejecutado y se la entregara a cualquier colaborador de su causa. Tú mejor que nadie conoces la existencia de organizaciones subversivas. Pudo valerse de cualquiera.

—¿No pensarás que eso no se me había ocurrido? —le respondió Lagrange, que continuaba con el mismo semblante con el que había iniciado la conversación—. No, tu suposición no es posible. Esa carta ha sido escrita recientemente.

—¿Cómo puedes estar seguro de eso, dado su putrefacto estado?

—Mira a quién va dirigida. A Michel Lagrange, inspector jefe de la *Sûreté*. Pues bien, fui nombrado para ese cargo el 16 de abril, a consecuencia de la profunda remodelación que el emperador hizo en todos los cuerpos de seguridad de Francia. Orsini llevaba muerto más un mes cuando fui ascendido a inspector jefe. Ese detalle no lo conoció en vida.

—No sé —ahora Charles dudaba, pero tenía claras dos cosas. Que los muertos no escriben cartas y que no podía dejar a su amigo en semejante estado de nervios. Por ello, decidió seguir buscando una explicación racional—. Orsini pudo suponer que, si habías sido la estrella policial en su captura, te ascenderían a ese cargo. En ese caso, pudo escribir la carta con anterioridad.

—Como te decía al principio, ¿crees en las casualidades? No olvides que esa carta me la entrega Paul Morphy, que va a jugar una partida de ajedrez en la ópera de París, el mismo día que reaparece Napoleón. Mismo escenario, mismos protagonistas y continuación de la partida pendiente. Te lo repito, no creo que nada de esto sea casual.

En ese momento, entró en la habitación la mujer de Lagrange, Pascale, al escuchar que estaban hablando y no jugando al ajedrez, como era lo habitual en sus reuniones.

—¿De qué estáis hablando? No se os ve muy buena cara.

Michel Lagrange se anticipó a su amigo. No deseaba contarle toda esta historia a su esposa.

—Le estaba diciendo a Charles que Paul Morphy, el famoso ajedrecista americano, va a disputar una partida de ajedrez contra el duque de Brunswick en la ópera de París, el mismo día que estamos invitados y que asistirá el emperador y la emperatriz.

—Sí —respondió Pascale, con el rostro algo contrariado—. A pesar de que me gusta la música, no soporto los actos sociales y me temo que esta ópera se va a convertir precisamente en eso.

—A mí también me gusta la música —le replicó Charles— pero ya sabes que me interesa más el ajedrez. Compraré una entrada tan solo por vez jugar a Morphy contra el duque. El resto me da igual.

—Me temo que llegas tarde —continuó Pascale—. Ya hace más de una semana que están agotadas. Se ve que la expectación en París es máxima.

—¡Vaya! —exclamó Saint-Amant, contrariado.

—Pero no te preocupes por eso. Con el permiso de mi esposo, aquí presente, te cedo mi entrada.

—Pero... —intentó protestar Charles.

—Ya está decidido —concluyó la conversación Pascale—. Creo que, en estos momentos, a Michel le sentará mejor para su estado de nervios tu presencia que la mía.

Sin permitir más reacciones, salió del salón y dejó a los dos amigos mirándose a la cara. Estuvieron sin pronunciar una sola palabra al menos durante un minuto. Saint-Amant, como buen jugador de ajedrez, sabía interpretar el rostro de las personas que tenía enfrente. A diferencia de Morphy, él sí que levantaba la vista del tablero y miraba a los ojos de sus adversarios durante sus partidas.

—Hay algo más, ¿verdad? —le preguntó Charles, ya lejos de los oídos de Pascale.

Michel no contestó, así que Saint-Amant continuó intentando buscar explicaciones racionales a todo aquello.

—Creo recordar que Orsini fue enterrado, cosa nada habitual en los condenados a muerte. Leí por algún sitio que una acaudalada dama suiza se había hecho cargo de todos los gastos, ¿no fue así?

Lagrange se limitó a asentir con su cabeza.

—Pues nada más sencillo que ordenar una exhumación de su cadáver. Si no hubiera nadie, te podrías preocupar un poco, pero si está su cuerpo en el interior, asunto zanjado.

Lagrange volvió a asentir con la cabeza, pero continuaba con idéntica expresión en su rostro.

—¿No me digas que también se te había ocurrido esa posibilidad?

Michel bajó la cabeza y apartó la mirada de su amigo.

—Aunque yo lo vi morir delante de mis propias narices, ayer estuve en su tumba. Estaba vacía y sin signos de reciente manipulación. Ahora continúa pensando que estoy paranoico, no me importa. Total, Napoleón también lo hace.

70 PARÍS, MARTES 19 DE OCTUBRE DE 1858

—¡Lo sabía!

Paul giró su cabeza hasta una pequeña estantería que había al lado de su cama. Señalando un objeto, se dirigió a su amigo con una sonrisa burlona.

—¿Lo dices por el libro de Staunton?

—Tú siempre has renegado de él.

Paul se incorporó y lo tomó entre sus manos. Se lo entregó a su amigo, Charles Maurian.

—Ábrelo.

Así lo hizo. Para su sorpresa, no había ninguna página sin alguna tachadura ni comentarios manuscritos del propio Morphy.

—¿Jugada inconsistente? ¿Pavo real camino del matadero? ¿Partida perdida en diez movimientos? ¿Qué es todo esto, Paul?

—El libro venerado por muchos, *The Chess Player's Handbook* de Howard Staunton, está plagado de errores. Simplemente me he limitado a anotarlos.

—¡Pero si fue el primer libro que me recomendaste!

—En aquella época no hubieras distinguido entre un enroque y un jaque. Era una forma de comenzar a introducirte en el mundo del ajedrez. Recuerdo que fuiste tú el que me lo pediste. Pero no sirve más que para eso. Cuando alcanzas cierto nivel, te das cuenta de todas sus inconsistencias.

—Aunque fue escrito en 1847, hace once años, aún se considera un libro de referencia entre todos los ajedrecistas.

—Eso lo dirás tú y toda la legión de autómatas que se limitan a seguir los libros al pie de la letra. ¿Qué diversión tiene eso? Te voy a poner un ejemplo reciente. Para aprobar una de las materias del grado de Leyes en Nueva Orleans, me limité a memorizar la totalidad de los artículos del Código Civil de Louisiana. Instructivo quizá, pero te aseguro que nada entretenido. Además, para tu información, ese libro no me lo he comprado yo. No malgastaría ni un franco con Staunton. Me lo regaló Amélie cuando desperté, hace cinco días, para que me entretuviera con algo.

Maurian estaba visiblemente sorprendido. Se quedó mirando a su amiga, que se limitó a asentir con la cabeza.

—¿Y en cinco días te lo has leído entero, estudiado y corregido?

—Tampoco es que tenga muchas cosas que hacer tumbado en esta cama. Para mi sorpresa, me he entretenido con él. Bueno, sería más apropiado decir «contra él» —sonrió Paul.

—Pues Adolf Anderssen dicen que ha memorizado todos los libros publicados acerca de teorías y estrategias del ajedrez y es considerado el mejor ajedrecista del mundo, incluso por delante de Staunton. Ya lo derrotó en 1851 en el Torneo de Londres. Y su fuerza teórica es considerada incluso superior a la de *Herr* Lowenthal.

—Hasta que el tal Adolf juegue contra mí. Reconozco su mérito. Sus partidas frente a Lionel Kieseritzky en Londres en 1851 y la que disputó contra Jean Dufresne, un año después, en Berlín, no estuvieron nada mal. Aprendí de ellas.

—¿Nada mal? ¡Se consideran dos de las más grandes!

—Recuerda estas palabras. Jugaré contra Anderssen antes de regresar a América y lo pienso derrotar. ¿Te atreves a apostar?

—De buena gana lo haría, pero ya sabes las instrucciones de la familia, nada de dinero.

Paul no pudo evitar reírse.

—¿Te crees que me importa el dinero? Es un simple reclamo para poder jugar contra los mejores. Por cierto, hablando de apuestas, me juego un simple abrazo a que, con todos los libros que te has leído, no eres capaz de derrotar a Amélie, que dudo que se haya leído alguno.

Amélie quiso protestar, pero llegó tarde.

—Me parece una descortesía —se anticipó Maurian—. Ahora soy uno de los mejores jugadores del Club de Ajedrez de Nueva Orleans. Ya no soy aquel Charles al que enseñaste a jugar en Spring Hill en Alabama. No me parece una partida justa ni equilibrada.

—No, desde luego que no lo es —intervino Paul, sin dejar hablar a Amélie—, pero no has contestado a mi pregunta. ¿Te atreves?

—¿Me permitís hablar? —Amélie se hizo un hueco en la conversación—. No creo que sea una buena idea.

—Deja que sea Charles el que se pronuncie, Amélie —dijo Paul—. ¡Vamos! ¡Atrévete!

—No me parece justo, pero si es tu voluntad y a Amélie no le importa, por mí, de acuerdo.

—Y Amélie también está de acuerdo —se anticipó Paul.

—¡Estupendo! —respondió su amiga—. Ya veo que opinión de una sureña vale lo mismo en París que en Nueva Orleans. ¿No me habéis oído?

—Aunque no te parezca una buena idea, Amélie, te aseguro que será entretenido pero, sobre todo, instructivo —aseguró Paul, mientras disponía las piezas sobre el tablero, encima de su cama—. Me vais a permitir sugerir que Amélie juegue con la piezas negras.

—¿Te has vuelto loco? —Charles no entendía nada—. ¿No se supone que deberíamos equilibrar esta partida de alguna manera?

—Es lo que intento hacer —le respondió Paul, sin poder reprimir una sonrisa—. Vamos, Charles, no busques más pretextos y comienza la partida. Tú mueves.

Maurian no entendía nada, pero se limitó a avanzar dos casillas su peón de dama, movimiento que copió Amélie. Posteriormente Charles puso en juego su caballo de rey y Amélie su caballo de dama. Alfil de rey contra idéntico movimiento de Amélie. Ahora Charles avanzó dos casillas su peón de caballo de dama. Estaban jugando un Gambito Evans de libro. Era una apertura peligrosa para las negras si no la dominaban, ya que podían caer en posiciones débiles en el centro del tablero. Las blancas ofrecían el sacrificio de un peón a cambio de un rápido desarrollo de sus piezas. Estaba claro que Maurian intentaba explotar su supuesta superioridad teórica sobre su amiga, al mismo tiempo que preparaba su enroque corto. Sin embargo, Amélie no parecía dudar y aceptó el gambito, tomando su peón con el alfil. Maurian avanzó una casilla amenazando el alfil de Amélie, que se limitó a protegerlo retrasándolo una casilla. Maurian respondió avanzando dos casillas su peón de rey, buscando controlar el centro del tablero, que era su estrategia y la de los libros de aperturas. Amélie tomó el peón de Maurian con el suyo. A continuación, Charles se enrocó y Amélie le respondió avanzando una casilla su peón de dama, abriendo la diagonal de su alfil. Hasta aquí, no había ocurrido nada que no estuviera escrito en los libros. Charles continuó con la línea conocida y puso en juego su dama, buscando la debilidad del peón de rey de Amélie, que lo protegió sacando también su dama.

A partir de aquí, llegó la sorpresa. A la continuación de Charles, Amélie se saltó los cánones clásicos y no respondió con el movimiento esperado. Lanzó sus piezas buscando también el dominio del centro del tablero. Charles no pudo evitar levantar la mirada hacia su amiga. Por su expresión, estaba claro que Maurian pensaba que se trataba de un error de principiante. Se giró hacia Paul, buscando una expresión similar, sin embargo, lo que vio fue la diversión reflejada en su rostro.

Al llegar al movimiento trece, Paul no pudo evitar aplaudir.

—La belleza siempre merece ser reconocida.

—¿Qué es lo que dices? —Charles estaba confundido. Aunque debía de reconocer que le estaba costando más tiempo pensar sus movimientos, desconocía a qué se refería Paul.

—Vas a perder la partida entre los movimientos veintitrés a veinticinco. No tienes nada que hacer. Has caído en su tela. Es cuestión de tiempo que la araña se cobre su pieza.

Charles no le respondió. Se concentró todavía más en la partida. No veía cómo la predicción de Paul se podía cumplir. Levantó la vista. Amélie no parecía compartir la alegría de Paul, estaba muy seria. Charles se tomaba sus buenos diez minutos para sus movimientos mientras que Amélie le respondía al toque. Esto ponía más nervioso todavía a Maurian.

—Mate en cuatro.

—¿Qué? —reaccionó Charles.

—Y ha sido complaciente contigo —comentó Paul—. Lo podía haber anunciado hace dos movimientos. Fíjate en ese aparente inofensivo alfil. Ahora, hazlo con su torre y dama. Parecen agazapadas, pero van a abrir en canal tu enroque.

A Maurian le costó apenas cinco minutos verlo. La cara de asombro que reflejaba su rostro era antológica.

—¿Cómo lo has hecho? —le preguntó un conmocionado Charles a una Amélie que seguía sin expresar ninguna alegría.

—¿Me permites que te lo explique yo? —se anticipó Paul—. Si sigues al pie de la letra los libros de aperturas y las estrategias ya conocidas, el jugador con más formación puede tener alguna ventaja. ¿Cómo compensarlo? Pues sacándolo de sus libros. Haciendo movimientos atrevidos y valientes, con una línea de juego diferente. Aquí los libros dejan de importar. A ambos lados del tablero se encuentra una mente contra otra. La superior gana, no un estúpido libro. Eso es lo que ha hecho Amélie saliéndose de los cánones en el Gambito Evans. Te ha desconcertado y se ha impuesto su superior intelecto en el medio juego. No sé si habrás notado que así intento jugar yo.

—Lo siento, Charles, no pretendía... —comenzó una tímida disculpa Amélie.

—No, no —protestó Maurian—. A pesar de la aparente sencilla explicación de Paul, aún no sé cómo lo has hecho, pero me has vencido de forma brillante.

En ese preciso momento, escucharon unos golpes y se abrió la puerta de la habitación. Entraron el duque de Brunswick acompañado de otra persona.

—¡Caramba! —exclamó—. Así me gusta, Paul, que practiques y que, poco a poco, te repongas para nuestro lance del jueves. Tengo el gusto de presentarte al conde Isouard, que será quién dispute junto a mí la partida.

—Encantado, señor conde —respondió educadamente Morphy.

Ambos se acercaron a ver el tablero en la cama de Paul.

—Veo que has vencido con las negras a tu amigo Charles. Eso es buena señal, te estás recuperando —le dijo a Morphy. Se giró y miró a Maurian.

—¿Qué te ha parecido el juego de las negras?

A Charles le pilló por sorpresa la pregunta del duque y respondió lo primero que se le pasó por la cabeza.

—Ha sido sorprendentemente brillante y contundente, Su Alteza. No he visto venir el final.

Ahora, el conde Isouard no pudo evitar dirigir la mirada hacia Amélie. A diferencia del duque, el conde conocía perfectamente su fuerza real en el ajedrez. No era su jefe, así que había jugado bastantes partidas con la muchacha y sabía de lo que era capaz. Conocía que, con su amigo el duque, se dejaba vencer para entrenarlo, pero con él no lo hacía y apenas le había conseguido arrancar dos o tres tablas. Jamás había logrado vencerla.

—Cómo mera espectadora, ¿qué te ha parecido a ti la partida? —le preguntó.

—Señor conde, yo soy una simple sirvienta con algunos conocimientos del juego. Si me lo permite, creo que las negras han planteado una táctica muy agresiva que les ha dado sus frutos en el medio juego. En un final lo hubieran tenido más complicado. Pero de eso se trata, de ganar lo más rápido posible sin dejar que el adversario reaccione.

El conde sonrió.

—No sé por qué me suena ese tipo de juego.

—Desde luego —respondió el duque—. El de nuestro amigo Paul Morphy.

—También —replicó el conde, que no había dejado de sonreír ni por un momento.

71 PARÍS, MIÉRCOLES 20 DE OCTUBRE DE 1858

—¿Me lo puedes explicar?

—Ya lo hablamos, señor. Me parece una locura la asistencia del emperador a la ópera, sin apenas protección.

—Sí, por eso, que ya lo habíamos hablado, ¿me lo puedes explicar? —insistió.

Henry Collet, director de la *Sûreté*, estaba reunido en su despacho con el prefecto de París y con Michel Lagrange, aunque era a este último al que se dirigía en un tono no muy amistoso.

«Está claro que ha hablado con Napoleón», pensó el inspector jefe de la *Sûreté*. No deseaba descubrir el tema de las cartas de Felice Orsini, pero no veía la manera de escaparse. Seguramente, el emperador ya le habría informado y el director deseaba escucharlo en boca de Lagrange. Era consciente de que su explicación iba a sonar un tanto fantástica, pero se lanzó.

Le explicó la carta que Orsini le había introducido en el bolsillo de su gabardina, camino del cadalso, y su contenido. A continuación, le narró la misiva que había recibido de manos de Paul Morphy y sus circunstancias, haciendo hincapié en que creía que era de reciente escritura.

La cara de Henry Collet reflejaba una absoluta incredulidad y, lo que era peor, un profundo enojo.

—¡Habían quedado muy claras las instrucciones del emperador! —explotó—. ¿No era así, Michel?

—Sí, señor, pero ha surgido una nueva amenaza que hace unos días, no conocíamos.

—¿De un guillotinado? ¿En serio? ¿Qué esperas? ¿Qué aparezca Orsini sin cabeza montado en un caballo lanzándose contra Napoleón?

—Señor... —intentó protestar Lagrange.

—¡Es un cuento! —le interrumpió el director—. Y no lo digo en sentido figurado, sino real. No sé si conoces «*La leyenda de Sleepy Hollow*», del escritor americano Washington Irving. En 1820 escribió un cuento de terror acerca de un jinete decapitado, que se decía que era el fantasma de un antiguo soldado. Igual que Felice Orsini. ¿No aprecias la ironía? Te han colado un burdo cuento fantástico, además copiado.

—¿Pero cómo explica ambas cartas en su conjunto? —insistió Lagrange.

—Alguien te está tomando el pelo. Una broma pesada. Todos sabemos que Orsini está muerto. Quizá no lo sepas, pero yo también estuve en la plaza de la Roquette el día de su ejecución. Vi perfectamente la cabeza de Orsini separada de su cuerpo, igual que vosotros dos.

Era la primera vez que se dirigía al prefecto Symphorien Boittelle, que no había abierto la boca en toda la conversación.

—Es cierto —dijo—. Yo también lo vi. No me cabe ninguna duda de que Orsini está muerto. El tema de la desaparición de su cadáver es otra cuestión. Sabemos que tiene seguidores por toda Europa. Cualquiera de ellos, incluso esa misteriosa dama suiza que sufragó su sepelio, pudo desenterrarlo para darle sepultura fuera de suelo francés. Seguramente, sus restos descansarán en su amada Italia. Esa es la explicación más racional.

—Estoy de acuerdo —intervino Lagrange—. Si analizamos todos los hechos de forma aislada, les podemos buscar explicación a cada uno de ellos, pero vistos en su conjunto, no puedo evitar estremecerme —intervino Lagrange.

—Pues deja de hacerlo —le respondió Collet, que más que un cometario parecía una orden—. Ya sabes cuáles son tus instrucciones, que provienen directamente del emperador. ¿Creías que le ibas a hacer cambiar de opinión? Aunque buen policía, eres un ingenuo. Ahora, quiero que ambos os dediquéis a lo vuestro. Symphor, tú ya sabes lo que tienes que hacer mañana, proteger al emperador y tú, Michel, también. Tan solo limítate a disfrutar de la ópera con tu mujer.

Lagrange y Boittelle cruzaron sus miradas. Sin decirse nada se dijeron todo. Abandonaron el despacho del director Collet.

—¡Symphor, por Dios! ¿No me digas que no te preocupa ni una pizca todo este extraño tema?

—Vamos a mi despacho de la prefectura —le respondió, sin pronunciar ni una sola palabra más.

Michel intentó entablar conversación camino de su despacho, pero no obtuvo ninguna respuesta. Le extrañó su insólito silencio, pero en apenas cinco minutos, llegaron a su destino.

—Mira —fue la primera palabra que pronunció Symphor desde la salida del despacho del director Collet. Le estaba entregando un sobre.

Lagrange lo tomó en sus manos. Nada más ver su destinatario no pudo evitar un grito ahogado. Levantó la vista y ahora vio el temor reflejado en el rostro del prefecto.

—¿Por qué no has comentado nada de esto a Henry Collet? ¡Ya es demasiado!

—¿Crees que hubiera servido de algo? El emperador ya ha tomado su decisión y nada de lo que le podamos decir va a hacer que la cambie.

Michel ni siquiera había abierto el sobre. Tan solo con el exterior del mismo ya tenía suficiente.

A la atención de Symphorien Boittelle, prefecto de París

—Por la expresión en tu rostro —dijo Michel—, supongo que ya habrás comprobado la caligrafía.

—¿No piensas abrirlo? —le preguntó Symphor, mientras asentía con la cabeza.

Lagrange lo hizo. Su contenido era aún más breve que la misiva que él mismo había recibido. La leyó en voz alta.

«La partida ya ha comenzado. Firmado, Felice Orsini».

Lagrange levantó la vista.

—¿Y sigues afirmando lo que acabas de decir en el despacho del director? Tú no eras prefecto de París cuándo fue guillotinado. Como a mí, nos nombraron un mes después de aquello. Que Orsini hubiera acertado con mi nombramiento se podría explicar por el hecho de que fui quien lo capturó, pero ¿y con el tuyo? Tu antecesor en el cargo, Pierre Marie Pietri, es amigo personal de Napoleón. Se comenta que no fue cesado, sino que dimitió, asumiendo su responsabilidad en el atentado de enero. Ahora, dime, ¿cómo podía conocer todo eso Orsini si ya estaba muerto desde hacía un mes?

Symphor se limitó a levantar los hombros, en señal de desconocimiento.

—Escucha, Michel, en lo único que me quiero concentrar es en proteger a Napoleón con veinte agentes en el exterior y diez en el interior. ¿No crees que ya tengo bastantes preocupaciones? Por supuesto que no tengo respuestas a estas misivas, por ello acepto las explicaciones del director Collet. Para mí, Orsini está muerto y esas cartas obedecen a algún tipo de maniobra de sus seguidores para atemorizarnos. Conmigo no lo van a conseguir y no me gustaría que lo hicieran tampoco contigo. Te necesito bien despierto y atento en la ópera.

Lagrange estaba observando a su compañero. Desde luego, sus ojos no decían lo mismo que su boca. Parecía aterrado, pero comprendió sus palabras. No era momento para tratar ciertos temas para los que no tenían respuesta. Pensó en continuar la conversación, pero lo descartó. Su amigo ya estaba lo suficientemente nervioso. No le pareció oportuno alterarlo más.

—Quiero que sepas que he visto tu plan, me lo ha mostrado mi inspector Hebert —dijo, al fin—. Lo he analizado y me parece magnífico, dados los medios de los que dispones. Has hecho un gran trabajo —intentó quitar algo de tensión en el ambiente, aunque era perfectamente consciente de que no lo había conseguido.

—Sí, he hecho todo lo que he podido —le contestó Symphor, que ahora mostraba cansancio en su rostro—. Total, mañana mismo saldremos de dudas.

—Ahora necesitas descansar. Las cartas ya están echadas o, mejor dicho, las piezas ya están dispuestas sobre el tablero.

—Y la partida ya ha comenzado —le respondió, repitiendo las palabras de la misiva que había recibido.

72 PARÍS, JUEVES 21 DE OCTUBRE DE 1858

—¿El prefecto también?

—Sí, idéntica caligrafía.

—Supongo que se habrá reforzado la seguridad. La primera misiva podría ser una intuición de Orsini, pero esa teoría la desmonta la carta a Boittelle. No había manera de que ese loco italiano pudiera haber imaginado que lo iban a nombrar prefecto de París.

—Supones mal. La seguridad es la misma. Symphor ni siquiera ha comunicado la existencia de esa nota. Napoleón manda y nosotros obedecemos, aunque vayamos a ciegas.

Michel Lagrange y su amigo Charles Saint-Amant iban camino del *Théâtre Impérial de l'Opéra.* Habían salido con la suficiente antelación. La hora de inicio del espectáculo estaba prevista a las ocho y media, la misma que en el día en que el emperador sufrió el atentado del pasado mes de enero.

Eran las siete de la tarde.

—¡Pero es una locura! ¿Te has fijado en la coincidencia que existe entre ambas cartas?

Michel se quedó mirando a su amigo, sin comprenderlo.

—¿Te refieres a que están escritas por la misma persona?

—¡No, hombre! —exclamó Saint-Amant—. Eso me parece tan evidente que ni lo menciono. En tu carta habla de continuar una partida de ajedrez ya empezada, pero, por lo visto, aplazada. En la misiva del prefecto habla de que ya se ha reanudado. Es decir, según ambas cartas, ahora mismo, estamos en plena partida contra Orsini, pero yo no la veo por ninguna parte.

—Ese es el centro de mis preocupaciones —le respondió Lagrange—. Es obvia esa coincidencia, por eso esta noche no he podido pegar ojo.

—¿A qué conclusiones has llegado?

—Si te las contara todas estaríamos varias horas hablando. Es imposible saber si se producirá un ataque y, en caso de suceder, cuál será el lugar y el momento. Está claro que hay dos escenarios posibles, el exterior y el interior de la ópera. En el exterior hay muchos puntos débiles, pero quizá el más desprotegido sea el momento en el que el emperador y la emperatriz desciendan de su carruaje. Deben andar unos quince metros hasta la marquesina y la entrada de la *Salle Le Peletier*. Habitualmente, la policía de la Prefectura hace un sólido cordón, de manera que nadie pueda acercarse a Napoleón, pero esta vez, con tan solo veinte hombres, no se podrá proteger ese flanco de esa manera. Además, el emperador quiere acercarse a saludar al público congregado. Si el *complot* resulta ser cierto, los asesinos tendrán múltiples oportunidades de ataque en el exterior, ya que es imposible cubrir todos los frentes. Sin embargo, si se consigue que el emperador entre en la ópera sin incidentes, la cosa cambia bastante. Aunque tan solo se disponga del prefecto, acompañado de siete agentes y dos inspectores, la seguridad puede organizarse mejor. En la puerta del palco imperial habrá dos agentes apostados, que no se moverán de allí durante toda la representación. Si la emperatriz quiere empolvarse la nariz, el inspector de apoyo en la parte superior, Chevalier, la acompañará. Si es Napoleón quien desea ir a los aseos, un agente cubrirá el interior del mismo y otro permanecerá en el exterior, apoyados por el mismo inspector. En el palco contiguo al de Napoleón habrá un inspector, que hará una doble función. Prestar ayuda a los dos agentes en caso de necesidad y, además, la más importante, vigilar, desde su privilegiada atalaya, toda la platea de la ópera. También habrá agentes camuflados entre el público y entre la propia compañía de la ópera. Symphor, desde su butaca, controlará todo el dispositivo y siempre tendrá a la vista a algún agente. Hay gestos convenidos para poder trasmitirnos información entre nosotros sin llamar la atención. Además, aunque el dispositivo de seguridad corra a cargo de la policía metropolitana, convencí al prefecto para que incorporara a su equipo a uno de mis mejores inspectores, Hebert. Me atrevería a decir que conoce los rostros de todos los enemigos de

Napoleón. Él detuvo a Pieri en el anterior atentado, incluso antes de que se iniciara la cadena de explosiones, ya que reconoció su rostro, a pesar de no haberlo visto en más de cinco años. Estará moviéndose de forma discreta por toda la ópera, intentando observar, cara por cara, a todos los asistentes.

—Veo que lo tienes bastante claro —le respondió Charles—, pero hay una cosa que no me cuadra. Si pretenden asesinar al emperador, ¿por qué avisan de esta manera tan llamativa? No lo comprendo. Tengo entendido que, en la anterior ocasión, no lo hicieron y casi logran su objetivo, en gran medida por el factor sorpresa. Nadie esperaba un atentado tan bien coordinado en un lugar tan vigilado. ¿Por qué renuncian esta vez a ese factor sorpresa que les dio tanta ventaja?

—Es una buena pregunta y tan solo tiene dos posibles respuestas, a cual más preocupante. La primera de ellas es que no hayan renunciado al factor sorpresa. Me parece obvio que no intentarán repetir el mismo *modus operandi* de las bombas. Supondrán que, ahora, estamos preparados para esa contingencia. En consecuencia, las misivas de Orsini pueden conducirnos hacia una dirección equivocada. La segunda posible respuesta es que, en esta ocasión, no necesiten el factor sorpresa. Orsini dijo que disputaría tres partidas de ajedrez contra el emperador y que había perdido las dos primeras. Quizá esta tercera sea diferente. Eso es lo que me quita el sueño.

—Las dos opciones conducen al mismo escenario —apuntó Charles—. Es un plan que ya está en ejecución y del que no conocemos ni un solo detalle. Fascinante y al mismo tiempo inquietante. Como un buen problema de ajedrez.

En ese momento giraron por la *rue Le Peletier*. Faltaba poco más de cuarenta y cinco minutos para el inicio de la ópera y ya estaba abarrotada de gente. La expectación era incluso superior a la que había previsto Lagrange. Saint-Amant pudo ver como el rostro de su amigo se trasmutaba. Hasta ahora, el inspector tan solo reflejaba el cansancio y algo de preocupación en sus ojos, pero había cambiado su semblante. Era un puro manojo de nervios. Charles intentó calmarle.

—Escucha, Michel, en todo este tema hay cuestiones que siguen sin encajarme. Según tu experta opinión, el atentado tiene muchas más posibilidades de producirse en el exterior por la imposibilidad de controlar a todo el público congregado.

Pero, para eso, hace falta el factor sorpresa. Los presuntos asesinos desconocen si hay veinte o doscientos agentes vigilando. Supongo que esa información es confidencial.

—Ya lo había pensado. En caso de existir, insisto en que el plan no será como el anterior. Ya te lo había dicho. eso es lo que me pone nervioso, no saber a qué nos enfrentamos. Estando Orsini de por medio, vivo o muerto, está claro que habrá alguna maniobra de distracción previa al atentado. Debemos estar atentos a todo lo que se salga fuera de lo normal.

Mientras hablaban, ya se encontraban caminando entre la multitud, y eso que aún estaban a más de doscientos metros de la entrada de la ópera. Ni Michel ni Charles recordaban haber visto jamás semejante expectación.

Ambos intentaban abrirse paso, al mismo tiempo que saludaban a muchos conocidos. Estaba claro que medio París se había congregado esta tarde para vitorear al emperador. Y quizá algunos pocos para otra cosa.

—No me contestes si no quieres —comenzó Saint-Amant—. Tú no frecuentas la ópera. ¿Es casualidad que el día en que Napoleón y su esposa reaparezcan, tú estés aquí?

Michel se quedó mirando a su amigo con una sonrisa traviesa.

—No, no lo es. El prefecto me consiguió dos entradas para la ópera, pero no podía acudir solo. Napoleón me conoce y había insistido mucho en el número exacto de agentes para su vigilancia. Así que a Symphor se le ocurrió invitarme, junto con mi mujer, en teoría, de público asistente. El resto ya lo conoces.

—Entonces hay un agente de más.

—En realidad, hay dos. El inspector que se situará en el palco adjunto a Napoleón pertenece a *Scotland Yard*. Después del atentado de enero y que se descubriera que se fraguó en Birmingham, las relaciones entre nuestro país y Gran Bretaña se resintieron. Para intentar cerrar las heridas, un inspector de la Prefectura de París está en Londres y un *chief inspector* de su policía metropolitana se encuentra con nosotros. Symphor ha decidido utilizarlo, ya que no es un agente francés y no incumple las instrucciones expresas del emperador, que, además, no lo conoce.

—¡Caramba con el prefecto! Obedece a Napoleón, pero aprovecha todas sus opciones. Entonces no seréis diez, sino doce en el interior de la ópera.

—Si el eventual atentado no se produjera en el exterior, así sería, pero vayamos por partes. Primero hay que vigilar la llegada de la comitiva imperial y qué no ocurra nada inusual.

—¿Y cómo lo piensas hacer? Esto está a rebosar.

—Está previsto en el plan del prefecto. Si te fijas, ha instalado dos estructuras que simulan pequeños árboles de adorno. ¿No los ves? —le preguntó, mientras señalada hacia la entrada de la ópera.

Charles asintió con la cabeza.

—Pues su función, obviamente, no es adornar. En realidad, son dos pequeñas plataformas que permiten, en su parte trasera, ocultar a agentes con una visión privilegiada de toda la *rue Le Peletier*. Nosotros nos situaremos en la más próxima al teatro. Symphor me guarda dos sitios.

—Veo que el prefecto ha hecho sus deberes.

—Él, desde luego. Nuestro emperador es el verdadero problema. Se ha negado a informarnos con exactitud de sus movimientos cuando descienda del carruaje imperial. No conocemos qué va a hacer. Sabemos que quiere aproximarse al público, pero no dónde lo hará ni por cuánto tiempo. Como no podemos cubrir todos los frentes, siempre se quedará algún flanco al descubierto. Debemos estar muy coordinados y esperar lo inesperado.

—Como en una partida de ajedrez —comentó Saint-Amant—. Si te ciegas en una línea de juego, puedes descuidar uno de tus flancos y tu adversario lo puede aprovechar.

—Más o menos —admitió Michel—. El problema es que no vemos el tablero de juego ni las piezas.

—¡Cómo Morphy en sus simultáneas a ciegas! —exclamó Charles—. A pesar de ello, eso no le impide ganarlas en su gran mayoría.

—Sí, pero ni Symphor ni yo mismo somos Paul Morphy.

—Ni tampoco lo es o lo era Felice Orsini. Por cierto, ¿sabes si ese chalado italiano jugaba al ajedrez?

—Sí, parece que era un jugador decente. Aprendió de joven durante su corta estancia en las milicias suizas y luego siguió practicando. Era un soldado y veía las similitudes entre las estrategias del juego y las escaramuzas militares. Era muy respetado y alcanzó gran prestigio.

—Pues jamás había escuchado su nombre hasta el intento de asesinato de Napoleón.

—El prestigio lo ganó por sus estrategias... aplicadas al campo de batalla y a los atentados. Con relación al ajedrez no tengo ni idea del nivel que poseía. Un miembro de múltiples organizaciones subversivas, supongo que no lo tendría nada sencillo para inscribirse en torneos de ajedrez ni frecuentar clubes.

—No, no lo creo —le respondió Saint-Amant, al mismo tiempo que tiraba de la gabardina al inspector—. ¡Mira!

Michel se giró. Al fondo de la *rue Le Pelletier* vieron aparecer a los primeros lanceros, la guardia personal del emperador, con sus imponentes caballos adornados. Eso era indicativo de que la comitiva imperial estaba a punto de entrar en la calle. Lagrange se giró hacia el otro puesto elevado y levantó sus manos. Los agentes apostados le respondieron.

—Todos atentos —dijo—. En apenas diez minutos comenzará la acción.

En efecto, tras los lanceros apareció el primer carruaje imperial.

—Ya tenemos a Napoleón y la emperatriz en el tablero. El rey y la dama negra.

—No —le corrigió Michel—. En el primer carruaje viaja el *Grand Chamberlain*. No parará en la misma entrada de la ópera, sino un poco más adelante, para dejar espacio al segundo carruaje, que es el importante. En él viajan el emperador, la emperatriz y su ayuda de cámara, el general Roguet. Se detendrán justo delante de la entrada a la ópera.

Efectivamente, la comitiva seguía a paso lento por la rue *Le Peletier*. A Lagrange se le hicieron eternos esos casi doscientos metros. Le dio la impresión de que, en esta ocasión, los lanceros iban más despacio. «No me extrañaría», pensó, «viniendo de Napoleón».

Todos los agentes estaban en sus posiciones y en guardia, aunque se les notaba la tremenda tensión en sus rostros.

Tal y como había comentado Lagrange, el primer carruaje del *Grand Chamberlain* sobrepasó ligeramente la puerta de entrada y el carruaje imperial se detuvo en su lugar previsto.

Ahora llegaba el momento de la verdad.

Michel Lagrange ya no podía disimular su angustia. Si tenía que producirse algún tipo de anomalía, era ahora el momento más propicio.

La puerta del segundo carruaje se abrió y la escalera se dispuso para que descendieran sus ocupantes.

En ese momento, estalló la locura.

Lagrange apartó de un manotazo a Saint-Amant e hizo un gesto a los agentes, cruzando sus manos en forma de aspa, que procedieron a replicar la señal a todo el dispositivo de seguridad.

—¿Qué significa todo esto? —Charles estaba confuso.

—¡Emergencia total! —exclamó un Lagrange fuera de sí—-¿No preguntabas por la maniobra de distracción? ¡Pues ahí la tienes! —le gritó, mientras salía a toda prisa de su posición elevada.

—Pero esto no puede ser una…

—¡No te muevas de aquí! —le interrumpió su amigo mientras desaparecía corriendo entre la muchedumbre—. Ahora mismo, este es el lugar más seguro de toda la *rue Le Peletier*.

73 PARÍS, JUEVES 21 DE OCTUBRE DE 1858

—¿Napoleón? ¿El emperador?

—¿Conoces a algún otro Napoleón?

—¿Y juega al ajedrez?

—Ocasionalmente. Por supuesto, yo jamás lo he visto hacerlo, pero mi señor me lo ha contado. Ha disputado alguna partida contra él y es aficionado.

—¡Pero eso no estaba en los planes previstos!

—Tranquilo. Napoleón no jugará contra ti. En el teatro, el palco privado del emperador y el del duque son contiguos. Se ha enterado de que ibas a jugar una partida en la ópera el mismo día de su reaparición y se ha interesado. Es algo normal.

—¿Normal? Yo no lo veo así.

—Ahora mismo, en los ambientes ajedrecísticos de la ciudad ya se comenta más tu partida contra el duque de Brunswick y el conde de Isouard que la reaparición pública de Napoleón. Entre los asistentes seguro que habrá gente con anteojos, pero no para observar más de cerca la ópera, sino para seguir tu partida.

—¿Pero no iba a ser privada? Así me lo dijo el propio duque.

—Y lo será. La disputarás en su palco. Aparte de vosotros tres, yo seré la única persona que estará allí. La diferencia es que tendré que informar al emperador del desarrollo de la partida. Parece que se llevará un pequeño tablero de ajedrez y la reproducirá desde su propio palco. Tú no tendrás ningún contacto con él, más que la oportuna presentación, antes de iniciarse la ópera.

—¿Tú conoces al emperador? ¿Cómo es?

—No he hablado con él en mi vida. Esta será la primera vez que lo haga. Te aseguro que estoy más nerviosa que tú. Todo ha sido acordado entre el duque y Napoleón. Yo me limito a cumplir órdenes. En cuanto a tu pregunta, según he escuchado comentar al conde Isouard, ya que el duque es muy discreto en esa materia, Napoleón es un pésimo jugador, aunque le pone mucho interés y disfruta con buenas partidas. No olvides que le encanta la estrategia.

Allí estaban, en el interior de la habitación, Paul y Amélie conversando y trasmitiéndose mutuamente sus nervios. Apenas faltaban dos horas para tan magno evento. Ya se encontraban vestidos con sus ropajes de lujo, pero con la mente hecha un lío.

—Jamás me ha intimidado ningún ajedrecista y todavía menos el lugar o el ambiente, pero te confieso que esta vez lo estoy un poquito. Creo que estoy recuperado de mis excesos nocturnos, pero no sé si lo está mi nivel de ajedrez.

—¡Paul! ¡No te reconozco! —exclamó Amélie, luciendo una amplia sonrisa. Estaba claro que intentaba quitar tensión al ambiente—. Has jugado partidas borracho, con resaca y sin dormir la noche anterior, enfermo con fiebres y, a pesar de todo ello, jamás has mostrado el menor titubeo. No solo eso, sino que algunas de tus mejores partidas las has disputado en esas condiciones. ¿Ahora te atemoriza jugar con unos nobles aficionados porque en el palco contiguo estará Napoleón? ¡Venga ya!

—No es eso. No es el ajedrez, ya sabes que ahí me siento cómodo. Son las circunstancias.

—¡Manda a paseo esas circunstancias! Concéntrate en lo que vas a vivir, música y ajedrez, desde un palco privilegiado en el *Théâtre Impérial de l'Opéra* de París. Eso no se ha visto jamás y tú vas a ser el protagonista. ¡Disfruta de esta única oportunidad! ¡Será irrepetible!

—Sí, desde luego —le respondió Paul, que seguía pensativo.

En ese momento oyeron golpear la puerta. Morphy esperaba a sus dos oponentes para el traslado en carruaje hasta la ópera, pero se equivocó. En su lugar, entró su amigo Charles Maurian.

—¿Qué haces aquí y ahora? —dijo Paul, dándole un abrazo—. No te esperábamos.

—Ni yo. El duque me ha invitado a ser testigo de la partida.

—¡Estupendo! Me alegro mucho.

—Y no solo eso, sino que me ha dado permiso para publicarla en el *Sunday Delta* de Nueva Orleans. También le mandaré una reseña a Daniel Fiske en Nueva York, que la difundirá para toda América en la portada del *Chess Monthly*. ¡No te lo vas a creer! ¡Hasta el propio Staunton ha pedido permiso para publicarla en el *Illustrated London News*! La partida se ha convertido en noticia mundial.

—No tenía ni idea de que este enfrentamiento tuviera el más mínimo interés —afirmó Paul, que seguía pareciendo confundido—. ¡Pero si acabo de jugar contra maestros como Harrwitz y ni siquiera se han publicado todas las partidas!

—Sí, pero han sido en el *Café de la Régence*, no en el palco privado del duque de Brunswick en el *Théâtre Impérial de l'Opéra* de París, con Napoleón como testigo —le replicó Maurian—. Existe una pequeña diferencia.

—Hablando del duque, ¿no debería estar aquí con su amigo el conde para trasladarnos al teatro? Queda menos de dos horas y supongo que habrá multitud de gente.

—Eso venía a deciros. Ellos ya han partido hacia el teatro. Por seguridad, lo vamos a hacer por separado.

—¿Por seguridad? —repitió, no sin cierto asombro, Paul—. ¿Qué importa nuestra seguridad?

—Importa. ¿No recuerdas lo que ocurrió la última vez que Napoleón asistió a la ópera? Supongo que la Prefectura estará tomando alguna medida de precaución también con nosotros.

Amélie estaba confundida. No tenía ninguna noticia de lo que les estaba contando Charles Maurian. Su señor no le había informado de nada de todo aquello, y eso que habían estado hablando hace menos de una hora.

—¿Y cómo nos trasladaremos al teatro, si el duque y el conde ya han partido sin nosotros?

—Se me ha comunicado que nos recogerá un carruaje en quince minutos. Iremos los tres juntos —les contó.

—¿Pero hay alguna amenaza de atentado? —Paul vivía alejado de la vida social. Tan solo se interesaba por el ajedrez y no prestaba atención a las noticias.

—No, al menos que yo sepa. Pero chalados como el difunto Felice Orsini, el autor del atentado de la ópera de enero pasado, los hay a cientos por toda Europa —le respondió Charles—. Además, Napoleón ha sufrido más de un intento de asesinato, no son tan extrañas las medidas de seguridad.

—Anda, bajemos a las caballerizas. Igual ya ha llegado el medio de trasporte y nosotros estamos aquí, perdiendo el tiempo con elucubraciones sobre supuestos atentados —puso orden Amélie.

Los tres descendieron desde la habitación de Paul hasta la planta baja del palacio. No había ninguna actividad en las caballerizas. Parecía que aún no había llegado su carruaje.

Al menos, eso creyeron en un principio.

Pero estaban equivocados.

74 PARÍS, JUEVES 21 DE OCTUBRE DE 1858

—¡Esto es lo mejor que me ha ocurrido en toda mi vida!

—Pues yo no lo tengo tan claro —Paul le rebatió a su amigo Charles Maurian—. Se trata de una simple partida de ajedrez con unos aficionados, aunque sean dos importantes nobles. No le veo el interés. Ya os he dicho que desde que llegué a París he jugado más de cien como esta de hoy, pero esta situación me parece algo fuera de lugar.

—Opino lo mismo que Paul —comentó Amélie, preocupada—. Yo estoy más acostumbrada que vosotros dos a este tipo de situaciones. Jamás había visto nada igual porque probablemente jamás haya sucedido... hasta hoy. Tiene que existir alguna explicación que se nos escapa.

—Así es —Paul también la respaldó—. Demasiado secretismo. No tengo buenas vibraciones.

De repente, su carruaje se detuvo. La puerta se abrió y unos sirvientes desplegaron la escalera.

Pudieron oír el rugido de las masas. Era verdaderamente atronador. Por un momento, se quedaron inmóviles en el interior del carruaje. Estaba claro que la situación les sobrepasaba. El primero que debía descender era Paul, ya que se encontraba al lado de la puerta.

—¿Qué esperas? —reaccionó Maurian—. ¿A que dejen de aplaudir? Eso no se va a producir, irá a más.

Finalmente, Paul, Charles y Amélie descendieron del carruaje imperial. A pesar de la inicial confusión entre el público, los vítores no cesaron.

—¿Todo esto es por nosotros? —Paul se mostraba sorprendido.

Amélie levantó la cabeza y pudo ver como el emperador y la emperatriz habían descendido del carruaje que, en teoría, debía de haber trasportado al *Grand Chamberlain*. Estaba detenido unos metros delante de ellos.

—¡Idiota! La gente, obviamente, aplaude al emperador, no a nosotros, que no sabrá ni quiénes somos —contestó Amélie.

—¿Y qué se supone que debemos hacer?

—Pues entrar en el teatro cuanto antes —afirmó con rotundidad Amélie, mientras agarraba del brazo a sus dos amigos y los arrastraba por la alfombra, en dirección a la marquesina de la *Salle Le Peletier*.

Recorrieron los quince escasos metros en apenas unos segundos. Nada más entrar en el teatro, se encontraron con el duque y el conde. Los estaban esperando.

—¿No me negaréis que ha sido toda una sorpresa? —se anticipó el duque de Brunswick—. Antes de que me preguntéis, la idea no ha sido mía. Como comprenderéis, no tengo ese poder. Fue el propio Napoleón el que lo dispuso de esta manera. Es la primera vez que lo hace. Nadie ha viajado en solitario en su carruaje imperial y menos en un día así de señalado. Ha sido todo un honor que os ha deparado.

—¿Y por qué lo ha hecho? —intervino Paul, extrañado.

—Supongo que tendrá sus motivos, pero no me ha hecho partícipe de ellos.

Y tanto que los tenía.

En ese mismo instante, para regocijo del emperador y el ataque de nervios de todos los agentes de la Prefectura, Napoleón y la emperatriz se encontraban rodeados de gente, que les daba la mano y les pretendía hasta abrazar.

Aquella visión aterró a Lagrange.

—¿Sabías algo de todo esto? —le preguntó Michel, casi sin resuello, cuando alcanzó la posición de Symphor, que parecía desesperado.

—Absolutamente nada. Conoces el plan igual que yo y allí no tenemos apostado a ningún agente. Con toda esta marabunta, es imposible que lo alcancemos a tiempo de poder protegerlo. En estos momentos, mi plan exterior ya no sirve para nada.

—Quizá el tuyo no —le respondió—, pero, desde luego, el suyo sí.

—¡Qué tonterías dices!

—Levanta la cabeza y observa.

Ambos se detuvieron. Además de que les resultara prácticamente imposible avanzar, lo que vieron los dejó como estatuas de piedra.

Los caballeros lanceros del emperador habían logrado, con la ayuda de sus caballos, abrir un pequeño pasillo entre la multitud. El emperador y la emperatriz anduvieron entre ellos, mientras saludaban a todos los que podían. Desde luego era lo que Napoleón deseaba, un auténtico e inesperado baño de masas.

—Parece que lo tenía todo previsto —observó Lagrange, que se permitió una pequeña sonrisa en medio de un océano de inquietudes—. Napoleón ha conseguido lo que quería, mezclarse entre los ciudadanos con cierta seguridad. Parece que, en este caso, los lanceros lo protegen.

—¡Pero esa era nuestra labor! —protestó el prefecto, que seguía estando muy nervioso.

—Era el trabajo que el emperador te había encargado, pero, por lo que estamos viendo, no era tu labor. ¿No te das cuenta? Napoleón no solo ha logrado burlar tu dispositivo de seguridad. Si había algún atentado preparado en el exterior de la ópera, del mismo modo, lo habrá desbaratado. Nadie se podía esperar lo que ha ocurrido. Si no lo hemos hecho nosotros, si había hombres de Orsini camuflados entre el público, se habrán quedado igual de sorprendidos que nosotros.

Mientras ambos hablaban, y confirmando las palabras de Lagrange, el emperador y la emperatriz alcanzaron la puerta del teatro, sin ningún incidente ni, por supuesto, intento de atentado contra su vida.

Symphor y Michel reaccionaron y echaron a correr hacia el interior de la *Salle Le Peletier*. A pesar de su sorpresa, el emperador había logrado su objetivo, pero aún quedaba su protección en el interior, durante todo el desarrollo de la ópera. Cuando consiguieron alcanzar la entrada, tan solo vieron en la puerta al duque de Brunswick, al conde de Isouard, a Paul Morphy, a Charles Maurian y a la doncella del servicio del duque. El público aún no había sido autorizado a entrar.

—¿Dónde están los emperadores? —les preguntó alarmado el prefecto.

—Se han subido a su palco, acompañados por dos agentes y un inspector —les contestó el duque— Yo mismo los he recibido en la entrada.

Lagrange se tranquilizó un tanto. Ese era el principio del plan de protección en el interior. Parecía que, a pesar del revuelo causado en el exterior, todo marchaba bien. Sin embargo, Symphor ni siquiera se esperó a escuchar la respuesta del duque. Subió escaleras arriba a toda velocidad. Tal y como les había dicho, dos agentes de la Prefectura se encontraban apostados en la puerta del palco imperial. El inspector Chevalier estaba con ellos.

—¿Quién está dentro? —les preguntó.

—El emperador, la emperatriz y su general ayuda de cámara, señor —le respondió uno de ellos—. El inspector de *Scotland Yard* ha entrado en el palco de la derecha, tal y como estaba previsto.

—Señor, todos los agentes están situados —le confirmó el inspector Hubert—. Ya estamos preparados para abrir las puertas y permitir la entrada del público.

Tan solo en ese momento, Symphor pareció tranquilizarse un poco. Parecía que lo más complicado del plan de seguridad ya había pasado, aunque no hubiese sido mérito de él.

Al momento, subió Lagrange.

—Por lo menos, en el interior de la ópera no ha habido sorpresas —le confirmó el prefecto—. Napoleón se encuentra en su palco y todos los agentes están en sus posiciones. Tan solo faltamos nosotros en la platea.

—Permíteme que vaya a por mi acompañante a quien, con todo el jaleo que se ha montado en el exterior, he dejado en una de las plataformas de seguridad y supongo que allí seguirá.

—Por supuesto. Además, Pascale estará asustada por el revuelo causado.

—Mi acompañante no es mi esposa. Ha habido un cambio de última hora. No ha querido asistir, así que he invitado a Saint-Amant. Espero que no te importe.

—¿Charles Saint-Amant? ¿Nuestro campeón de ajedrez? —preguntó sorprendido el prefecto.

—Sí, el mismo. Es muy amigo mío y también del duque —le respondió.

—¿No le habrás hecho partícipe de mi plan?

—Tan solo a medias. Sabe que somos doce agentes en el interior del teatro, pero poco más. No sabe los detalles concretos. En realidad, te podrás imaginar que no acude ni por la ópera ni por Napoleón. El duque ha invitado a seguir su partida con Morphy. Ese es su verdadero interés, el ajedrez. Además, ya sabes que es una persona de total confianza.

—Yo también lo conozco —le respondió Symphor, aunque con un entusiasmo mucho menor.

Michel abandonó la puerta del palco imperial y se marchó a recoger a su amigo. A los escasos diez minutos ya se encontraban Lagrange y Saint-Amant en sus butacas. El prefecto acudió a saludar a Charles. Saint-Amant le contó que seguiría la partida de ajedrez a través de sus anteojos, aunque tenía permiso para acceder al palco del duque cuando quisiera.

—A mí también me ha invitado —comentó Lagrange—, pero tan solo durante el descanso de la ópera.

—Pues a mí me ha ignorado —se quejó Symphor—, pero un palco de la ópera de París es territorio francés, no como su residencia, así que no necesito permisos para entrar. Tan solo mostrar educación.

—Me parece que tienes otro trabajo más importante que seguir una simple partida de ajedrez, aunque sea de Morphy —le respondió Michel, intentando sin éxito borrar esa expresión de tensión en el rostro del prefecto.

—¿Creéis que la amenaza del difunto Orsini va en serio? —les preguntó Saint-Amant.

—Eso no lo podemos saber —le contestó Symphor—. Lo único que podemos hacer es proteger al emperador lo mejor que podamos.

—Os dejaré trabajar; ya supondréis que yo he venido por otra cuestión, por el ajedrez.

—También tiene que ver con la amenaza —ahora hablaba Lagrange—. Recuerda las tres partidas simultáneas, dos derrotas y la tercera en juego.

—La tercera partida comenzada no la veo por ningún sitio. El emperador y la emperatriz están seguros en su palco. En el exterior no ha ocurrido nada. Sin embargo, hay una cosa muy extraña en todo esto. ¿No os habéis planteado de qué tres partidas está supuestamente hablando Felice Orsini? —dijo Saint-Amant.

—¿Qué? —preguntó sorprendido Lagrange. No comprendía la pregunta de su amigo.

—La primera la perdió en enero, en el ataque con bombas. La tercera, aunque no la veamos, se supone que la está disputando ahora mismo, pero ¿y la segunda? ¿Cuándo se ha jugado? ¿Ha existido algún otro atentado contra Napoleón que se haya ocultado a la opinión pública?

—No —contestó Symphor—. Desde enero no ha habido ningún incidente con el emperador. Ni el más mínimo.

—Ya lo hemos hablado —intervino Lagrange—. Las dos primeras partidas hacen referencia a los ataques simultáneos coordinados por dos equipos diferentes. Las bombas las lanzaron a la comitiva imperial desde dos emplazamientos distintos, en la *rue Le Peletier*. El propio Orsini reconoció, en la carta que me dejó en mi gabardina antes de su ejecución, que había perdido dos partidas. Aquello ocurrió en marzo y ahora estamos en octubre.

—Eso no son dos partidas. Es un ataque por dos flancos diferentes en la misma partida. Está claro que algo se os escapa.

Symphor y Michel se quedaron mirando a Charles, sin terminar de comprenderlo.

—Te aseguro que no hubo ni ha habido otro intento de asesinato del emperador desde enero —respondió Symphor, con la voz muy firme—, y no será por la falta de oportunidades, con sus sorpresivos paseos a caballo por París. Pues ni así. Nada de nada.

Lagrange no secundó la rotunda afirmación del prefecto. Este se giró, extrañado porque no confirmara sus palabras.

—Michel, ¿hay algo que me ocultas? —le preguntó Symphor, preocupado—. Como comprenderás, ahora no es el momento más adecuado para hacerlo.

—No, no te oculto nada, sin embargo, la pregunta de nuestro amigo Charles me acaba de traer un inquietante pensamiento.

Sus dos compañeros se quedaron mirándolo, esperando que compartiera ese inquietante pensamiento.

—Es algo que lleva rondándome la cabeza mucho tiempo, pero como nada ha ocurrido, supongo que enterré esa idea en mi mente. ¿No os llamó la atención la actitud del italiano Giuseppe Pieri en el atentado de enero?

—¿Qué es lo que tiene de extraño? Fue detenido por tu inspector Hebert, que hoy nos acompaña en el dispositivo de vigilancia, antes de que se iniciaran las explosiones y pudiera arrojar sus bombas —se explicó Symphor.

—Sí, eso fue lo que ocurrió. A pesar de ello, ¿no os resulta llamativo?

—Yo no sé nada de todo eso —respondió Charles—. Supongo que tus preguntas irán dirigidas al prefecto.

—¿Qué es lo que me tiene que llamar la atención? —respondió con una pregunta.

—Pensad un poco. Un terrorista violento, con múltiples crímenes a sus espaldas, bien conocido en Francia, portando dos potentes bombas, se sitúa alejado de la comitiva imperial. Entonces ¿para qué diablos quería esas dos bombas si no era para arrojarlas al carruaje de Napoleón, como hicieron sus compañeros? ¿Y por qué estaba tan cerca de la puerta del teatro?

—¿No estarás insinuando que...? —empezó a preguntar Saint-Amant.

—Sí —casi gritó Lagrange—. Pieri no tenía ninguna intención de arrojar esas bombas al carruaje, de ahí su extraña posición en la calle. ¡Él era el que iba a disputar la segunda partida simultánea!

Saint-Amant, de la impresión que le causó el razonamiento de Michel, tuvo que sentarse en su butaca.

—¿Me queréis explicar de qué va todo esto? —pregunto Symphor.

—Que la verdadera partida de ajedrez no fue la que vimos en el exterior de la ópera —se explicó Lagrange—. Giuseppe Pieri iba a arrojar sus bombas en el interior del teatro. Ese era el verdadero atentado. La segunda simultánea perdida a la que hacía referencia Orsini. Que el inspector Hubert reconociera a Pieri entre la multitud fue una auténtica casualidad. Con el gentío que se acumuló aquel día, lo más normal es que no lo hubiese visto, como no lo hizo con Orsini ni con ningún otro miembro de su banda, y eso que los conocía.

—Entonces, ¿la tercera partida definitiva también se puede estar jugando en el interior de la ópera? —ahora Symphor parecía asustado.

—Eso es exactamente lo que insinúa Michel y lo que se supone que está ocurriendo. Aunque aún no la veamos, recordad que la partida ya comenzó —intervino Saint-Amant, que parecía incapaz de levantarse de su butaca.

—¡Dios mío! —exclamó el prefecto, mientras dejaba a sus dos amigos y volvía a su posición a toda prisa.

Parecía que las cosas habían cambiado.

Y tanto.

75 PARÍS, JUEVES 21 DE OCTUBRE DE 1858

—¡Es espectacular! Mucho más impresionante de lo que me esperaba. No tiene nada que ver con la ópera de Nueva Orleans.

—¡Esto es París, muchacho! —le contestó el duque a un conmovido Morphy.

Amélie ya había asistido a otras representaciones en el palco del duque, no así Charles Maurian, que también estaba con la boca abierta.

—Es grandiosa —acertó a decir.

—Además, vamos a asistir a una ópera de Rossini —intervino el conde Isouard—. Uno de los grandes.

—¿Me permitirían un atrevimiento? —preguntó Paul.

—Adelante —le respondió el duque.

—Como usted me dijo, la música y el ajedrez son mis dos pasiones en esta vida. Me gustaría disfrutar de ambas. Cuando juego al ajedrez no suelo prestar demasiada atención a lo que sucede a mi alrededor, así que, si me lo permite, me complacería escuchar el primer acto de la ópera y comenzar la partida de ajedrez cuando concluya, en el descanso. Entonces, sí que sería una velada inolvidable.

—¡Pues claro! —le respondió un risueño duque—. Yo también disfruto mucho de la ópera. No hay ningún problema.

—Además, se trata de *El barbero de Sevilla*, una gran ópera bufa. ¿Sabe que fue una de las primeras óperas italianas que se estrenó en los Estados Unidos, en concreto en 1825? Fue todo un acontecimiento en el *Park Theater* de Nueva York. Yo ni siquiera había nacido, pero mi madre me lo contó. Dice que fue un grandioso espectáculo.

El duque volvió a sonreír.

—Lo que dudo que sepas es que su estreno fue un estrepitoso fracaso —continuó el duque—. Se produjo en el *Teatro Argentina* de Roma, en el año 1816. Por lo que cuentan, el público abucheó a los actores, que incluso tuvieron varios accidentes en la escena. Hasta un gato, en medio de la representación, saltó al escenario, para la hilaridad de la audiencia y la vergüenza de los cantantes. Ya conocerás que los gatos negros son símbolos de mala suerte. Hasta se dice que el propio Gioachino Rossini tuvo que abandonar el teatro de forma algo precipitada ante la airada reacción de los asistentes.

—No lo sabía, pero no lo entiendo. Su obertura ya presagia lo que vamos a escuchar a continuación. Es deliciosa, aunque mi pieza preferida sea el aria *Largo al factotum*. Como ya sabrá, es interpretada en la escena tercera del acto primero. Por eso me gustaría disfrutarla. Dudo que jamás en mi vida lo vuelva a hacer desde este privilegiado lugar.

—No te preocupes. En el descanso empezamos la partida. Cada acto viene a durar una hora. Creo que tendremos tiempo suficiente —concluyó el duque.

Paul se giró. En la primera fila del palco se encontraban sentados los dos nobles y él mismo. Detrás lo hacían Amélie y

Charles Maurian, que tenía la mirada perdida. Estaba claro que estaba tan impresionado como Paul.

Donde también estaban impresionados, aunque por motivos diferentes, era en la platea, en concreto en la butaca del prefecto de París. Symphor tenía a su alrededor a los dos inspectores franceses y ya había establecido comunicación con el tercero, el *chief inspector* de *Scotland Yard*, Charles Camille, que estaba al tanto de todo. Al conocer que el supuesto atentado podría suceder en el interior del teatro, el nerviosismo de todos subió un grado, pero la realidad es que no se apreciaba ninguna amenaza. Hebert se había apostado en la puerta de la ópera en el momento de abrirse al público y no había reconocido a ningún sospechoso. Todo parecía tranquilo y eso les intranquilizaba.

La función estaba a punto de comenzar, así que el prefecto tomó asiento en su butaca y los inspectores se marcharon a sus lugares designados.

Empezó el acto primero, que, en sus diferentes escenas, trascurre en la plaza de enfrente de la casa del doctor Bartolo para concluir en el interior de la misma.

Symphor no perdía el contacto visual con el inspector inglés, que, cada vez que sus miradas se cruzaban, le hacía el gesto convenido de normalidad. También estaba en contacto con el inspector Hebert, que se movía discretamente por toda la platea. Nada fuera de lo normal estaba sucediendo.

—¡Qué extraño! —exclamó Saint-Amant al oído de Lagrange.

—¿Por qué dices eso?

—La partida de ajedrez entre los nobles y Morphy no se está celebrando. Están siguiendo el desarrollo de la ópera como unos espectadores más. ¿No buscabas alguna anormalidad? Ahí tienes una.

—Que la partida la comiencen antes o después no afecta en nada a la seguridad del emperador —le respondió—. No voy a molestar a Symphor por eso. Cuando acabe el primer acto, tanto tú como yo subiremos al palco del duque. Seguro que Morphy está disfrutando de la música.

—Eso parece —Saint-Amant no parecía muy complacido.

«Me parece estar con la cabeza
metida en una horrible herrería,
donde crece y nunca descansa

de los sonoros yunques
el estrépito molesto.
Alternando uno y otro
pesadísimo martillo,
forman una bárbara armonía
que hace retumbar muros y techos.
Y el cerebro, pobrecillo,
ya aturdido, atontado,
no razona, se confunde
¡y queda reducido a enloquecer!
Me parece estar con la cabeza
metida en una horrible herrería,
donde crece y nunca descansa
de los sonoros yunques
el estrépito molesto.
Alternando uno y otro
pesadísimo martillo,
forman una bárbara armonía
que hace retumbar muros y techos.
Y el cerebro, pobrecillo,
ya aturdido, atontado,
no razona, se confunde
¡y queda reducido a enloquecer»

Con este canto de todos los personajes de la ópera, don Bartolo, el conde de Almaviva, Rosina, Fígaro, don Basilio, Berta, Fiorello y el resto del elenco, se dio por concluido el primer acto de la ópera. Se produjo una gran ovación del público.

Nada parecía haber sucedido más allá del primer acto de *El barbero de Sevilla*. Symphor seguía muy nervioso, pero nada hacía presagiar peligro alguno. Hebert seguía en su posición y el inspector inglés le había informado con gestos de que los dos agentes que debían proteger la entrada al palco del emperador continuaban en su posición, apoyados por el inspector Chevalier, que vigilaba la parte superior del teatro. El agente que estaba camuflado entre la compañía de la ópera se hizo visible y también le hizo el gesto de normalidad.

Symphor se levantó y se dirigió hacia las butacas de Michel Lagrange y Charles Saint-Amant.

Las encontró vacías.

Recordó que ambos estaban invitados al palco del duque de Brunswick, así que pensó en hablar con ellos cuando volvieran a la platea.

Aunque la representación no había concluido, por la absoluta tranquilidad y normalidad que se respiraba en el ambiente, Symphor, por primera vez, consideró seriamente la posibilidad de que todo hubiera sido una broma pesada y que no existiera amenaza alguna contra el emperador. A pesar de ello, no terminaba de tranquilizarse. Para intentar evitar que los fantasmas retornaran a su mente, decidió unirse a sus dos amigos y hacerle una visita al duque en su palco.

Subió por las escaleras. Tal y como le había informado el inspector inglés, los dos agentes custodiaban impasibles la puerta del palco de Napoleón.

—La emperatriz, Eugenia de Montijo, está empolvándose la nariz. Tal y como estaba previsto, el inspector Chevalier la ha acompañado. El inspector jefe Camille nos ha hecho un par de visitas de control. Por todo lo demás, sin novedades, prefecto Boittelle —le informó uno de los guardias.

Después de despedirse de los guardias, se alejó en dirección al palco contiguo, el perteneciente al duque de Brunswick. Antes de pedir permiso para acceder, le pareció oportuno visitar la oficina de comunicaciones que había instalado en una de las estancias del propio teatro. El agente al cargo, al ver entrar a su superior, dejó los mandos del telégrafo y lo saludó. Le informó que tampoco había ninguna novedad en el exterior de la ópera. No se había producido ningún incidente de relevancia, y eso que París seguía discretamente sellada por la *Sûreté*.

Todo parecía perfectamente tranquilo. «Demasiado», pensó, mientras se dirigía a uno de los guardias del duque, que leoreconoció y le franqueó el acceso al palco.

Al primero que distinguió fue a Charles Maurian.

—Han comenzado la partida nada más concluir el primer acto. Llevan unos diez minutos de juego —le dijo.

El prefecto se acercó. Allí estaban los dos nobles, sentados en un lado del tablero y Morphy en el otro. A su alrededor, observando la partida, estaban Saint-Amant, Lagrange y la doncella del duque. Como ya le había anunciado Maurian, apenas llevaban unos movimientos.

Nadie pareció advertir su presencia, ya que estaban concentrados en el juego, así que decidió volver a su butaca. La ópera se reanudaría en unos diez minutos más y todos debían estar en sus posiciones asignadas en el plan. A pesar de la total normalidad, no había que bajar la guardia.

Unos minutos antes del comienzo del segundo acto de *El Barbero de Sevilla*, Symphorien advirtió cómo Lagrange y Saint-Amant regresaban a sus asientos. Se levantó y fue a su encuentro.

—Me parece que estábamos equivocados. En este teatro no está sucediendo nada extraordinario.

—Se equivoca, prefecto —le rebatió Saint-Amant.

—¿Qué quiere decir?

—Que la partida entre esos nobles y Morphy promete. Al principio pensaba que iba a ser una Defensa Philidor clásica, pero me equivocaba. El duque de Brunswick, en su tercer movimiento, se ha lanzado al ataque... ¡contra el mismísimo Paul Morphy! Ha colocado su alfil de rey clavando el caballo del americano. ¡Hay que ser muy atrevido o muy loco para hacer ese movimiento! Hasta ese momento no se habían desatado las hostilidades, pero, desde luego, ahora se ven venir. Se huele la sangre.

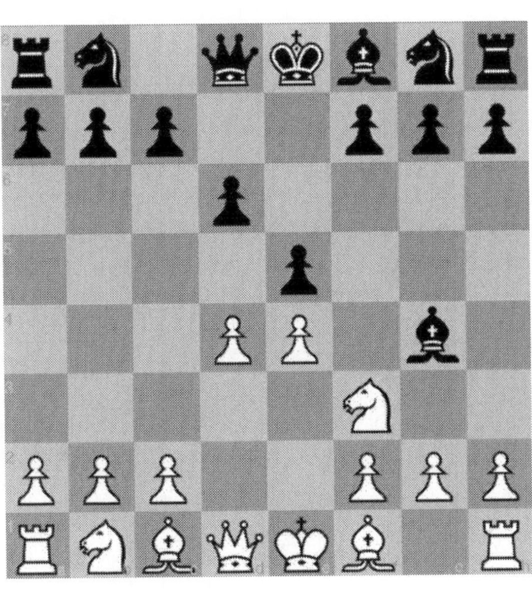

—¡Por favor, no emplees esas expresiones! Además, no me interesa en absoluto esa partida de ajedrez. Ya sabes que me ocupa otro asunto.

—Sí, precisamente una simultánea, ¿no? Creo que de lo que estoy hablando es de una partida de ajedrez. La única que veo en toda la ópera es la que se está celebrando en el palco del duque.

—Pero no tienen nada que ver la una con la otra —Symphor parecía enojado. Tenía la sensación de estar perdiendo el tiempo con Saint-Amant—. Os dejo, tengo cosas más importantes que hacer.

—¡No! —exclamó Lagrange.

El prefecto se sobresaltó por la súbita reacción de Michel.

—¿No creerás tú también que podrían estar relacionadas? —el prefecto no daba crédito a lo que escuchaba de boca del inspector jefe de la *Sûreté.*

—No, pero aún faltará un par de minutos para que se reanude la ópera. Deja que Charles se explique. A mí también me intriga la coincidencia de la partida simultánea que nos anunció Orsini con la que está jugando Morphy.

El prefecto levantó los hombros en signo de resignación.

—Está bien, dos minutos —cedió—. Adelante, Charles, ¿qué tienes que contarnos?

—Realmente nada, tan solo pretendía destacar la coincidencia. No creo en las casualidades. ¿Y usted? —preguntó, dirigiéndose directamente a Symphorien.

—¿De qué casualidades me hablas?

Saint-Amant portaba un pequeño tablero de ajedrez para poder seguir la partida, sirviéndose de sus anteojos. Para sorpresa de ambos policías, no respondió de inmediato a la pregunta del prefecto. Parecía como hipnotizado, mirando la posición actual de la partida.

—Aún no lo sé, pero la situación actual, después de la captura del caballo blanco por el alfil negro y su posterior toma por la dama y del intercambio de peones en el centro del tablero, da que pensar.

—Lo único que da que pensar es que el duque parece haber comprendido que, con una partida ordinaria, tumbaría a su rey sin remedio. Intenta jugar como Morphy contra Morphy. Por lo visto, creerá que así tiene alguna posibilidad de victoria, o de tablas, que vendría a ser lo mismo —dijo Symphor—. Por muy duque que sea, a mí me parece otro iluso más, por no llamarlo directamente idiota.

Saint-Amant no parecía haber estado escuchando las palabras del prefecto. Seguía con la mirada posada en su tablero.

De repente, se levantó de la butaca de golpe. Se frotó la cara con sus manos y volvió a observar el tablero.

—¡Catorce! ¡Pues claro! —gritó, en una sala repleta de gente que estaba en silencio.

—¡*Shhhh*! —le susurró Symphor, escandalizado—. ¿Te has vuelto loco? Todo el teatro nos está mirando.

—¿No lo comprendéis? —Saint-Amant parecía poseído—. Orsini tiene razón. La tercera partida simultánea ya está en juego, pero no acaba de comenzar. En realidad, lo hizo en enero, durante el mismo atentado contra Napoleón.

76 PARÍS, JUEVES 21 DE OCTUBRE DE 1858

—Este es el lugar ideal para mantener esta reunión. Seguimos teniendo visión directa de toda la platea y nadie nos molestará —dijo Symphor, que había accedido a la extraña petición de Saint-Amant, únicamente porque Lagrange se lo había pedido y no se podía negar, pero se notaba que la situación le incomodaba.

Se encontraban en el palco contiguo al del Napoleón, que tan solo estaba ocupado por una persona. El prefecto hizo las presentaciones.

—*Chief Inspector* Camille, le presento al ajedrecista francés Charles Saint-Amant y al inspector jefe de la *Direction Générale de la Sûreté Publique,* Michel Lagrange.

—¡Caramba! Es un verdadero placer conocer personalmente a ambos. Había oído hablar de usted en *Scotland Yard* —dijo, dirigiéndose a Lagrange—. Como hablo con soltura el francés, mi puesto en Londres es de enlace con su policía metropolitana y estoy informado—. Por supuesto, también es un placer conocer al campeón francés— ahora miraba a Saint-Amant—. Soy muy aficionado al ajedrez e incluso juego en el club de mi ciudad.

Las maneras de aquel inspector eran muy educadas. Se notaba que debía provenir de alguna familia muy acomodada. Los tres se dieron la mano.

—Ante todo, no se preocupe —Symphor creyó necesarias unas explicaciones previas al inspector inglés—. El plan está funcionando a la perfección. Nada fuera de lo normal ha sucedido hasta el momento.

Camille les miraba con cara de extrañado. Desde luego que había sucedido algo fuera de lo normal. Si no fuese así, no estarían los cuatro reunidos en el palco. Eso no formaba parte del plan inicial.

—Ya sé, ya sé... —continuó Symphor, interpretando el gesto de Camille—. No se asuste por lo que va a escuchar. Ni yo mismo lo sé, pero parece que nuestro campeón francés tiene una teoría que merece ser explicada, según Lagrange, del que me fío. Me ha prometido que no perderemos más de cinco minutos, y eso es el tiempo del que dispone —dijo, mirando al ajedrecista.

—Es más que una teoría —intervino Saint-Amant, que ya no se podía aguantar más—. Los movimientos iniciales de la partida me llamaron la atención y no solo por el ajedrez. Quizá los datos que vais a escuchar os parezcan, interpretados aisladamente, absurdos, pero tratad de ver más allá. Fijaos en su conjunto, como si de una partida de ajedrez se tratara, que lo es. No miréis movimiento por movimiento, sino observad el tablero de juego desde arriba.

Symphor parecía que se empezaba a impacientar. Saint-Amant se dio cuenta y terminó con los preliminares.

—Para empezar, Orsini afirma que está jugando una partida de ajedrez con las piezas blancas, en este mismo instante, contra vosotros. La única partida que podemos ver es la que está disputando Morphy con los nobles. No hay otra. En el momento de dejar su palco, les quedaban a cada uno catorce piezas. Pensad en ese número por un instante. ¡Ahora mismo vosotros también sois catorce!

—Perdona, si te refieres al dispositivo de vigilancia, contando a Camille y a Lagrange, somos doce —Symphor ya unía su impaciencia a un enfado creciente.

—No —respondió tajante Saint-Amant—. Te olvidas de que, en cualquier partida de ajedrez, también hay un rey y una dama. Está claro que la emperatriz es la dama y el emperador es el rey. Catorce. Además, contáis con siete agentes, que son los siete peones, dos caballos, que deben ser el inspector Chevalier, por motivos obvios, y el inspector Hebert, que sé que sirvió en caballería. Nos queda el inspector Camille, aquí presente, que es único alfil negro. Y para terminar, después del rey y la dama, ¿quiénes son las figuras más importantes en este teatro? ¡Vosotros dos! —dijo, dirigiendo su dedo al prefecto y al inspector jefe de la *Sûreté*—. Las dos máximas autoridades policiales en París. Sin duda sois las dos torres negras.

—Ya he escuchado bastantes imbecilidades —dijo Symphor, mientras se levantaba de su butaca del palco.

—Escucha Symphor —intervino Lagrange—. Como tú acabas de decir, todo está muy tranquilo. No hay ninguna señal de peligro y el plan trascurre con normalidad. ¿Por qué no le damos una oportunidad a Saint-Amant?

—¿Porque somos catorce, contando al emperador y a la emperatriz? ¿Simplemente por ese número?

—No, simplemente por eso no —ahora, la voz de Saint-Amant se había tornado más grave—. Os había dicho que me habían llamado la atención los movimientos iniciales de la partida de Morphy. Bueno, pues hace un momento descubrí el motivo. Son exactamente los mismos que se produjeron en el atentado contra Napoleón en enero. Por eso Orsini siempre afirmó que quedaba una partida pendiente de finalizar. La estamos viviendo esta noche.

—¿Tengo que seguir aguantando más tonterías? ¿Cómo puede ser eso posible?

—¿Cuál fue el resultado real del intento de asesinato de Napoleón el pasado enero?

—¡Pues que salió ileso! ¡Vaya notición! —Symphor cada vez estaba más alterado.

—Él sí, pero ese no fue el resultado del atentado. Tengo entendido que murió gente inocente, peones. También leí que, entre los fallecidos, quizá el más notable fuera *Monsieur* Riquier, jefe de gabinete del mismísimo príncipe Napoleón-Jérôme Bonaparte. Había sido militar de una orden monástica, según informó toda la prensa en su obituario. ¿No lo entendéis?

—¿Qué tenemos que entender?

—Aparte de los peones, la única pieza que las negras perdieron en enero fue un alfil. Alfil en inglés se dice *Bishop*, es decir, obispo, miembro de la iglesia. Riquier era el alfil negro.

Symphor hacía aspavientos con las manos.

—¿Y el caballo blanco? Porque en la partida de Morphy, las piezas blancas, es decir, las que, según tú, está conduciendo Orsini desde su tumba, han perdido uno —el prefecto continuaba al ataque—. Yo no veo ningún caballo blanco muerto por sitio alguno.

Ahora, Saint-Amant se permitió lucir una sonrisa de oreja a oreja.

—¿Tienes algo que decir al respecto? —preguntó, mirando fijamente a Michel Lagrange.

—Eso no puede ser —le respondió.

—Pero ¿es cierto o no?

—Sí, claro que lo es, pero no lo maté yo.

—¿Se puede saber de qué estáis hablando? —Symphor no entendía nada.

Saint-Amant se adelantó a su amigo Michel.

—Felice Orsini, nada más llegar a París, se compró un caballo blanco. Lo utilizó para pasear por París y preparar el atentado. Bueno, pues la noche en que nuestro amigo Michel lo emboscó en el número 10 de la *rue du Mont Thabor*, reconoció su paradero por ese mismo caballo blanco, que estaba atado en la puerta de su escondite. ¿Me equivoco?

—No —respondió un escueto Lagrange, que ahora estaba muy serio.

—Michel acaba de decirnos que ordenó su muerte, supongo que para evitar que relinchara y pudiera advertir a los terroristas de la presencia de los agentes de la *Sûreté*.

—Así ocurrió —confirmó Lagrange.

—O sea, el resultado real del atentado, traspasado a una partida de ajedrez, que es lo que tiene o tenía en la mente Felice Orsini, son peones muertos por ambos bandos, unidos a un alfil negro y a un caballo blanco. Esa es exactamente la partida que está jugando Paul Morphy en estos momentos.

Symphor, a pesar de su incredulidad, decidió continuar por esa línea.

—Supongo que lo que pretendes decirnos es que, en este mismo teatro, ahora mismo, hay catorce piezas negras, que somos nosotros, y otras catorce piezas blancas, que son los terroristas. ¿Y por qué será que no hemos visto ninguno?

—Porque no han entrado todavía en juego —respondió Saint-Amant con seguridad.

—Parece que tienes respuestas para todo. La posición que nos has mostrado de la partida es de hace unos diez minutos. Supongo que ahora será otra. Si tu teoría fuera cierta, ya debería haber sucedido algo diferente en el teatro y yo sigo sin ver nada anormal.

Saint-Amant sacó su cuerpo por el palco. Tomó sus anteojos y pudo ver la partida.

—Tan solo han hecho un movimiento más cada uno de ellos. Morphy ha puesto en juego un alfil, apuntando a un peón peligroso para la seguridad del rey. Eso es una primera amenaza. El duque y el conde han respondido poniendo en juego el caballo de rey, supongo que intentando despejar el camino para un enroque y poder defenderse mejor.

Symphor ahora sonrió.

—No veo ningún terrorista que suponga amenaza alguna para nuestro rey negro moviéndose por el teatro, que, según tu teoría, ahora es un inmenso tablero de ajedrez. Y por supuesto, tampoco he ordenado que ninguno de nuestros presuntos caballos negros acuda a reforzar la seguridad del emperador. Desde aquí observo a Hebert y sigue en su posición.

—¿Y el inspector Chevalier? —preguntó Saint-Amant, que se mostraba absolutamente convencido de la veracidad de sus afirmaciones.

—¿Quieres que salgamos de dudas de una vez? —preguntó Symphor, que iba a dar por concluida aquella estúpida reunión—. El palco del emperador se encuentra junto a este. Salgamos y veamos si existe amenaza alguna contra él. Le apuesto lo que quiera a que vemos a los dos agentes apostados en la puerta del palco de Napoleón. Le recuerdo que no hemos escuchado nada.

—Me parece justo —respondió Saint-Amant, que no daba su brazo a torcer.

—Usted permanezca en posición —le dijo Symphor al inspector Camille—. A pesar de lo que acaba de escuchar, el plan continúa como estaba previsto.

Lagrange, que estaba extrañamente silencioso desde hacía un rato, fue el primero que abandonó el palco, seguido del prefecto y por último, Saint-Amant.

Tal y como había predicho Symphor, los dos guardias continuaban apostados en la puerta del palco del emperador, impasibles. Cuando vieron acercarse a su superior, se cuadraron.

—¿Alguna novedad, agentes?

—No, prefecto —le respondió uno de ellos.

—¿Han visto al inspector Chevalier?

—Sí, señor. Hace un momento ha aparecido por el pasillo una dama. Por sus ropajes parecía de una orden religiosa o algo así. El inspector, que en ese momento estaba con nosotros, ha ido a buscarla.

Oyeron unos pasos acercarse por el pasillo. Era el inspector Chevalier.

—Falsa alarma —les dijo, saludando a los presentes—. La dama era la abadesa de Knightsbridge. Buscaba los aseos. Creo que me quedaré con los agentes para reforzar esta zona, aunque la abadesa ya se encuentra de vuelta en su palco, sin ninguna novedad.

—¿Sin ningún problema? —repitió la pregunta Saint-Amant, que, para sorpresa general, salió corriendo. A los veinte segundos escasos estaba de regreso junto con el inspector Camille.

—Dígales lo que me acaba de contar.

—Disculpen, no entiendo nada —dijo el inspector inglés—. El señor Saint-Amant me ha preguntado por la abadía de Knightsbridge. No existe tal abadía. Knightsbridge es un exclusivo barrio de Londres que pertenece a la abadía de Westminster.

—¡En consecuencia, no existe tal abadesa! —exclamó Saint-Amant—. Era el alfil blanco y nuestro caballo negro ha salido en protección de su rey.

—¡Dios mío! —no pudo evitar exclamar Symphorien.

La cara de todos los presentes era difícilmente descriptible. Unos porque no entendían nada y otros porque lo entendían todo.

77 PARÍS, JUEVES 21 DE OCTUBRE DE 1858

—El emperador está encantado —no se pudo reprimir, al volver al palco.

—Supongo que será por la inesperada entrada triunfal que ha hecho en el teatro. Le encanta ser alabado por su pueblo —respondió el duque—. Los aplausos y los vítores enardecen su espíritu.

—No, no, señor —lo corrigió Amélie—. Me acaba de decir que el placer de asistir a la ópera, al mismo tiempo que sigue su partida de ajedrez, es sublime.

—Vaya —respondió el conde Isouard—. Si le presta más atención al ajedrez que a las cantantes de la ópera, debe de estar de muy buen humor.

Los dos nobles se rieron.

—Paul, puedes levantar la cabeza del tablero —le dijo el duque—. Ya sé que mientras juegas no te gusta hablar, pero hoy es una ocasión especial. Estás en un lugar privilegiado con tus dos mejores amigos. Además, ¡el emperador dice que está disfrutando de nuestro juego! —exclamó el duque, sin poder parar de reírse. También estaba de buen humor.

—Es cierto —dijo un cohibido Charles Maurian, que no había abierto la boca desde que entrara en el palco.

—Me alegro de que estéis disfrutando —dijo Paul, al fin—. ¿Qué opina Napoleón de la partida?

—No me ha hecho ningún comentario en particular —le respondió Amélie, que cada dos jugadas, un movimiento por ajedrecista, se trasladaba al palco contiguo para informar al emperador, que, como Saint-Amant, también disponía de un pequeño tablero donde reproducir la partida.

—Ya sé que es algo irregular, pero podéis hablar entre vosotros, mientras no analicéis el juego —dijo el duque—. Disfrutad de la experiencia.

—Voy a hacer mi próximo movimiento y me paso a la fila de atrás del palco, mientras ustedes piensan —respondió Paul.

Morphy se sentó con sus amigos en la fila trasera del palco.

—El duque no va a caer en ese burdo intento de jaque mate —le dijo Amélie—. Son unos jugadores del montón, pero ese mate es de principiantes.

—Ya me lo imagino, pero no es esa mi intención.

—Tu intención la tengo muy clara, pero...

—¡*Shhhh*! —susurró Paul—. El duque ha dicho que no podíamos hablar acerca de la partida.

—¡Pero si lo tienes en el bote! ¿Qué importa? O le vences o le ganas un peón en la siguiente jugada —intervino Maurian.

—Te equivocas. Solo te digo una cosa. Mi próximo movimiento no será el que tú esperas y ya me callo. Ahora, ¿me permitís disfrutar un minuto de la ópera? Los cantantes son magníficos.

—Claro —le respondió Amélie—. Es tu día, puedes hacer lo que quieras.

Los tres se quedaron en silencio. Paul parecía feliz. Todo aquello le evocaba Nueva Orleans y a su querida y añorada madre, Thelcide. Hacía cuatro meses que no lo la veía ni la oía cantar. Su mente viajó hasta América y regresó en apenas dos minutos, pero para Paul fue como un auténtico tránsito celestial. No recordaba haber sido tan feliz desde que partiera de los Estados Unidos.

Tanto Amélie como Charles respetaron los deseos de su amigo. No abrieron la boca hasta que Paul lo hizo con sus ojos.

—El duque y el conde ya han hecho su jugada —le dijo Amélie, cuando Paul pareció salir del trance.

—Ya lo sé.

—¿Cómo lo puedes saber si estabas con los ojos cerrados? No los estabas mirando.

—No me hace falta mirarlos para saber cuál ha sido su movimiento, entre otras cosas, porque tan solo tienen una salida lógica. A ver si lo adivino, han situado a su dama delante del rey para cubrir su peón y evitar el mate.

—Exacto —le respondió Amélie.

—Y ahora tú continuarás con tu dama y... —empezó a decir Charles Maurian.

—No, ya te he dicho antes que no me iba a hacer el movimiento obvio que tú estás esperando.

Amélie se levantó de su silla.

—¿No me digas que no te vas a aprovechar y...? —empezó a preguntar Amélie.

— Ya te he dicho que no.

—¿No pretenderás jugar por debajo de tu nivel para dar opciones al duque y al conde? Eso es propio de mí, no de ti.

Paul se permitió una tímida sonrisa indulgente.

—Anda, vuelve a sentarte. En cuanto a lo de no jugar al máximo nivel, te confieso que lo he hecho en el pasado y no en pocas ocasiones, por diversos motivos que no voy a explicar. Lo importante ahora es que este no es uno de esos casos. Si desarrollo mis piezas de una manera que ni tú misma te imaginas, la partida concluirá antes del final de la ópera, además de manera explosiva.

Amélie miraba el tablero y seguía viendo tan solo un movimiento lógico por parte de Paul, al igual que Charles, pero no le dijo nada. Abandonó el palco para informar al emperador de las dos nuevas jugadas que se acababan de producir.

—Amélie tiene razón —dijo Charles, cuando se quedaron solos.

—No, no la tiene. Y tú tampoco. Parece mentira que hayáis sido mis alumnos. ¿Qué importancia tiene un peón? Quizá en un final la pudiera tener, pero ahora lo esencial es el rápido desarrollo de mis piezas y lanzarlas contra ellos antes de que organicen su defensa. Ni el duque ni el conde se esperan lo que van a ver.

Ni Maurian.

Ni Amélie.

Ni nadie.

78 PARÍS, JUEVES 21 DE OCTUBRE DE 1858

—¿Me lo quieres explicar otra vez?

—Catorce contra catorce, es muy simple.

—No, no lo es. Nuestros catorce los puedo llegar a comprender y hasta identificar, pero ¿qué se nos hayan colado catorce terroristas en el teatro? Eso es imposible.

—No es necesario que estén todos aquí. Por ejemplo, es de suponer que el rey blanco sea Felice Orsini y parece que está muerto.

—No parece, lo está.

—Bueno, no olvidemos las inexplicadas cartas que recibimos con su caligrafía y la desaparición de su cadáver —por primera vez intervino Lagrange en la conversación que estaban manteniendo Saint-Amant y el prefecto.

—No nos enredemos en esa discusión estéril. Orsini está muerto y todo este montaje debe ser obra de seguidores de su causa. No olvides que a Orsini le encantaba escribir misivas. Cualquiera puede haberse aplicado e imitarla. Ha tenido bastantes meses para practicar —sentenció Symphorien.

—Quizá sea así —reconoció Michel.

—Escucha, tú llevaste toda la investigación del caso. ¿No hubo nada que te llamara la atención y que pudiera justificar lo que está ocurriendo hoy?

—Sí, por supuesto.

—¿Qué? —nadie se esperaba esa respuesta de Lagrange y menos el inspector invitado, Camille, que no lo conocía.

—Lo que quería decir es que, oficialmente, la investigación de los atentados se cerró con la detención de los autores. El cabecilla Orsini, su lugarteniente, el conde Di Rudio y el loco de Pieri, fueron condenados a muerte. Tan solo se salvó de la pena capital Antonio Gómez, ya que mostró algo de arrepentimiento y colaboración durante el proceso judicial, aunque fue sentenciado a trabajos forzosos de por vida en la *Ille du Diable*, la Isla del Diablo. La cárcel en esa isla fue construida por nuestro emperador hace apenas siete años con la finalidad de albergar a todo tipo de criminales, pero sobre todo a prisioneros políticos. Nadie sale vivo de allí, bien por agotamiento, bien por enfermedad. En realidad, equivale a una condena a muerte en vida. Está situada en los territorios franceses de ultramar. Como su nombre indica, es un verdadero infierno.

—¿Oficialmente? —al prefecto no se le había pasado por alto la palabra, al principio de la explicación de Lagrange.

—Veo que estás atento. De la investigación se dedujo que había dos grupos coordinados, cada uno con suficientes bombas para volar el carruaje imperial. Por una parte, el formado por Di Rudio y Gómez y, por otra, el compuesto por Orsini y Pieri. Ahora acabamos de deducir que Pieri iba por libre y sus verdaderas intenciones eran entrar en el interior del teatro y detonar sus bombas aquí. Afortunadamente fue detenido antes de que pudiera acceder. Pero siempre me ha quedado una incógnita que no he logrado resolver. Está claro que fue un atentado perfectamente coordinado y ejecutado pero ¿cómo? Tanto Orsini como la pareja Di Rudio-Gómez se encontraban entre la multitud. Ni siquiera se podían ver entre ellos y tampoco estaban en primera fila. ¿Quién fue el primero que actuó y dio inicio a todo? En un principio pensamos en Giuseppe Pieri, pero enseguida lo descartamos por su posición. Estaba muy alejado y no disponía del adecuado campo de visión.

—¿Estás insinuando que pudo existir un quinto hombre?

—Es posible. La reconstrucción que la *Sûreté* hizo del atentado sugería la existencia de ese quinto hombre. Segundos antes del inicio del atentado, los caballos que guiaban el carruaje del *Grand Chamberlain* se asustaron y se detuvieron antes de lo previsto. Nadie escuchó nada, así que supusimos que alguna persona podría haber utilizado un silbato inaudible para los humanos, pero molesto para los caballos. Después se escucharon diversos vítores al emperador. Cualquiera de ellos pudo ser la señal. Tras meses de investigaciones, registros en las casas de los sospechosos habituales y todas las pesquisas que seguimos, no fuimos capaces de dar con él. Interrogamos a más de doscientas personas. Nadie observó a ninguna persona sospechosa ni vio ningún silbato. A pesar de ello, no cerramos esa línea de investigación incluso una vez finalizado el proceso judicial y las condenas. De hecho, aún sigue abierta, pero, para nosotros, es como dar caza a un fantasma.

—¿Crees que puede tener algo que ver con lo que está sucediendo hoy?

—No lo sé. A la primera conclusión que llegamos es que debía de ser un ciudadano de aspecto distinguido. La gente no los suele identificar como sospechosos. Después de meses de investigaciones en todas las fronteras, no detectamos ninguna actividad anómala, por lo que llegamos a la segunda conclusión de que debía tratarse de un ciudadano francés. Además, eso nos cuadraba con la reconstrucción de los hechos. Faltaba un eslabón. Alguien tuvo que preparar el terreno en París antes de la llegada de los cuatro terroristas extranjeros. Eso requiere discreción y bastante dinero. De todas maneras, si esa persona llegó a existir, parece que desapareció, aunque ahora se plantea una alternativa más inquietante.

—¿Cuál?

—Que durante estos meses haya sido un «durmiente», es decir, un terrorista sin actividad alguna, oculto, esperando que llegara este día para terminar la obra de su maestro, Felice Orsini. Incluso que fuera el autor de las cartas que hemos recibido, si damos por muerto a Orsini.

—Bueno, entonces podría ser el cabecilla de todo esto o al menos un integrante destacado. De momento es lo mejor que tenemos. Voy a trasmitir la información de que buscamos a un varón blanco francés y de aspecto distinguido. Ya sé que es una descripción muy vaga, pero le diré al inspector Hebert que vigile si alguno que responda a esas características se levanta de su butaca o actúa de forma sospechosa.

Symphor salió a toda prisa del palco.

—¿Y la supuesta abadesa de Knightsbridge? —se atrevió a preguntar el inspector Camille—. ¿No habéis acudido a capturarla a su palco?

—Inmediatamente, pero demasiado tarde. Ha desaparecido y ningún agente la ha visto en todo el teatro. El palco fue pagado por la inexistente Abadía de Knightsbridge y parece que, de las seis butacas, tan solo fue ocupada una, según sus vecinos de palco —le respondió Lagrange.

—Otro fantasma más —comentó el inglés.

Saint-Amant, mientras tanto, tomó sus anteojos y los dirigió hacia el palco del duque de Brunswick. De inmediato, le llamó la atención la ausencia de Morphy de su silla. Eso sí que era insólito. Tan solo recordaba una partida en la que se levantó y aquello ocurrió durante el torneo de Nueva York, el año pasado. Paul era capaz de pasarse más de doce horas sin moverse de su silla y sin hablar.

Sin embargo, cuando fijó su mirada en el tablero, se sorprendió todavía más. No solo eso, se asustó. Paul había hecho su jugada y ahora el duque y el conde estaban pensando su próximo movimiento. Morphy amenazaba mate. Analizó la posición y llegó rápidamente a la conclusión de que tan solo había una respuesta posible por parte de los nobles. Debían de situar a su dama delante del rey, para protegerlo de la muerte. Eso, llevado al teatro significaba retrasar al emperador a la segunda fila del palco y dejar a doña Eugenia de Montijo delante.

—¿Qué te pasa? —le dijo Lagrange, al ver a su amigo con el rostro desencajado.

—Tememos problemas y muy graves. Debes avisar al prefecto ya. Él es el único que tiene acceso al palco del emperador —le dijo, mientras le informaba del movimiento de Morphy.

—¿No crees que estamos llevando este juego demasiado lejos?

—Es posible, pero dadas las circunstancias y lo que está en juego, ¿te vas a arriesgar? Ya sé que tú no eres la persona al cargo de la seguridad, pero sí eres la única persona que puede convencer al prefecto.

Michel levantó los hombros y salió del palco. Encontró a Symphor hablando con su inspector Hebert, que, nada más verlo, se dirigió a él.

—Señor, casi un cuarto de las personas presentes en el teatro responden a la descripción que me ha dado el prefecto. Es imposible vigilarlos a todos.

—Lo sé, Hebert. Por cierto, ¿cuántas personas se han levantado de sus asientos en los últimos momentos?

—Cinco, y todas ellas han ido al aseo.

—¿Has visto a la ocupante de ese palco que se encuentra vacío? —le preguntó, señalándoselo.

—No, señor. Según el plan, yo me ocupo de la platea y el inspector Chevalier de la zona superior, incluidos los palcos.

Lagrange se despidió de Hebert y tomó por el brazo a Symphor.

—Debemos volver al palco de Camille. Parece que hay novedades importantes en la partida.

—¿No crees que estamos...? —comenzó a preguntar el prefecto.

—¿... llevando este juego demasiado lejos? —concluyó la pregunta Michel—. Es lo mismo que le he preguntado a Saint-Amant. Y, en este momento, mi respuesta es que no. Tengo mis motivos, aunque no los pueda explicar ahora mismo, ya que no sé cómo encajarlos en todo lo que está sucediendo. Aún no tengo respuesta a alguna cuestión inquietante.

—¿De qué se trata?

—Luego te lo cuento. Ahora, debo hacerte dos preguntas muy importantes, antes de que entremos en el palco. La primera, estamos hablando abiertamente de la posibilidad de un atentado contra nuestro emperador delante de un inspector jefe inglés. ¿Lo consideras procedente? Es de suponer que informará a sus superiores.

—Ese extremo no me importa demasiado. Al fin y al cabo, fui yo quien lo involucró en este plan y ya conoce todos los detalles.

—Y la segunda cuestión, la que de verdad me preocupa. ¿Estás seguro de que es quien dice ser?

—Sabía que, tarde o temprano, me harías esa pregunta. Sí, estoy completamente seguro. Este tema está por encima de nosotros. Fueron los gobiernos respectivos los que acordaron el intercambio policial. Hablé personalmente con Claude Alphonse Delangle, nuestro ministro del interior, y le expuse mi opinión. A pesar de mis reticencias, me limito a cumplir sus órdenes. En cuanto a Camille, al llegar a territorio francés me mostró sus credenciales. A pesar de ello, mandé un cable a Gran Bretaña. La respuesta que recibí es que su documentación está en regla. Todos los papeles se encuentran en la sala de comunicaciones, a tu disposición.

—¿Te importa si les echo un vistazo?

—Por supuesto que no —le respondió Symphor, mientras lo acompañaba a la sala del telégrafo.

Michel los observó con su mirada experta. Él tenía más experiencia que el prefecto en materia internacional. Desde luego parecían auténticos y el cable del *Home Office* británico era muy claro.

—Todo parece en orden, como me habías dicho —reconoció Lagrange—, mientras depositaba los documentos encima de la mesa. De forma involuntaria, su brazo tropezó con un tintero y se manchó el borde de la manga de su chaqueta.

—Lo siento, inspector. Debe aplicarse secante antes de que la mancha se extienda —dijo el agente, mientras le acercaba un objeto cilíndrico.

—¡Qué idiota! —se dijo Lagrange—. Esto me va a llevar un tiempo. ¿Te importa acudir al palco y hablar con Saint-Amant? Parecía muy alterado y quería verte con urgencia. En un par de minutos me reúno con vosotros.

—Claro —respondió Symphor, abandonando la sala de comunicaciones.

Cuando Lagrange regresó al palco, se encontró con el inspector Camille y con Saint-Amant. Ni rastro del prefecto. Cuando Michel se disponía a preguntar por él, se abrió la puerta y entró Symphorien, con cara de pocos amigos.

—Antes de continuar con esta locura, quiero explicaciones —estaba muy enfadado.

—¿Lo has conseguido? —le preguntó Saint-Amant.

—Sí, pero no creo que pueda hacer mucho más. Me ha tocado decirle al emperador que, dado que está siguiendo la partida de ajedrez y no está pendiente de la ópera, quizá fuera más conveniente que se situara en la segunda fila y dejara el protagonismo, por un momento, a la emperatriz. Que no era bueno que sus ciudadanos lo vieran distraído. ¡Le he tenido que mentir a Napoleón! Afortunadamente, parece que está encantado con esa partida y no me ha puesto objeciones.

—¡Estupendo! —exclamó aliviado Saint-Amant.

—De estupendo nada. Aquí están pasando cosas que no comprendo.

—El duque de Brunswick ha hecho el movimiento esperado. Ha situado su dama delante del rey, evitando el mate —les dijo Charles—. Pero me temo que pueden venir más problemas. Un agente de la policía podría morir.

—¿Qué? —Symphor parecía atacado de los nervios.

—Morphy está en condiciones, con su dama, de capturar un peón.

—¡Basta ya! —gritó el prefecto.

—¡Increíble! —dijo Saint-Amant—. No lo ha hecho. Ha preferido poner en juego su caballo de dama, a pesar de que ganaba material con la toma del peón. Sorprendente, aunque viniendo de Morphy, podría ser un movimiento esperado. Está activando sus piezas con bastante rapidez.

—No me importa su caballo de dama. Quiero alguna explicación coherente a lo que está sucediendo —insistió Symphor.

Nadie parecía querer contestarle al prefecto. Saint-Amant seguía observando la partida con sus anteojos, Camille tenía cara de no saber dónde esconderse y Lagrange parecía extrañamente tranquilo.

—Ya veo que nadie quiere hablar del tema —Symphor parecía enojado—. Os lo repito, no pienso seguir vuestro juego sin algún tipo de explicación coherente. Me parece ridículo lo que me ha tocado hacer ahora mismo.

—¡Un momento! —exclamó Saint-Amant.

—¿Para qué?

—El duque parece que va a hacer su movimiento. No se lo ha pensado demasiado, ni siquiera los dos o tres minutos de rigor. Parece que lo tiene muy claro.

Symphor estaba a punto de estallar.

—¡Lo acaba de efectuar! —exclamó Saint-Amant.

Se notaba que el prefecto iba a dar el tema por zanjado.

—Los nobles han jugado bien —se adelantó Saint-Amant—. Creo que era la mejor jugada posible para las negras. Es un movimiento defensivo pero necesario.

—No me extraña —intervino Lagrange, luciendo una sonrisa enigmática—. Lo he hecho yo.

La expresión en el rostro del prefecto era indescriptible.

79 PARÍS, JUEVES 21 DE OCTUBRE DE 1858

—Señor, algo extraño ocurre en la platea.

Symphor salió de su estupefacción por lo que acababa de escuchar en boca de Lagrange y se asomó al balcón del palco. El inspector Camille tenía razón. Hebert no se encontraba en su posición. Echó un vistazo general a todo el patio de butacas. No lo vio. Aquello sí que era extraño, ya que el inspector tenía instrucciones precisas de no abandonar su posición. Era sus ojos en la parte inferior del teatro.

—Michel, acompáñame. Vosotros dos —dijo, dirigiéndose a Saint-Amant y a Camille— no abandonéis el palco. Ahora volveremos y continuaremos con la conversación pendiente.

A toda velocidad descendieron las escaleras. Llegaron a la platea en menos de un minuto. Se confirmaba, el inspector Hebert había abandonado su posición, pero todo parecía tranquilo. No se observaba nada fuera de lugar entre el público. Ambos parecían perplejos.

—Conozco a Hebert muchos años —dijo Lagrange—. Si no se encuentra en su posición debe ser por un motivo de fuerza mayor, aunque no sepamos cuál.

Quizá, pero esta posición es vital. Desde aquí se controla toda la parte inferior del teatro. Sin estar cubierta, el plan se queda cojo.

—Hagamos una cosa. Yo conozco mejor a Hebert. No puede haber ido muy lejos. Voy a buscarlo mientras tú permaneces apostado aquí.

Symphor valoró la propuesta durante un instante. Se quedó mirando a su amigo y asintió con la cabeza.

—Pero quiero que me informes con la máxima urgencia. Yo también tengo mi lugar en el plan y no es este. Acepto cubrir la posición de tu inspector, pero tan solo por un momento. ¿Por dónde piensas empezar a buscarlo?

—Me guiaré por mi instinto que pocas veces se ha equivocado. Hebert puede haber abandonado su posición de forma voluntaria o involuntaria. Dudo mucho que lo haya hecho de forma involuntaria ya que, como ya te había contado, antes de ser inspector de la *Sûreté* sirvió como capitán de caballería en el ejército imperial. Es una persona ruda y de muchos recursos. Si hubieran intentado llevárselo en contra de su voluntad, se hubiera montado un buen escándalo y no hemos escuchado nada y el público está tranquilo disfrutando de la ópera. Así que deduzco que lo ha hecho de forma voluntaria. ¿Por qué haría semejante cosa?

—¿Porque vio que estaba sucediendo algo importante en otro lugar? —se aventuró Symphor.

—Puede ser, pero nosotros estábamos en el palco y no hemos observado ni escuchado nada extraño. Me inclino más por la hipótesis de que haya sido requerido por otro de tus agentes.

Symphor se giró hacia el patio de butacas. Camuflados entre el público había dos, uno en cada extremo, pero estaban en sus posiciones, sin mostrar ningún signo de alarma.

—Ya los había visto —dijo Lagrange—. Ha tenido que ser por algún incidente ocasionado fuera de aquí.

—Acabamos de venir de arriba. Los dos guardias de la puerta del palco de Napoleón, acompañados por el inspector Chevalier, estaban allí. Queda el agente de comunicaciones, que también hemos visto hace poco. Los dos restantes están apostados, uno en la puerta del teatro y el otro, se encuentra camuflado con la compañía de la ópera.

—¡Ese debe de haber sido! —exclamó Lagrange—. El de la puerta no tenía línea visual con Hebert, pero el otro puede haberle hecho gestos desde un rincón del escenario—. Algo ha sucedido entre bambalinas. Me voy hacia allí —dijo, sin dar tiempo al prefecto de ofrecerse a acompañarle, por si se trataba de algo grave.

Mientras tanto, en el palco del duque de Brunswick se continuaba disputando la partida de ajedrez. Maurian y Amélie la observaban con curiosidad. Estaba claro que su amigo Paul tenía algún plan en su cabeza. Ambos sabían de lo que era capaz. Había renunciado a una ventaja de material clara, además disponiendo de una posición ventajosa.

Paul parece que les leyó el pensamiento y, mientras efectuaba su siguiente movimiento, levantó la vista del tablero y se quedó mirándolos, sonriendo tímidamente.

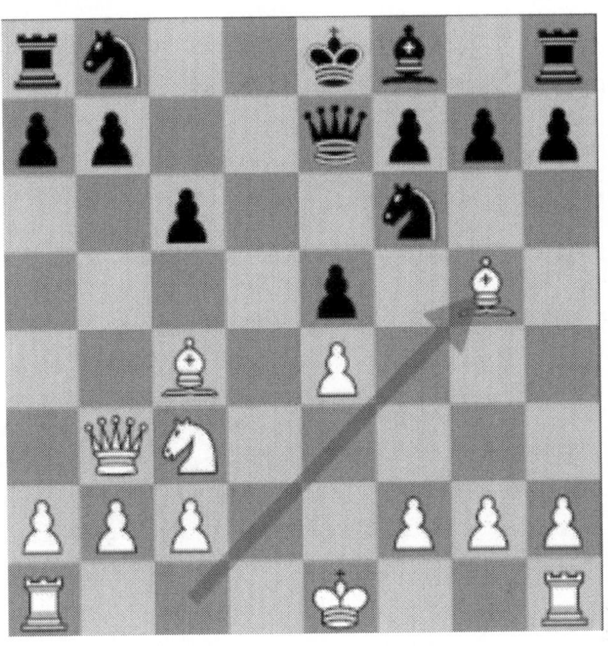

Charles y Amélie le devolvieron la sonrisa y no pudieron evitar ponerse a comentar el desarrollo de la partida.

—Como el duque y el noble no empiecen a sacarse de encima la presión de Paul, me temo que la partida no durará demasiado —susurró Amélie a Maurian.

—Necesitan ganar algo de tiempo e intentar detener el imparable desarrollo de sus piezas —confirmó Charles.

—Pero también necesitan enrocarse —le indicó Amélie—. Paul seguro que lo hará y activará la columna de su torre. Aumentará todavía más la presión sobre el rey negro. Sin embargo, la pareja de nobles no pueden hacerlo, porque la dama obstruye la diagonal de su alfil y no lo pueden quitar de ahí. Además, el enroque largo tampoco es una opción para las negras, dada la posición de la partida. Paul los destrozaría en un par de jugadas.

—¿No te das cuenta?

—¿A qué te refieres?

—A dos cosas. La primera es cómo te mira Paul. Eso no ocurría en América. Perdona por la indiscreción, pero ¿hay algo entre vosotros? No es que me importe, en realidad me alegraría de que fuera así. Creo que podrías ser una buena influencia para él.

Amélie, a pesar de que se esperaba esa pregunta por parte de Charles en algún momento de la velada, no pudo evitar sonrojarse.

—Ya sabes la especial conexión que existe entre Paul y yo desde la *Jefferson Academy*. Me parece que no es ningún secreto. Siempre hemos sido almas gemelas, aunque no busques más allá de eso. Vivimos en mundos muy diferentes.

—No me refería a eso, pero no te preocupes, ya me has contestado —le respondió Charles, con una sonrisa incierta en sus labios—. En cuanto a la segunda cuestión, ¿no te has dado cuenta de cómo Paul ha manejado la partida de ajedrez? En apenas nueve movimientos ya la tiene más que controlada. No me extrañaría que nos sorprendiera conociendo las próximas jugadas de los nobles y las suyas propias.

No los sorprendió con eso, pero sí con un detalle que no se esperaban.

—¿Por qué han cambiado a don Bartolo? —preguntó Morphy en voz alta.

—¿Qué dices? —le contestó el duque, que estaba concentrado en la partida.

—Que el cantante que interpretaba a don Bartolo en el primer acto no es el mismo que ahora está sobre el escenario. Lo era al iniciar el segundo acto, pero lo han sustituido, además, ahora mismo.

—¿Por qué iban a hacer eso?

—Eso es lo que me pregunto yo.

—Paul tiene razón —confirmó el conde Isouard—. Siempre hay un cantante sustituto por si el principal sufre cualquier percance, pero es una cuestión de seguridad, para que la ópera no se detenga si algo le sucede al principal. Yo tampoco me había dado cuenta.

—Su voz debe ser muy parecida cuando no me he percatado del cambio —afirmó el duque.

«No lo es en absoluto», pensó Paul, que tenía el oído muy entrenado de las sesiones dominicales en su casa de Nueva Orleans. «Don Bartolo tiene que ser un gran *bajo buffo* y eso es muy difícil. El anterior lo era, pero este deja mucho que desear», se dijo Paul.

Y tenía razón.

Un bajo, dentro del elenco de cantantes de una ópera, es la voz masculina que es capaz de alcanzar el rango más grave. Además, un *bajo buffo* necesita otros elementos adicionales que no son sencillos, entre ellos debe unir al tono grave de su voz un componente cómico nada fácil de conseguir.

«Supongo que no tendrá importancia», continuó pensando Paul, volviéndose a concentrar en la partida.

Estaba muy equivocado.

80 PARÍS, JUEVES 21 DE OCTUBRE DE 1858

—¿Por qué has abandonado tu posición?

Tal y como había supuesto Michel, el inspector Hebert se encontraba detrás del escenario, hablando con tres personas. Reconoció al agente Blanchard entre ellos.

—Perdonadme un momento —les dijo Hebert, cuando advirtió la presencia de su superior. Se alejó ligeramente del grupo para hablar a solas con Lagrange.

—Tenemos un problema.

—¿Qué clase de problema?

—Ha desaparecido un cantante, uno de los principales de la compañía. Nadie sabe qué le ha podido ocurrir, pero han tenido que recurrir a su sustituto, que es el que se encuentra ahora en el escenario. Todos están muy preocupados. El agente Blanchard me ha hecho un gesto. He mirado la butaca del prefecto, pero estaba vacía, al igual que la suya. Me he visto obligado a acudir yo mismo, ya que no sabía si se trataba de algo grave o no. De hecho, todavía no lo sé.

Lagrange estaba pensativo.

—La desaparición de alguien siempre es preocupante y todavía más en este contexto —dijo, al fin—. Hebert, vuelva a su posición, que es importante. Ahora está el prefecto en ella. Relévele y dígale que yo me ocupo de este asunto y que prosiga con su plan.

—Como usted ordene, inspector jefe —le respondió Hebert, mientras abandonaba el lateral del escenario.

Lagrange se dirigió al agente Blanchard, que estaba hablando con una muchacha y un hombre de mayor edad.

—¿Puedo hablar con ustedes sin interrumpir la obra y sin que el público note nada extraño?

—Ahora mismo, sí —le respondió el hombre—, aunque tan solo tenemos cuatro o cinco minutos.

—Suficiente —respondió el inspector.

De repente, la muchacha comenzó a hablar, antes de que Lagrange formulara pregunta alguna.

—Es la primera vez que lo hace en toda su carrera, señor. Algo le ha tenido que suceder. Se trata de Bartolomeo Botticelli, el hijo del primer intérprete de don Bartolo, en Roma en febrero de 1816. A pesar de su papel cómico, es una de las personas más serias que he conocido en mi vida. Es inconcebible que haya desaparecido por voluntad propia.

—¿Y usted es...?

—Se llama Lucy —dijo el adulto.

—Sé contestar por mí misma —dijo, algo enfadada—. No soy una cantante de la ópera, tan solo ayudo a limpiar y cambiar los escenarios.

—¿Qué edad tienes?

—Doce años, señor.

Lagrange se permitió una pequeña sonrisa. Estaba claro que no tenía esa edad. Parecía más joven, pero no lo consideró relevante. Seguramente mentiría con su edad para poder trabajar.

—¿Toda la compañía es de nacionalidad italiana? —se dejó llevar Michel, al escuchar los nombres.

—¡Yo soy francesa, señor! —pareció indignarse Lucy—. Mis padres sí lo eran. Respecto a la compañía, excepto un español, el conde de Almaviva, el señor director, que, como yo, es francés, es cierto que el resto son italianos. ¿Tiene alguna importancia? ¿Acaso tiene que ver ese detalle con la desaparición de Bartolomeo? Me parece ridículo.

—Disculpe por la pregunta, señorita Lucy —dijo con solemnidad Lagrange—. No pretendía ofender a los italianos ni mucho menos. Le aseguro que no deseaba molestarla.

Michel no pretendía ofenderlos, pero tomó nota mental.

—Hemos tenido que recurrir a Luigi Righetti para sustituir a Bartolomeo, de un minuto para otro. Me sorprende que el público no haya notado este cambio. Los nervios que hemos vivido detrás del escenario, apenas hace unos minutos, debería haberlos sufrido en sus propias carnes. La situación ha sido límite. Ahora estamos actuando y cantando muy preocupados. Espero que el emperador no note nada de lo que está sucediendo —ahora hablaba el adulto.

—No lo creo —le respondió Lagrange, pensando que Napoleón estaría distraído con la partida de ajedrez.

—Por favor, encuentre a Bartolomeo —le suplicó Lucy—. Debo marcharme, ya que en un par de minutos hay un cambio de escenario. Dudo mucho que haya desaparecido por voluntad propia —dijo, mientras se alejaba.

«Pues yo creo justo lo contrario», pensó Lagrange, que ahora se encontraba en solitario en presencia de un hombre corpulento.

—Disculpe la vehemencia juvenil de Lucy, ella es así, pero todo lo que le ha dicho es cierto. Bartolomeo es una persona formal y muy querido por toda la compañía. Disculpe que no me haya presentado. Soy Simon Bernard, el director. Como la pequeña Lucy le acaba de decir, soy francés.

Sin saber por qué, Lagrange recordó el último movimiento que había hecho Morphy, antes de abandonar el palco del inspector Camille. En lugar de capturar un peón, había optado por poner en juego su caballo de rey. De inmediato, le vino una corazonada. «Caballo igual a caballero», pensó.

—¿Dónde se encuentra el conde de Almaviva?

—En el escenario cantando, señor.

—Lucy me ha dicho que era el único español. ¿Me podría decir su nombre?

—Claro, es el conocido *tenor ligero* Manuel Gómez. Aunque lleva con nosotros poco tiempo, se ha ganado el respeto de toda la compañía. Tiene un magnífico porte que, ayudado por su fantástica voz, lo hacen el candidato ideal para representar a Lindoro, el noble español amante de Rosina, en *El Barbero de Sevilla.*

—¿Podría ver su camerino?

El director pareció que iba a poner objeciones. El inspector lo vio venir y se adelantó.

—Ahora, el que debe pedir disculpas por no presentarse soy yo. Perdone mi descortesía. Soy Michel Lagrange, inspector jefe de la *Direction Générale de la Sûreté Publique.*

Nada más escuchar ese nombre, la actitud del director cambió por completo. Parecía asustado de verdad. Estaba claro que nadie deseaba tener conflictos con la temida *Sûreté.*

—Por supuesto, acompáñeme —le respondió Bernard, mientras accedían a la parte trasera del escenario.

El director abrió la puerta de uno de los camerinos. Parecía bastante lujoso, aunque en completo desorden.

—¿Es normal que los cantantes se dejen todos los ropajes tirados de esta manera?

—No, señor —le respondió el director, mientras le señalaba una estructura con ruedas con unas perchas colgando—. Este vestuario no es nada barato. Cuando hay que cambiarse, utilizamos siempre el perchero, para que la ropa no se estropee.

Lagrange se interesó en especial por una prenda, apoyada en el respaldo de uno de los sillones.

—¿Hay algún personaje que represente a alguna religiosa?

—No, señor —respondió de nuevo Bernard, extrañado por la pregunta—. Fígaro es barbero, don Bartolo es médico y Rosina es su pupila, al igual que Berta es su ama de llaves y Ambrogio su criado. El conde de Almaviva representa a un Grande de España, que es el amante de Rosina. Fiorello es su criado. Don Basilio, que también corteja a Rosina, es profesor de música. Luego, están los personajes menores, como un oficial, un notario y los músicos. En *El Barbero de Sevilla* no hay monjas ni nada de eso, si es lo que me pretendía preguntar.

—Entonces, ¿me puede explicar este traje? Parece perteneciente a una superiora de alguna orden religiosa.

Bernard lo tomó entre sus manos.

—No se trata de un ropaje monacal, aunque comprendo que se pueda confundir. Venimos de Dresde, de representar la ópera de Richard Wagner, *Tannhäuser.* Es uno de los vestidos que porta Venus, cuando el propio caballero Tannhäuser se cansa de los placeres terrenales y decide volver a Roma, para suplicar el perdón del Papa. Evoca a la Virgen María, de ahí su posible confusión.

—¿Se utiliza en esta función?

—Desde luego que no, ya se lo había dicho. Es sorprendente que se encuentre en este camerino. Tampoco debería estar en este sillón, sino guardado en los baúles. La verdad es que es muy extraño.

—Más que eso —le respondió Lagrange—, pero por ahora ya tengo lo que necesitaba. Por favor, si aparece Bartolomeo

Botticelli, hágaselo saber de inmediato al agente Blanchard, que va a permanecer con ustedes.

Michel dio la conversación por concluida. Su cabeza era un hervidero de ideas, a cual más absurda, pero la situación que estaban viviendo también lo era. Necesitaba algo de sentido común en toda la locura que le rodeaba. Por ello, decidió irse a la oficina de comunicaciones que había instalado el prefecto en el teatro.

Por supuesto, el hecho de derramar aquel tintero y mancharse su chaqueta no tuvo nada de casual. Quería quedarse a solas con el agente para darle ciertas instrucciones sin la presencia del prefecto. Quizá había llegado el momento de obtener algunas respuestas.

Entró en la oficina. Sin ni siquiera saludarlo, el agente le entregó una nota. Era la contestación a uno de los cables que le había ordenado enviar hacía un momento.

—Del otro aún no tengo respuesta —se anticipó el agente.

Lo leyó. A pesar de que su contenido era absolutamente sorprendente, Michel ya se esperaba algo así.

—Avíseme a mí personalmente cuando reciba la otra contestación —le ordenó Lagrange, mientras dejaba la oficina del telégrafo y se marchaba hacia el palco del inspector Camille.

En su interior se encontró, aparte de Saint-Amant que seguía absorto siguiendo la partida de ajedrez con sus anteojos y al propio inspector Camille, que vigilaba la platea, también permanecía sentado en la segunda fila el prefecto, con cara de muy pocos amigos.

—Ha desaparecido el *bajo buffo*, ¿verdad? —dijo Saint-Amant, apartándose de la barandilla.

—¿Cómo puedes saber eso? —preguntó extrañado Lagrange—. Yo me acabo de enterar ahora mismo.

—En francés, la palabra «*fou*» significa alfil. Equivale a loco, a bufón. Es evidente que el alfil blanco está en juego y muy activo —le respondió, volviendo a centrar su interés en la partida de ajedrez.

Symphor ignoró a Saint-Amant y se quedó mirando a Lagrange.

—¿No crees que me debes alguna explicación?

—Desde luego —le respondió, mientras le entregaba la nota que cababa de recoger del telégrafo.

—¿Cuándo...? —Symphor parecía desorientado.

—Eso no importa. ¿Has leído su contenido?

—Sí, pero no lo comprendo.

—Es muy simple. Saint-Amant siempre ha tenido razón. Tenemos a catorce terroristas en el interior de este teatro.

81 PARÍS, JUEVES 21 DE OCTUBRE DE 1858

—Morphy ha hecho otro movimiento desde la última vez que te fuiste —le dijo Saint-Amant a Lagrange, nada más se dio cuenta de su entrada al palco.

—Déjame que lo adivine. Ha puesto en juego su otro alfil, clavando el caballo negro.

—¿Cómo lo puedes saber? —Charles estaba asombrado—. Bueno, supongo que tu nivel de ajedrez te ha permitido deducirlo. Era su mejor jugada posible. Las negras, cada vez, están más apuradas. Eso no es nada bueno.

—Y también te voy a decir cómo le van a responder el duque y el conde.

—Eso ya es más complicado. Ni yo mismo sé lo que haría, no es nada sencillo. Quizá poner en juego el caballo de dama, simplemente para intentar desarrollar las piezas negras.

—¿No decías que había que intentar sacudirse la presión que Morphy está ejerciendo y ganar algo de tiempo? Eso no se consigue con un movimiento táctico como el del caballo, sino siendo más agresivos.

—¿Y cómo pretendes serlo? —Saint-Amant parecía ofendido. Lagrange se permitía discutir sus opiniones cuando su nivel de juego era muy inferior. «Quizá me esté equivocando», reflexionó. «No tengo que pensar qué haría yo, sino cómo jugarían los nobles», se dijo.

—No creo que tarden en responder, Charles. El movimiento anterior era preparatorio del que viene ahora.

Saint-Amant cayó en la cuenta de lo que su amigo insinuaba.

—¿No pensarás que se van a atrever a...?

—Mira con tus anteojos.

Saint-Amant no pudo reprimir un grito ahogado de sorpresa.

—¡Lo han hecho! ¡Se han atrevido! Están presionando al alfil de Morphy. Desde luego está muy bien situado. Los nobles pretenderán que lo retrase y alivie la presión sobre esa diagonal, que es crítica.

—Esa es su idea, supongo —le respondió Lagrange.

El prefecto permanecía sentado en la segunda fila del palco, pensativo. Lo que acababa de leer lo había dejado perturbado y muy preocupado. Aunque no terminaba de ver la relación con la velada, se fiaba de la intuición de su amigo Michel.

—Anda, déjate esa estúpida partida y explícame cuáles son tus conclusiones con algo más de detalle.

—No es una estúpida partida y no creo que tardes en darte cuenta —le respondió, mientras se sentaba a su lado.

—Una vez leído el contenido de ese cable, ¿por qué llegas a la conclusión de que hay catorce terroristas en este teatro? También me interesa saber por qué lo enviaste a mis espaldas.

—Pensaba que lo verías algo estúpido —mintió Lagrange—, aunque, si damos por supuesto que Orsini está muerto, ese era el siguiente paso lógico.

—¿Por qué?

—Por la dama blanca de Morphy.

Symphor parecía que le iba a soltar un exabrupto a su amigo, así que Michel se le adelantó.

—Si te fijas en la partida, Paul ha puesto en juego su dama en su tercer movimiento. A continuación la ha situado de una forma magnífica. ¿Quién puede ser la dama de Felice Orsini?

—Sigues queriendo relacionar la partida con el supuesto *complot*. No te entiendo.

—Felice Orsini siempre ha sido un hombre solitario. Es cierto que se casó y tuvo descendencia, pero su mujer se separó de él y jamás volvió a ver a sus dos hijas. Si tenía un plan para esta noche, ¿en quién confiaría su principal pieza en el tablero? Debía ser alguien muy allegado a él, pero resulta que estaban todos muertos. Al menos, eso creíamos hasta ahora.

El cable que Lagrange había mostrado al prefecto informaba de una fuga masiva que se había producido hacía unos meses en la prisión de la *Ille du Diable*. El conde di Rudio, que, al final, había visto conmutada su pena capital, Antonio Gómez y otros diez prisioneros habían logrado escaparse y alcanzar la vecina Guayana inglesa. Desde allí se habían colado como polizones en un mercante cuyo destino era Londres. A pesar de todos los intentos policiales por volverlos a capturar, no lo habían conseguido.

—Su más estrecho colaborador, una vez que discutió de forma definitiva con Giuseppe Mazzini, siempre fue el conde di Rudio. Estoy seguro de que está en este mismo teatro y de que es la dama blanca. Por otra parte, ¿no te llama la atención el número de fugados?

—Son doce, no catorce.

—Te olvidas de dos detalles. El rey blanco sin duda es Orsini, aunque con toda probabilidad esté muerto. Luego nos queda el misterioso quinto hombre del atentado de enero, que jamás conseguimos identificar. En total, catorce. ¿Casualidad? No creo.

Symphor se permitió un par de segundos antes de continuar. Estaba claro que buscaba las palabras adecuadas.

—Escucha, Michel. Conozco tu estrecha amistad con Charles Saint-Amant y no quiero que te ofendas, pero esa teoría del ajedrez es estúpida. ¿Cómo hubiera podido saber Felice Orsini, en enero, que la partida de Morphy se iba a celebrar precisamente hoy? Han pasado nueve meses del atentado y siete desde su muerte. Y aunque, por cualquier motivo mágico que pudiese escaparse a mi entendimiento, lo hubiera hecho, ¿me puedes explicar cómo podía conocer el desarrollo de la misma? Se está jugando ahora, dos palcos más allá de nosotros.

—No tengo una respuesta racional a tus preguntas, Symphor. Me limito a observar. Hasta ahora, todo lo que ha sucedido en el tablero se corresponde con la realidad.

—Siempre puedes retorcer unos hechos para que se adapten a la realidad que tú quieres ver.

Ahora fue Lagrange el que se tomó un momento para responder. Decidió que había llegado el momento de destapar alguna de sus cartas.

—Hay cosas que desconoces, Symphor. ¿Te importa si salimos del palco un momento?

El prefecto mostró su sorpresa, pero accedió.

—El caballo blanco de Orsini —le dijo Michel, una vez se quedaron solos.

—¿Qué pasa con él?

—Es cierto que di la orden para que lo mataran, pero ese detalle no fue publicado, ni siquiera lo hice constar en ningún informe policial. Di instrucciones expresas a un agente de mi equipo, que había sido granjero, para que ejecutara mis órdenes. Nadie más lo escuchó y al agente le dije que no lo mencionara jamás. Reconócelo, ni siquiera tú lo sabías. En consecuencia, ese pormenor tan solo lo sabía yo y... los terroristas que participaron en el atentado de enero. Por eso, desde el principio, sospeché que alguno de ellos debía encontrarse en el interior del teatro.

—¿Saint-Amant? —el rosto del prefecto reflejaba una absoluta estupefacción—. ¿Crees que es el quinto hombre?

—Jamás le ha interesado la política. Ha dedicado su vida al ajedrez, pero ¿sabías que durante un tiempo fue secretario del gobernador de la Guayana francesa? Se encuentra a apenas once kilómetros de la *Ille du Diable*. Conoce perfectamente esa zona. Nadie que haya intentado escaparse de esa prisión ha sobrevivido. De repente, tiene lugar una fuga, no de un único prisionero, sino de doce, además, no solo consiguen salir con vida de la isla, sino que logran trasladarse hasta Europa. ¿No te parece llamativo? A mí me huele a que contaron con algún tipo de ayuda e información privilegiada. A pesar de ello, me cuesta creer que Charles esté involucrado en el intento de asesinato de nuestro emperador, ya que no le veo ninguna motivación para ello, pero mi mente policial se niega a descartarlo.

Symphor ahora estaba más preocupado.

—¿Y lo mantienes en el palco donde estamos hablando de todo el dispositivo de seguridad y vigilancia?

—Mejor tenerlo cerca, por si acaso, ¿no crees?

—De todas maneras, a pesar de todo ello, me niego a pensar que se nos han colado un puñado de terroristas en la ópera. Te recuerdo que tu propio inspector Hebert estaba en la puerta, viendo cara por cara a todos los que entraban.

—Sí, vigiló y lo sigue haciendo con todo el público del patio de butacas, pero hay un extremo con el que no contamos. Los supuestos terroristas supondrían que escrutaríamos a todo el público con detalle, como hemos hecho y estamos haciendo, pero ¿qué ocurre con la compañía que está actuando? Si echas la vista atrás, sabrás que siempre que se prepara un asesinato importante en un lugar público, los criminales intentan infiltrar a alguien en el servicio. Conocen que el foco está puesto en los invitados. Además, ¿sabes que son casi todos italianos? Que yo sepa, nadie les ha pedido ninguna identificación. Tan solo tenemos un agente allí, Blanchard, por si sucede algo extraño, pero no los está vigilando.

—¡Claro que no! —exclamó Symphor—. La compañía es muy conocida en toda Europa. Han cantado en las mejores óperas, no son terroristas.

—¿Sabes que tienen a algún actor de reciente incorporación y a una joven que no participa en la función? ¿No te imaginas qué papel interpreta el adulto? Nada más y nada menos que al conde de Almaviva. ¡Un apuesto conde!

—¡El conde di Rudio! —exclamó el prefecto.

—Podría ser, aunque su aspecto físico no se parece al Di Rudio que yo recuerdo. Es cierto que unos meses en la *Ille du Diable* te pueden cambiar bastante, pero me inclino por otra opción. Ya que representa en la ópera a un caballero, podría ser el otro caballo blanco que queda en juego en la partida.

—¡Ya estamos otra vez con el dichoso ajedrez!

—Cuando estuve detrás del escenario, pedí a Simon Bernard, el director de la compañía, que me permitiera acceder a su camerino. ¿Sabes qué vi nada más entrar? Un vestido que bien podría ser el que portara la falsa abadesa. El director mostró su extrañeza por hallarlo allí, ya que no se utiliza en *El barbero de Sevilla*, sino en *Tannhäuser*, la ópera que venían de representar en Dresde. Debía de estar guardado en los baúles, no allí. ¿Casualidad? Por otra parte, sigue sin aparecer el *bajo buffo* que representa a don Bartolo. Tenemos bien vigilado todo el teatro. ¿Cuál es la parte en la que le sería más fácil ocultarse? Sin duda entre bambalinas, con la compañía de la ópera. En cualquier otro lugar ya habría sido avistado por cualquiera de nuestros hombres.

—Eso es una mera suposición. La *Salle Le Pelletier* tiene multitud de recovecos y nosotros tan solo somos un puñado de hombres. Sabes que no hemos registrado a fondo el teatro y no pienso mover a mis hombres de sus posiciones para eso.

—¿No me preguntas por la otra persona que se acaba de incorporar?

—Me acabas de decir que se trata de una joven que no participa en la ópera.

—Así es, pero se llama Lucy.

—¿Se supone que eso tiene alguna importancia?

—Me ha dicho que tenía doce años, aunque era evidente que mentía. No creo que supere los nueve.

—¿Y crees que una niña es una terrorista peligrosa?

—Te acabo de contar que Orsini se casó y tuvo dos hijas, durante su estancia en Niza. ¿Sabes cuál eran sus nombres? Ernestina e Ida.

—¿Y qué?

—Que nadie llamó nunca a Ernestina por ese nombre. Tan solo lo hacía su padre, ya que no las vio crecer. En su entorno, Ernestina siempre fue Lucy. Ella misma me acaba de decir que era de nacionalidad francesa, pero que sus padres eran italianos.

—¿No creerás que...?

—Por otra parte, el director de la compañía no lo parece. Siempre los he visto algo bohemios y vestidos de cualquier manera. Al fin y al cabo, es un trabajo estresante que requiere ropajes cómodos. ¡Pues tenías que haberlo visto! Iba vestido mejor que muchos de los asistentes a la ópera. No me encaja.

—¡Me vas a volver loco! —exclamó Symphor, fuera de sí.

—Tranquilo. El director no es Orsini, lo hubiera reconocido de inmediato, sin embargo, no lo tengo tan claro con Lucy. Si ella está aquí, eso significa que...

Tampoco terminó la frase ya que, de forma intempestiva, se abrió la puerta del palco.

—¡Tienen que venir inmediatamente! —escucharon decir al inspector Camille—. ¡Es muy urgente!

82 PARÍS, JUEVES 21 DE OCTUBRE DE 1858

—¿Qué demonios ha hecho Paul?

—No lo sé, dame un minuto.

—Les acaba de regalar su único caballo al duque y al conde. ¿Se ha vuelto loco? No ha aceptado la ventaja del peón hace un momento y ahora se queda sin caballos al décimo movimiento. ¡Increíble!

—¡Calla! —le dijo Amélie con voz autoritaria a su amigo Charles Maurian—. Si me molestas, no puedo pensar con claridad.

—Lo que tú digas, pero me parece que les está dando ventaja.

—Paul nos ha dicho que no lo iba a hacer, así que esta inesperada jugada debe tener alguna finalidad que no estamos sabiendo ver.

—Complacer a tu duque.

Amélie, esta vez no le respondió. Le bastó un par de minutos para darse cuenta.

—¡Es un genio! —exclamó, entusiasmada—. No mires la jugada de forma aislada. Observa la línea de juego que viene a continuación.

Paul, en lugar de retrasar su alfil, amenazado por un peón, había decidido tomar ese mismo peón con su único caballo. Lo que ocurría es que el peón que había capturado estaba protegido por otro, por lo que su caballo, con toda probabilidad, iba a caer en el próximo movimiento de los nobles.

—Lo único que veo es que sacrifica un caballo por un peón, a lo sumo dos, si luego captura con su alfil o su dama.

—¿No lo entiendes? No se trata del material, a Paul nunca le ha interesado eso. Si hubiese retrasado su alfil, que es la jugada que tú hubieras hecho, hubiese permitido a las negras desarrollar un poco su juego y recuperar cierta iniciativa, que Paul les ha negado desde el principio de la partida. Así, es más que posible que se quede sin caballos, pero su desarrollo en el tablero será impresionante. Creo que Paul está viendo cinco o seis jugadas por delante de nosotros.

Maurian se quedó pensativo.

—Sí, la posición es claramente ventajosa para Paul, pero tendrá que terminar la partida lo más rápido que pueda. En un hipotético final, no lo tendrá tan fácil.

—¿Cuántas partidas de Paul pasan de los treinta movimientos? Por lo que he podido leer, ni siquiera una cuarta parte de las que juega. Las resuelve casi todas en el medio juego e incluso en la propia apertura. Muy pocas se alargan más allá de los cuarenta movimientos y hasta esas las suele ganar.

—No sé qué se están pensando el duque y el conde. ¿Por qué no han tomado el regalo del caballo ya?

—El duque de Brunswick no es un simple aficionado. El conde Isouard también es un jugador decente. He disputado bastantes partidas contra ambos. Supongo que son perfectamente conscientes de que se trata de un regalo envenenado. Ahora mismo estarán considerando otras líneas de juego. ¿No ves que están hablando entre ellos?

—¿Otras líneas de juego? ¿Cuáles? —Maurian estaba intrigado.

—Bueno, podría no tomar su caballo con el peón y explorar un jaque al rey con su dama, situándola justo delante de la de Paul, forzando un intercambio, aprovechando su fortaleza en esa diagonal. De todas maneras, tampoco me parece una línea de juego que lleve a ningún sitio. Las blancas tienen la partida en su mano.

Maurian lo vio.

—¡Oye! Eres muy rápida. No se me había ocurrido esa posibilidad. Está claro que no eres la misma Amélie que conocí en la *Jefferson Academy*.

—Claro que no —le respondió, taciturna.

El rostro de Amélie se había trasmutado. Ya no trasmitía la alegría en el ajedrez. Lucía una mirada mucho más oscura.

Desde luego, tenía sus motivos.

83 PARÍS, JUEVES 21 DE OCTUBRE DE 1858

—¿Qué es lo que ocurre, Camille? —desde luego Symphor no estaba de buen humor.

—Saint-Amant está como poseso. Afirma con rotundidad que acaba de morir un agente y que pronto lo hará otro. No sabía qué hacer, así que he salido a buscarles. Me he asustado mucho. Parece convencido de lo que dice.

Symphor, sin mediar más palabras, se dirigió a toda velocidad al borde del palco y se asomó. El inspector Hebert estaba en su posición, al igual que los dos agentes camuflados entre el público. La representación de la ópera trascurría con aparente normalidad.

—¡Ha tomado el peón! —se giró Saint-Amant—. ¡No ha retirado su alfil!

—¿Se puede saber qué bobadas estás diciendo?

—Que Paul Morphy ha hecho una jugada inesperada. En lugar de proteger su alfil amenazado por un peón negro, ha decidido capturarlo con su caballo. Ahora, la respuesta de las negras será tomar el caballo de Morphy y después, Paul capturará ese mismo peón, supongo que con su alfil. Eso significa que acaba de morir un agente y que pronto lo hará otro, a manos de un caballo y un alfil blancos. El caballo perderá la vida en el intento, pero el alfil dará jaque a Napoleón. El emperador sigue en peligro inminente.

—Charles, nada de todo eso ha ocurrido ni ocurrirá. Como sabe, Michel y yo estábamos en el pasillo conversando. Desde nuestra posición podíamos ver a los dos agentes que custodiaban el palco del emperador, acompañados del inspector Chevalier. Todo está en orden. Me parece que debería abandonar este palco y volver a su butaca, junto con

Michel —le dijo, mientras se giraba a mirar a Lagrange, que no tuvo más remedio que asentir con la cabeza.

Saint-Amant seguía fuera de sí. Ni siquiera había dado muestras de haber escuchado lo que le acababa de ordenar el prefecto. Seguía con sus anteojos vigilando el palco del duque de Brunswick.

—¡Se confirma! ¡Han capturado el último caballo de Morphy!

—¡Charles! ¿No me ha oído? ¡Abandone el palco ya y vuelva a su butaca!

—¡Morphy ha respondido al toque, sin pensar! —Saint-Amant seguía ignorando las palabras del prefecto.

—Michel, haz el favor de sacar a tu amigo del palco o lo haré yo mismo, y te aseguro que no le va a gustar —la paciencia del prefecto se había agotado.

—No te preocupes —le respondió—. Ahora me lo llevo.

Se dirigió hacia el borde del palco. Antes de tomar a Charles por un hombro, observó la platea. Nada extraño parecía suceder.

—Escucha, debemos volver a nuestros asientos —le dijo—. Estamos ocupando un palco que no nos corresponde. Cada uno debe regresar a su posición en el plan y esta no es la nuestra.

Saint-Amant se giró, con los ojos inyectados en sangre.

—¿Qué plan? ¡Ya no hay plan! La puerta del palco del emperador está desprotegida. Han muerto los dos agentes que la custodiaban. ¿Acaso no os importa o no me creéis?

—Pues salgamos y comprobémoslo —le respondió Lagrange, que tan solo deseaba sacar a su amigo de aquel lugar antes de que el prefecto ordenara detenerlo, lo que se temía que pudiera estar a punto de suceder.

—¡Pero hay que proteger al emperador!

—No te preocupes por eso, Charles. Symphor saldrá con nosotros y se ocupará personalmente de ese asunto —dijo, mientras miraba al prefecto, implorándole ayuda.

Symphor tampoco deseaba montar un escándalo en el palco contiguo al del emperador, así que accedió a la petición de Lagrange. «Total, también tengo que regresar a mi butaca», pensó.

Los tres abandonaron el palco. Nada más hacerlo, Saint-Amant salió corriendo en dirección a la puerta del palco de Napoleón. Symphor reaccionó de inmediato persiguiéndolo. Antes de que llegará, se lanzó sobre él, derribándolo de forma muy aparatosa.

—¡Quieto, Saint-Amant! No quería que esto sucediera de esta manera, pero tu actitud no me deja otro remedio. Quedas detenido. Te retendré hasta que la ópera termine y después me acompañarás a las oficinas de la Prefectura —dijo, mientras le sujetaba y ataba sus manos por la espalda.

—¡Symphor! —gritó Lagrange— ¡Mira!

El prefecto se giró.

Lo que vio le heló la sangre.

—¡Llama a Camille ya! —gritó a Lagrange, que, de inmediato, volvió al palco a buscarlo.

En el suelo, a escasos metros de ellos, yacían los cuerpos de los dos guardias. No había nadie más en la puerta del palco. Como Saint-Amant había vaticinado, Napoleón estaba desprotegido y expuesto.

Symphor se acercó y les tomó el pulso. Estaban muertos. Parecía que habían sido estrangulados, además hacía muy poco tiempo.

—¿Qué ha ocurrido? —preguntó Camille, viendo a los agentes en el suelo.

—Escuche, ¿Saint-Amant ha abandonado el palco en algún momento?

—No, señor. Estaba absorto con la partida de ajedrez. Además, si lo hubiera hecho, ustedes lo hubiesen visto. Se encontraban aquí afuera.

—Es cierto —afirmó el prefecto—. ¿Dónde está el inspector Chevalier? Hace apenas dos minutos se encontraba aquí también.

Lagrange se acercó a los cuerpos.

—Symphor, ahora eso no es lo importante. Debes entrar en el palco del emperador y comprobar que se encuentra bien. Eres el único que lo puede hacer sin despertar sospechas.

Con todo el revuelo, Symphor no había caído en la cuenta de esa cuestión tan básica. Con sigilo, llamó a la puerta del palco y entró.

—Mire, Camille, hay una mancha de sangre, pero no parece corresponder a los agentes —observó Lagrange.

—Y unas gotas en dirección a los aseos —puntualizó el inspector inglés—. Puede que los agentes se defendieran de sus agresores y que estos hayan buscado refugio en ellos.

En ese momento, Symphor salió del palco del emperador con gesto de evidente alivio.

—El emperador se encuentra perfectamente. No le he dicho nada, ya que conozco de antemano su respuesta. Por nada del mundo querría abandonar el teatro antes de la finalización de la ópera, para recibir los aplausos del público. Le he preguntado de forma sutil si todo iba bien, por si hubiera escuchado alguna pelea en el exterior del palco. Me da la impresión de que está tan concentrado con la dichosa partida de ajedrez que no hubiese escuchado ni la explosión de una bomba. La que no se encontraba en el palco era la emperatriz. Por lo visto, ha salido a empolvarse la nariz, supongo que por eso no está el inspector Chevalier presente. La estará escoltando, tal y como tenía encomendado.

—¿La emperatriz ha ido a los aseos? —preguntó alarmado Lagrange.

—Sí, ¿ocurre algo? —dijo, viendo la expresión de espanto en el rostro de su amigo.

—Mira el rastro de sangre. No parece de los agentes y conduce directamente a los aseos. Ya sabes lo que puede significar.

Symphor, en apenas dos segundos, tomó su decisión.

—Camille, esconda los dos cadáveres en su palco y llévese con usted a Saint-Amant —le ordenó. Ahora se giró hacia Michel—. Tú y yo vayámonos a los aseos —dijo, mientras desenfundaba su pistola.

—¡Escuche, prefecto! —gritó Saint-Amant—. En los baños van a encontrar el cadáver de un caballero. El otro agresor, la falsa abadesa, no está herida y se encuentra al acecho. Si me lo permite, debería ordenar al inspector Hebert que suba de inmediato. No pueden dejar desprotegida la puerta del palco de Napoleón.

Symphor, en este momento de gran tensión, parecía que se iba a abalanzar sobre Saint-Amant o, por lo menos, a darle un buen puñetazo. Lagrange lo vio en sus ojos y lo tomó de un brazo, reteniéndolo.

—Charles tiene razón en lo que respecta a la protección del palco —le dijo—. No podemos dejar esta posición sin vigilancia, es la más delicada de todo el teatro. No sabemos qué nos vamos a encontrar en los aseos ni siquiera si el inspector Chevalier se encuentra bien.

—El inspector no sufre daños, pero hasta que la emperatriz no salga de los aseos, él permanecerá allí —intervino de nuevo Saint-Amant.

—¿Lo ves? ¡No lo soporto! —Symphor parecía sobrepasado por los acontecimientos.

Lagrange decidió dar un paso adelante y tomar las riendas de la situación.

—¡Escuchad todos! —gritó—. ¡Ya está bien de tonterías! Symphor, desata las manos de Saint-Amant y permanece en la puerta del palco hasta que yo regrese. Inspector Camille, acuda directamente a su palco y hágale a Hebert la señal para que suba de inmediato.

—Pero... —intentó protestar Symphor.

—¡Hazme caso y no discutas! —Michel empleó un tono de voz muy duro con el prefecto. No era momento de titubeos.

Camille hizo caso al inspector jefe de la *Sûreté* y se marchó corriendo, desapareciendo en el interior del palco. Symphor pareció tomar conciencia de la situación y desató las manos de Charles.

—Ayúdame a arrastrar los cuerpos hasta el palco —le dijo Michel a su amigo—. Symphor, no te muevas de aquí y permanece con la pistola en la mano.

En apenas un minuto ya habían completado la tarea. Lagrange se reunió con Symphor, al mismo tiempo que llegaba el inspector Hebert. Le pusieron al corriente de la situación y le ordenaron que permaneciera custodiando el palco de Napoleón hasta su regreso.

—Si aparece la emperatriz antes de que lleguemos nosotros, no se te ocurra comentarle nada. El inspector Chevalier y tú mismo sustituiréis a los dos agentes asesinados y permaneceréis en esta posición. Pase lo que pase, no la abandonéis. De forma discreta, desenfundad vuestras armas y estad preparados para lo que sea. Nosotros seguiremos el rastro de sangre —ordenó Lagrange, con la misma voz firme.

Michel y Symphor se dirigieron a los aseos de la parte superior del teatro. Los de caballeros eran los más cercanos a su posición y los de las damas estaban en la parte opuesta. Para su tranquilidad, nada más partir de la puerta del palco, vieron como acudían, con aparente normalidad, la emperatriz acompañada del inspector Chevalier. Afortunadamente, ni habían sufrido ningún tipo de daño ni doña Eugenia de Montijo se iba a enterar de lo que acababa de suceder.

Entraron en el angosto pasillo que daba acceso a los aseos. Allí había más manchas de sangre. El rastro conducía hacia una pequeña puerta.

Lagrange hizo gestos al prefecto para que se situaran en ambos lados. No sabían si los atacantes estaban heridos y aún podrían suponer una amenaza para ellos.

Lagrange, con sus dedos, hizo una cuenta atrás. Tres, dos, uno… y le dio una gran patada a la puerta, que crujió y cedió con facilidad. La estancia estaba oscura, pero Symphor portaba una pequeña lámpara que había tomado del pasillo. No parecía haber nadie y no se escuchaba ningún sonido en el interior. Lagrange entró primero, pistola en mano. Aquello parecía un almacén de productos de limpieza.

—¿Qué hacen aquí? ¿Quiénes son ustedes?

Ambos se giraron y vieron a una muchacha. Cuando observó que los dos desconocidos portaban armas, se dispuso a gritar. Lagrange la aferró por detrás y le puso una mano en su boca.

—Nosotros somos la policía —le susurró al oído—. Le voy a soltar y no gritará. Tan solo deseamos hacerle unas preguntas.

La muchacha asintió con la cabeza y el inspector se separó de ella, haciendo el gesto con la mano de que no hablara en voz alta.

—Escuche, estamos siguiendo un rastro de sangre que nos ha llevado hasta esta habitación. Suponemos que puede haber alguien herido en su interior. Puede ser peligroso.

—No puede ser, señores. Esa puerta permanece cerrada y tan solo tenemos llaves las personas que se encargan de la limpieza. Además, no tiene salida y es bastante pequeña, como podrán observar.

—¿Y esas manchas de sangre? —le señaló Symphor.

—Aléjese de la puerta —le ordenó Lagrange, mientras intentaba abrirse paso entre las pequeñas estanterías que le tapaban la visión.

Junto con las toallas del fondo, en el suelo, parecía existir una mancha de grandes proporciones.

—Es sangre —le susurró Michel al prefecto—. Me voy a acercar a descubrir lo que sea que haya debajo. Me agacharé y tú me cubres por la parte superior. Si ves cualquier movimiento, dispara sin preguntar.

Con mucha cautela, Lagrange movió las toallas. Como sospechaban, allí había alguien postrado en el suelo, con la cara torcida y los ojos sin vida. Michel le tomó el pulso.

—Está muerto —confirmó— y ha ocurrido muy recientemente. El cuerpo aún está caliente.

Symphor se acercó con la lámpara.

Cuando le pudieron ver la cara, les costó sobreponerse de la tremenda sorpresa.

Aquello no podía ser.

Nadie podía estar en dos sitios a la vez.

84 PARÍS, JUEVES 21 DE OCTUBRE DE 1858

—¿Te das cuenta ahora de la belleza y de la armonía en el juego de Paul? —Amélie parecía hipnotizada.

—Eso ya lo sabía, no me tengo que dar cuenta. Lo que no me deja de sorprender es su dominio del desarrollo. Lanza sus piezas contra peones, como si no le importaran, a cambio de una posición ventajosa.

—Eso es lo que te he dicho antes y no me creías. Y me parece que no lo hemos visto todo.

—¿Por qué?

—¿Cuál es la única jugada que pueden hacer ahora el duque y el conde?

Charles Maurian estaba mirando el tablero.

—Sí, tan solo tienen una lógica.

—Y después se desatará la tormenta perfecta. Paul ha seguido esta línea de juego hasta el final de la partida. Ya la tiene en su cabeza.

—¿Cómo puedes saber eso?

—Porque también la tengo yo. Es la clase de partidas que le gustan a Paul y que me enseñaba a jugar. A los trece años no terminaba de comprenderlo, pero, con la edad, lo he conseguido. No es tan solo ajedrez, es puro arte.

Los nobles, como habían previsto Charles y Amélie, hicieron el movimiento que esperaban.

—Venga, listilla. ¿Y qué va a hacer a continuación?

—Paul lo tiene muy claro, pero se tomará algo de tiempo. No quiere humillar a los nobles jugando al toque, cuando la partida ya está más que decidida.

—La ventaja posicional de Paul es evidente, pero de ahí a decir que la partida está decidida media un trecho. Las negras pueden adelantar su dama y liberar la columna de su alfil, al mismo tiempo que desclavan su caballo. Si ponen en juego su alfil, pueden enrocarse y darle algo más de batalla a Paul.

Amélie se quedó mirando a Charles.

—Desde luego que lo intentarán, pero te aseguro que no lo conseguirán. Paul les dará caza antes de que se puedan organizar. Marca de la casa.

—Las negras disponen de una torre para apoyar a su caballo y hacerse fuertes. Tan solo necesitan una pequeña tregua de Paul para reorganizar su defensa.

—En serio, Charles, ¿no lo ves?

—En serio, Amélie, no.

—Pues a mis estimados duque de Brunswick y conde de Isouard les faltan para tumbar a su rey… digamos unos seis movimientos.

—¿Lo puedes ver de verdad?

—Ahora Paul se enrocará largo, añadiendo más presión con su torre sobre el caballo negro. La respuesta de los nobles será la única posible. ¿No te das cuenta de que Paul los está obligando a jugar como él quiere?

Efectivamente, Paul efectuó la jugada que había predicho Amélie.

—Tampoco lo veo definitivo. Como te había dicho, las negras pueden contrarrestar la amenaza de la torre de Paul con su torre negra, situándola junto a su rey y cubriendo su caballo. En estos momentos, un intercambio de material favorecería a los nobles, ya que quizá así, se quitarían la presión que están sufriendo y podrían organizar su defensa en torno a su futuro enroque.

—¡Qué no! ¡Qué no les va a dar tiempo de eso! —Amélie se puso a reír abiertamente, de tal manera que hasta Paul levantó la vista del tablero. Los dos nobles ni se percataron. Estaban completamente concentrados en la partida.

Hizo un gesto de disculpa.

—Me voy al palco de Napoleón a informarle de estos movimientos. Está encantado con la partida y todavía más ahora, que se pone muy interesante.

Cuando salió, se llevó una buena sorpresa.

85 PARÍS, JUEVES 21 DE OCTUBRE DE 1858

—Está muerto y encerrado en una pequeña estancia junto a los aseos —le confirmó Symphor—. Hemos dejado allí su cuerpo.

—¿Están completamente seguros de que era él? —preguntó el inspector Camille.

—Por supuesto. Aunque, como todos los actores y cantantes, llevara puesta una buena capa de maquillaje para mitigar los efectos de las luces de gas, sus rasgos faciales y sus ropajes lo delataban —respondió ahora Lagrange—. La cuestión es que ahora debemos resolver este rompecabezas.

—Con estos últimos acontecimientos, debo reconstruir el plan de vigilancia del emperador. Se ha visto completamente alterado. Voy a situar a uno de los agentes camuflados en la platea en la posición que ocupaba Hebert, que ahora se encuentra junto con Chevalier cubriendo la puerta de entrada del palco de Napoleón. Ya sé que perderemos el control de una parte del público, pero ahora eso me parece secundario.

—Si me lo permite —intervino Saint-Amant—, que, después de ser desatado, continuaba observando con sus anteojos la partida de Morphy—, le sugiero que envíe al inspector Camille a averiguar qué es lo que ocurre entre bastidores. Allí está el verdadero misterio.

—¿Cómo puede saber...? —comenzó a preguntar el prefecto.

—¿...qué el conde de Almaviva esté muerto y al mismo tiempo cantando en la escena? —terminó Saint-Amant.

—¡Que te haya soltado las manos no significa que no sigas detenido! Conoces detalles que tan solo podrían saber los organizadores de este *complot.*

—Te equivocas, Symphor. Tan solo sigo la partida de ajedrez y hasta ahora creo que no me he equivocado en mis predicciones. Un caballero, que ha muerto en la refriega, y una abadesa, que sigue viva, han atacado a dos peones, que también han fallecido. Además, os puedo adelantar que se avecina una buena escabechina. Paul está cocinando a los nobles a fuego lento y no creo que tarde en lanzar su ataque definitivo.

—¿Cuánto tiempo crees que le queda a la partida? —le preguntó Michel.

—¿No me digas que tú sigues creyendo a este loco? —Symphor no daba crédito.

—No perdemos nada por seguir esa línea. Total, vamos a ciegas. Quizá algo de luz nos venga bien. Estoy de acuerdo en que alguien debería desplazarse y unirse a Blanchard entre la compañía de la ópera, pero quizá en inspector Camille no sea la persona más adecuada. Él tiene su posición en el plan y no la debería abandonar. O tú o yo —dijo Lagrange, dirigiéndose al prefecto.

Symphor se quedó pensativo durante un momento.

—Tienes razón, me desplazaré yo mismo. Al fin y al cabo, soy el que está al frente de esta investigación. Dejaré a Blanchard en un extremo del escenario, con visual directa con vosotros. Estad atentos a cualquier señal que os pueda hacer. Michel —dijo ahora, dirigiéndose a su amigo—. Quiero que permanezcas en este palco y que, junto a Camille, deis apoyo a los inspectores Hebert y Chevalier. No quiero que se repita lo que ha ocurrido con los dos agentes fallecidos —dijo, mientras miraba sus cuerpos situados en un extremo de la segunda fila del palco—. Al menos cada minuto, que alguno de los dos salga a echar un vistazo.

—No creo que la partida se alargue más de seis o siete movimientos, todo depende de la agresividad de Morphy —contestó Saint-Amant a la pregunta que le había hecho Lagrange hacía un momento.

Symphor tuvo que hacer un esfuerzo de autocontrol. No podía perder los nervios en un momento así. Además, debía reconocer que sus palabras, en este caso, habían sido acertadas.

—Bueno, me voy. Cualquier cosa que precise os la haré saber a través de Blanchard —dijo el prefecto, mientras abandonaba el palco.

—Y la torre negra sale de su posición para dirigirse a la boca del lobo —dijo Saint-Amant.

—¿Qué dices? —le preguntó Lagrange, que también le empezaba a cargar esa actitud pretendidamente misteriosa de su amigo.

—Míralo por ti mismo —le respondió, mientras le entregaba los anteojos.

Michel, sin saber muy bien qué es lo que iba a ver, los tomó y dirigió su mirada hacia la partida de ajedrez.

—El duque y el noble han sacado su torre de su encierro —dijo Michel, que se quedó observando la partida durante un instante.

—Igual que nosotros hemos puesto en juego al prefecto Symphor.

—¿Qué dices? —repitió la pregunta Michel, que ya estaba enfadándose en serio.

—¿No aprecias la analogía? Desde el principio habíamos establecido que las dos torres negras erais tú mismo y el prefecto. No me negarás la casualidad. Symphor abandona el palco al mismo tiempo que los nobles ponen en juego su torre. Me parece que tú tampoco crees en las casualidades y esta es una de las grandes.

—A veces suceden, pero tienes razón. En general, no creo en ellas —le respondió Lagrange.

—Me preocupa mucho esa religiosa, que hace las veces de alfil blanco y que no aparece por ninguna parte. Sigue amenazando al emperador. En cuanto al prefecto, entra en acción en un momento muy peligroso de la partida.

—Charles, de verdad...

—Michel, lo que quiero decir es que no sé si volveremos a ver con vida a Symphor.

86 PARÍS, JUEVES 21 DE OCTUBRE DE 1858

—Tú debes de ser Lucy, ¿verdad?

—Sí, señor. Estaba limpiando y...

—No me importa lo qué estabas haciendo. Yo soy Symphorien Boittelle, prefecto de París y la persona que está al cargo de la seguridad de este teatro.

—¿Ocurre algo? Aquí, con nosotros, hay un agente suyo.

—Y tanto que ocurre algo. No tengo tiempo que perder. ¿Eres una de las hijas de Felice Orsini? Puedes contestarme con total sinceridad y tranquilidad, no te voy a apresar. Las hijas no heredan los crímenes de sus padres.

—¿De quién? Jamás he oído ese nombre. Soy huérfana desde que tengo uso de razón. El señor Bernard me dio trabajo y le estoy muy agradecida.

—¿Te refieres al director de la compañía?

—Sí, claro. Es una gran persona.

—¿Dónde se encuentra ahora?

—Supervisando la función, detrás del escenario. Siempre está allí. Por cierto, ¿han encontrado ya a Bartolomeo Botticelli? Su sustituto no es ni la mitad de bueno que él. Me sorprende que el emperador no haya notado el cambio.

—¿Y el conde de Almaviva?

La muchacha se le quedó mirando, como si se hubiera vuelto loco.

—Señor, lo puede ver usted mismo, si se asoma. Está en el escenario cantando.

Symphor, a pesar de que lo había visto muerto hacía un momento, apartó un poco la cortina lateral y miró al escenario de cerca. Efectivamente, allí estaba. Desde la distancia del palco quizá pudiera confundirse una persona con otra, pero ahora, el prefecto estaba a apenas cinco metros de él. No le cupo ninguna duda.

—¿Existe también un sustituto para el conde de Almaviva?

—Señor, por lo poco que llevo trabajando aquí, siempre llevamos algún cantante sustituto, al menos uno femenino y otro masculino, incluso en ocasiones especiales como la de hoy, hasta cuatro. Somos una compañía de prestigio internacional. Sé que existen otras que tan solo llevan una persona que da cobertura coral, por si alguno de los cantantes enferman en el día del estreno de la función, antes de su comienzo. Le sorprendería lo común que es. Yo misma lo he visto en varias ocasiones, la última en Ginebra hace muy poco.

—¿Se parecen físicamente?

—¡Se mira la calidad de su voz y no su aspecto físico! —afirmó con rotundidad Lucy—. Si ya es difícil encontrar cantantes de calidad, imagínese si además tuvieran que parecerse. Le digo más, la primera vez que trabajé para esta compañía, en Roma, la soprano sufrió un ataque de fiebres veinte minutos antes de la representación. Ya no es que no pudiera cantar, es que no podía mantenerse en pie. La tuvo que sustituir un hombre. Se avisó del percance al público y la función se desarrolló con normalidad. También he visto salir a cantar al ayudante del director o mandar buscar con absoluta urgencia a otro cantante conocido de la ciudad, porque no había sustituto posible para el principal. Ya ve que, aunque a usted le pueda parecer extraño, no lo es tanto.

—El conde de Almaviva que está ahora en el escenario, ¿es el mismo que ha comenzado la función?

—¡Por supuesto! Se trata de Manuel Gómez, el único español de la compañía. Creo que otro compañero suyo ha estado antes por aquí e incluso ha accedido a su camerino.

Symphor sabía que Lagrange lo había hecho, encontrando el supuesto falso disfraz de abadesa en su interior.

—¿Y qué ocurre, por ejemplo, cuando un cantante que debe salir a escena, necesita ir a los aseos?

Lucy se rio.

—Todos acuden a los baños antes de salir al escenario. Es como un ritual, incluso aprovechan para calentar su voz. Sus gritos se pueden escuchar desde afuera, le aseguro que suenan ridículos. Pero, a pesar de eso, aunque parezca extraño, también sucede. Supongo que será cosa de los nervios. Si existe un cantante sustituto, no pasa nada, él sale a la escena y ya está. En cuanto es posible, se hace el cambio. Si no existe un sustituto, la cosa se complica. Si es por poco tiempo, dependiendo de la representación de que se trate, intentamos hacer un pequeño receso o alargar alguna pieza. He sido testigo de ambas cosas. Como comprenderá, todo depende de la profesionalidad de la compañía. Le aseguro que esta tiene preparadas casi todas las contingencias posibles.

—¿Tiene sustituto el conde de Almaviva, Manuel Gómez?

—En esta función, sí. Se trata del tenor italiano Paolo Vitarelli. Tiene una voz fantástica. Porque Manuel Gómez ha alcanzado gran prestigio en toda Europa, si no, estoy segura de que podría representar al conde de Almaviva sin que nadie lo advirtiera.

Symphor, inmediatamente, se puso alerta.

—¿Tú los reconocerías? Has dicho que te incorporaste hace poco tiempo a la compañía.

—¡Por supuesto, señor! Aunque apenas lleve unos meses, convivo con muchos de ellos casi a diario.

—¿Podrías echar otro vistazo al conde de Almaviva? Me interesaría mucho confirmar que se trata de Manuel Gómez.

—No, claro que no —le respondió Lucy, aunque no comprendía la actitud de aquel policía. Se asomó al escenario y se quedó observando con detenimiento al conde. Ahora estaba en el otro extremo, ya que se encontraban cantando, en el centro de la escena, don Bartolo y Berta, su ama de llaves.

Lucy le contestó y Symphor, sin mediar palabra, salió corriendo.

87 PARÍS, JUEVES 21 DE OCTUBRE DE 1858

Lagrange se sobresaltó tanto, que casi se le caen los anteojos a la platea.

—Están llamando a la puerta del palco —le dijo Saint-Amant.

—Ya me había percatado —le respondió Michel, mientras desenfundaba su pistola.

—¿Por qué haces eso?

—Symphor no llama a la puerta para entrar y nadie más sabe que estamos aquí.

Antes de que pudiera llegar, la puerta se abrió.

—¡No vuelvas a hacer eso! —dijo Lagrange, mientras guardaba la pistola en su funda con evidente alivio.

—Creo que debería ver esto —dijo el inspector Hebert.

—¿Qué ocurre?

—Un intento de intrusión en el palco del emperador.

Ambos salieron a toda prisa.

—¿Les podría decir a sus hombres quién soy y que me dejen en paz? Este sabueso suyo me está haciendo daño.

—Chevalier, puedes soltarla. La conozco. Es una sirviente del duque de Brunswick que lo acompaña en el palco contiguo.

—Me llamo Amélie Durand —respondió, mientras se dolía de las manos.

—¿Qué hacías intentando entrar en el palco imperial? —le preguntó Lagrange.

—Llevo haciéndolo toda la velada. El emperador está siguiendo la partida de Paul Morphy y cada dos movimientos le informo. Pueden preguntar a los dos agentes que estaban vigilando la puerta hace un momento. Napoleón les ordenó que me dejaran pasar.

«No creo que les podamos preguntar nada», pensó Lagrange, pero sí que podían confirmar si lo que decía la muchacha era cierto. Él no podía hacerlo, ya que, en teoría, no estaba participando de la vigilancia al emperador, pero el inspector Chevalier sí que tenía vía libre para acceder al interior y confirmar con Napoleón lo que decía la joven.

—Señorita, comprenda que debamos confirmar lo que dice —dijo, mientras daba las oportunas instrucciones a Chevalier, que entró en el palco—. Mientras tanto —continuó dirigiéndose a Amélie—, le sugiero que no se quede en el pasillo. Vuelva al interior del palco del duque de Brunswick. No se preocupe, si todo es cómo usted afirma, yo mismo le daré la autorización.

Lagrange estuvo a punto de decir que el pasillo no era un lugar seguro, pero se contuvo.

Amélie levantó los hombros en señal de impotencia y se volvió al palco. Había conocido a aquella persona en el palacio ducal y sabía que era uno de los jefes de la *Sûreté*. Tampoco era cuestión de ponerse a discutir con alguien de su posición. «Cuando Napoleón se lo confirme, ya volveré», se dijo.

—Michel, tienes que venir inmediatamente —escuchó a través del pasillo. Era Saint-Amant, casi gritando desde la entrada del palco del inspector Camille. Lagrange se asomó. El rostro de su amigo reflejaba auténtico pánico.

—Hebert, quédese en la puerta y no se mueva bajo ningún concepto. Chevalier saldrá enseguida y yo volveré en un momento.

El inspector asintió con la cabeza, mientras Michel acudía con Saint-Amant.

—¿Qué ocurre ahora, Charles? —preguntó con cierto cansancio Lagrange, una vez había accedido al palco.

—Hebert está muerto —dijo, mientras le pasaba los anteojos a su amigo.

—Charles, el inspector Hebert está vivo. De hecho, cuando te has asomado al pasillo, estaba hablando con él. ¿No lo has visto?

—¡Mira tú mismo! —le urgió Saint-Amant—. Morphy ha hecho su siguiente jugada.

—¡Ha capturado un caballo con su torre! ¿Por qué regala la calidad con esa alegría? Está claro que va a caer en la siguiente jugada que hagan los nobles, que la tomarán con su propia torre. Ya sabes que las torres, después del propio rey y dama, son las piezas más valiosas. Un caballo es inferior.

—En realidad no ha regalado la calidad, pero eso no es lo importante ahora. Ha tomado un caballo negro. Como tú decías hace un momento, Hebert estaba vivo y solo en la puerta del palco de Napoleón. Hace un momento —repitió, recalcando sus últimas palabras.

—¿En serio crees que Hebert ha muerto en los últimos treinta segundos? ¿Has escuchado algo? Yo no.

—No solo eso, sino que ha sido a manos de una torre blanca. Esa es una pieza nueva que acaba de entrar en juego. No ha utilizado el alfil, que se supone que es la falsa abadesa que ya habíamos visto antes. Una torre debe ser alguien muy importante en la partida de Orsini.

—¡Es la partida de Morphy! —exclamó, soltando los anteojos, pero, al mismo tiempo, dirigiéndose a la puerta del palco. Las locuras de su amigo le empezaban a contagiar.

En apenas diez segundos más, estaba en la puerta del palco imperial.

Lo que vio le dejó la sangre helada.

En el suelo yacía el inspector Hebert y, encima de él, se encontraba el prefecto Symphor, mirando fijamente a Lagrange, con los ojos inyectados en sangre.

88 PARÍS, JUEVES 21 DE OCTUBRE DE 1858

—¡Pues el muy imbécil no me ha permitido entrar en el palco!

—Bueno, supongo que el emperador les dejará las cosas claras. Mientras tanto, mira el movimiento que acaba de hacer Paul. ¿No te sorprende?

Amélie se quedó mirando el tablero durante un instante.

—No. ¿Por qué tenía que hacerlo?

—Porque cuando te he sugerido que a los nobles les interesaba forzar un intercambio de material para aliviar un tanto la presión que Paul estaba ejerciendo sobre ellos, me has dicho que nos les daría tiempo. ¡Y ahora es el propio Paul el que inicia ese intercambio de piezas! Eso puede dar un respiro a los nobles. Después de que el tablero se despeje un poco, adelantarán su dama, pondrán en juego su alfil y se enrocarán. Paul habrá perdido su ventaja posicional.

Amélie se quedó mirando a su amigo, con una sonrisa cariñosa.

—Desde luego, Paul nos enseñó a jugar a los dos, pero a uno, mejor dicho a una, le dejó más poso.

—¡Oye! —protestó Charles, empujando a Amélie y haciéndose el ofendido.

—Sigues sin ver la línea de juego de Paul. Va a despejar lo que le interesa, nada más que eso. No va a permitir a los nobles un verdadero intercambio de piezas neutral.

—¿No? Pues mira la jugada de tu duque. Me da la impresión que ese intercambio ya ha comenzado.

—¿Qué otra cosa esperabas que hicieran? Pero Paul no seguirá por esa línea, al menos de momento.

—Entonces ¿por qué la ha iniciado?

—Fíjate bien en el tablero. El duque y el conde tienen todas sus piezas mayores, excepto la dama, o bien clavadas, o bien sin posibilidad de ser jugadas. Ahora mira a Paul, le sucede justo lo contrario. Todas sus piezas están activadas, excepto…

—¿Su torre?

—Muy bien, Charles. Quizá ahora deduzcas el motivo por el que Paul ha sacrificado su primera torre por el caballo negro.

—¿Para dar salida a su otra torre?

—¡Exacto! Esa segunda torre es la verdaderamente importante en la partida. De hecho, se esperan grandes cosas de ella.

Charles Maurian se quedó mirando a Amélie, sin comprender ese último comentario. Luego dirigió su vista al tablero durante sus dos buenos minutos.

—Sí, está claro que el desarrollo de Paul es bueno, pero aun moviendo su torre, las negras pueden adelantar su dama para dar salida a su alfil negro y buscar el enroque, que es lo que te llevo diciendo desde hace rato. Tienes razón en que los nobles tienen la partida muy complicada, pero nadie esperaba que pudieran ganar a Paul. Sin embargo, sí que pueden alargarla más allá de los veinticinco movimientos, lo cual ya sería un gran éxito, dada la enorme diferencia de nivel.

—¡Que no, cabezota! —exclamó Amélie—. Bueno, voy a ver si ese inspector de la *Sûrete* ya ha aclarado las cosas con Napoleón. El emperador se va a perder el desenlace de la partida y parecía muy interesado.

Nada más abandonó Amélie el palco del duque, Paul hizo su siguiente movimiento, poniendo en juego su torre blanca.

—Amélie, Paul ha hecho el movimiento que habías predicho —dijo Maurian, que no había advertido la ausencia de su amiga.

Se había puesto en juego, igual que la torre blanca.

89 PARÍS, JUEVES 21 DE OCTUBRE DE 1858

—¿Qué significa esto, Symphor? –Lagrange tenía puesta su mano derecha en la funda de su pistola, de forma disimulada.

—No es lo que parece, Michel. He llegado corriendo desde el escenario y el conde de Almaviva estaba atacando a Hebert. Me he abalanzado sobre él con un cuchillo, por no utilizar la pistola y evitar hacer ruido. El conde se ha marchado escaleras hacia abajo. Estoy seguro de que está malherido.

—¿Así que el conde? ¿El conde de Almaviva? ¿A cuál te refieres? ¿Al que está muerto, encerrado en el cuarto de la limpieza o el que acabo de ver cantando en el escenario?

—Ya sé que suena muy extraño, pero te lo puedo explicar...

—Symphor, levántate muy lentamente y aleja tus manos de la pistola.

—¿No creerás que yo tengo algo que ver con todo esto?

—No, no lo creo, pero comprende que la situación no te beneficia. Tranquilo, te daré tu oportunidad de explicarte.

En ese justo instante, para horror de todos los presentes, se abrió la puerta del palco imperial. Apareció la figura solitaria del inspector Claude Chevalier. Tanto Symphor como Michel respiraron con tranquilidad.

—¿Qué ocurre aquí? —exclamó Chevalier asustado, al ver el cuerpo, aparentemente sin vida, de su compañero Hebert. De forma instintiva, desenfundó su pistola, sin saber bien adónde apuntar.

—Escucha, inspector. Guarda tu arma en la funda y ayuda al prefecto a levantarse —dijo Lagrange, con el tono de voz más sosegado que supo disimular.

Chevalier se quedó mirando al inspector de la *Sûrete* y no se le pasó por alto que tenía su mano en la funda de su pistola. Algo estaba sucediendo y no lo comprendía.

—Claude, haz caso al inspector Lagrange —le ordenó el prefecto.

Chevalier no lo tenía nada claro, pero la orden de su superior directo le hizo reaccionar. Nada más Symphor estuvo en pie, Claude le tomó el pulso a Hebert.

Estaba muerto.

—¿Qué diablos ha pasado aquí? —dijo Chevalier, sin quitarle un ojo a ninguno de sus dos superiores. Allí no había nadie más y su compañero estaba muerto.

—Han atacado al inspector Hebert. He herido al culpable con mi cuchillo y ha huido escaleras abajo —repitió Symphor.

—¡Hay que perseguirlo! —exclamó Chevalier.

—¡Quieto! —le ordenó Lagrange.

El inspector casi había arrancado a correr. Se detuvo en seco. «¿Qué está pasando aquí?», se volvió a preguntar, mientras se quedaba mirando al prefecto, esperando instrucciones.

—Haz caso al inspector Lagrange —dijo Symphor.

—No entiendo qué es lo que está ocurriendo —intervino Chevalier—, pero la emperatriz quiere volver a los aseos para empolvarse la nariz, ante el cercano final de la ópera. O persigo al culpable de la muerte de Hebert o la escolto a los aseos.

—Hemos de retirar el cuerpo de Hebert de la puerta del palco imperial lo antes posible. La emperatriz no lo puede ver. Symphor, tú y yo nos ocuparemos de ello. Chevalier, permanezca en la puerta del palco. No puede acompañar a la emperatriz a los aseos hasta que hayamos vuelto.

—¿Qué ocurre aquí? —oyeron gritar a una persona, aproximándose por el otro extremo.

—¿Qué hace en el pasillo? —le devolvió el grito Lagrange—. Le había dicho que iría al palco del duque a avisarla.

Amélie estaba aterrorizada por la escena.

—¿Está muerto? ¿No era un policía?

—¡Vuelva a su palco ya y no cuente a nadie lo que acaba de ver!

—Señor —intervino Chevalier—. La señorita tenía razón. El emperador la está esperando para que le informe del desarrollo de la partida de Morphy. Es cierto que tiene autorización para entrar.

Lagrange estaba pensando a toda velocidad. Tenía que tomar varias decisiones difíciles y todas a la vez.

—Se llamaba Amélie, ¿verdad? —le preguntó.

—Sí, señor.

—Pues entre en el palco del emperador e infórmele de los movimientos de la partida. Pero eso no es todo. Debe hacer otra cosa por mí, Amélie. Tiene que entretener a la emperatriz.

—¡Pero si jamás he hablado con ella! Soy una simple doncella al servicio del duque de Brunswick. Ni siquiera se dignará a mirarme. Soy invisible para ella.

—Tan solo un minuto, con eso tendremos suficiente. Háblele del interés de la partida de ajedrez cuando se encuentre delante del emperador. Seguro que Napoleón le hará algún comentario. Doña Eugenia debe de estar encantada de que la atención de su marido se centre en ese juego y no en la cantante de la ópera de turno, como suele ser lo habitual. Creo que con eso será suficiente.

Amélie no entendía nada, pero decidió hacerle caso al inspector de la *Sûreté*. Además de que su voz le causaba temor, tampoco tenía otra alternativa.

—¡Manos a la obra! —ordenó Lagrange.

Junto con Symphor, en apenas un minuto habían trasladado el cadáver al palco del inspector Camille.

—¡Os lo había dicho! —exclamó Saint-Amant, en cuanto los vio aparecer.

—Esto parece una morgue, no un palco —dijo el inspector Camille—. ¿No creen que ya ha llegado la hora de ordenar la evacuación del emperador? Me da la impresión de que ya no controlamos la situación.

—De eso nada —dijo Symphor.

Saint-Amant dejó los anteojos y se dirigió al prefecto.

—Creíamos que era la torre negra, de los buenos, pero ahora, mi amigo Michel piensa que quizá puedas ser la torre blanca, del equipo de Orsini, ¿Has matado al caballero negro Hebert?

Symphor, ahora sí, parecía que iba a arrojar a Charles por encima de la barandilla del palco. Lagrange se interpuso entre ambos justo a tiempo.

—Tranquilo —continuó Saint-Amant—. El prefecto no ha matado al inspector Hebert. Es la torre negra, de los nuestros. Los nobles han capturado sobre el tablero a la torre blanca y, en consecuencia, debe de estar muerta en la realidad. Symphor está vivo, con nosotros. Sin embargo, el prefecto sí que ha matado a alguien. A la torre blanca. ¿Me equivoco?

—Ya se lo he dicho a Lagrange. No sé si está muerto, pero desde luego que he herido al atacante del inspector Hebert.

—Veo que ya da crédito a mi teoría del ajedrez —Saint-Amant estaba sonriendo—. Ahora, tienen que ocuparse de dos problemas inmediatos. Localizar a la torre blanca, que está muerta, con el objeto de identificarla y solventar el problema de la emperatriz, que quiere ir al aseo. No os podéis permitir que vea nada fuera de lo común o advertirá al emperador. Además, debéis protegerla.

Symphor estaba pasmado.

—¿Cómo puedes saber que la emperatriz quiere ir al aseo? —le preguntó. Sin dejarle responder, se dirigió al inspector Camille—. ¿En algún momento se ha acercado a la puerta del palco?

—No, señor. Ha estado todo el rato sobre la barandilla, observando la partida. No se ha movido de ahí.

—Me lo han dicho las piezas negras— afirmó Saint-Amant, que no había dejado de sonreír—. Han avanzado su dama hasta la tercera casilla del tablero. El palco tan solo tiene dos filas de butacas. Es obvio que quiere salir.

Los tres se quedaron mirando la partida, con Saint-Amant sonriendo sobre ellos.

—Y eso no es todo —continuó el ajedrecista—. Con este movimiento, las negras desclavan su caballo, abren la diagonal de su alfil encerrado, pero hay un detalle que no se nos puede escapar. Las dos damas, la blanca y la negra, ahora mismo se encuentran enfrentadas. Es posible que se produzca un intercambio. Para que me entiendan, cabe la posibilidad de que ambas mueran.

—¡La emperatriz quería ir al aseo! —gritó Symphor— ¡Eso es un punto débil!

—¡Vayámonos ya! —exclamó Lagrange.

—¿Les puedo ayudar en algo? —preguntó el inspector Camille—. Llevo encerrado en este palco toda la representación de la ópera y está claro que la acción está sucediendo fuera de aquí. Me gustaría colaborar en la defensa de su emperador.

Symphor parecía que iba a aceptar, pero Lagrange se le adelantó.

—Desde luego, inspector, pero no ahora. No podemos estar todos juntos, por simple seguridad. Estoy seguro de que desempeñará un papel importante dentro de un rato. Gracias por su ofrecimiento.

Michel empujó a Symphor hacia el exterior. Llegaron a la altura del palco imperial. El inspector Chevalier se encontraba apostado en la puerta, sin aparente novedad.

De repente, sucedieron dos hechos simultáneos que alteraron todo.

Lagrange se fijó en la barandilla de la escalera que daba acceso al piso superior. «¿Qué era aquello?», pensó de inmediato. Cuando lo comprendió, se le heló la sangre.

Al mismo tiempo, se abrió la puerta del palco imperial. Symphor y Chevalier se giraron hacia ella.

—La emperatriz va a salir, ya no la he podido retener más —dijo Amélie.

90 PARÍS, JUEVES 21 DE OCTUBRE DE 1858

—¿Para qué demonios querían retrasar la salida al aseo de la emperatriz? —preguntó Maurian—. Me parece ridículo.

—No tengo ni idea, pero está claro que algo muy extraño está sucediendo a nuestro alrededor.

—¿Nos tenemos que preocupar?

—No, para eso está la policía —le mintió Amélie, que había omitido el detalle que había visto a un agente muerto—. Además, el duque tiene apostados sus propios guardias en este palco.

—No te veo demasiado convencida...

—No intentes distraerme de lo importante, la partida. ¿Qué ha pasado en mi ausencia?

—Me parece que estamos empatados. Como tú habías predicho, Paul ha puesto en juego su única torre y los nobles han adelantado su dama, como lo había previsto yo. Sin duda era su mejor movimiento. Ahora ofrecen un cambio de damas, además de activar a su caballo y abrir la diagonal de su alfil.

—Nadar para morir en la orilla —le respondió sonriente Amélie.

—¿Aún piensas que Paul va a ganar en los próximos movimientos?

—Mate en tres.

Maurian tuvo que hacer verdaderos esfuerzos para no reírse.

—¡Venga ya! Eso no te lo crees ni tú. Ahora, nuestro amigo Paul tiene cosas más importantes en qué pensar. Por ejemplo, si acepta el intercambio de damas. Si no lo hace él, al duque y al conde les interesa, y mucho. El próximo movimiento de Paul deberá ser defensivo, es decir, mover su dama para evitar un intercambio que no le conviene en absoluto.

—Dudo mucho que su próxima jugada sea defensiva y también dudo mucho que se intercambien las damas, a pesar de que Paul no mueva la suya —le respondió Amélie, sonriendo.

—¿Cómo puede suceder eso? Es imposible. O la quita o se la quitan.

—Espérate y disfruta de lo que vas a ver. Quién sabe, quizá seas testigo directo de la historia.

Mientras Charles Maurian se devanaba el cerebro buscando la línea ganadora de Paul en tan pocos movimientos, en la puerta del palco imperial también se estaban estrujando la mente.

—La emperatriz no puede salir del palco. En su interior está protegida —afirmó un angustiado Symphor.

De repente, Lagrange pareció volver de su aletargamiento.

—Inspector Chevalier, tú eres el responsable de la seguridad de la emperatriz cuando sale del palco. Debes ser tú el que la obligue a quedarse en su interior. Si lo hace el prefecto, Napoleón le preguntaría el motivo de tan inusual petición.

—¿Y a mí no me va a preguntar?

—No hablarás con él, te dirigirás directamente a la emperatriz y le dirás que tiene que aguardar un momento. Por ejemplo, infórmale de que los aseos están abarrotados y que has dado la orden de que los vacíen, pero que se demorará un par de minutos. Dile que la avisarás cuando todo este preparado. Doña Eugenia es muy mirada para esas cosas y se aguantará. Una vez convencida, sales del palco y te sitúas en la puerta. No te muevas de esa posición hasta que el prefecto y yo regresemos.

—¿Dónde pretendes que vayamos? —Symphor estaba sorprendido. El objetivo estaba tras la puerta del palco y toda la acción parecía tener objeto allí mismo.

—Primero a buscar a un fantasma y luego a dar caza a la reina blanca —respondió.

Nadie se atrevió a preguntarle a qué se refería ni cuestionaron sus instrucciones.

Lagrange y Symphor se encaminaron hacia la escalera. El primero se dirigió hacia el pomo y tomó algo en sus manos que ocultó en uno de sus bolsillos. Empezaron a bajar con suma cautela. Michel se llevó un dedo a su boca, en señal de silencio.

Apenas habían descendido una docena de escalones, se encontraron con un cuerpo ensangrentado. Lagrange le tomó el pulso. Estaba muerto. Se levantó y se apartó de aquel cadáver. Parecía que se daba por satisfecho.

—¿No quieres verle el rostro? —Symphor estaba sorprendido.

—¿Para qué? Ya sé quién es. Me lo ha dicho el pomo de la escalera.

El prefecto lo miró con cara incrédula. Sin embargo, sí que volteo el cuerpo.

—¡Es el conde de Almaviva! —no pudo evitar exclamar Symphor—. Lucy me dijo que el conde se había ausentado dos veces para ir al aseo y que su sustituto había entrado a escena. Pero tenemos a uno muerto en la sala de la limpieza, a otro en el escenario cantando y ahora un tercero... ¡es increíble!

—No, no lo es —dijo Lagrange, mientras se sacaba de su bolsillo un girón de tela de los ropajes del conde—. Esta sí que es la torre blanca. ¿No lo reconoces?

—¿Debería?

—Su nombre ya me puso sobre la pista que ahora se confirma. Este individuo no es Manuel Gómez, el supuesto tenor, sino Antonio Gómez, uno de los que cometió el atentado en enero y que se escapó de la *Ille du Diable*. Con tanto maquillaje y esa iluminación de luz de gas, es muy difícil distinguirlo en la escena, pero no ahora.

—¡Dios mío! —exclamó Symphor—. Eso significa que...

—Sí, no hace falta que lo digas, ya que ahora vamos a por él —dijo, mientras dejaba el cuerpo en las escaleras y las subía a toda prisa.

—La reina blanca —no se resistió el prefecto—. El conde Di Rudio está en el teatro, pero ¿cómo piensas encontrarlo?

—Si lo meditas bien, tan solo hay dos candidatos posibles a representar el papel de la dama blanca en esta inmensa partida de ajedrez. Orsini era un gran estratega, tanto en el campo militar como en el ajedrez. Dime, Symphor, ¿cómo se producían la mayoría de asesinatos de emperadores en la antigua Roma?

—Por familiares, sobre todo hijos, con el objeto de hacerse ellos con el poder, pero no le veo la conexión con este caso.

—No me refería a eso.

Mientras hablaban, habían llegado a la sala de comunicaciones. El agente al cargo, nada más ver entrar a Lagrange, le informó de que había llegado la respuesta a su segundo cable.

Lo tomó entre las manos. Al mismo tiempo que lo leía, no podía evitar sonreír.

—Aquí hay uno de los dos posibles candidatos —le dijo, mientras le pasaba la nota al prefecto.

—¡Pero esto es imposible! —exclamó Symphor, pasmado.

—Improbable desde luego, pero no imposible. La respuesta correcta a mi pregunta anterior era desde dentro. Casi todos los asesinatos de emperadores se producían por personas cercanas, no por extraños. Esto lo confirma.

—¿Por qué dices que es uno de los dos posibles candidatos? ¿Cuál es el otro?

—No olvidemos que las blancas disponen, como piezas principales, de una torre y una dama. ¿Quién es quién? Esa es la cuestión. Supongo que tendré que consultarle a Saint-Amant.

—¿Él es el otro posible candidato?

—Podría ser, ¿no? Es una persona cercana y conocía el detalle del caballo blanco muerto de Orsini. No solo eso, con la excusa del ajedrez está dirigiendo nuestros movimientos. Pero me temo que, para asegurarnos, deberemos obligarlo a salir de su escondite, es decir, del palco del inspector Camille, y ponerlo en medio del juego.

Llegaron a la altura del inspector Chevalier, que les hizo un gesto de que todo marchaba sin novedades.

—Quédate con el inspector —le dijo Lagrange al prefecto—. Voy a intentar sacar a Saint-Amant de su refugio, a ver qué ocurre.

—¿Quieres ayuda?

—No, mejor que vaya yo solo.

Michel se dirigió hacia la puerta del palco y la abrió. Nada nuevo. El inspector Camille seguía oteando la platea y Charles estaba con sus anteojos, mirando el palco del duque. Ninguno de los dos pareció advertir su presencia.

De repente, Saint-Amant dio un brinco hacia atrás, que casi le hace perder el equilibrio. Camille se asustó. En ese momento, ambos vieron a Lagrange.

—Michel —chilló Saint-Amant—. El prefecto acaba de morir.

—¿No me digas? —le respondió su amigo—. ¿Por qué no salimos y lo vemos los dos juntos?

—Ya lo veo —le respondió, cambiando radicalmente su actitud. Había observado los ojos de Michel.

No lo creía.

91 PARÍS, JUEVES 21 DE OCTUBRE DE 1858

—Te lo había advertido, existía otra opción.

—Sí, pero es retrasar lo inevitable. Compensa la torre que había perdido antes, pero las negras capturarán su alfil con su caballo y Paul aún tendrá el dilema de su dama.

Amélie no dejaba de sonreír, pero notó como su amigo se estaba enfadando por su sensación de superioridad. «Es que no es una sensación», pensó divertida, pero consideró rebajar la tensión.

—Sí, tienes razón. La única respuesta posible de las negras es tomar el alfil con su caballo. Las damas siguen enfrentadas.

Apenas terminó la frase cuando el duque de Brunswick respondió a la jugada de Morphy, tal y como estaba previsto.

—¿Y ahora qué? —le preguntó Maurian—. El dilema de las damas.

—Ya me he cansado de repetirte que no existe tal dilema.

—Claro, porque Paul cederá y la protegerá. Los dos estamos de acuerdo en que no le interesa el intercambio.

—El intercambio quizá no, pero otra cosa que no te esperas sí.

—¿Qué no me espero? ¿Qué va a hacer Paul? ¿Sacarse un movimiento mágico de su chistera?

—Algo así.

92 PARÍS, JUEVES 21 DE OCTUBRE DE 1858

—¡Vamos! ¡Deprisa!

—¡Te lo había advertido!

Lo que Lagrange y Saint-Amant estaban viendo era una pelea entre tres personas. Parecía que el inspector Chevalier estaba controlando la situación, ya que había reducido al presunto agresor.

—¿Qué ha ocurrido?

—No sé de dónde demonios ha salido este tipo vestido así, pero se ha abalanzado contra nosotros dos. Rápidamente he podido placarlo y lanzarlo contra el suelo. Le he atado las manos por la espalda, ya no supone ninguna amenaza —explicó Chevalier—. El prefecto se ha llevado el primer golpe, ande, ayúdelo a levantarse.

Lagrange tomó al prefecto por su mano e hizo fuerza, para ayudar a incorporarlo. Inmediatamente se dio cuenta de que algo no iba bien. Symphor no le ayudaba con su esfuerzo. Le soltó la mano y lo asió con las dos suyas por la espalda. Nada más hacerlo, noto algo pegajoso en una de ellas. La retiró de inmediato de su espalda.

—¡Es sangre! ¡Está herido!

Chevalier se aproximó a los dos y le dio la vuelta al cuerpo del prefecto.

—Lo han apuñalado, pero aún vive —dijo el inspector.

—Saint-Amant, ¿qué haces ahí inmóvil? Ven a ayudarnos.

Las voces de Lagrange parecieron despertar a Charles, que se aproximó a ellos.

—¿Qué hago? No tengo ni idea de temas médicos.

—Mantenle la cabeza levantada —le respondió—. Vamos a intentar que recupere el conocimiento.

Con las voces, el inspector Camille también salió del palco y se unió al grupo.

—No necesitamos tantas personas alrededor de Symphor, le quitamos el aire —le dijo Lagrange a Camille—. Vaya con el atacante, a ver quién es y en qué estado se encuentra.

Los tres estaban haciendo todos los esfuerzos posibles por mantener con vida al prefecto.

—Señor, parece un actor de la compañía, por sus ropajes.

—Seguramente será el desaparecido don Bartolo. Interróguelo. Quiero saberlo todo acerca de este *complot*.

—Me temo que no será posible, señor. Está muerto. Ha recibido una puñalada similar a la del prefecto. Seguramente se defendería, pero esta se encuentra en el corazón, no en la zona del estómago.

—Anda, venga y releve a Charles, que no hace más que sacudir la cabeza del prefecto con ese pulso tan nervioso que tiene— ordenó a Camille. Ahora se giró hacia su amigo—. Charles, tú, mientras tanto, acude a la oficina de comunicaciones. Ya no podemos demorar más la emergencia de esta situación. Informa al telegrafista de lo que ocurre y que pida ayuda urgente a la Prefectura y que traigan médicos inmediatamente. Si te pone problemas, dile que la orden viene de mí.

—¿No vamos a avisar al emperador? —dijo Camille—. Quizá deberíamos sacarlo del edificio antes del próximo ataque. Aún quedamos en el interior de la ópera cinco agentes, el inspector Chevalier, usted y yo. Somos ocho. La ayuda puede llegar demasiado tarde. Si hacemos la señal de emergencia y nos reagrupamos todos aquí, lo podríamos lograr en apenas unos minutos.

Saint-Amant no reaccionaba. Permanecía en pie, sin mover un solo músculo.

—Va a jugar la dama —dijo, con la voz temblorosa.

—¿Qué dices? ¡Déjate de esa tontería del ajedrez y haz el favor de pedir ayuda!

—No va a servir de nada. La dama va a entrar en el palco del emperador y le dará jaque. Alguien tiene que protegerlo —dijo Saint-Amant, mientras salía corriendo en dirección al palco.

—¡Ahora! —ordenó Michel al inspector.

En menos de un segundo, Lagrange y Chevalier soltaron el cuerpo sin vida del prefecto Symphorien, que llevaba muerto desde el principio. Se abalanzaron sobre Saint-Amant, al que derribaron de forma aparatosa en la misma entrada del palco imperial.

—Apenas a un metro —dijo Claude Chevalier.

—Pero suficiente —le respondió Michel Lagrange.

93 PARÍS, JUEVES 21 DE OCTUBRE DE 1858

—¡Paul se ha vuelto loco!

—Todos los artistas tienen un punto de locura. La línea que separa la genialidad de la misma locura es muy delgada. A veces, no sabes en qué lado están, ni siquiera ellos mismos. Y, sin ninguna duda, nuestro amigo Paul es un gran artista.

—¿Pero has visto su jugada?

—La estaba preparando desde hacía seis movimientos, al menos que yo sepa. Eso es lo que yo he alcanzado a ver. Igual él ya lo tenía claro mucho antes.

—¿Preparando el qué? ¿Regalar su dama?

—No, estaba preparando uno de los más bellos jaques mates que se ha visto jamás en una partida de ajedrez. Yo he visto la combinación desde la décima jugada, cuando en vez de retirar su alfil, ha tomado el peón con su caballo. Todo un ejemplo de rápido desarrollo de sus piezas y sacrificios, hasta llegar incluso a «regalar» su dama, como tú dices. Bellísima combinación que pasará a la historia, estoy segura.

—Sí, le ha dado jaque con su dama, pero la va a perder con el caballo. ¿Qué tiene eso de belleza?

—Disfruta de este momento. No creo que veas otro ni parecido.

El duque de Brunswick y el conde Isouard se miraron, con la misma expresión de perplejidad en sus rostros. No podían creer el regalo que les ofrecía Morphy. Levantaron la vista, para ver si advertían alguna señal en el joven de un error. Era comprensible, ya que llevaba muchos días postrado en la cama.

Pero no vieron nada. Ni alegría ni decepción.

Nada.

Como ocurría en todas las partidas que jugaba Paul. Las pocas veces que había perdido o acordado tablas, se limitaba a darle la mano a su oponente, sin mostrar ninguna emoción. Cuando ganaba ocurría lo mismo.

Parecía que le daba igual el resultado del juego. No era exactamente así, ya que prefería vencer, pero, desde luego, no era lo más importante.

Se quería divertir y esta noche lo había logrado.

Los nobles, viendo que Paul no hacía gesto alguno, no dudaron en aceptar el aparente regalo.

—¡Dios mío! —exclamó Charles Maurian.

—¿Ya lo has visto?

—¿Y dices que lleva al menos seis movimientos preparando este jaque mate?

—Al menos —le respondió Amélie, con una gran sonrisa en su rostro—. Pero mira toda la partida que ha jugado en su conjunto. A Paul le quedan una torre y un alfil, frente al duque y el conde, a los que les restan una torre, un alfil, un caballo y la dama. A pesar de ello, ha dominado la partida desde el tercer movimiento. ¿No me negarás que es puro arte? Cuando ves una cosa así, hasta te entran ganas de llorar —y no era literal, una pequeña lágrima resbalaba por una de sus mejillas.

Paul levantó la vista del tablero por primera vez en bastante tiempo. Se quedó mirando a Amélie.

También se le escapó una lágrima, aunque no por los motivos que se imaginaban.

94 PARÍS, JUEVES 21 DE OCTUBRE DE 1858

—Charles Saint-Amant, quedas detenido por el intento de asesinato de Napoleón —dijo Lagrange, todavía en el suelo junto con el inspector Chevalier.

—Os equivocáis —se quejaba a gritos Saint-Amant—. Tan solo pretendía prevenir al emperador.

—Tú eres la reina blanca —le respondió Michel—. Desde el principio lo he sospechado. ¿Sabes que no le conté a nadie que ordené matar al caballo de Orsini? ¿Cómo lo podías saber tú? Ni se publicó ni aparece en ningún informe.

—¿Ha sido eso?

—Entre otras cosas menores.

Saint-Amant parecía resignado, pero susurró una cosa al oído de Michel.

El inspector Camille había asistido a todo el espectáculo sin mediar palabra.

—Señor —dijo, dirigiéndose a Lagrange—. Insisto en que debemos evacuar de forma segura a Napoleón. Ahora contamos con el factor sorpresa de haber descabezado el *complot*. No permitamos que se reorganicen.

—Sí, quizá haya llegado el momento de informar a Napoleón, pero no hay por qué evacuarlo. Apenas quedan unos minutos para que termine la ópera. Que reciba los aplausos y vítores de sus ciudadanos y que permanezca en su palco. Posteriormente, cuando el público haya abandonado la *Salle Le Peletier*, podremos sacar con más tranquilidad al emperador y la emperatriz. ¿Quién se encarga de decírselo?

—Veo que los dos están en el suelo —dijo Camille—. No se preocupen, ya lo hago yo.

En ese justo instante, el inspector Chevalier soltó a Saint-Amant y, como una pantera, se abalanzó sobre un desprevenido inspector Camille, al que derribó de forma muy aparatosa.

Lagrange también soltó a un desconcertado Saint-Amant y se dirigió al inspector británico. Chevalier lo tenía completamente inmovilizado, bocabajo en el suelo.

—Carlo di Rudio, quedas detenido por el intento de asesinato de nuestro emperador Napoleón.

—¡Esto es un atropello!

—No te esfuerces. Siempre te he tenido en el punto de mira. Has sido la reina blanca, bien situada en el tablero y dispuesta a entrar en acción en el momento oportuno.

El inspector Camille seguía enojado.

—Se equivocan conmigo. El prefecto ya comprobó mis credenciales. Mi documentación es auténtica. Esto levantará ampollas entre nuestros superiores. Pónganse en contacto con el *Home Office* británico.

—Sí, eso es lo que hizo el prefecto y le confirmaron que la documentación a nombre de Charles Camille era auténtica, porque en realidad lo es. Su nombre completo es Carlo Camillo Di Rudio. Supongo que a su llegada a suelo inglés, solicitó documentación y omitió las partes de su nombre por las que era conocido. Así desapareció el conde Carlo di Rudio y apareció un tal Charles Camille. No pierda el tiempo negándolo. Yo no me he puesto en contacto con el *Home Office* porque ya sabía la respuesta que iba a recibir. Mandé dos cables, una a la *Ille du Diable*, donde me informaron de la fuga y del nombre completo de los huidos. Para terminar de confirmar mis sospechas, me puse en contacto con *Scotland Yard*. No conocen a ningún *chief inspector* Charles Camille. No quiero saber qué le habrá ocurrido al auténtico inspector que enviaron.

El conde comprendió que era inútil seguir negándolo.

—Usted no lo entiende ni lo entenderá jamás —dijo el conde di Rudio—. A mí me han detenido, pero tan solo soy una pieza de una gran partida de ajedrez, como le gustaba decir a Felice Orsini. Aún no se ha acabado.

—Desde luego que esta sí —le respondió el inspector—. De otras futuras, ya veremos.

El inspector Chevalier se dirigió a Lagrange.

—Por curiosidad, ¿qué le ha dicho al oído Saint-Amant?

—Tan solo una palabra, Pascale. Es el nombre de mi mujer. Ella también sabía lo de la muerte del caballo blanco de Orsini.

Chevalier sonrió.

—Siempre hay una explicación que se nos escapa —le dijo.

Al oír esa frase, Di Rudio, desde el suelo, sonrió de una manera enigmática.

—Desde luego que sí, pero también siempre hay y habrá gente dispuesta a luchar por la libertad y la unidad del pueblo italiano, incluso más cerca de lo que ustedes se creen.

—Si se refiere a la compañía de la ópera, se van a llevar una buena sorpresa cuando termine la función —dijo Lagrange—. Ese director llamado Simon Bernard me ha parecido fuera de lugar. Podría ser el quinto hombre que siempre he buscado del atentado de enero. Es francés y tiene un porte demasiado distinguido para ser un director de escena. Desentona. Y Lucy, sin duda, tiene el mismo carácter que su padre.

Ahora sí, el conde Di Rudio bajó su cabeza.

¿En señal de derrota?

A pesar de todo, no lo parecía.

95 PARÍS, JUEVES 21 DE OCTUBRE DE 1858

Paul hizo su jugada final como si del tercer movimiento de una apertura se tratara. No mostró la más mínima emoción, ni siquiera levantó la vista para mirar a sus adversarios.

En el palco tan solo quedaban el duque, el conde, Paul y Amélie. Charles había oído el escándalo que se había organizado en el pasillo y había salido a ver qué ocurría.

—Ha sido la mejor ejecución de una partida de ajedrez que he visto en toda mi vida —dijo el conde Isouard, que fue el primero en reaccionar. Se levantó y, haciendo una pequeña reverencia, le dio la mano a Morphy—. Quizá a nuestro lado se siente el emperador de Francia, pero, sin duda, tengo enfrente al emperador del mundo.

—Señor conde, ya sabe que yo...

—Tiene razón —ahora intervino el duque, que no parecía tan contento como el conde, pero sabía distinguir la belleza, incluso en una partida de ajedrez—. Juegas adelantado a los tiempos. Nadie desarrolla las piezas con la maestría y rapidez que tú lo haces. No te importan los sacrificios si ellos te dan ventaja posicional en el medio juego. Hoy en día, la mayoría de los ajedrecistas buscan una mínima ventaja en la apertura, siempre según los cánones de los libros, para consolidarla en el medio juego y luego terminar en un cómodo final. Tú haces lo contrario. Te dan igual las aperturas y los libros porque sabes que estás varios escalones por encima de ellos. Disfrutas jugando y se nota. Esa es la verdadera clave de todo, ¿verdad?

—Me abruman con sus alabanzas, pero el ajedrez es tan solo un juego. Es cierto que me divierte muchísimo y que disfruto jugándolo, pero no soy tan apasionado como ustedes. En eso son mejores que yo. Habrá un día, y no creo que tarde mucho, en que lo deje. En cuanto haya ganado a todos los ajedrecistas como Staunton o Anderssen, quizá pierda la motivación. No les extrañe en absoluto. No soy un fanático, tan solo una persona buscando diversión.

—Pues, en ese caso, el mundo perderá a su primer gran legítimo campeón —dijo el conde—. Estoy seguro de que avasallarás a Anderssen cuando te enfrentes a él. De Staunton no te digo nada, porque no creo que se atreva a jugar contigo, ya que nada tiene que ganar. Además, ya no es lo que un día fue. Lowenthal y Anderssen le han vencido recientemente con facilidad. Ahora parece que le interesa más su faceta de editor, con las obras de Shakespeare. No desesperes con él y céntrate en Adolf Anderssen. Ese sí que merece la pena.

Paul se temía lo mismo, aunque pensaba insistir en su *match* con Staunton. Era consciente de que los meses pasaban y él, en año nuevo, quería estar en Nueva Orleans con su familia.

En ese momento, entró Charles Maurian en el palco.

—No se van a creer lo que ha pasado. Nosotros al lado y no nos hemos enterado. Han intentado asesinar de nuevo a Napoleón. El dispositivo de seguridad acaba de desactivar al cabecilla, un tal conde Di Rudio. Al parecer, el difunto Felice Orsini había dispuesto una ejecución del emperador al ritmo de la partida que estaban jugando ustedes.

—¿Es eso cierto? —dijo un sorprendido duque de Brunswick—. Ni el conde ni yo hemos tenido nada que ver.

—No, no se preocupen, nadie ha sospechado de nosotros.

Paul sonrió y ese gesto, por inhabitual, no pasó desapercibido.

—¿No me digas que tú también sabías eso?

—Pasa una cosa muy curiosa conmigo —empezó a explicarse—. La gente cree que, como no levanto la mirada del tablero, no me entero de lo que sucede a mi alrededor, pero no es así. Casi desde el principio de la partida estaba viendo a Charles Saint-Amant, dos palcos alejado de este, seguir la partida con evidente interés, ayudado de una especie de anteojos. Hasta aquí es normal, ya que también lo ha hecho con muchas de mis partidas en el *Café de la Régence*, incluso con anterioridad en Birmingham. Pero había una cuestión que desentonaba. Estaba ese inspector de policía que acudió al palacio ducal con él, y también parecía excesivamente interesado. Eso me ha llamado la atención y he sospechado que algo ocurría alrededor de la partida.

—¿Y no has dicho nada? —Charles estaba sorprendido.

—¿Para qué? ¿Iba a cambiar en algo el curso de la partida? Eso era lo único que me interesaba.

—Pues casi logran su objetivo. Menos mal que, en el último momento, han detenido a la dama blanca, que era el terrorista italiano ese, el conde Di Rudio —continuó Charles, mientras abandonaba el palco en busca de más información.

—Lo dicho, ha sido un verdadero honor jugar contigo —dijo el duque— Puedes quedarte en mi palacio ducal el tiempo que desees. Ya sabes que Amélie cuidará bien de ti —concluyó, con una pequeña sonrisa picarona.

El conde se despidió con un abrazo.

—Soy consciente de que hemos vivido una parte de la historia del ajedrez —dijo, mientras abandonaba el palco junto con el duque.

Ahora, se quedaron solos en el palco Amélie y el propio Paul.

—Has estado fantástico —dijo Amélie—. Aunque conozco tu juego casi como tú, siempre logras sorprenderme.

—La gente jamás reconocerá tu fuerza —le dijo—. Desde el tablero me daba cuenta de que seguías mi línea de juego. Os escuchaba a Maurian y a ti hablar. Cada vez me parecen más ridículos los prejuicios contra las mujeres. Creo que incluso nos superáis. Quiero que sepas que estoy muy orgulloso de ti.

—¡No me digas! ¡Qué vergüenza!

—Que no te la dé. Juegas mucho mejor que la inmensa mayoría de ajedrecistas a los que me he enfrentado. Espero que algún día nos traten a hombres y mujeres por igual.

—Sabes que eso no ocurrirá jamás. Por cierto, esto me recuerda que tengo que contarle a Napoleón el resultado final de la partida. Es importante.

—No lo hagas —dijo Paul, tomándola por la mano.

—¿Por qué me dices eso? He estado informando al emperador durante todo el desarrollo de la partida. ¿No quieres que se entere de este grandioso final?

—No —contestó lacónico Paul, mirando fijamente a los ojos de su amiga.

Amélie se le quedó observando con un gesto de no comprenderlo.

—Sabes perfectamente que la partida no la ha ganado la dama, que ha sido un sacrificio, un simple señuelo, sino la torre blanca —dijo Paul, sin soltar la mano de su amiga.

—No te entiendo —le respondió una azorada Amélie.

—Es muy sencillo. Prefiero mil veces que seas la dama de Morphy que la torre de Orsini.

Amélie se quedó sin respiración y no fue capaz de articular palabra.

—Los fanatismos, sean del color que sean, tan solo llevan a la miseria humana —continuó Paul—. Mira de dónde venimos. ¿Qué vale la vida de un negro, de un esclavo o incluso de una mujer en Nueva Orleans? Absolutamente nada. ¿Es justo? Por supuesto que no. No hace falta ser adivino para saber que se acerca una gran guerra entre el norte y el sur en Estados Unidos. Yo tendré que combatir por el sur, cuando no comparto ninguno de sus valores. ¿Es justo? La respuesta sigue siendo negativa. En Europa también se viven tiempos convulsos, pero la solución no está en los fanatismos, vengan de donde vengan. Aunque redoblen sus esfuerzos, han acabado por olvidar el verdadero sentido de la vida. Tú no mereces eso.

A Amélie le asomaban unas tímidas lágrimas por sus ojos, pero seguía en silencio. Paul continuó su discurso.

—La esencia del fanatismo reside en el deseo de obligar a los demás a cambiar a la fuerza. No te pido que cambies, tan solo deseo que seas la misma Amélie de toda la vida. Desde nuestra infancia, siempre has sido mi dama, no una simple torre de un loco chalado. ¿Qué eliges? Te garantizo que nadie más que nosotros lo sabrá jamás.

—A pesar de conocer todo eso, ¿aún quieres...? —empezó a preguntar Amélie.

Paul no dejó que terminara su pregunta y la abrazó como nunca lo había hecho antes. Ella, sin poder evitarlo, le dio un beso tan bello como la partida de ajedrez que había disputado.

El ajedrez es muy parecido al amor. Siempre debes saber qué movimientos hacer, cuando efectuarlos y que piezas defender. Pero, sobre todo, nadie ha ganado una partida abandonándola.

Eso es precisamente lo que acababa de hacer Paul.

Defender y no abandonar a su dama.

FIN

Jaque a Napoleón

El gran campeón americano **Bobby Fischer** idolatraba a Paul Morphy y fue quien mejor resumió la magnitud de dicho ajedrecista en una sola frase. Una vez, durante la ascensión de Fisher en los años sesenta del siglo XX, le preguntaron qué ocurriría si Morphy resucitase y jugase en las competiciones modernas, en las que el ajedrez estaba más avanzado y era muchísimo más complejo que el ajedrez primitivo del siglo XIX. La respuesta de Bobby Fischer lo dice todo:

«Si Morphy jugase hoy, necesitaría unos meses para ponerse al corriente de la teoría... y después se convertiría en campeón del mundo».

Sirva la presente novela como homenaje a Paul Morphy y como demostración de lo que el fanatismo puede causar en personas con mentes brillantes como Felice Orsini.

Apuntes históricos finales

Paul Morphy jamás se enfrentó a Howard Staunton. El campeón inglés, finalmente, no hizo honor a su palabra y no se atrevió, suponiendo que sería derrotado con facilidad. Sin embargo, Morphy se enfrentó a Charles Saint-Amant, el campeón francés, derrotándolo con facilidad. También se midió al que era considerado el ajedrecista más fuerte de su época, Adolf Anderssen. El enfrentamiento tuvo lugar a finales del mes de diciembre de1858. El resultado lo dice todo. Disputaron once partidas, siete ganadas por Morphy, dos por Anderssen y dos acabaron en tablas. Anderssen, después de no tomarse demasiado bien su derrota frente a aquel jovenzuelo americano de apenas 21 años, declaró que Morphy era el mejor jugador del mundo.

Poco después, Paul regresó a los Estados Unidos de América. Durante unos meses se dedicó a jugar al ajedrez por todo su país, derrotando a todos sus oponentes. **En mayo de 1959, James Walker, presidente de la prestigiosa universidad de Harvard, lo proclamó "campeón del mundo", aunque ese título no existiera oficialmente.** En Europa ya lo había demostrado. Unos meses después, con tan solo 22 años de edad, abandonó la práctica del ajedrez. Jamás volvió a disputar ninguna partida. Como él mismo dijo durante toda su vida, "cuando me aburra, lo dejaré". Y lo hizo.

Participó en la Guerra Civil Americana en el Ejército Confederado del Sur. Durante cuatro años combatió por unas ideas en las que no creía, entre ellas la esclavitud. Sus últimos años fueron muy difíciles. Sus excesos le pasaron factura y tuvo serios problemas psiquiátricos que le llevaron al abandono de su actividad como abogado. Triste y desquiciado, el 10 de julio de 1884, con tan solo 47 años, Paul Morphy fue encontrado muerto en la bañera de su casa.

La novela del escritor estadounidense Walter Tevis, "**The Queen's Gambit", fue inspirada por Morphy**. Convertida en exitosa serie de TV por Netflix, la protagonista, Elizabeth (Beth) Harmon, interpretada brillantemente por Anya Taylor-Joy, en realidad, era un reflejo de la vida y juego de Paul Morphy.

CLUB VIP

Si has leído alguna de mis novelas, creo que ya me conoces un poco. **Siempre va a haber sorpresas y gordas.**
Si quieres estar informado de ellas y no perderte ninguna, te recomiendo apuntarte a mi club, llamado, cómo no, **Speaker's Club**.

Es gratuito y tan solo tiene ventajas: regalos de novelas y lectores de ebooks, descuentos especiales, tener acceso exclusivo a mis nuevas novelas, leer sus primeros capítulos antes de ser publicados, etc.

Lo puedes hacer a través de mi web y no comparto tu email con nadie:

www.vicenteraga.com/club

REDES SOCIALES

Sígueme para estar al tanto de mis novedades

Facebook

www.facebook.com/vicente.raga.author

Instagram

www.instagram.com/vicente.raga.author

Twitter

www.twitter.com/vicent_raga

BookBub

www.bookbub.com/authors/vicente-raga

Goodreads

www.goodreads.com/vicenteraga

Web del autor

www.vicenteraga.com

RESEÑAS

Para los autores independientes es muy importante que escribas una reseña de nuestras novelas. Tienen más importancia de lo que te puedes imaginar.

Para ti es tan solo un momento, pero con ellas apoyas la cultura.

SI TE HA GUSTADO LA NOVELA, POR FAVOR, ESCRIBE UNA RESEÑA

Si, por el contrario, no te ha gustado o quieres ponerte en contacto conmigo, puedes mandarme tu comentario a:

www.vicenteraga.com/contacto

SERIE DE NOVELAS «LAS DOCE PUERTAS» Y BILOGÍA «MIRA A TU ALREDEDOR»

Todas las novelas pueden ser adquiridas en los siguientes idiomas y formatos

ESPAÑOL

Formato eBook
Formato papel tapa blanda
Formato tapa dura (edición para coleccionistas)
Audiolibro

ENGLISH

eBook
Paperback
Hardcover (Collector's Edition)
Audiobook (coming soon)

Todas disponibles en ***Amazon***

Las doce puertas (Parte I)
The Twelve Doors (Parte I)

Nada es lo que parece (Parte II)
Nothing Is What It Seems (Part II)

Todo está muy oscuro (Parte III)
Everything Is So Dark (Part III)

Lo que crees es mentira (Parte IV)
All You Beleive Is a Lie (Part IV)

La sonrisa incierta (Parte V)
The Uncertain Smile (Part V)

Rebeca debe morir (Parte VI)
Rebecca Must Die (Part VI)

Espera lo inesperado (Parte VII)
Expect the Unexpected (VII)

El enigma final (Parte VIII)
The Final Mystery (Part VIII)

BILOGÍA / DUOLOGY «MIRA A TU ALREDEDOR» "LOOK AROUND YOU"

Mira a tu alrededor (Parte I)
Look Around You (Part I)

La reina del mar (Parte II)
The Queen of the Sea (Part II)

Made in the USA
Columbia, SC
05 August 2023

21217630R00389